看護学テキスト NiCE

老年看護学技術

最後までその人らしく生きることを支援する

改訂第4版

編集 真田弘美 正木治恵

南江堂

執筆者一覧

◆ 編 集

| 真田　弘美 | さなだ　ひろみ | 石川県立看護大学 |
| 正木　治恵 | まさき　はるえ | 千葉大学大学院看護学研究院 |

◆ 編集協力

| 大江　真琴 | おおえ　まこと | 金沢大学医薬保健研究域保健学系 |

◆ 執 筆 （執筆順）

真田　弘美	さなだ　ひろみ	石川県立看護大学
山本　則子	やまもと　のりこ	東京大学大学院医学系研究科健康科学・看護学専攻
卯野木　健	うのき　たけし	札幌市立大学看護学部
貝谷　敏子	かいたに　としこ	札幌市立大学看護学部
田中　靖代	たなか　やすよ	ナーシングホーム気の里
東村　志保	ひがしむら　しほ	湘南医療大学保健医療学部看護学科
松本　勝	まつもと　まさる	石川県立看護大学
大江　真琴	おおえ　まこと	金沢大学医薬保健研究域保健学系
加藤真由美	かとう　まゆみ	金沢大学医薬保健研究域保健学系
勝野とわ子	かつの　とわこ	岩手保健医療大学看護学部
須釜　淳子	すがま　じゅんこ	藤田医科大学社会実装看護創成研究センター
大桑麻由美	おおくわ　まゆみ	金沢大学医薬保健研究域保健学系
川島　和代	かわしま　かずよ	石川県立看護大学
清水　詩子	しみず　うたこ	新潟大学大学院保健学研究科
松本佐知子	まつもと　さちこ	日本赤十字看護大学さいたま看護学部
田中　久美	たなか　くみ	筑波メディカルセンター病院看護部
四谷　淳子	よつや　じゅんこ	福井大学学術研究院医学系部門看護学領域
高井ゆかり	たかい　ゆかり	群馬県立県民健康科学大学看護学部
仲上豪二朗	なかがみ　ごうじろう	東京大学大学院医学系研究科健康科学・看護学専攻
西山みどり	にしやま　みどり	有馬温泉病院看護部
田髙　悦子	ただか　えつこ	北海道大学大学院保健科学研究院
齋藤　君枝	さいとう　きみえ	千葉科学大学看護学部
谷口　好美	たにぐち　よしみ	金沢大学医薬保健研究域保健学系
平松　知子	ひらまつ　ともこ	金沢医科大学看護学部
山田　正己	やまだ　まさみ	帝京科学大学医療科学部看護学科
正源寺美穂	しょうげんじ　みほ	金沢大学医薬保健研究域保健学系
糸井　和佳	いとい　わか	帝京科学大学医療科学部看護学科
吉田　俊子	よしだ　としこ	聖路加国際大学大学院看護学研究科
鈴木　峰子	すずき　みねこ	群馬県立県民健康科学大学看護学部
紺家千津子	こんや　ちづこ	石川県立看護大学
赤瀬　智子	あかせ　ともこ	横浜市立大学大学院医学研究科看護生命科学分野
峰松　健夫	みねまつ　たけお	石川県立看護大学
北村　言	きたむら　あや	東京大学大学院医学系研究科健康科学・看護学専攻

はじめに

　前回の改訂から3年が経過した．この間に起きた新型コロナウイルス感染症（COVID-19）の世界的大流行は，人々の生活を激変させた．とくに高齢者は，感染による健康への影響にとどまらず，自粛生活に起因する，運動不足による身体機能の低下や人と会う機会が減ることによる記憶力の低下，さらには生きがいの喪失に至るまで大きな影響を受けている．また，医療の在り方も変化を余儀なくされた．とくに遠隔医療をはじめ，AI（人工知能）やIoT（モノのインターネット）等のICT（情報通信技術）の重要性が注目されるようになった．

　本書は2011年に刊行されて以来，解剖・病態生理から学び，根拠に基づいて示した看護実践，新しく開発された看護技術の実装という点を大切にしてきた．このようなコンセプトが，学生にとって，変わりゆく社会のニーズに適用し，最適な看護技術を提供できる基礎力を修得する一助となることを願っている．

　今回の改訂ではウェルネス，自立（自律），セルフケアの視点をいっそう大切にした．フレイルの概念は可逆的で，良い状態を維持しようという考えに基づいており，本人の努力やケアで健康を取り戻すことができることを意味する．これからの老年看護は，自立・自律に向けた支援，在宅で生きていくための支援，セルフケア（セルフマネジメント）支援がますます重要になるといえよう．

　また，看護師国家試験出題基準を踏まえ，第Ⅲ章「高齢者の生活と看護—加齢変化とフィジカルアセスメントの技術」では「循環」の節，および「清潔」の節内に「衣生活」の視点を，第Ⅴ章「高齢者に特徴的な疾患と看護—事例による展開」では「慢性心不全」の節を追加した．さらに，各種データや厚生労働省等の指針，各学会のガイドラインの更新を反映した．

　最後に，本書の企画にご賛同いただいた執筆者の方々，改訂にご尽力いただいた南江堂の皆様に心から感謝を申し上げるとともに，本書を通して，高齢者の自己実現の大切さがより多くの学生に伝わり，誰もが幸せに老いることができる社会の実現に寄与できれば幸いである．

2023年1月

真田弘美
正木治恵

初版の序

　超高齢社会を迎え，高齢者を対象とした看護のニーズが高まっている．一方で，要介護高齢者の増加が社会的問題となっており"いかに最後までその人らしく生きるか"，つまり単に"長く"生きるだけでなく，その"質"が問われる時代となった．そのような価値観の確立は，看護の考え方にも例外なく影響を及ぼしている．

　本書は，基礎看護教育課程にある学生が老年看護を学ぶにあたり，看護師が専門技術を提供するさいに必要となる基本的な視点と，看護の構成概念についてまとめている．その目的は，①老年看護の対象である高齢者の健康状態が本人の社会生活にどのような影響を与え，②高齢者にはどのような機能障害と潜在的な強みがあり，③どのような看護技術を提供することによって，より"その人らしい生活"の実現を支援できるか，ということの理解をはかることにある．そのために，可能なかぎり新しい知見に基づき，論理的な思考過程の展開のもと，学生が習得すべき必要な技術をわかりやすく紹介した．

　本書では，あらゆる健康レベルにある老年期の人々を，自らの力を発揮しつつ社会で生活する存在としてとらえている．年齢を重ね，さまざまな心身の機能障害に適応しながら自己実現を希求する人々に対し，看護師は，それぞれが最善の健康状態を保ちながら生活を営み続けられるよう，専門技術を提供して支援する役割をもつ．いわば看護師は，高齢者の生活に視点の基盤を置いて支援する"専門職"であり，その専門性の裏打ちは，看護介入の具体的手段である"看護技術"にあるといえるだろう．看護の核心ともいえる看護技術は，その具体的な過程において，当然，明確な目的と根拠をもって意図的に用いられるべきものである．本書では，看護技術を学ぶさいして，その専門技術の独自性と全体像を示すとともに，そこから臨床現場で応用することが可能な発展的な理解につなげることができるように，以下の点で工夫している．

本書の特長

1. **高齢者の生活機能の視点から考える（第Ⅲ章）**：人間の日々の営みを構成する，呼吸，食事，排泄，などの"生活機能"別に項目立てし，加齢にともなう生活機能障害の特徴，その原因（関連する疾患も含める），そして生活機能の不充足を満たす具体的な看護を，看護過程の展開のなかで紹介している．

2. **老年症候群の視点から考える（第Ⅳ章）**：高齢者に特徴的な，起立歩行障害，感覚機能障害，摂食・嚥下障害，などの"老年症候群"別に項目立てし，その原因（疾患を含む）とともに，それらの障害が具体的にどのように高齢者の生活に影響し，また，いかに高齢者自身がセルフケアによって損なわれた生活機能を補いうるか，さらに，それらの理解を前提とする看護が行うべき「予防」または「治療」について，同様に看護過程の展開のなかで紹介している．

3. **代表的な疾患について事例を展開する（第Ⅴ章）**：事例により，治療や健康レベルに応じた看護技術の展開を示すとともに，高齢者がもつ潜在的な力（強み）へのアセスメントの視点を具体的に記述し，健康状態の維持や予防的な健康行動につながる看護介入の発展性を示している．

4. **個々の項目の特徴について**：老年期に現れる健康状態について，病態生理と症状による生活機能障害の性質および生活への影響とのつながりを示し，そこから生じる高齢者のニーズと期待される看護の機能および具体的な方法を明示している．具体的には，

①**疫学データを示す**：老年期によくみられる症状や重要な疾患について，それぞれの疫学データや関連する施策の動向を示し，高齢者の健康状態について社会レベルでの理解を促す．

②**基本的な病態生理をおさえる**：図や写真を活用し，症状や疾患における基本的な病態生理をわかりやすく解説する．

③**看護技術による介入の目的とプロセスを重視する**：それぞれの介入技術について根拠とそれによって現れる影響や評価の方法を示し，看護介入の明確な目的性と思考プロセスの重要性を強調する．

　世界に類をみない超高齢社会を迎えたわが国において，誰もが幸せに老いることのできる社会の実現に向けて，本書がおおいに活用され，自己実現の大切さが，より多くの学生に伝わることを願っている．

　最後に，本書の企画にご賛同いただいた執筆者の方々，企画から刊行までご尽力いただいた南江堂の皆様に心から感謝したい．

2011年6月

真田弘美
正木治恵

目　次

第Ⅲ章　高齢者の生活と看護
——加齢変化とフィジカルアセスメントの技術 ········ 31

『老年看護学概論(改訂第4版)』 主要目次

第 I 章

現代の高齢者と
その理解

学習目標

1. 高齢者の発達的特徴について理解する
2. 高齢者と環境について理解する
3. 高齢者の健康について理解する
4. 1〜3をふまえ，高齢者の看護について理解する

高齢者の理解

　日本は，健康寿命・平均寿命ともに世界を代表する長寿国である．2007年には超高齢社会を迎え，2018年には100歳以上の百寿者（ひゃくじゅしゃ）は6万9千人を超えた．老年人口の増加に伴って老年期の多様性と個別性は拡大し，さまざまな生活史をもつ人々がそれぞれの価値観をもって生活している．生活史は，個人と周囲とのかかわりあいのなかから生まれた行動規範がさまざまなライフイベントを経て生み出す史実であり，個人が属する社会や文化と影響を及ぼし合い，その一側面において社会のありかたを問うものである．いまや，個人や社会にとって刻々と重大性が問われる老年期について，新たな学問体系や政策のめまぐるしい変化が生じているが，看護においても例外はない．老年期への対応は，長寿先進国として新たな挑戦のときを迎えており，多様な学問との関連のなかで看護の機能の拡大や発展が望まれている．

　この章では，多様性と個別性が拡大する老年期を生きる人々について，人，環境，健康の3つの視点から理解し，現代における老年看護の目標を明らかにする．

A. 高齢者の発達的特徴

1 ● 老化とは

　高齢者は，老年期を生きる人々であり，生理的，心理的，社会的に年を重ね，それぞれの側面において老いの性質を鮮明に現す存在である．発達期を過ぎ，機能の低下が始まる成人期以降にみられる心身の変化を，**老化**（aging）という．

　生物学的な老化とは，年を経るごとに生体の生理機能が変化することである．通常，老化は不可逆的に進行し，最終的には**ホメオスタシス***の低下から死にいたる．老化のプロセスには，**正常老化**（normal aging）と**病的老化**（pathological aging）が存在する．正常老化とは，慢性疾患や環境に関係なく時間の経過のみによって生じる生理的な変化である．一方，病的老化とは，正常老化と疾患・環境との交互作用によって生じる変化をいう．これらの変化は，遺伝的要因のほか，食事，環境，習慣などの個別的な要因による影響を受け，さまざまな様相を示す．それらの要因を明らかにし，老化との関連性をコントロールすることで，老化による変化を遅らせたり，疾患などの有害性を回避したりすることができると考えられている．

　老化は，加齢に伴って一様に機能の低下を呈するものではない．たとえば，知能には**流動性知能**と**結晶性知能**があるが[1]，新しい環境に対して柔軟に適応するための情報処理能力である「流動性知能」が比較的早期に低下するのに比べ，過去の学習や経験によって形

---

* ホメオスタシス（homeostasis）：恒常性．身体の成分や生理機能が，心身状態や外部環境の変化に応じて変化しながらも一定に保たれている現象．

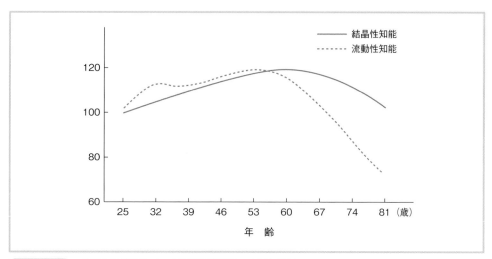

図Ⅰ-1-1　「結晶性知能」と「流動性知能」の発達曲線
縦軸は25歳の対象者の結果を100点として換算した値を示す.
〔Schaie KW：The course of adult intellectual development. American Psychological Association **49**（4）：304-311, 1994より筆者が翻訳して引用〕

成された知識, 判断力, 習慣の集大成からなる「結晶性知能」は, 80歳を過ぎるまで良好に維持される（**図Ⅰ-1-1**）.

　しかし,「老化」について語るとき,「老」という文字がネガティブなイメージとしてとらえられることが少なからずあるだろう. 元来「老」という文字は,「老練」「老中」「老舗」などのように, 年を重ねて得られた卓越した知恵に対する敬意が込められたものであるが, 一方では「老い」に対して根強い固定観念や先入観があり, **エイジズム**（agism, **年齢差別**）を生じさせている. ただ老いているがゆえに向けられる差別によって, 高齢者は社会的に隔離され, 不利益をこうむり, 同時に"卓越した知恵"が社会的に認められ, 存分に発揮される機会が失われる. 社会がエイジズムを克服するためには, 老化のプロセスやその社会生活が多様であり, 個別的であることを知ることによって, 高齢者について偏りない認識をもつことが必要である.

2● 老年期の発達と成長

　老年期は, 身体機能の低下や容貌の変化, 仕事などの従来の役割からの離脱, 親しい人との死別など, さまざまな喪失を経験するライフステージである. また同時に, 高齢者は喪失の体験を通じて成長する存在である.

　エリクソン（Erikson EH）は, 長年にわたる臨床の分析から人生のライフサイクルを8段階で示し, 各段階において同調傾向と失調傾向の葛藤から特有の強さを獲得して発達を遂げるとする漸成（epigenesis）の理論を提唱した（**図Ⅰ-1-2**）. エリクソンのライフサイクルにおける老年期の葛藤は,「統合」と「絶望」である.「統合」とは, 過去のライフサイクルのすべてを統合しようとする努力を指し, その多面的な性質がひとりの人格として発展的に集約されていくことを意味する. また「絶望」とは, 自分が存在しなくなることへの恐怖を指す. つまり, 高齢者は身近に迫った死を感じながら, これまでの人生を振

老年期								統合 対 絶望 英知
成年期							生殖性 対 自己没入 世話	
成年前期						親密性 対 孤独 愛		
思春期					アイデンティティ 対 混乱 忠誠			
学童期				勤勉性 対 劣等感 才能				
遊戯期			自発性 対 罪悪感 決意					
児童初期		自律 対 恥と疑惑 意志						
幼児期	基本的信頼 対 基本的不信 希望							

図Ⅰ-1-2　エリクソンのライフサイクルにおける発達課題

ライフサイクルのそれぞれの時期で直面する葛藤概念と，それを克服するために必要な概念を表す．たとえば，学童期においては，「勤勉性」と「劣等感」の間で葛藤し，ある「才能」を獲得することで葛藤を克服し成長を遂げる，とみる．
[エリクソンEH，エリクソンJM，キヴニックHQ：老年期—生き生きしたかかわりあい（朝長正徳，朝長梨枝子訳），p.35，みすず書房，1990より引用]

り返って追体験することで，自分自身と対面し，「英知」を獲得してさらなる成長を遂げると考えられている．

　バルテス（Baltes PB）は，高齢者は多くの喪失を体験するが，若いころとは異なる目標をもち，あるいは目標を適切に絞り込むことができ，経験が豊かであるがゆえにその目標の実現のためにもっとも適切な方法を選択することができ，また，新しい資源を利用して失った機能を補うことで，高齢者を取り巻く状況に適応し，成長すると考えている[2]．たとえば，ピアニストであるルービンシュタイン（Rubinstein A）の指は加齢に伴って動きが鈍くなったが（喪失），若いころのように速く弾くことを目標とはせず，演奏する曲目を減らし（目標の選択），その限定した曲目の練習時間を増やした（手段の最適化）．そして，全体的にテンポを遅くすることで，指の動きが鈍くても速いパートが弾けているような演出をし，演奏の質を維持した（補償）．つまり，高齢者は，そのライフステージにおける新たな変化の局面に対し，人生経験を通じて得られた独自の知恵と技を総動員し，自分の老化を自覚するなかでもっともふさわしい手段を講じることにより，若いころと遜色なく自らを社会生活に適応させる潜在能力をもつ．さらに，高齢者とは，自らの喪失をも包容して価値観を発展させ，統合的な人格として発達することで，その人らしく生き続

ける存在である.

B. 高齢者と環境

1 ● 環境に対する反応

　　人間の生命活動は，周囲のさまざまな環境による影響を受けている．老年期には，老化に伴って生体の機能が低下し，物理的な環境の変化に対して恒常性を維持するための**予備力***が小さくなるため，環境から受ける影響が相対的に大きくなる．とくに慢性疾患を有する高齢者の場合は，その傾向が顕著であり，環境の変化によって生体のホメオスタシスは容易に破綻し，さらに慢性疾患が進行するという悪循環から全身的な機能不全を起こして危機的な状況に陥りやすい．よって，高齢者が健やかに老い，活動を維持してその人らしく生活するためには，まず健康を障害する環境要因を排除し，日常生活機能を支える心身の予備力を維持することが重要である．また病に罹患した場合には，回復を妨げる環境要因を抑制し，さらに回復を促進する環境要因を積極的に取り入れることで，高齢者自身の生命力が最大限に発揮されるように援助することが重要である．

2 ● 高齢者を取り巻く社会的環境

　　人間は，家族や地域，国などのさまざまなレベルのコミュニティに属し，役割を担い，健康や活動のレベルによらず，互いに影響を及ぼし合う存在として生きている．高齢者の場合，社会的環境の様相は，それぞれの高齢者の生活史や焦点とする活動によって異なる．たとえば，疾病によって運動機能に制約がある在宅療養中の高齢者の場合は，もっとも身近な家族から排泄や食事などの日常生活活動の手助けを受け，利用可能な介護保険などの社会的サービスを活用し，それぞれ独自の関係を保って自立と依存のバランスをとりながら生活している．

　　このような社会的環境にある高齢者に対し，看護師がケアの対象としてかかわるさいには，生活の自立を支える周囲の環境を把握し，高齢者とその家族の関係を仲介して介護にかかわる高齢者の調整力や自己決定力を高めたり，社会福祉士や介護支援専門員を通して介護力や経済力に見合った新しい社会資源サービスを導入し，スムーズな日常生活機能の向上がはかれるように支援する．近年，在宅療養の場では**老老介護**が家族介護の大半を占め，介護負担は介護心中や虐待のリスクをはらむ深刻な社会問題となっている．在宅高齢者の場合には，要介護度が高いほど家族介護者へのストレスが大きく，また特定の介護者へ負担が偏重して孤立する傾向があるため，看護師のかかわりによって介護負担を軽減し，社会資源などを利用しながら，継続的なかかわりを保つことが重要である．高齢者またはその家族が意思決定をするさいには，周囲を取り巻く社会との双方向的で対等な関係性が保たれることを意識し，高齢者とその家族の希望が表出され，主体的な選択が実現できるように支援する．看護師自身も，高齢者の健康に対し，有益・有害を問わずさまざまな影響を及ぼしうる環境因子として存在し，ときには意識レベルや認知機能が低下した人

---

* 予備力：人のもつ最大限の運動・生理機能の能力と通常生活時の能力との差.

の代弁者としての役割を担うため，個人の権利を擁護し，尊厳を重んじる態度が求められる．

　2019年11月に中国武漢市で初めて確認され，日本においても大流行した新型コロナウイルス感染症（COVID-19）は，高齢者とその家族にとって大きな環境の変化をもたらした．三密を避け，ソーシャルディスタンスを保つ**新しい生活様式**のもとでは，高齢者の自立度は低下する可能性がある．デイサービス等の介護事業所ではしばしばクラスター感染が起こり，在宅介護サービスを担う介護者を通して在宅で療養している高齢者に感染が拡大する可能性もある．また，新型コロナウイルス感染患者として入院した場合，家族ですら面会は許可されず，最期をともにできないことも起きている．今後は，このような社会的環境の変化に対しICT（information and communication technology，情報通信技術）などを活用し，高齢者にとっても有用な新たな社会環境を構築していく必要があるであろう．

C. 高齢者の健康

1 ● 生活不活発病（廃用症候群）

　老年期には，特徴的な健康状況が存在する．たとえば，高齢者は，日常生活機能の低下によって生活自立度が徐々に障害され，閉じこもりや認知機能の低下につながり，寝たきりにいたることが知られている[3,4]．罹病率や死亡率は，80歳以上で急増する．1984年に世界保健機関（WHO）は，生活自立度の障害が健康レベルの低下につながる傾向に注目し，老年期の健康指標として日常生活機能の自立が重要であるとして，その観点から健康寿命の延伸を推し進めている．

　日常生活の不活発から生じる全般的な心身機能低下を，**生活不活発病**あるいは**廃用症候群**という．生活不活発病は心身機能の低下を徴候とするが，日常生活における活動性や社会的関係が相互に影響して生じる悪循環を伴うのが特徴である．よって，生活不活発病を予防するためには機能低下や疾患のみに注目するのではなく，まず，社会のなかで生活する高齢者の全体像を偏りなくとらえ，日常生活機能に影響を及ぼすさまざまな因子を見出し，それぞれについて働きかける必要がある．あらゆる健康レベルにある高齢者の"生活する全体像"をとらえる方法として，WHOの**国際生活機能分類**（International Classification of Functioning, Disability and Health：**ICF**）が推奨されている（**図Ⅰ-1-3**）．

2 ● 老年症候群

　高齢者の心身には，老化に伴って特有の症状や障害が現れ，年齢とともに発症率が高くなり，80歳以上で急増する．それらを総称して**老年症候群**といい，何らかの対処が必要となる．老年症候群は多彩である．とくに歩行障害，精神機能の低下，排泄障害（尿失禁），低栄養が代表的であり（**図Ⅰ-1-4**），これらをきっかけとして，"閉じこもり"につながることが知られている．低栄養による筋肉減少症（**サルコペニア**）により筋力が低下し，さらなる栄養状態の悪化，活動量の低下等の悪循環を起こす．これを虚弱（**フレイル**）化のサイクルといい，要介護状態にいたるきっかけとなる．老年症候群が高齢者の死因として統計に表れることはないが，生命にかかわる疾患の病因や増悪の因子として，潜在的か

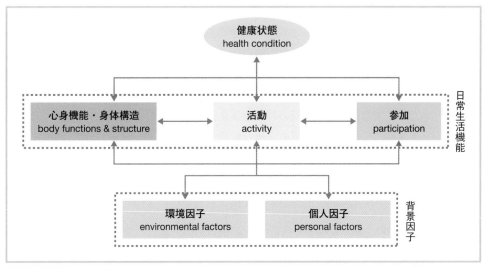

図Ⅰ-1-3　国際生活機能分類（ICF）モデル（WHO, 2001年）
ある特定の領域における個人の生活機能は，健康状態と背景因子（すなわち，環境因子と個人因子）との間の，相互作用あるいは複合的な関係とみなされる．概念の枠組みには，障害過程における背景因子の役割が示されている．これらの背景因子は，健康状態と相互作用して，その人の生活機能の水準と程度を決定する．環境因子は，個人にとって外部のもの（例：社会の態度，建築物の特徴，法制度）である．一方，個人因子は性別，人種，年齢，体力，ライフスタイル，習慣，困難への対処方法などの因子が含まれている．

図Ⅰ-1-4　老年症候群
廃用症候群を中心に，つまりそれをきっかけとしながら，歩行障害，低栄養，排泄障害などの老年症候群を生じる．

つ複合的に関与し，悪循環を招き，健康状態の不可逆的な低下を引き起こす．よって老年症候群の予防は，高齢者保健や医療の重要な課題といえる．

　老年症候群を予防するためには，高齢者の正常な老化と病的な老化について理解し，またそれらの差異を見極めたうえで，そのなかでも病的老化の徴候へ早期に対処する必要がある．とくに，老年症候群が出現するリスクが高い高齢者や後期高齢者については，老年症候群に関連した健康状況を把握する方法として，**高齢者総合機能評価**（comprehensive geriatric assessment：**CGA**）の活用が推奨されている（p.29，**図Ⅱ-2-1**，**表Ⅱ-2-6**参照）．

3 ● 老年病

　老年期に顕著にみられる疾患を，**老年病**または**老年疾患**という．代表的な老年病には，悪性腫瘍，虚血性心疾患，脳血管障害，糖尿病，骨粗鬆症，認知症などがあり，生命を脅かす重篤な疾患だけでなく，慢性疾患が多く含まれる．また，無痛性の心筋梗塞や発熱に乏しい肺炎など，同じ疾患であっても若年層とは異なる臨床像を示す場合があり，看護にあたって老年期特有の疾病の特徴をふまえる必要がある．

　老年期の疾病には，以下のような特徴がある．

老年期の疾病の特徴

①症状が非定型的で臨床検査の正常値が若年者とは異なるため，発見や対処が遅れやすい

②生体の予備力が低下しているために合併症が起こりやすく，また，複数の臓器障害によって病状が急変・重篤化しやすい

③慢性疾患が多く，完治することが少ない

④社会的環境によって，予後が大きく左右される

⑤生活機能障害が生じた場合は要介護状態への対応が必要になり，本人とその家族の生活の質（quality of life：QOL）に著しい影響を与える

　また，すべての人が遠くない将来に終末期を迎えることも，老年期の大きな特徴である．慢性疾患や機能障害をもちながら生活する高齢者の看護では，病態や病期に応じた対応に加え，死が訪れる瞬間まで，すべての健康のレベルにおいて最善の生活を実現する視点から支援を展開する必要がある．このような老年看護の理論的基盤として，ウェルネス（wellness）の概念が重要である．

引用文献

1) Schaie KW：The course of adult intellectual development．American Psychological Association **49**（4）：304-311，1994
2) Smith J，Baltes PB：Wisdom-related knowledge：Age/cohort differences in responses to life planning problems．Developmental Psychology **26**（3）：494-505，1990
3) 河野あゆみ，金川克子：地域障害老人における「閉じこもり」と「閉じ込められ」の1年後の身体・心理社会的変化．日本老年看護学会誌 **5**（5）：51-58，2000
4) 新開省二，藤田幸司，藤原佳典ほか：地域高齢者におけるタイプ別閉じこもりの予後—2年間の追跡研究．日本公衆衛生雑誌 **52**（7）：627-638，2005

2 高齢者の看護

A. 老年看護の理論と原則

1 ● ウェルネス理論

　高齢者は，老化や疾患などによる心身の変化に対し，さまざまなライフイベントのなかで培われた潜在的な強みを発揮し，適応している．また，多様な生活用品や医療・福祉サービスなど，社会的な資源を利用して老化や疾患によって失われた機能を補完し，それぞれの日常と社会生活を営んでいる．このような高齢者に対する看護を考えるとき，単に病的な状況からの回復過程に焦点をおくのではなく，慢性的な症状や障害をもちながらも社会生活を実現する全体像や，健康関連のイベントを含めた統合的な発達過程という視点が必要になる．

　米国の統計学者であり公衆衛生医であるダン（Dunn HL）は，近代から現代にかけて，平均寿命の延伸とともに死因となる主要疾患が感染症から慢性疾患へ変化したことをふまえ，健康状況の新しいとらえ方を提唱した．それは，疾患や障害がある状況でもよりよい健康の状態に注目しようとする，**ウェルネス（wellness）**の考え方である．

　ウェルネス理論は 1947 年，WHO による全体的（holistic）な健康の概念と，**マズロー（Maslow AH）のニード論**を根底におく．ウェルネス理論において，人間はそれぞれの自己実現を志向し，全体として成長する存在である．ウェルネスとは，「個人がもつ潜在力の発揮を志向する様式」であり，どのような心身の状況にある人でも，もっている潜在力を最大限に発揮することによって，それぞれの自己実現（ウェルネスの達成）が可能であると考える．たとえば，罹患などの危機的状況に遭遇したとき，この状況について新たに対処する方策を自らの強みのなかに見出すことで人は潜在的に成長し，その意味において病前より高次の機能を獲得して**ハイレベル・ウェルネス（high-level wellness）**を達成することができる（**図Ⅰ-2-1**）．医療を含む社会的サービスは，健康関連のイベントに遭遇した個人のダメージを最小限にして回復力を助け，よりよい健康レベルへの到達を支援するとともに，社会復帰における潜在力を高め，より活動的な自己実現を可能にするものとしてウェルネス理論のなかに位置づけられるだろう．

　また，ウェルネスの達成を通じて，人は価値観の転換・拡大による人格の適応を経験する．つまり，ウェルネスを主体的に知覚することで，それぞれの健康状況を意味づけ，価値のあるものとしてとらえ，それまでの価値観を転換し，また拡大して自尊心を向上させることができる．

　ウェルネスの理論は，常にその時点の健康状況を思考や行動の起点とする．この点において，病への罹患を始まりとする健康問題のとらえ方とは大きく異なる．老化や疾患によって身体機能が低下し，慢性的な症状をもつ高齢者に対して疾患的側面に焦点を当てた

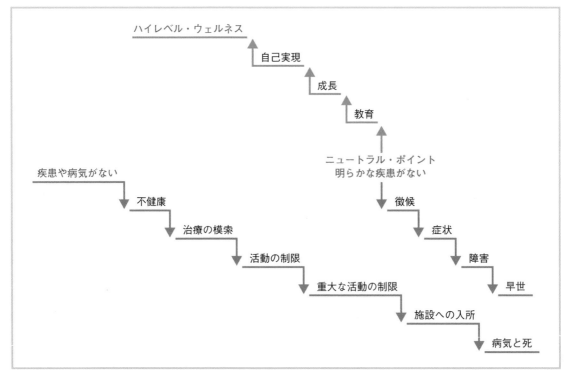

図I-2-1　従来の疾患を中心とした考え方とウェルネス／健康の比較

伝統的な医学モデル（下の軌跡）では，悪化に焦点を当て，健康に対して，もっぱらネガティブな下向きの軌跡をたどるという特徴がある．一方，ウェルネスモデル（上の軌跡）では，あらゆる人間にその時点で可能な範囲内のウェルネスを位置づけ，ポジティブな方向に上昇・移動することを想定している．

［Ebersole P, Hess P：Toward Healthy Aging：Human Needs and Nursing, 4th Ed, p.54, Mosby-Year Book, 1994より筆者が翻訳して引用］

場合，老年期における変化は不可逆的な健康悪化の途上であり，**死につながる衰退**（senescence）である．しかし，ある健康状況を起点にしたウェルネスの考え方によれば，高齢者は，死が訪れる瞬間まで自らの潜在力による自己実現を志向し，最善のウェルネスと最適健康を実現して成長する存在ととらえることができる．ウェルネス理論は，あらゆる健康のレベルにある老年看護の対象について，それぞれの適応と自己実現を可能にし，健康を通じた統合的な成長発達を支援する考え方である．

　本書では，高齢者の多様で個別的な健康状況へ看護を展開するさいの理論的基盤としてウェルネス理論をおき，高齢者自身がもつ潜在力を高めるための介入の方法や，日常生活活動や社会生活を維持・向上するための支援の方法を示している．

2●ニード論

　老年期における多様な心身の変化は，生体の予備力を低下させる．よって，高齢者は環境による影響が相対的に大きく，環境の変化によって心身機能が低下し，生活機能障害をきたしやすい．つまり，高齢者は，人間としての生活を保障する基本的ニーズが脅かされやすい状況にある．

　1954年，心理学者の**マズロー**は，欲求の階層構造を示し（**欲求階層説，図I-2-2**），

ニード論を提唱した．マズローによると，人間は，基本的な欲求として「生理的欲求」「安全と安定の欲求」「所属と愛情の欲求」「自尊心の欲求」「自己実現の欲求」の5つを段階構造（ヒエラルキー）としてもつ．欲求階層説では，より本能的で強い欲求がより低次の階層にあり，高次の欲求ニーズは低次の欲求が満たされたときに現れ，また，低次の欲求が満たされたときに高次の欲求が満たされうると考える．よって，罹患直後の生命を維持するための生理機能が低下した状態では，低次の欲求の充足を助けるケアが優先して行われる．また，「生理的欲求」から「自尊心の欲求」までは"満たされない"ことによって生じる欲求（欠乏欲求）であるのに対し，「自己実現の欲求」は自らが積極的にプラスの内容を求める成長欲求である．そして「自己実現」とは，自己の内面的欲求を社会生活において実現することである．人は，罹患直後から抜け出し（つまり欠乏欲求を満たし），ある安定状態を得たのちは，どのような病状（健康状態）にあっても自己実現に向けた成長欲求をもつ存在であり続ける．

　一方，ヘンダーソン（Henderson V）は，看護を人間の基本的欲求に根ざすものとしてとらえ，著書『看護の基本となるもの』（1960年）のなかで，ニード論を基盤として，ケアの構成要素のもとになる，**患者の14の基本的ニーズ**を示している．その内容は，以下のとおりである．

患者の14の基本的ニーズ（ヘンダーソン）
①正常に呼吸する
②適切に飲食する
③身体の老廃物を排泄する
④移動する，好ましい肢位を保持する
⑤睡眠と休息をとる
⑥適切な衣類を選び，着脱する
⑦衣類の調節と環境の調整により，体温を生理的範囲内に維持する
⑧身体を清潔に保ち，身だしなみを整え，皮膚を保護する
⑨環境のさまざまな危険因子を避け，また，他者を傷害しない
⑩他者とコミュニケーションをもち，自分の感情，欲求，恐怖，"気分"を表出する
⑪自分の信仰に従って礼拝する
⑫達成感をもたらすような仕事をする
⑬"遊び"，あるいはさまざまな種類のレクリエーションに参加する
⑭"正常"な発達および健康を導くような学習をし，発見をし，好奇心を満足させる

　高齢者の場合には，より低次の欲求が脅かされやすく，自立が損なわれて日々のその人らしい生活を続けることが困難になるとともに，複合的な生理機能障害によって生命の危機に陥りやい．よって，老年看護では，生理機能に直結する基本的ニーズについてのアセスメントが重要であり，ヘンダーソンが示す人間の基本的ニーズやマズローの欲求階層説が参考になる．これらの理論を基盤として高齢者の健康状況を把握することで，多様で個別的な老化の様相を生活レベルにおいてとらえることが可能であり，また，日常生活の基本的な行為に対する直接的な支援につなげることができる．本書では，ヘンダーソンの基

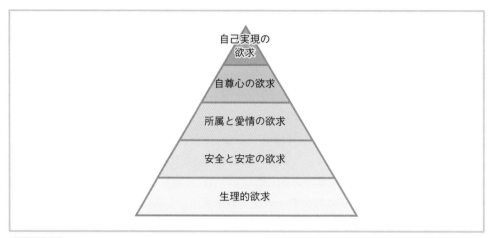

図 I-2-2　マズローの欲求階層説
［マズロー AH：人間性の心理学，第15版（小口忠彦訳），産能大学出版部，2002より引用］

本的ニーズをもとにして老化による生理的な変化と生活への影響を述べ，看護の方法を示していく．

B.　老年看護の特徴

1 ● 生きる全体像へのアプローチ

　高齢者は，それぞれの**生活史**のなかで多様な心身の変化に適応し，独自の健康観をもって生きている．高齢者の健康とその生活様式は，互いに影響を受けながらバランスをとり合い，その人の生きざまを反映するため，それぞれ個別性に満ちている．そして，老年看護の最大の特徴は，健康という視点から，包括的で統合的な"生きる全体像"へアプローチすることである．そのアプローチにあたっては，先入観や固定観念にとらわれず，多様で個別的な高齢者の状況をありのままにとらえるための観察が必要である．また，現在目の前にある高齢者の心身について，"部分から全体へ""全体から部分へ"といった柔軟な視野をもつと同時に，その高齢者の生活史を概観しその文脈を読みとる，時間軸上の視野をもつ必要がある．

　老年期におけるさまざまな変化の局面において，高齢者は，自らの人生から獲得した独自の知恵で適応し，死の瞬間まで成長し続ける存在である．よって，老年看護では，高齢者の適応や発達過程についての理解をもとに，それぞれの潜在力となる"強み"を活かし，健康の回復と生活における自己実現を促して，全人的に発展的な存在であることを支援することが必要となる．"強み"とは，生活史において見出される自尊感情，優れた知識や技術，問題解決能力，生きることに対する前向きな態度，社会的親和性などの個人の特質で，危機への対処や活動性の拡大に寄与する潜在力である．たとえば，過去に苦難を克服した経験や他人より秀でた技術，幸せや喜びなどのプラスの感情を伴う思い出，人付き合いにおける思慮深さや思いやりといったものが相当する．とくに，完治が難しい慢性疾患を伴う場合には，疾病の治療を前提とした健康のマイナス面への介入ではなく，プラスの

側面である個人の“強み”を最大限に活かすことに着目した目標の設定，動機づけ，方法の選択を工夫することで，健康を最適な状態にコントロールするための潜在力を引き出し，QOL や自尊心の向上をはかることができる．

2● チームアプローチ

　“生きる”という現象に関連して，看護師に必要とされるケアの知識や技術は多岐にわたり，老年看護には専門性の高い他職種との協働が不可欠である．医師，看護師，薬剤師，理学療法士，作業療法士，言語聴覚士，管理栄養士，介護福祉士，社会福祉士，介護支援専門員などの多職種によるケアチームによって，多面的で専門性の高いアプローチを効率的に実現することができる．看護師は，チームにおいて主に臨床的なコーディネーターとしての役割を担い，治療やケアが高齢者に与える影響を全人的に判断して各職種との調整や相談を行う．高齢者が病に罹患した場合には，ダメージを最小限にとどめ，最大限に生活機能が回復して早期に社会生活を確立するために，急性期からケアチームが介入し，同時に退院支援が開始される．看護師は，社会福祉士と同様に退院調整の役割を担い，在宅ケアのスタッフと情報を交換して療養の場を越えたサポート体制を確立するとともに，退院後の日常生活に向けた具体的な準備を支援していく．

3● エンドオブライフ・ケア

　老年期には，すべての人が遠くない将来に死を迎えるという特徴がある．死にいたる過程は健康状況によって人さまざまで，心身ともに変動を伴うことが多い．生活史と同様に，高齢者は人生に裏打ちされた個別の死生観をもつが，命を失うということは誰にとってもはじめての体験であり，すべてを予期して備えることはできない．看護師は，高齢者が人生の終焉を迎える時期において，積極的な緩和ケアと終末期ケアによって心身の安寧と意思決定を支え，その人や家族が望むかたちで死が実現されるように支援する役割をもつ．つまり，高齢者の心身に現れる痛みや苦痛を徹底的に緩和し，身体活動の制限による弊害を回避して，死の瞬間まで，可能な限り心身が自由であることを助ける．また，どこで，どのように死を迎えるかということについて本人の思いや希望を聴き，人生の終焉を迎えるにあたっての自己決定を支えることが重要となる．将来の変化に備え，将来の医療およびケアについて，本人を主体に，家族や近しい人，医療・ケアチームが，繰り返し話し合いを行い，本人の意思決定を支援するプロセスを**アドバンス・ケア・プランニング**（advance care planning：**ACP**）という．これは，**人生会議**ともいわれ，本人の人生観や価値観，希望に沿った，将来の医療およびケアを具体化することを目標にする．

　意識レベルや認知機能の低下を伴う高齢者の場合は，自らの意思や判断を伝えることが難しく，ややもすると間違った内容が本人の意思として伝わってしまう危険もあることから，エンドオブライフのさまざまな選択の場面においては，本人に加え，家族などの本人の代弁者も含めて慎重に話し合いを重ね，意思決定をすることが必要になる．看護師は，「治療と QOL」に代表される終末期における倫理的なジレンマについてチームカンファレンスで積極的に発言し，“全人的な痛み”（トータルペイン）を最小限にするよう，**エンドオブライフ・ケア**（end-of-life care）において高齢者の権利と尊厳をまもる態度を維持

することが重要である.

C. 老年看護の目標

　老年看護の目標は，高齢者の多様で個別的な健康に対して包括的かつ統合的な視点から介入を行い，**最適な健康**つまり最善のウェルネスの獲得を支援することである．高齢者の心身の健康は日常生活の自立度に直結し，高齢者と家族の QOL に大きな影響を及ぼすため，老年看護では，高齢者の日常生活機能を維持することが重要な目標になる．その支援の過程において，看護師は，高齢者の強みを最大限に活用して日常生活における自立と依存のバランスをはかり，高齢者が，あらゆる健康のレベルにおいてその人らしい社会生活を実現できるように，専門的な知識と技術を提供する．

D. 老年看護を構成する要素

　高齢者の健康について，これまでに概観した高齢者，健康，環境，看護の概念と理論に基づき，構造を図式化すると**図I-2-3**のようになる．

　円錐の底面には，高齢者を中心とする社会的環境が描かれている．高齢者は，環境との相互関連により日常生活機能を維持し，社会とのつながりをもって，それぞれのウェルネスのレベルにおいて生産的に社会参画している．同時に，慢性疾患や障害によって損なわれた自立機能は家族や社会の支援によって補われ，自立と依存のバランスを保ちながら社会生活を送っている．どのような状態にある人でも，そのときに達成しうる最善のウェルネスを実現できる機能があり，人は最善のウェルネス，すなわち“最適な健康”を志向して生きている．また，長い年月を生きてきた高齢者には個々の生活史が存在する．よって“最適な健康”の実現には，そのときの状態だけでなく，個々の生活史が大きく影響する．

　高齢者が罹患したとき，老化が原因である虚弱な性質や侵襲（ストレス）によって老年症候群を合併しやすくなり，複合的な病態を呈して日常生活機能を障害する．疾患に対する治療を受けて生命の危機を脱すると，高齢者は自らの心身に生じた障害や変化を受容し，健康の回復やコントロール，活動性の拡大のための新しい能力を獲得して，**図I-2-3**の円錐の中央に示されるような過程を経て自己実現とウェルネスを達成し，“最適な健康”を実現する．

　このような高齢者の自己実現の過程において，看護師は，次のような目的をもって実践を展開する．

高齢者の自己実現に向けた老年看護の目的
①高齢者の全体像を把握する
②高齢者の個別性を把握する
③二次障害や病態の悪循環を予防する
④慢性的な症状の緩和をはかる
⑤罹患による障害や心身の変化に対する適応を促す

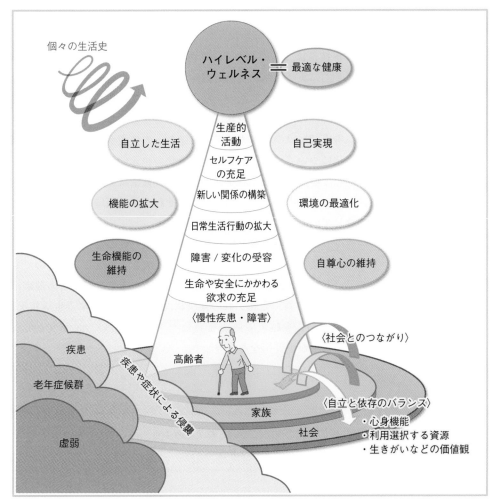

図 I-2-3　ウェルネス，最適な健康を志向する高齢者の環境と適応
図左上のらせん状の矢印は，個々の生活史における健康の軌跡を示す．上向きのスパイラルにあるときは個人に十分なエネルギーがあり，健康のレベルを上昇させることができる．一方，下向きのスパイラルにあるときは個人のエネルギーが不足しているので，健康を維持し，回復するためにサポートを必要とする．

⑥日常生活機能の拡大と維持を目指す

⑦意思決定を促し，環境の最適化を促進する

⑧パフォーマンス性の高い技術や社会資源を導入し，自立した社会生活を支援する

⑨最適な健康を目指す

⑩高齢者の強みを活かす

⑪高齢者の自尊心を守る

⑫死への準備を助ける

⑬ケアを継続する

⑭高齢者の家族を支援する

E. 老年看護の技術

　　看護師が提供する技術は，高齢者の健康の維持増進に効果的であることが求められる．そのためには，科学的に実証された技術を高齢者の個別性に合わせて提供し，それぞれの潜在力が活かされ，その人らしい生活の実現につながっているかを評価する必要がある．

　　老年看護では，高齢者の多様な心身状況についてさまざまな生活の場でアセスメントが必要となるため，看護師にはフィジカルアセスメントの技術が必須である．本書では，老化による心身の変化について，病的老化と正常老化の相違を念頭に，フィジカルアセスメントの方法を詳述している．また，老年期に特徴的な健康状態を把握するには，定量的な評価が可能なスケールの併用が推奨されており，それぞれの項において，看護実践に有用なスケールを紹介している．

　　老年看護の技術は，日々発展の途上にあり，高齢者特有の心身状況についての理解と実証に基づく看護独自の治療的介入は，老年期の健康に大きく貢献しうるものである．本書では，最新の知見に基づく看護技術の紹介に努めている．また，高齢者の健康は個々の生きざまを反映して多様であり，それぞれの健康状況とそれに関連する生活状況について，立場の違いや世代間の格差を越えて適切なアセスメントを行い，評価するためには，コミュニケーションの技術が重要になる．

学習課題

1．高齢者と壮年期の看護の違いについて考えてみよう
2．高齢者の強みとは何か，考えてみよう

第II章

老年看護の基本技術
―ヘルスアセスメント

学習目標

1. 老年看護におけるヘルスアセスメントの意義を理解する
2. 高齢者のヘルスアセスメントを実施するうえでふまえるべき症状の特徴を理解する
3. ヘルスアセスメントにおける面接の構造が理解できる
4. 高齢者への面接や身体所見をとるさいのポイントが理解できる
5. 高齢者総合機能評価について理解できる

ヘルスアセスメントとは

A. 老年看護におけるヘルスアセスメントの意義

　個人の健康状態についての体系的な情報の収集と一定の判断を下すまでの一連の過程が**ヘルスアセスメント**である．以下のようにヘルスアセスメントは，対象者の主観的な考えを聞きとる**面接**と，看護師が自分の五感を使い対象者の身体について客観的な情報を収集する**身体所見**から構成される．

ヘルスアセスメントの構造
- **面接（主観的情報）**：主訴，現病歴，既往歴，家族歴，家族状況，心理社会状態，系統レビュー
- **身体所見（客観的情報）**：バイタルサインズ，意識状態・精神状態，身長・体重，皮膚，頭頸部，胸部・腹部，神経系・筋骨格系，生活状態

B. 高齢者の示す症状の特徴

　高齢者のヘルスアセスメントは一般成人と比較した場合に特徴がいくつかあり，これは高齢者が症状をどのように発現するかに深くかかわっている．以下に，高齢者の示す症状の特徴をまとめる[1]．

（1）疾患に特異的な典型的症状が出ない

　高齢者は全般に自覚的な症状が現れにくいことが特徴であるが，とくに糖尿病をもつ場合には痛みなどの症状を感じにくいことが多い．そのほか，身体検査から得られる情報と実際にもつ病態とに乖離（かいり）がみられ，肺炎に特徴的な副雑音が換気量の全般的な低下のために聞こえなかったり，出るはずの腱反射が低下したりする．また，不整脈などは非常に多くの高齢者にみられ，それだけでは臨床的な意義が少ない場合もある．その場合には，むしろ異常所見がどのように変化するかを把握することが重要となる．

（2）複数の病態が重なったり連続したりして一連の症状として現れる

　高齢者は複数の疾患を併せもつことが多いため，いくつもの病態が重なって1つの症状として現れることがある．また，骨折で臥床が続くと肺炎を起こすなど，ある病態が次の病態を引き起こす連鎖もある．循環器疾患により入院したことによって，それまでうまく生活適応できていた対象者が認知症の症状を大きく顕在化させることもある．収集した情報から1つひとつの病態を選（え）り分けてつきとめる判断の過程は，大変困難な場合もあり，身体検査の所見と過去の病歴，現在の生活状況に関する情報を統合する技術が問われる．

（3）疾患について本人が自分なりの判断・解釈をしている

　高齢者は何も疾患・病態をもたない人のほうが少ないぐらいで，何らかの症状を何年も
もち，自分なりにその症状に対処しながら長年生活していることも多い．そのような場合，
本人なりに病気や症状についての解釈をもち，その枠組みで看護師に説明することがよく
ある．本人が1つの病気と思い込んでいる症状が，複数の病態の複合したものである場合
もある．そのような場合，本人の説明に看護師が混乱することもある．

（4）本人や家族からの情報が得にくい

　さらに，対象者が認知症をもって1人暮らしをしているなどの場合は，本人または家
族・介護者からの情報が得にくいこともしばしばみられる．発疹がいつからあるのか，か
ゆみなどの症状はどうか，朝の薬は内服したのか，など，情報の収集が困難なこともしば
しばある．訪問介護員がかかわっていても現病歴などの把握は困難で，身体所見と周囲の
状況だけを手がかりに判断しなければならないことも多い．

▌引用文献▌

1）　Gallo JJ, Fulmer T, Paveza GJ, et al：Physical Assessment．Handbook of Geriatric Assessment, 3rd Ed, p.213
　　－250，Aspen, 2000

ヘルスアセスメントの実際

A. 高齢者への面接の進め方

　　ヘルスアセスメントの**面接**は，正確な情報を効率よく聞き出すことが重要であるが，このような面接は看護師にとって療養者との関係づくりの一環であることも忘れてはならない．急かしたりして心理的な圧迫を加えることは，高齢者の気持ちが落ち着かず，ますます言葉が出なくなるため逆効果である．現在の症状に関する聴取は，本人がどんな表現方法を使うかに注目する．言葉の選択に苦労している高齢者には，平易な言葉を使って尋ねると手がかりを得られることが多い．

B. 面接の構造と老年看護におけるポイント

　　主観的情報の収集は，ただ漫然と面接して"患者さんやご家族のお話を伺う"だけであってはならない．ヘルスアセスメントにおける面接は非常に高度に体系づけられている．病棟看護の枠組みではなじまない部分もあるが，適当に修正して必要な情報をもらさず収集したい．

1 ● 主訴と現病歴

　　主訴とは，現在感じている主な不快・不都合な症状であり，最初にこれを聞きとる．本人ではなく家族，介護者などに尋ねることも多いだろう．①どのような症状が，②いつからあるのかを，本人（または家族・介護者）から聞きとる．

　　現病歴は主訴に関するよりくわしい情報で，聞きもらさないように **TLTAIT** という語呂合わせで覚えておくことも一般的である．つまり，症状のタイプ（Type of symptoms），場所（Location），どのようなときに起きるか（Timing），随伴する症状はあるか（Associated manifestations），どのようなことが症状に影響するか（Influencing factors），これまでにどんな治療を受けたか（Treatment），を順に聞く（**表Ⅱ-2-1**）．

2 ● これまでの健康状態

　　これまでに罹患したことのある疾患を含め，現在にいたるまでの健康状態について尋ねる．**ASPTIME** という語呂合わせがある．アレルギーはあるか（Allergy），常用する薬物や嗜好品はあるか（Substance），予防接種などは受けているか（Preventives），外傷の既往はあるか（Trauma），ほかに疾患はあるか（Illness），精神衛生はどうか（Mental health），生活環境はどうか（Environment），である．

表Ⅱ-2-1　主訴と現病歴（TLTAIT）

	項　目	質問例	回答例
主　訴	どのような症状か	「今日はどうなさいましたか」	「熱があります」
	いつから起きているのか	「それはいつからですか」	「昨夜9時に寝るころからです」
現病歴	症状のタイプ （Type of symptoms）	「どれだけ熱が出ますか，ずっと続いていますか」	「昨夜は39℃まで上がりました．今朝は37.5℃です」
	場所（Location）	「熱があるのは全身ですね」	「全身です」
	どんな時に起きるか （Timing）	「昨夜からずっと熱が出ていますか」	「おそらくずっと続いています」
	随伴する症状はあるか（Associated manifes-tations）	「ほかに症状はありますか」	「ほかに頭痛がします」
	どのようなことが症状に影響するか （Influencing factors）	「熱が高くなったり低くなったりするのに何が影響するかわかるものがありますか」	「とくにわかりません」
	これまでにどんな治療を受けたか（Treatment）	「熱を下げるために今までにどこかに受診して治療を受けましたか」	「どこにも受診していません」

a. アレルギー

　薬物や食品に対するアレルギーはもちろんであるが，花粉症をもつ高齢者も近年増加しており，症状について判断するときに必要な情報である．

b. 薬剤・嗜好品

　高齢者では複数の薬剤を使用していることが多く，薬剤相互作用に注意を払う必要がある[1]．また，高齢者ではとくに**転倒**のリスクが重要なアセスメント項目であるが，5剤以上の多剤服用は外来患者の転倒リスクに関連するという報告[1]や，転倒を起こしやすい薬剤の報告もある（**表Ⅱ-2-2**）．各種のサプリメントや漢方薬を購入して服用している場合もあり，これらが他の薬剤に影響する場合もあるため必ず把握する．嗜好品では，飲酒量のほか塩辛など塩分の強いものへの好みなどを把握する．コーヒーを常飲している場合，カフェイン摂取量が少ないと離脱症状として頭痛を起こすことがある．

c. 予防接種

　インフルエンザワクチン，肺炎球菌ワクチンは65歳以上で**定期予防接種**となっており，冬季には接種しているかを確認する．

d. 外　傷

　高齢者ではとくに転倒による頭部の打撲の経験に注意する．慢性硬膜下血腫を引き起こすこともある．また，治癒段階のさまざまな複数の外傷・骨折や，衣服に隠れた部分の傷，タバコの火を押しつけたような丸い火傷などは，高齢者虐待によるものである可能性があるため注意を要する．高齢者の皮膚は脆弱で表皮剥離（**スキン-テア**）となりやすく，前腕や下腿など注意して観察する（p.119参照）．

e. 他の疾患

　焦点となる病態について見極めるために，他の疾患の情報も重要である．高齢者は多疾患をもつ場合も多いので，本人や家族に確認しながらできるだけ正確に聞きとる．

f. 生活環境

　高齢者の健康状態は生活環境と強く結びついていることがあり，注意深い情報収集が必

表Ⅱ-2-2　転倒・転落を起こしやすい主な薬剤

分　類	一般名（商品名）	転倒・転落の原因
催眠薬	トリアゾラム（ハルシオン®） ゾルピデム（マイスリー®） ニトラゼパム（ネルボン®）	中途覚醒時のもうろう状態 筋弛緩作用強く，半減期長い
抗不安薬	ジアゼパム（セルシン®） エチゾラム（デパス®） クロチアザパム（リーゼ®）	筋弛緩作用強く，半減期長い 筋弛緩作用強い めまい，歩行失調
抗精神病薬	クロルプロマジン（コントミン®） オランザピン（ジプレキサ®）	末梢血管のα受容体遮断，起立性低血圧 めまい，起立性低血圧
抗うつ薬	フルボキサミン（ルボックス®）	眠気，意識レベルの低下
パーキンソン病治療薬	レボドパ（ドパストン®）	ドパミンによる血圧低下
抗ヒスタミン薬	クロルフェニラミン（ポララミン®） ジフェンヒドラミン（レスタミン®）	眠気が強いためふらつく
降圧薬	各種降圧薬	低血圧によるめまい，ふらつき
狭心症治療薬	ニトログリセリン	起立性低血圧
糖尿病治療薬	インスリン 経口血糖降下薬	低血糖によるめまい，意識障害

［大鹿英世，吉岡充弘：薬物療法の目指すもの．薬理学—疾病の成り立ちと回復の促進2, p.10, 医学書院, 2009より引用］

要である．現在までにどのような生活をしてきたか，現在の生活環境はどのようかを尋ねる．たとえば，室温の影響を受けて熱中症や低体温症になることがある（p.113参照）．

3 ● 家族歴，家族状況，心理社会的状況

　家族歴，心理社会的状況も高齢者の健康状態を理解するうえで重要であり，さらに家族のもつ価値観や関係性は，家族やその構成員の意思決定や行動に強い影響を及ぼす[2]ため，老年看護において高齢者を取り巻く家族に視野を広げて理解することが重要である．とくに，介護が必要な高齢者は家族状況を知り，介護者・高齢者を1つの家族として丸ごと支援する姿勢が求められ，そのための情報を得なければならない．

a. 家族歴

　生活習慣病，悪性腫瘍，遺伝性疾患を中心に3親等の範囲を目安に尋ねる．

b. 家族状況

　必要に応じて，家族構成，家族関係，家族員の健康状態や職業を尋ねる．介護が必要な高齢者の場合は介護力，介護負担および介護意欲，教育背景と学習能力などを知っておくことは重要である（表Ⅱ-2-3）．社会資源の利用に関連して，家庭の経済力を把握する必要がある場合も多い．

c. 生活状況

　平均的な1日，1週間の生活の流れ，睡眠パターン，定期的な運動や活動，社会活動，友人との交流などを把握する．家族の生活状況を把握することも重要である．

d. 生活上のストレスとその対処法

　心理的な負担が体調に表れたり，対処行動を左右したりすることは多い．家族介護者の

表Ⅱ-2-3　家族アセスメント内容

1. 健康問題の全体像
　①健康障害の種類（診断名など）
　②現在の患者の日常生活力（生命維持力, ADL, セルフケア能力, 社会生活能力）
　③医師の治療方針
　④予後・将来の予測
　⑤家族内の役割を今後も遂行できる可能性
　⑥経済的負担
2. 家族の対応能力
　A. 構造的側面
　①家族構成（家族成員の性, 年齢, 同居・別居の別, 居住地）
　②家族成員の年齢
　③職業
　④家族成員の健康状態（体力, 治療中の疾患）
　⑤経済的状態
　⑥生活習慣（生活リズム, 食生活, 余暇や趣味, 飲酒, 喫煙）
　⑦ケア技術を習得する力
　⑧住宅環境（間取り, 広さ, 設備）
　⑨地域環境（交通の便, 保険福祉サービスの発達状況, 地域の価値観）
　B. 機能的側面
　①家族内の情緒的関係（愛着・反発, 関心・無関心）
　②コミュニケーション（会話の量, 明瞭性, 共感性, スキンシップ, ユーモア）
　③役割構造（役割分担の現状, 家族内の協力や柔軟性）
　④意思決定能力とスタイル（家族内のルールの存在, 柔軟性, キーパーソン）
　⑤家族の価値観（生活信条, 信仰）
　⑥社会性（社会的関心度, 情報収集能力, 外部社会との対話能力）
3. 家族の発達課題（育児, 子どもの自立, 老後の生活設計など）
4. 過去の対処経験（育児, 家族成員の罹患, 介護経験, 家族成員の死など）
5. 家族の対処状況
　①患者・家族成員のセルフケア状況　②健康問題に関する認識　③対処意欲
　④情緒反応（不安, 動揺, ストレス反応）　⑤認知的努力　⑥意見調整
　⑦役割の獲得や役割分担の調整　⑧生活上の調整　⑨情報の収集　⑩社会資源の活用
6. 家族の適応状況
　①家族成員の心身の健康状態の変化
　②家族の日常生活上の変化
　③家族内の関係性の変化

［渡辺裕子, 鈴木和子：家族看護アセスメント, 家族看護学—理論と実践, 第5版, p.64, 日本看護協会出版会, 2019より引用］

介護負担感とその対処状況も把握する.

4 ● 系統レビュー

　系統レビュー（system review）とよばれる内容は, 系統（臓器）別に, 主な自覚症状や過去の病歴などを尋ねる. 系統レビューでは, 主訴などに関係なくすべての系統（臓器）について尋ねるかたちになっている. 高齢者には多くの症状があり, 一度に自分で思い出すことは困難な場合も多いため, 系統的に症状を確かめられると好都合であろう. とくに, 表Ⅱ-2-4 に示すような項目に注意をして尋ねるとよい[3].

表Ⅱ-2-4　高齢者の系統レビュー

【全般】	【口】	【消化器】	【筋骨格系】
体重変化	義歯とその不調	嚥下障害	朝のこわばり
疲労	口渇	下血	関節痛・関節腫脹
転倒		便径の変化	関節可動域制限
食欲不振	【呼吸器】	浣腸の使用	
貧血	咳	便秘	【神経・精神系】
栄養不良	血痰		記憶障害
	息切れ	【泌尿器】	頭痛
【感覚器】		失禁	失神
視力	【循環器】	排尿障害	歩行状態
白内障	労作時胸痛	夜尿	感覚機能
聴力	起坐呼吸	血尿	睡眠障害
バランス失調	足部浮腫	性機能	抑うつ・不安
めまい	跛行		

［Gallo JJ, Fulmer T, Paveza GJ, et al：Handbook of Geriatric Assessment, 3rd Ed, Aspen, 2000を参考に作成］

C. 身体所見のとり方と老年看護におけるポイント

　身体所見も系統レビューと同様に，臓器別に行って情報を収集していく．順序もだいたい定式化されており，一般状態と精神・認知機能，頭部，胸部，背部，腹部，四肢と筋・骨格系・神経系のアセスメントへと進む方法などが一般的である．しかし，いつもそれらすべてを実施するわけではなく，主観的情報と検査および画像データなどから，あらかじめ行うべき身体検査をある程度選択し，関連する情報だけを得て看護計画の見直しと修正を行うのが，継続的に看護実践していくうえでの定型的なスタイルになろう．

1 ● バイタルサインズ
a. 脈　拍

　不整脈の場合は，不整が定期的か不定期かに注目して測定する．高齢者では脈の不整は頻繁にみられるが，それが増えているか減っているか，性状は変化しているかなど，変化に注目して脈拍を把握する．

b. 血　圧

　はじめて血圧を測定するさいには左右の上腕で測って差を記録し，継続的に測定するさいには同一側で測定する．また，自律神経の加齢変化により起立性低血圧[*1]を起こすことが多く，とくに糖尿病のある高齢者では，はじめて測定するさいには坐位と立位の両方で測定し，差を記録する．また，高齢者では食後低血圧[*2]も一般成人より頻度が高いため，食後に測定することもある．

　末梢動脈疾患[*3]の確認のために，足関節上腕血圧比（ankle-brachial index：ABI）[*4]を測定する場合もある．

[*1] 起立性低血圧（orthostatic hypotension）：臥位時の最高血圧と起立時の最高血圧の差が20 mmHg以上ある場合を起立性低血圧といい，高齢者ではとくに転倒の原因となる場合があり注意を要する．原因は血圧調節機構の加齢変化のほか，自律神経障害，薬剤，視力障害，血液循環量の低下など多様にある．

[*2] 食後低血圧（postprandial hypotension）：食後に血圧が下がることで，消化管部位の血液量が増えるために発生すると考えられている．とくに高血圧症の高齢者に多いといわれる．

c. 体　温 （p.108, 第Ⅲ章「7. 体温」参照）

高齢者は体温調節機構が働きにくいため体温の確認が重要である．感染症の場合に，小児・成人と比べて発熱しにくい[4]という指摘もあるが，高齢者は成人よりも平熱が低い傾向があるため，日ごろの体温との比較や自覚症状との対応を見極めることが重要である．

d. 呼　吸 （p.32, 第Ⅲ章「1. 呼吸」参照）

高齢者では呼吸筋群・横隔膜の機能低下や肺実質の弾性・収縮力低下などのため，呼吸補助筋の使用や浅表性の呼吸がみられる場合がある[3,5]．高齢者の息切れ，呼吸困難は，慢性閉塞性肺疾患（COPD），気管支喘息など呼吸器疾患や心不全，貧血など多数の病態が疑われるため，他の身体所見や検査データなどと組み合わせた判断が必要である．

e. 痛　み （p.221, 第Ⅳ章「7. 痛み」参照）

米国では痛みは「5番目のバイタルサイン」といわれ[6]，必ず把握することが求められる．有訴者の内容を症状別でみると，「腰痛」「手足の関節の痛み」の訴えが上位の1つであり[7]，地域在住の高齢者の70%近くが何らかの痛みを抱えているという報告もある[8]．痛みの確認には0～10までの数値で痛みを尋ねる方法（Numerical Rating Scale：NRS），フェイス・スケール（p.468, 付録9, 11 参照）などが一般的であるが，認知症などにより自分で正確に痛みを訴えられない高齢者のための観察式の疼痛アセスメントスケールも開発されている（日本語版アビー痛みスケール，p.469, 付録12 参照）．

2●意識状態・精神状態

意識状態の把握には，ジャパン・コーマ・スケール（Japan Coma Scale：JCS, p.470, 付録13 参照）が用いられることが多い．意識状態の変化は高齢者においてとくに頻発し，かつ注意を要する症状で，脳血管疾患，循環器疾患，低血糖症状など複数の病態が考えられる．意識状態の変化が発生した場合には，他の所見（神経所見，発熱，発汗，転倒など前後の状況など）も併せて確認することが重要である．

認知機能のアセスメントは，HDS-R（改訂長谷川式簡易知能評価スケール，p.465, 付録7 参照）や MMSE（簡易精神機能検査）を用いることも多いが，簡便には，「今日はどなたと一緒に来られましたか」など，会話のなかで自然に認知機能を把握できる質問をして確認することも多い．抑うつ状態についての標準化された質問紙も用いられている（Geriatric Depression Scale：GDS, p.470, 471, 付録14, 15 参照）．

3●身長・体重

身長の低下は骨粗鬆症や脊椎・関節などの加齢変化の指標となる．

高齢者の低栄養は，死亡率や褥瘡の発症との関連が指摘されており[9]，重要なアセスメント項目である．体重とその変化は栄養状態の指標となる．在宅・施設看護においても，

---

*3 末梢動脈疾患（peripheral arterial disease：PAD）：動脈硬化によって四肢末端を中心に血流障害を起こす状態．下腿潰瘍などの原因となる．
*4 足関節上腕血圧比（ankle-brachial index：ABI）：閉塞性疾患の下肢の血行動態を把握するために算出する．足関節収縮期血圧/上腕収縮期血圧で，標準値は1.00～1.40で，0.91～0.99はボーダーラインとなる．0.90以下では主幹動脈の狭窄や閉塞が，1.40より高値では慢性腎不全や糖尿病など動脈の高度石灰化が疑われる［日本循環器学会ほか（編）：末梢動脈疾患ガイドライン（2022年改訂版）．

体重は採血を要さない簡便な栄養アセスメントの手がかりとなる．過去1ヵ月間に5％以上の体重減少，過去6ヵ月間に10％以上の体重減少がみられる場合は，低栄養のリスクがあると指摘されている[9]．

4 ● 皮　膚 （p.115，第Ⅲ章「8．清潔」参照）

　高齢者の皮膚疾患で頻繁にみられ，あるいは注目すべきものは，**褥瘡**，**感染症**（ウイルス［帯状疱疹など］・真菌［カンジダなど］），**疥癬**，**皮膚がん**などであろう．新旧の複数の外傷を認める場合は高齢者虐待の徴候である可能性もあり，注意して観察したい．頭部の外傷は転倒による可能性があり，慢性硬膜下血腫を発症するリスクを考慮するとともに，転倒の原因を探索するために他の身体所見と併せて検討する必要がある．

5 ● 頭頸部

　顔色（蒼白・黄疸），顔貌（るいそう，眼瞼浮腫），表情（活力，抑うつ），顔面麻痺（左右差），などに注目する．顔面の蒼白は貧血，循環器疾患，呼吸器疾患など複数の病態が疑われ，他の所見と組み合わせて判断する．

a. 眼

　対面での視野の検査法は，緑内障などによる大幅な視野欠損をスクリーニングするさいなどに有効であり，練習しておくとよい（p.172参照）．眼球の動きの左右差やなめらかさも神経所見として注目する．

b. 耳

　高齢者は耳垢がたまって難聴を引き起こしていることがあり，耳鏡で観察できる．補聴器をつけている場合も一度は外して外耳道を観察し，潰瘍化した傷などがないか確認する．音叉を用いて検査する場合，高齢者は高音域の聴力が障害されやすく高音の音叉が使用できないことも多い．

c. 口

　加齢とともに歯が欠損していくことが多いが[10]，残歯のう歯，義歯が合わないなどによる歯肉の炎症や痛みについて確認する．義歯は外して歯肉を確認する．高齢者はむせなどがみられない場合にも少量ずつ誤嚥している場合もあり[11]注意を要する．簡便な嚥下の検査法として，反復唾液嚥下テスト，改訂水飲みテストなど（**表Ⅱ-2-5**）がある．

d. 頸　部

　感染や悪性腫瘍のリンパ節転移などを確認するため，頸部リンパ節の触診は重要である．同じく，頸動脈怒張の視診，頸動脈の雑音（ブルイ）の聴診にも注意が必要である．甲状腺の腫脹を触診できるようにしておくことも重要である．

6 ● 胸部・腹部

　高齢者では異常心音や心雑音を聞くことはまれではなく，その有無だけでなく変化をフォローしていくことが求められる．肺音は正常でも低下し，とくに肺底部では呼吸音が聞かれないことも多い．喘息・肺炎などのさいの典型的な副雑音が聴取されないことも多い．高齢者の肺炎は，"食欲不振"や"何となく元気がない"などの症状しかないことも

表Ⅱ-2-5　嚥下機能の検査法

スクリーニング種類	方法および判定基準
反復唾液嚥下テスト	喉頭隆起，舌骨部に指腹を当て，30秒間唾液を連続して嚥下．喉頭隆起，舌骨部が指腹を乗り越え，上前方に移動してから元の位置に戻る運動（嚥下回数）を観察． 判定 30秒間に嚥下回数2回以下が異常（通常は嚥下回数3回以上）
改訂水飲みテスト	3mLの冷水を舌と舌前歯の間に入れて嚥下．評価が4点以上あればテストを繰り返し，最大3回テストを行う．テストを繰り返した場合，もっとも悪い評価を記載する． 評価基準 1．嚥下なし，むせるand/or呼吸切迫 2．嚥下あり，呼吸切迫（silent aspirationの疑い） 3．嚥下あり，呼吸良好，むせるand/or湿性嗄声 4．嚥下あり，呼吸良好，むせない 5．4に加え，追加嚥下が30秒以内に2回可能
フードテスト	ティースプーン1杯（3〜4g）のプリンを舌背前部に入れて嚥下．評価が4点以上あればテストを繰り返し，最大3回テストを行う．テストを繰り返した場合，もっとも悪い評価を記載する． 評価基準 1．嚥下なし，むせるand/or呼吸切迫 2．嚥下あり，呼吸切迫（silent aspirationの疑い） 3．嚥下あり，呼吸良好，むせるand/or湿性嗄声and/or口腔内残留中等度 4．嚥下あり，呼吸良好，むせない，口腔内残留ほぼなし 5．4に加え，追加嚥下が30秒以内に2回可能
頸部聴診	食塊を嚥下するさいに咽頭部で生じる嚥下音と，嚥下直後の呼吸音を頸部から聴診． 判定 1．嚥下音の異常（長い・弱い・複数回の嚥下音など） 2．呼気音の異常（液体振動音，湿性音，嗽音など） ※呼吸音（呼気音）の判定では，嚥下前に（咽頭貯留物を排出した状態での）呼吸音と比較する
パルスオキシメーター	判定 90％以下，平均3％以上の低下は異常

[山田律子：豊かな食生活を支える．家族看護学を基盤とした在宅看護論 Ⅱ 実践編，第2版（渡辺裕子監），p.166，日本看護協会出版会，2007より引用]

多い[11]．

　腹部の触診では，るいそうの著明な高齢者の場合には，正常でも大動脈の拍動が観察されることがある．大動脈瘤の場合には横に振動する[3]といわれる．やせた高齢者では便秘の場合に便塊を触知することもあり，腫瘍と間違えることもある[3]．

7●神経系・筋骨格系

　腱反射の左右差は意識レベルが低下したさいなどに調べることが多い．糖尿病をもつ高齢者の場合は，末梢神経障害のアセスメントのため，モノフィラメント*を使用して触覚の異常を確認する場合も多い．

---

* モノフィラメント：皮膚の触覚を検査するための細長い器具．検査部位に押しつけ，90度まで屈曲させたさいにかかる荷重が一律になるように作られている．

　　筋骨格系の査定では，各種の日常生活機能の観点から確認することが重要である．とくに歩行状態の確認は，神経系・筋骨格系の異常を判断するとともに転倒など事故のリスクを考慮するうえで重要である．歩行状態の確認には，椅子から立ち上がり，数メートル歩き，振り返って戻ってまた腰かける，という動作をしてもらうという検査がよく用いられる[3]（p.150参照）．筋力や姿勢の安定性とともに，脳血管障害などによる麻痺，パーキンソン病に特有の小刻み歩行，突進歩行，すくみ足なども観察する（p.424参照）．高齢者の間欠性跛行は主に整形外科的な原因による場合と動脈閉塞性の病態による場合があり，足背動脈などの所見と併せて検討する．臥床がちの高齢者では，関節の可動域を確認して拘縮の有無や変化を把握する．

8 ● 生活状態

　　高齢者の住む家屋の状態から本人の心身の健康状態をうかがい知ることもでき，このことは在宅療養者を看護する場合にとくに重要である．たとえば，台所の使用状況から調理をして栄養を適切に摂取できているかを把握したり，トイレや浴室の使用状況から排泄や整容の実施状況を知ったりすることができる．

D.　看護問題の確定と看護計画の立案

　　以上の情報を統合し，看護問題と看護計画を確定する．看護問題の作成枠組みは多様にあり，実践の場の性質にもよると思われる．現在支援の必要な問題とともに，今後発生する可能性のある危険や長期的な視野に立ったうえでの問題設定が必要であろう．「問題」としてとらえるのではなく，今後どのようにQOL（生活の質）をさらに高めていけるか，といった観点からの計画立案が求められることも多いだろう．対象者や家族の希望を十分に聞きとり，それに基づいて優先順位をつけることも重要な技術の1つといえる．

E.　高齢者総合機能評価

　　高齢者総合機能評価（comprehensive geriatric assessment：CGA）とは，高齢者のためのチーム医療の促進を目指した総合的な高齢者のアセスメントの枠組みである．これは高齢者の生活のあらゆる側面を包括的に理解し，支援のために役立てることを目的としたもので（図Ⅱ-2-1），医師，看護師，リハビリテーションスタッフなどがチーム医療を提供するための標準的なデータセットである．多くの項目は既存の尺度を活用する．またCGAの簡略版（CGA7）も開発され（表Ⅱ-2-6），広く普及している．

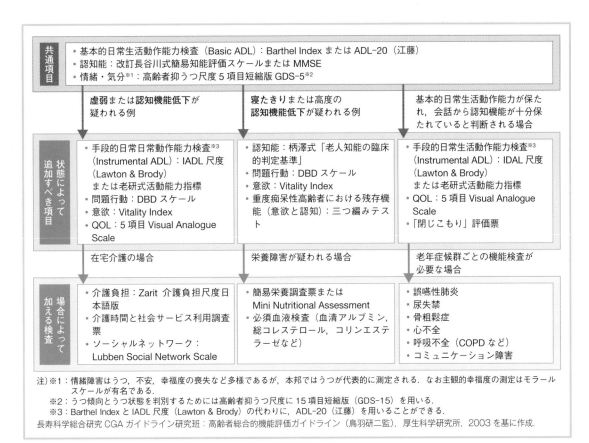

図Ⅱ-2-1　高齢者総合機能評価（CGA）標準版の評価方法　【p.70，図Ⅲ-4-3また巻末の付録も参照】

[須藤 修ほか，ICTを活用した地域包括ケアシステム推進委員会：ICTを活用した地域包括ケアシステム構築の推進に関する調査研究報告書（平成28年3月），p.16, 2016，〔https://www.mhlw.go.jp/file/06-Seisakujouhou-12300000-Roukenkyoku/0000136637.pdf〕（最終確認：2023年1月26日）より引用]

表Ⅱ-2-6　CGA簡易版（CGA7）の評価方法

項目番号	調査内容	出 典	内 容
（1）	意欲	Vitality Index	外来または診察時や訪問時に，被験者の挨拶を待つ
（2）	認知機能	改訂長谷川式簡易知能評価スケール	「これから言う言葉を繰り返してください（桜，猫，電車）」「あとでまた聞きますから覚えておいてくださいね」
（3）	手段的ADL	IADL尺度（Lawton & Brody）	外来の場合：「ここへどうやって来ましたか？」それ以外の場合：「普段，ひと駅離れた町へどうやって行きますか？」
（4）	認知機能	改訂長谷川式簡易知能評価スケール	「先程覚えていただいた言葉を言ってください」
（5）	基本的ADL	Barthel Index	「お風呂は自分1人で入って，洗うのも手助けはいりませんか？」
（6）	基本的ADL	Barthel Index	「漏らすことはありませんか？」「トイレに行けないときは，尿瓶を自分で使えますか？」
（7）	情緒・気分	GDS	「自分が無力だと思いますか？」

[須藤 修ほか，ICTを活用した地域包括ケアシステム推進委員会：ICTを活用した地域包括ケアシステム構築の推進に関する調査研究報告書（平成28年3月），p.16, 2016，〔https://www.mhlw.go.jp/file/06-Seisakujouhou-12300000-Roukenkyoku/0000136637.pdf〕（最終確認：2023年1月26日）より引用]

学習課題

1. 学生どうしで面接をして，これまでの健康状態について（差し障りのない範囲で）情報を収集してみよう．どのようなところが尋ねにくかったか，それに対してどのような工夫をしたかを互いに話し合ってみよう
2. 学生どうしで面接をして，MMSEを用いた検査を行ってみよう．尋ねにくかった点や，検査を受けてみた感想を互いに話し合ってみよう

引用文献

1) 秋下雅弘，葛谷雅文：症例から学ぶ高齢者の安全な薬物療法．p.vii-x，ライフ・サイエンス社，2013
2) 鈴木和子，渡辺裕子：家族看護学とは何か．家族看護学—理論と実践，第4版，p.3-25，日本看護協会出版会，2012
3) Gallo JJ, Fulmer T, Paveza GJ, et al：Physical Assessment. Handbook of Geriatric Assessment, 3rd Ed, p.213-250, Aspen, 2000
4) 鳥羽研二：発熱．老年症候群の診かた—日常診療に活かす老年病ガイドブック1，p.214-221，メジカルビュー社，2005
5) 奥野茂代，大西和子：高齢者の理解．老年看護学—概論と看護の実践，第4版，p.32-52，ヌーヴェルヒロカワ，2008
6) Merboth MK, Barnason S：Managing pain：the fifth vital sign. The Nursing Clinics of North America **35**(2)：375-383, 2000
7) 厚生労働省：平成28年国民生活基礎調査の概況．p.21，2017，〔http://www.mhlw.go.jp/toukei/saikin/hw/k-tyosa/k-tyosa16/dl/16.pdf〕（最終確認：2023年1月26日）
8) 赤嶺伊都子，新城正紀：地域在住高齢者へのペインマネジメントの導入．沖縄県立看護大学紀要**3**：25-31，2002
9) 石垣和子，金川克子：栄養管理．高齢者訪問看護の質指標—ベストプラクティスを目指して，p.14-29，日本看護協会出版会，2008
10) 佐々木英忠：現代養生訓．エビデンス老年医療，p.149-165，医学書院，2006
11) 井藤英喜：肺炎．高齢者に多い疾患の診療の実際—日常診療に活かす老年病ガイドブック6，p.12-17，メジカルビュー社，2006

第Ⅲ章

高齢者の生活と看護
―加齢変化とフィジカル
アセスメントの技術

学習目標

1. 各生活場面における高齢者の加齢変化について理解する
2. 1をふまえ，高齢者に対するフィジカルアセスメントについて理解する
3. 1〜2をふまえ，生活場面に対する高齢者の強みを考慮した看護実践と評価の方法を理解する

1 呼　吸

A. 基礎知識

1 ● 高齢者における呼吸とは

　酸素は，生命を維持するために必要不可欠な物質である．酸素は外気から取り込まれ，肺で血中内に移行し，組織へ運ばれる．細胞レベルにおいて酸素を使用して，生命活動のエネルギー源であるアデノシン三リン酸（adenosine triphosphate：ATP）が産生される．ATP とともに産生される二酸化炭素は肺へ運ばれ，外気へ排泄される．つまり**呼吸**とは，外気から酸素を取り入れ，組織へ運び，細胞内で代謝され，代謝の結果生じた二酸化炭素を排泄するプロセスをいう．

　このように，呼吸は生命維持の基盤であり，その障害は死につながる．加齢は呼吸機能を全般的に低下させ，さらに慢性的な呼吸器疾患は呼吸機能をいっそう低下させる．その結果，活動に対する耐性は大きく低下し，日常生活に大きな影響を与える．

　呼吸は日常生活と密接にかかわっており，高齢者における呼吸のアセスメントは，「呼吸」や「呼吸困難」という視点のみではなく，本人にとってよりよい日常生活を送るという視点を目標にもって行う必要がある．

2 ● 成人の呼吸器の構造と機能 （図Ⅲ-1-1）

a. 構　造

　呼吸に関連する器官には，**ガス交換**を行う中心的な器官である肺のほか，肺を拡張するための横隔膜をはじめとする筋・骨や結合組織，血管，ガスが出入りする気道が含まれる．

　胸郭は，胸骨，脊椎，肋骨からなるかご状の部分で，その内部を胸腔とよぶ．この胸腔には，肺や心臓，大血管などの重要臓器が含まれる．肋骨は通常 12 対あり，そのうちの 10 対は脊椎と胸骨を結び，かご状の構造を形づくっている．

　胸郭の足側には横隔膜があり，腹腔と胸腔を隔てている．肋骨と肋骨の間には，内肋間筋，外肋間筋が存在し，肋間を形成している．

　肺は，左は上葉・下葉の 2 つの肺葉，右は上葉・中葉・下葉の 3 つの肺葉からなる器官である．外気から取り込まれた気体は，気管を通り，分岐を繰り返し，最終的には肺胞に達する．

b. 機　能

　呼吸器の主な機能は，外気を取り込み，酸素と二酸化炭素との**ガス交換**を行うことである．

　凸型の横隔膜が，収縮し下降することにより，また外肋間筋が収縮し胸郭が拡大することにより，胸腔内圧が陰圧となり，吸気が取り込まれる．このように吸気は，横隔膜と外肋間筋で行われるが，外肋間筋に比べて横隔膜の寄与が大きい．筋収縮によって行われる

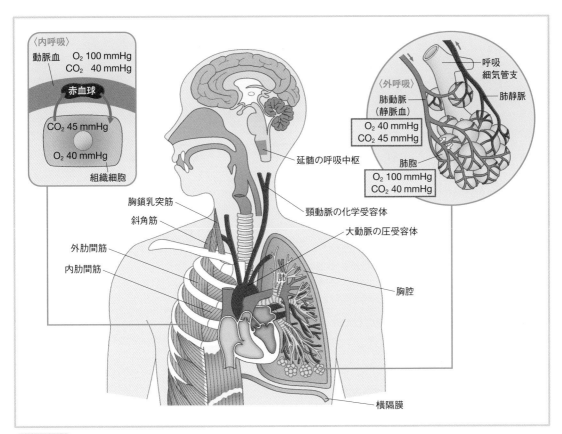

図Ⅲ-1-1　呼吸器の構造と機能

吸気とは異なり，呼気は受動的に行われる．つまり，肺や胸郭の弾性力に依存して行われる．しかし，努力呼吸時の呼気の場合は，内肋間筋，腹筋群で行われる．

　呼吸は，大きく外呼吸と内呼吸に分けられる．**外呼吸**とは，肺で酸素を取り込み，肺胞内に多数分布する毛細血管を通じて，圧較差により酸素や二酸化炭素を血管－肺胞間で交換する過程をいう．外呼吸は以下のように，いくつかの過程に分けることができる．

　　換気（ventilation）：気体を肺胞へ供給する
　　拡散（diffusion）：酸素，二酸化炭素を肺胞，毛細血管壁で移動させる
　　循環（circulation）：ガス交換された血液を細胞まで運搬する

　一方，**内呼吸**とは，細胞内で ATP を産生する過程をいい，またその過程を通じて，血液－組織細胞間で酸素と二酸化炭素のガス交換を行う過程をいう．

c. 呼吸の調節

　換気量，呼吸回数は身体の需要に従い，自動的に変化する．また，同時に呼吸は大脳によっても制御される．つまり，心臓と異なり，意識的に調節することが可能で，また，不安や恐怖といった情動により変化する．このように，さまざまな要因によって呼吸は変化するが，主に動脈血二酸化炭素分圧（$PaCO_2$）によって調節されている（**図Ⅲ-1-2**）．

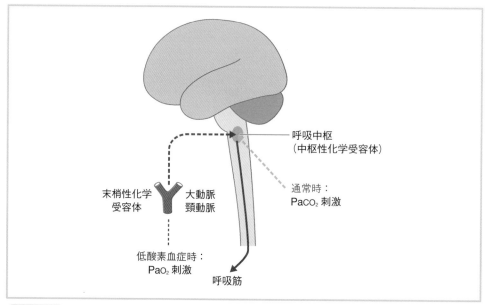

図Ⅲ-1-2　呼吸の調節のしくみ
換気は主に動脈血二酸化炭素分圧（$PaCO_2$）によって調節される．低酸素血症に陥ったときのみ大動脈，頸動脈にある
末梢性化学受容体を介して動脈血酸素分圧（PaO_2）が換気を刺激する．

3 ● 高齢者の呼吸の特徴

a. 換 気（表Ⅲ-1-1）

　加齢とともに，換気効率は低下し，大きなエネルギーを換気に費やすようになる．まず，胸郭では，加齢とともに肋骨への石灰沈着，骨粗鬆症による脊柱の短縮や後彎により胸郭の伸展性は低下し，固くなる（**胸壁コンプライアンス***の低下）．このことにより，若年者と比較し吸気に大きな力が必要になる．

　吸気時に大きな力が必要になるにもかかわらず，もっとも主要な吸気筋である横隔膜の機能は加齢とともに低下し，横隔膜の筋力は若年層と比較して13〜25％低下する[1, 2]．胸郭の変形と，後述する残気量の増加により，横隔膜の収縮は非効果的になり，60歳時には20歳時と比較して呼吸に関連したエネルギー消費は20％増加する．

　肺実質では，末梢気道の支持組織が減少する結果，末梢気道は拡張し，加齢とともに肺の弾性・収縮力が低下する（**肺コンプライアンスの増加**）．これは**残気量**が増加することを示し，ガス交換に関与しない領域が増加することを示す．さらに，支持組織の減少により，末梢気道は，呼気時，容易に虚脱することになる．末梢気道の虚脱は**呼気制限**（**エアトラッピング**，air trapping，**図Ⅲ-1-3**）につながる．呼気制限とは，「息が吐けない」状態で，呼気の途中で気道が虚脱するため，その遠位にある気体を排出できない状態である．これらにより残気量は増大する．つまり，呼気終末でも，若年者よりも肺が膨らんだ状態になる（**図Ⅲ-1-4**）．高齢者では，この末梢気道の虚脱が努力呼気時ではない通常の呼気時にも起きることが特徴である．残気量は20歳時と比較すると約50％も増加する．

---

* コンプライアンス：胸郭や肺が縮まろうとする性質を弾性といい，肺や胸郭の膨らみやすさをコンプライアンス（伸展性）とよぶ．

表Ⅲ-1-1　加齢による呼吸機能の変化

パラメータ	加齢による変化
胸壁コンプライアンス（胸壁の軟らかさ）	低　下
肺コンプライアンス（肺の軟らかさ）	増　加
最大吸気圧（もっとも強く吸気を行ったさいに発生しうる圧）	低　下
1秒率（最大吸気位から強制的に呼気を開始して，最初の1秒で呼出することができる量を肺活量で割り100をかけた値）	低　下
肺活量（最大吸気位から呼出しうる気体の量）	低　下
残気量（強制呼気終末時に肺に残存している量）	増　加
機能的残気量（安静呼気時に肺に残存している量）	増　加

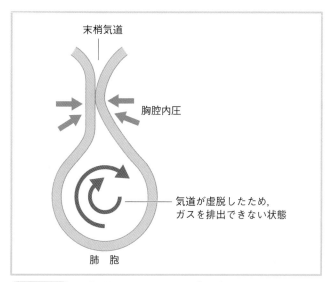

図Ⅲ-1-3　呼気制限（エアトラッピング）

b. ガス交換

　加齢とともにガス交換機能は低下し，動脈血酸素分圧（Pao_2）は低下する．この原因としては，呼気終末で虚脱している肺領域が増加すること，**換気血流比***が不均等になること[3]が考えられている．

c. 呼吸の調節

　若年者と比較して，高齢者では分時換気量（1回換気量×呼吸回数）は同じ程度であるが，呼吸回数は増加し，**1回換気量**は低下する．通常，$Paco_2$が増加したとき，中枢性化学受容体の反応により換気が促進される（二酸化炭素換気応答という）が，若年者と比較し，高齢者ではその反応は非常に弱い．また，**低酸素血症**に対する換気応答も低下する．さらに，呼吸負荷に対して気づく能力も低下する．

---

* 換気血流比：肺胞の換気と血流の比を表すもので，ガス交換の効率を測る尺度である．"不均等"とは，血流があるのに換気がなく，もしくは換気があるのに血流がないといった両者のミスマッチをいう．

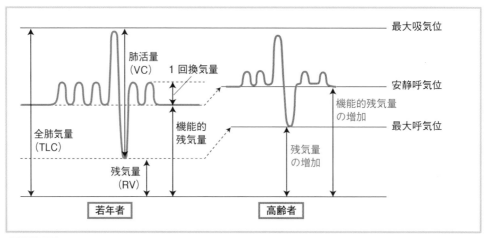

図Ⅲ-1-4 加齢による肺気量分画の変化

4 ● 高齢者の呼吸機能に影響する要因

a. 運動機能・心機能の低下と運動量の低下

　加齢は，骨・筋・関節の構造・機能を低下させ，また心機能の低下をまねく．その結果，日常生活における運動自体が困難になるとともに，運動に伴う呼吸も困難になる．また高齢者では，循環器系，呼吸器系の疾患をもっていることが多く，このような場合，運動時の酸素供給能力はさらに低下し，結果として運動量・日常生活動作（activities of daily living：ADL）はさらに低下する．これらの運動量減少はさらなる筋力の減少，心肺機能の低下をまねくことになり，悪循環に陥る．適切な運動を継続し，運動機能を維持することは，心肺機能の維持のみならず，生活の質（QOL）の向上に寄与する．

b. 喫 煙

　喫煙は，後述の慢性閉塞性肺疾患（COPD）の重要な危険因子である[4]．喫煙は，慢性的な気道の炎症を引き起こし，構造的変化を引き起こす．また，炎症によって喀痰（かくたん）を増加させ，さらに気管支線毛運動を抑制するため，咳嗽反応が低下し喀痰の排出（気道クリアランス*）が困難になる．これら一連の機能低下は非喫煙者においても加齢変化としてみられるが，長期喫煙者において顕著に現れる．

c. 疾 患

　COPDや肺炎など，呼吸器疾患が呼吸機能に影響することがある．

B. 看護実践の展開

1 ● アセスメント

a. 呼吸機能を低下させる要因

　日常生活での運動量，喫煙習慣，疾患について診療記録，問診などから情報収集する．

---

* クリアランス：異物を体外に排出させる能力．

b. 呼吸機能

(1) 問診により得られる情報

　高齢者では低酸素血症や高二酸化炭素血症，その他の呼吸に関連した変化に対する気づきが遅れることが多いため，訴えを待つのみでは介入が遅くなる．さらに**呼吸困難感**を，「胸が苦しい」「深呼吸ができない」など別の言い方で訴えることもある．反対に**胸部不快感**を呼吸困難という言葉で訴えることもある．呼吸困難にはさまざまな感覚があり，呼吸困難や胸部不快感を生じたときの行動も含め，ていねいに聞き出す．

　急性の呼吸困難ではない場合は，日常生活と結びつけて**呼吸困難，息切れ感**を表現してもらうと答えやすくなる．いつも行う活動で息切れを感じるかどうか，いつも通る坂道で何回休むか，などの日常生活と結びつけると答えやすく，また，高齢者自身も変化に気づきやすくなる．高齢者では必ずしも息切れを訴えないため，日常生活行動の変化から息切れを疑うことができる．たとえば，階段を利用しない場合，その理由として息切れ感の存在を疑う．これら息切れ感は，**修正 MRC（mMRC）息切れスケール**（p373，**表Ⅴ-3-1**参照）や，**ヒュー・ジョーンズ**（Hugh-Jones）**重症度分類**（**表Ⅲ-1-2**）を使用し，できるだけ客観的に表現し，経過を評価できるようにする．

　呼吸困難感は主観的な体験であり，$PaCO_2$ や PaO_2 と呼吸困難感が常に相関するとは限らないことに注意する．

(2) 視診により得られる情報

　呼吸に伴う胸郭，関連する筋の運動を把握する．呼吸補助筋の運動の状況は，どの程度呼吸負荷が存在するのか，どの程度**予備力**（老化に伴う呼吸機能低下を補完する能力，p.5参照）があるか，を評価するさいに重要な視点となる．高齢者では，横隔膜などの主要な呼吸筋力が低下しており，呼吸機能低下に対する予備力が不十分であることが多い．呼吸機能を補完する呼吸補助筋としてさまざまな筋が挙げられるが，**胸鎖乳突筋**の視診が比較的判断しやすい．

　慢性閉塞性肺疾患（chronic obstructive pulmonary disease：**COPD**）の患者では肺の過膨張に伴って，胸郭の前後径が増大することがある．このような胸郭を**樽状胸郭（バレルチェスト）**とよぶ（**図Ⅲ-1-5**）．

　COPD をもつ高齢者では呼気中に末梢気道の虚脱が起こり，呼気制限（エアトラッピング，**図Ⅲ-1-3** 参照）という現象が起きる．これを防ぐために，呼気時に口をすぼめながら呼気を行う呼吸法（**口すぼめ呼吸**）を自然と身につけていることがある．

表Ⅲ-1-2　ヒュー・ジョーンズ重症度分類

Ⅰ度	同年齢の健常者と同様で，呼吸困難なし
Ⅱ度	坂道，階段で息切れを感じる
Ⅲ度	平地歩行でも息苦しい
Ⅳ度	平地でも50 m歩くと休んでしまう
Ⅴ度	会話，衣服の着替えでも苦しい

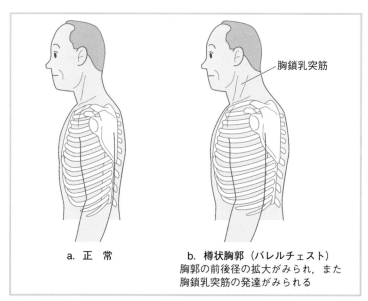

　　a. 正　常　　　　　　　　b. 樽状胸郭（バレルチェスト）
　　　　　　　　　　　　　　　　胸郭の前後径の拡大がみられ，また
　　　　　　　　　　　　　　　　胸鎖乳突筋の発達がみられる

図Ⅲ-1-5　樽状胸郭（バレルチェスト）

(3) 聴診により得られる情報

　呼吸音を聴取することにより，気道の狭窄や気道分泌物の存在を発見できる可能性がある．また，治療による病態の改善，あるいは悪化を示す所見の1つとして有用である．ただ，聴診は比較的難しい手技であり，聴診のみで病態を推測してはならない．「視診」「訴え」といった他の所見と総合して患者の病態を推測すべきである．呼吸音はいくつかに分類される．かつては乾性，湿性ラ音といった用語も用いられたが，呼吸音はあくまで音の分類であって病態を分類しているわけではないことから crackle，wheeze といった用語が推奨されている[5]．

(4) 酸素化能—Pao_2 と Spo_2，スパイロメトリー

　加齢により Pao_2 の基準値は低下する．年齢による基準値の補正には下記の式が使用される．

　　$Pao_2 = 107 - 0.4 \times 年齢$

　COPD などの基礎疾患により，もともとの酸素化能が低下していることもあるため，より個別性を重視した評価が必要となる．Pao_2 の測定には動脈血採血が必要であるが，パルスオキシメータは経皮的に酸素化能を評価することができる．

　パルスオキシメータによる経皮的酸素飽和度（Spo_2）は，経皮的に酸素と結合しているヘモグロビン（酸素化ヘモグロビン）の割合を％で表し，酸素化能を評価する指標となる．高齢者では，Pao_2 同様，Spo_2 の基準値は低下していることが一般的である．

　その他，スパイロメトリーにより，非侵襲的に肺気量分画（p.36参照）をアセスメントできる．最大吸気位からできるだけ早く，一気に呼気を行ってもらうことにより努力呼吸曲線が得られる．気道で炎症が生じ狭小化している場合や，構造的障害が起き虚脱しやすい状態が存在すると，努力呼気中に末梢気道が狭窄し，呼気速度が低下するが，努力呼吸

曲線は，直径2mm以上の気道閉塞がある場合にその所見が曲線上に表れるため，**気道閉塞**の指標としても用いられている．この呼気速度の低下は，具体的に**FEV₁%（1秒率）***の低下として表され，COPDの発見，その重症度の評価に有用である．

c. 呼吸機能の低下が生活に及ぼしている影響

呼吸機能の低下は，その程度により日常生活に影響を及ぼす．とくに労作時の息切れを生じると，活動範囲の減少につながり，活動量が減少することが考えられる．高齢者の活動量の減少は筋力の低下につながり，サルコペニアの原因の1つになりうる．COPDでは多くの患者にサルコペニアが生じ，また，サルコペニアの悪化が，QOLや活動耐性の悪化と関連しているとされている[6]．このため，活動量の減少や筋力低下，さらにはサルコペニアを引き起こすほどに呼吸機能が低下していないかアセスメントし，息切れを防ぐ日常生活行動の習得や，呼吸機能の維持・低下予防に役立てる．なお，このような息切れは呼吸器疾患のみならず，心不全をはじめとする循環器疾患でも起こりうる[7]ことにも注意する．

d. 呼吸機能の低下についての自覚とセルフケアの状況，本人の強み

息苦しさは，必ずしも呼吸機能の低下に起因するものではないが，高齢者では非常によくある症状である．65歳以上の高齢者では，30%がさまざまな生活の中で息苦しさを経験している[8]．息苦しさは労作時の息苦しさというかたちで気づくこともあるが，また，労作後，呼吸の乱れが落ち着くまでの時間が長いことで気づくこともある．さらに，"息苦しさ"として自覚せず，呼吸時の胸の不快感などと表現されることもある．慢性呼吸器疾患患者において，息苦しさは歩行や階段の昇降時のみ生じるわけではなく，病態の進行によりさまざまな場面で生じうる．たとえば腕を反復して挙上する動作や，食事などの一時的に呼吸を止める動作が呼吸困難を伴うこともある．患者は，自然とこれらの行動を避けるような行動を身につけていることもあり，それに対する本人の気づきや認識を確認することも重要である．

2●目　標

高齢者の呼吸援助の目標をウェルネスの視点で考えると，次の3点が挙げられる．

①現在の呼吸機能を維持し，低下を予防することができる
②適切な時機に酸素化，換気を得ることができる
③呼吸困難を軽減することができる

3●介　入

(1) 現在の呼吸機能を維持し，低下を予防することができる

適切な運動量を維持し，また心肺機能を維持することは，活動に対する耐性を強化することにつながる．つまり，呼吸機能の維持という側面のみでなく，ADLを維持し，ひいてはQOLを維持することに寄与するといえる．

---

* FEV₁%（1秒率）：1秒量（FEV₁，はじめの1秒に吐き出される息の量）を努力肺活量（FVC，すべて吐き出した息の総量）で割り，100をかけたもの．基準値は70%以上．

　喫煙は，呼吸機能を低下させる重要な要因であり，できるだけ早期に禁煙ができるようにアプローチすることが重要である．

　とくにCOPD患者では，運動により呼吸補助筋をはじめとする全身の筋力を維持・向上することにより，呼吸負荷への耐性を増加させ，QOLの向上がはかられると考えられている[9]．また，運動療法に栄養療法，薬物療法などを組み合わせた**包括的呼吸リハビリテーション**は，COPD患者のQOLを改善することが示され，広く推奨されている[4]（p.376参照）．効果的なリハビリテーションを行うには，対象者を巻き込んだ多職種による連携が必須となる．

　呼吸器感染症は，高齢者の呼吸機能を悪化させる主な要因である．高齢者では予備力が低下しているため，呼吸器感染症を発症した高齢者は，若年者と比較し，呼吸に関する大きな負荷を抱えることになる．老化に伴う肺の構造的変化や，入院に伴う活動の低下は，呼吸機能の低下をさらに促進する．感染に伴う発熱などの症状も若年者と比較し強く現れないことが多く，見逃されやすいため，注意が必要である．日常的な活動に対する倦怠感など，いつもと異なる徴候に高齢者自身が気づくことも大切となる．予防としては**ワクチン接種や口腔ケア**[10]が推奨される．

(2) 適切な時機に酸素化，換気を得ることができる

　高齢者においては，低酸素血症，高二酸化炭素血症への反応（換気応答）が緩慢であるため，それらに対する心拍数や呼吸回数，換気量への変化も遅れることになる．よって，意識レベルの低下，混乱などによりはじめてそれらの異常が発見されることがあり，このような発見の遅れに注意する必要がある．発見の遅れを防ぐには本人のみでなく，日常的に本人を見守る家族に対する指導も重要となる．

　急激な酸素化能の低下には基本的に**酸素療法**を行う．ただしCOPDをもつ場合には，高濃度酸素投与によりCO_2ナルコーシスを呈することがあるので注意する．

(3) 呼吸困難を軽減することができる

　急性状況において酸素化能，換気能が不十分であることが明らかになった場合の基本的なアプローチは端的にそれらを改善することにある．具体的には酸素療法や非侵襲的陽圧換気法，気管支拡張薬などの投薬である．これらをスムーズに行うには，治療法そのものに関する十分な説明だけでなく，用いることによって呼吸が楽になるという感覚をもちながら治療に向かえるように援助することが重要となる．

　とくに慢性呼吸器疾患をもつ患者では，薬物療法への**アドヒアランス***が重要となる．これには十分な教育のみでなく，服薬を忘れないようにするためのシステム（ピルケースなど），家族の協力も重要となる．

4●評　価

　客観的な指標は介入の有効性やアセスメントの正確さを評価するために重要であるが，あくまでもゴールは高齢者のQOLの向上であるという視点を忘れないようにする必要が

---

* アドヒアランス：患者が中心となり，医療者の推奨する養生法や治療法に同意して，服薬，食事，ライフスタイルの改善などを能動的に実行すること．患者と医療者のパートナーシップに基づく治療法の判断が中心になる点で，医療者の指示を中心とするコンプライアンス（遵守）と区別される．

ある.

a. 自覚症状や行動

呼吸困難感の軽減やそれに伴う ADL の向上を評価する. 呼吸困難感の指標としては, 前述の mMRC 息切れスケールや, ヒュー・ジョーンズ重症度分類を使用して呼吸困難を評価することができる.

b. フィジカルアセスメント

呼吸補助筋の使用の程度, 吸気時における胸骨窩や肋間の陥没の程度が, 吸気にかける仕事の強度を示している. これらをていねいに観察し, 経過を追うことが重要である.

c. 客観的指標

高齢者では, 通常の状態でも低い SpO_2 値を示すことが多いため, 絶対値で評価するよりは, 普段の数値からの変化の度合いで評価するほうがよい.

1秒率 ($FEV_1\%$) は, COPD 患者において末梢気道病変の悪化, または改善を表す. これもそれぞれの患者に個別的なの基準値からの変化をみることが重要である.

5 ● 看護技術が高齢者に及ぼす影響

包括的なリハビリテーションの一環として, 同じような症状をもった高齢者が集まることができる機会を設けることは, 直接的な指導, 教育といった意味のみでなく, 高齢者間のコミュニケーションの場として機能し, 動機づけに役に立つという意味もある.

酸素療法や非侵襲的陽圧換気法は, 高齢者にとって「機械につながれている」「動いてはいけない」といった感覚をもたせることがあり, 結果として ADL を低下させてしまう危険がある. 呼吸機能に関する数値のみでなく, 患者に QOL を維持, 向上させているかどうかという視点をもちながら援助する必要がある.

練習問題

Q1 高齢者の呼吸機能の変化で正しいのはどれか. 2つ選べ.
1. 肺活量の低下
2. 1秒率の上昇
3. 1回換気量の上昇
4. 咳嗽反応の亢進
5. 気管支線毛運動の低下

[解答と解説 ▶ p.477]

引用文献

1) Tolep K, Higgins N, Muza S, et al：Comparison of diaphragm strength between healthy adult elderly and young men. American Journal of Respiratory and Critical Care Medicine **152**（2）：677-682, 1995
2) Polkey MI, Harris ML, Hughes PD, et al：The contractile properties of the elderly human diaphragm. American Journal of Respiratory and Critical Care Medicine **155**（5）：1560-1564, 1997
3) Cardus J, Burgos F, Diaz O, et al：Increase in pulmonary ventilation-perfusion inequality with age in healthy individuals. American Journal of Respiratory and Critical Care Medicine **156**(2 Pt1)：648-653, 1997
4) Gold PM：The 2007 GOLD Guidelines：a comprehensive care framework. Respiratory Care **54**(8)：1040-1049, 2009
5) Pasterkamp H, Kraman SS, Wodicka GR：Respiratory sounds：advances beyond the stethoscope. American

Journal of Respiratory and Critical Care Medicine **156**（3 Pt1）：974-987，1997

6)　Walter S-L, Christian O, Steven P, et al.：Diagnosis, prevalence, and clinical impact of sarcopenia in COPD: a systematic review and meta-analysis. J Cachexia Sarcopenia Muscle **11**（5）：1164-1176, 2020

7)　Mauro Z, Andrea P R, Francesca C, et al.：Sarcopenia, cachexia and congestive heart failure in the elderly. Endocr Metab Immune Disord Drug Targets **13**（1）：58-67, 2013

8)　Donald A M：Evaluation of Dyspnea in the Elderly. Clin Geriatr Med **33**（4）：503-521, 2017

9)　Verrill D, Barton C, Beasley W, et al：The effects of short-term and long-term pulmonary rehabilitation on functional capacity, perceived dyspnea, and quality of life. Chest **128**（2）：673-683，2005

10)　Yoneyama T, Yoshida M, Ohrui T, et al：Oral care reduces pneumonia in older patients in nursing homes. Journal of the American Geriatrics Society **50**（3）：430-433，2002

2 循　環

A. 基礎知識

1● 高齢者における循環とは

　生命の維持に不可欠な酸素は，鼻腔・口腔・気管から肺に取り込まれ，肺から心臓へ送られる．心臓は，酸素（血液）を全身に送る**ポンプ機能**を有しており，心臓から送られた血液は血管を通って全身の器官や細胞に供給される．そして，各器官や細胞で消費された二酸化炭素を含む血液は，心臓へ運ばれた後に肺へ送られ，肺で再び酸素化されて心臓へ戻る．この繰り返しが**循環**である．

　循環器とは，血液の循環に関与する器官のことであり，**心臓，動静脈，毛細血管**，リンパ管で構成される．そして，心臓と心臓につながる血管に関連する疾患を循環器疾患と呼んでいる．とくに心疾患は，65歳以上の高齢者の死因第1位もしくは2位の原因疾患であり，罹患率が高くかつ死亡のリスクが高い．仮に，心疾患による障害が軽度の場合であっても症状が出現することで日常生活へ影響を及ぼしQOLの低下をもたらすことがある．同時に，循環器疾患を患った場合には一定期間の安静と食事制限を余儀なくされることがある．高齢者の場合は，この制限がフレイルやサルコペニアにつながる．

　高齢者は，典型的な循環器疾患の症状が現れにくく，認知機能の低下などで本人が適切に症状を表現できないことがある．そのため，看護師は加齢に伴う循環器系への影響を理解し，アセスメントすべきポイントを学習することが大切である．看護師が高齢者の循環の特徴を知ることで，循環器疾患の予防と早期発見につなげることが可能である．

2● 成人の循環器の構造と機能

a. 心臓の構造

　心臓は握りこぶし程度の大きさであり，重さは約200～300gである．心臓は主に心筋という筋肉でできており，4つの部屋（右心房，右心室，左心房，左心室）で構成されている（**図Ⅲ-2-1**）．各部屋は弁と心筋で区切られていて，太い血管である上大静脈，下大静脈，大動脈，肺動脈がつながっている．

　心臓は成人では1分間に約60～80回拍動し，5L/分の血液を送り出している．心臓の拍動は**自律神経**によって支配され，右心房上部にある洞結節で自動能によって電気信号がつくられている．この信号を心臓全体に伝える仕組みを**刺激伝導系**という（**図Ⅲ-2-2**）．洞結節からの電気信号で心房が刺激されると，心房が収縮して血液が心房から心室へ送られる．心室に血液が充満すると，電気信号は心室へ伝わり心室が収縮し，三尖弁と僧帽弁が閉じ肺動脈弁と大動脈弁が開いて血液を押し出している（**図Ⅲ-2-1**）．このように**血液の逆流を防ぐ弁**の役割によって，血液は一方方向に流れている．この4つの弁が，

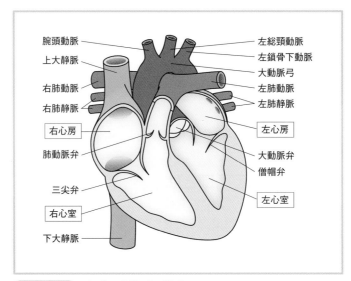

図Ⅲ-2-1　心臓と血管系の構造

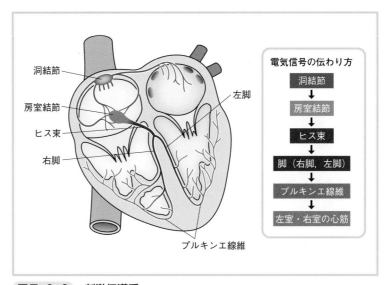

図Ⅲ-2-2　刺激伝導系
仮に洞結節で電気信号を発生できなくなった場合には，房室結節以下が代わりに電気信号をつくる自動能を有している．

それぞれのタイミングで開閉を行うことでスムーズな血液の流れを調整している．
　心臓はポンプとしての機能を発揮するために，心臓自体へも血液を送り，心臓を動かすエネルギーを作り出している．心臓自体へ血液を供給する血管は**冠動脈（冠状動脈）**である（**図Ⅲ-2-3**）．右冠動脈は右房，右室，左室の下方に栄養を送っている．左冠動脈は，左室の前方や心室中隔に栄養を送る前下行枝と左室の側方から後方に栄養を送る回旋枝に分かれている．血液は冠動脈を通り心筋に酸素と栄養を供給したのち，冠静脈を通って右房へ戻る．

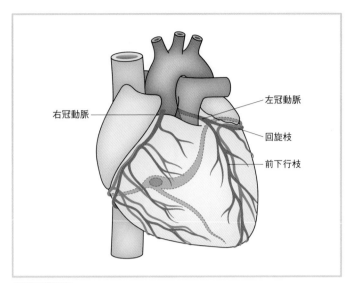

右冠動脈

左冠動脈

回旋枝

前下行枝

図Ⅲ-2-3　心臓の動脈と静脈

b. 血管系の構造（動脈，静脈，毛細血管）

　血液は**動脈**，**静脈**，**毛細血管**を通って全身に流れ，各器官や細胞へ酸素と栄養を供給している（**図Ⅲ-2-4**）．　動脈は，心臓から全身の組織へ流れる血液の経路である．肺で酸素と結合するため鮮紅色を呈している．動脈は内膜，中膜，外膜の3層から構造されている（**図Ⅲ-2-4**）．内膜には内皮細胞と弾性線維，中膜には弾性線維と平滑筋がある．外膜には結合組織があり，血管と周囲皮膚を固定する役割を担っている．

　静脈は，全身を回った血液を心臓へ戻す血液の経路である．肺静脈は，肺でガス交換を終えた動脈血を心臓へ戻す血管で，他の静脈と異なり動脈血が流れる．静脈は動脈と同様で内膜，中膜，外膜の3層から構造されている（**図Ⅲ-2-4**）．弾性線維はなく，内膜には内皮細胞，静脈弁があり，中膜には平滑筋がある．静脈には静脈弁があり，血液の逆流を防いで，血液が一方向へ流れるようになっている．また，動脈に並走するように位置していて，動脈の拍動を外圧として利用することで血液の流れを促している．とくに，下肢の静脈血は筋肉のポンプ作用により血液の流れを促進している．

　毛細血管は，細動脈と細静脈をつなぐ細い血管で内皮細胞だけからなる．毛細血管は無数に枝分かれして身体の組織を取り囲み，酸素，栄養素，および他の物質を送り届けている．

c. 機　能

　循環器系は全身の器官や細胞に酸素や栄養を供給し，炭酸ガスや老廃物を運び去る役割がある．この血液循環は細胞を維持するために不可欠である．全身に酸素や栄養を届けるための循環を**体循環**，ガス交換のために心臓から肺へ血液を循環させることを**肺循環**という（**図Ⅲ-2-5**）．

　安静時の心拍出量は1分間に約5Lで，運動時は約25L/分である[1]．血管は心臓から拍出された血液を各臓器へ配分している．各臓器への血液配分を**図Ⅲ-2-5**に示す．循環血液量の総量は心臓のポンプ力によって決まり，各臓器への血液配分は血管の平滑筋の収

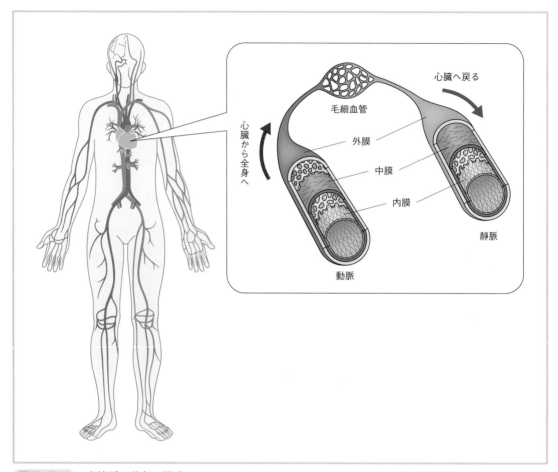

図Ⅲ-2-4　血管系の分布と構造

縮と弛緩によって血管抵抗を変化させることで調整している．安静時には，脳に約15%，冠動脈に約4%，肝臓と消化管に27%，腎臓20%，骨格筋・皮膚に20%，その他の脂肪や骨に約14%が分配される[1]．運動時は骨格筋の酸素消費量が増加するため，骨格筋への血液配分が増えて，消化管への配分が減少する．一方，食事の際には消化管へ配分する血液量が増えるなど，運動や食事等によって変化する．ただし，心筋への血流量は運動等に関係なく一定に保たれている．

> **心拍出量（cardiac output：CO）とは**
> - 心臓のポンプ機能を表す指標で，1分間に心臓から拍出される血液量のこと．
> - COは1回心拍出量（stroke volume：SV）と心拍数（heart rate：HR）から測る．
>   心拍出量（L/分）＝心拍数（回/分）×1回拍出量（mL/回）
>   心拍出量の基準値は3.5〜7.0 L/分[1]

　上記の計算式をみてもわかるように，心拍出量は心拍数や1回拍出量が変化すると値は変わってくる．一般的に運動すると心拍数は増えるが，1回の拍出量が減れば心拍出量は

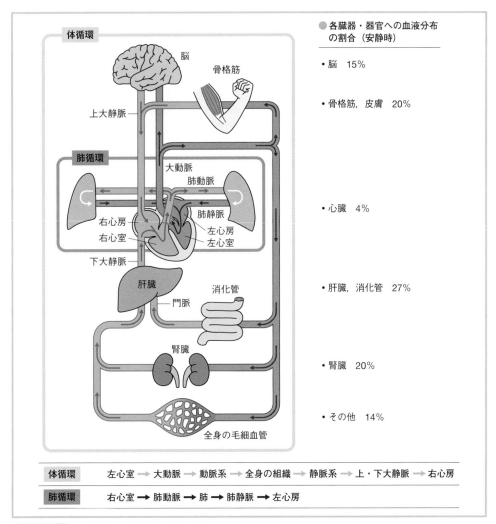

体循環と肺循環・主な臓器への血液分布の図

● 各臓器・器官への血液分布の割合（安静時）

- 脳　15%
- 骨格筋，皮膚　20%
- 心臓　4%
- 肝臓，消化管　27%
- 腎臓　20%
- その他　14%

| 体循環 | 左心室 → 大動脈 → 動脈系 → 全身の組織 → 静脈系 → 上・下大静脈 → 右心房 |
| 肺循環 | 右心室 → 肺動脈 → 肺 → 肺静脈 → 左心房 |

図Ⅲ-2-5　体循環と肺循環・主な臓器への血液分布

変化しない．前負荷，心収縮力，後負荷（**表Ⅲ-2-1**），心拍数の4つが決定因子となって心拍出量を維持している．

3 ● 高齢者の循環機能の特徴

　一般的に，心臓には加齢による構造的な変化は起こらず，左心室に約30%の肥厚の増加がみられる程度であるといわれている[2]．これは加齢とともに心筋の間質にリポフスチン（過酸化脂が重合したもの）やアミロイドなどの物質が沈着することで，心臓の線維化が起こり，心臓の壁が肥厚することによって生じる．

　一方で，血管は加齢による変化が大きく，動脈硬化の影響で破裂や閉塞が生じやすくなる．心筋自体は正常であっても，この血管系の**加齢変化**が心機能に障害を及ぼすことになる．ここでは動脈硬化とその影響による血圧の変化について取り上げる．

表Ⅲ-2-1　心拍数の決定因子（前負荷，心収縮力，後負荷）

前負荷	心臓が収縮する直前に心室にかかる負荷のこと. 心室に流入する血液量が多ければ心筋がより拡張するため，反動で収縮する力も大きくなる（前負荷が大きくなる）. 【例】出血した場合 循環血液量の減少に伴い心室に入る血液量が減る. そのため，心拍出量を維持するために心拍数が増加する. ※出血した際に頻脈になるのはこの代償機能が働いているため
心収縮力	心臓が収縮する力（血液を送り出す力）.
後負荷	心臓が収縮した直後に心臓にかかる負荷のこと. 心室が末梢血管抵抗に逆らい血液を送り出す力であり，後負荷が大きければ心臓は収縮する力を大きくし，1回拍出量が減少する. そのため，心拍出量を維持するために心拍数が増加する.

a. 動脈硬化

　動脈は**外膜，中膜，内膜**の3層で構成されていて（**図Ⅲ-2-4**），平滑筋細胞や弾性線維によって血管の弾力性と柔軟性が保たれている. この血管の壁が厚く硬くなった状態が動脈硬化である. 動脈硬化には粥状硬化と中膜硬化，細動脈硬化の3つの種類がある.

　粥状硬化では，大動脈や冠動脈の比較的太い動脈の内膜にコレステロールや石灰，炎症細胞などの脂肪からなる粥状物質（アテローム）がたまって盛り上がりを形成する. この粥状物質が内膜からはがれると血栓となり，この血栓が詰まると脳梗塞や心筋梗塞となる.

　中膜硬化は，動脈の中膜に石灰が沈着することで動脈の内腔が硬くなり狭窄する. 血管壁が破れることがある. 高齢者では下肢の動脈にみられることが多い.

　細動脈硬化は，脳や腎臓の細い動脈に起こりやすく線維成分の増殖によって内腔が狭くなることである. 血栓による梗塞や，血管壁が破裂して出血することがある.

b. 血圧の異常

　血圧は，血液が血管内に与える圧（動脈圧）のことであり，**心拍出量と末梢血管抵抗**によって決まる. 加齢により末梢血管抵抗が増大すると心臓はより強い力で血液を押し出す必要がある. その結果，動脈に高い圧力がかかり収縮期血圧が高くなる.

血圧＝心拍出量×血管抵抗
　収縮期血圧は心臓が収縮するときの圧（動脈圧）
　拡張期血圧は心臓が拡張するときの圧（動脈圧）

　加齢に伴い血管抵抗が増大する原因は，**動脈硬化や血管弾性の低下**などが挙げられる. 高齢者の血圧の特徴を**表Ⅲ-2-2**に示す. 一般的に高血圧は自覚症状がないためそのまま放置されやすい. そのため，高血圧では血管平滑筋細胞や弾性繊維がより強い圧力に耐えられるように肥厚していく. その結果さらに動脈硬化が進行する悪循環にいたる. とくに，仮面高血圧の場合は，診察室で測定した血圧が正常値であるため見過ごされ，高血圧状態で放置されやすい. 高齢者では，血圧上昇に伴い**脳血管疾患**の死亡リスクが高いことが報告されており[3]，高齢者の血圧の特徴を踏まえた適切な血圧管理が重要である.

表Ⅲ-2-2　高齢者の血圧の特徴

血圧の特徴	原因
脈圧の増大	・動脈硬化と血管の弾性低下等の影響で収縮期血圧は高くなり，血管が収縮しにくくなるため拡張期血圧は低下する．
仮面高血圧	・降圧薬服用の関係で薬剤の効き具合が安定していない場合に起こる． ・その他，ストレスや喫煙など複合的な要因で生じる．
起立性低血圧	・通常は仰臥位から立位など体位を変えた場合は，圧受容体反射を介して末梢血管が収縮して血圧を維持する．しかし，加齢による血管や末梢神経障害によりこの機能が働かない場合に生じる．
食後低血圧	・食後は消化を助けるために消化管へ配分する血液量が増える（図Ⅲ-2-5参照）．血液配分の変化に応じて，心臓への血流を維持するために心拍数を増やすなどの代償機能が働く．しかし，加齢によりこの調整機能が働かない場合に生じる．
血圧の左右差	・左右の上肢の血圧には多少の差があるが，その差が10〜20 mmHg以上である場合は，低いほうの血圧を示す上肢の動脈血流が閉塞していることが推定できる． ・下肢の血圧は，上肢と同じかやや高めである．下肢の血圧が極端に低い場合には，動脈硬化が原因で下肢に血流障害があることが予測できる．

注）仮面高血圧は，家庭血圧が高いにもかかわらず，診察室血圧は正常である．とくに夜間高血圧と早朝高血圧の場合がある．

表Ⅲ-2-3　高齢者血圧の降圧目標値

年齢	内容	推奨度
65〜74歳	140/90 mmHg以上の血圧レベルを降圧薬開始基準として推奨し，管理目標140/90 mmHg未満にする．	A
75歳以上	150/90 mmHgを当初の目標とし，忍容性があれば140/90 mmHg未満を降圧目標とする．	A

［日本老年医学会：高齢者高血圧診療ガイドライン2017, p.271,〔https://www.jpn-geriat-soc.or.jp/tool/pdf/guideline2017_01.pdf〕（最終確認：2023年1月26日）より許諾を得て改変し転載］

3 ● 高齢者の循環機能に影響する要因

　循環器疾患を予防するためには，高血圧，脂質異常症，喫煙，糖尿病の4つの危険因子を適切に管理することが推奨されている[4]．これらの4つの因子を管理するためには食事，運動，飲酒，降圧薬服用等の**基本的な生活習慣**が鍵となり，高齢者の循環機能を維持するために大切なことである．

a. 高血圧

　日本老年医学会のガイドラインでは，血圧の降圧目標を65〜74歳，75歳以上の年齢区分で設定している（**表Ⅲ-2-3**）．ただし，高齢者の場合は多病であり，病態は非定型なことが多く，同年齢であっても生理機能の個人差が大きい[5]．そのため，血圧の降圧目標は高齢者の個別性を考慮して管理することが重要である．

b. 脂質異常症

　前述のとおり血液中のコレステロールは動脈硬化の原因となる．脂質を管理するうえでは，総コレステロールとLDLコレステロールの値が重要な指標になる．総コレステロール値240 mg/dL以上とLDLコレステロール値160 mg/dL以上では，虚血性心疾患の発症と死亡のリスクが高くなることが報告されている[4]．

c. 喫　煙

　タバコに含まれるニコチンは，交感神経を刺激し末梢血管を収縮させる．この結果，血液の流れが悪くなり，血栓が生じやすくなる．また，ニコチンは心拍数と心収縮力を上昇

させるため，血圧が高くなる．このような喫煙による血管への負荷が，循環機能へ及ぼす影響が大きい．

d. 糖尿病

　糖尿病による高血糖状態が持続すると血管内にコレステロールが蓄積する．これらは動脈硬化の原因となり，循環機能への影響が大きい．日本の疫学調査では，HbA1cレベルが高くなると虚血性心疾患の発症リスクが直線的に高くなることが報告されている[6]．高齢者の糖尿病ガイドラインでは，高齢者の健康状態や認知機能などの個別性を考慮した血糖値の管理が推奨されている．

B. 看護実践の展開

1 ● アセスメント

a. 循環機能を低下させる要因

　循環機能の低下に関連する高血圧，脂質異常症，喫煙，糖尿病の4つの危険因子とそれらに関連する生活習慣について情報収集する．

b. 循環機能

(1) 問診によって得られる情報

　生活習慣は循環機能に影響する要因として重要な情報である．そのため，問診では生活習慣を系統的に評価する必要がある．また，高齢者の場合では，加齢変化による循環機能への影響を考慮しつつ，基礎疾患を踏まえて病的な状況であるのか否かの判断が求められる．

(2) 視診によって得られる情報

①頸静脈の怒張の有無

　健常の場合では仰臥位になると頸静脈怒張（拍動）がみられる．ヘッドアップを45度にしても頸静脈の怒張が認められる場合は，中心静脈圧が上昇していることが考えられ，右心不全が疑われる．仰臥位の状態で怒張を認めない場合には，循環血液量の減少を疑う．

②末梢循環の情報：チアノーゼの有無（表Ⅲ-2-4）

　チアノーゼは，先天性心疾患や呼吸器疾患による中心性チアノーゼと，心不全や末梢血管障害による末梢性チアノーゼに大きく分けることができる．酸素と結合していないヘモグロビンが血液中に多くなり5g/dL以上になると皮膚や粘膜が暗紫色に変化する．とく

表Ⅲ-2-4　チアノーゼのアセスメント

項目	アセスメントのポイント
発症時期	・急性経過か，慢性経過か
部位	・全身性か，局所性か ・ばち状指（中枢性チアノーゼが長時間持続する場合に認める）の有無
寛解因子	・末梢性チアノーゼは温める・マッサージで改善する
既往歴など	・呼吸器疾患の有無，寒冷曝露の有無，薬剤や毒物の誤飲

表Ⅲ-2-5　脈拍測定のポイント

測定内容	確認のポイント
脈の回数	・両側の橈骨動脈で1分間の回数を測定 ・左右差がないか確認 ・足背動脈または後脛骨動脈でも測定し，上下肢で差がないか確認
脈のリズム	・リズムに不整がないか
脈拍の性状	・末梢血管抵抗の大きさ，立ち上がりの速さ，緊張度

に口唇や口腔粘膜，指先，爪床などのメラニン色素の少ない毛細血管が豊富な部位で観察されやすい．

(3) 触診・聴診によって得られる情報

①心臓音の聴診

正常な心臓ではⅠ音とⅡ音が聴取できるため，聴取部位を把握して心臓の雑音の有無を確認する．心雑音は，弁や血管の狭窄，弁の閉鎖不全による逆流や欠損孔を通る血液がある場合に発生するため，聴診することでこれらの予測が可能となる．Ⅰ音とⅡ音のどこで雑音が聞こえるか，そのタイミングを確認する．また，聴診する身体部位からどこが雑音の発生部位であるのか，持続時間や強さを聴取する．心臓音の聴診は比較的難しい手技であるため，他のアセスメント技術と併用して病態の把握に努めることが大切である．

②脈拍（表Ⅲ-2-5）

1回の心臓収縮で約60 mLの血液が拍出される．その左室から拍出された血液は，動脈の壁を押し広げて末梢へ流れるが，この動脈に血液が送り込まれるときに生じる波動を脈拍として触知している．

c. 循環機能の低下が生活に及ぼしている影響

日常生活機能の基本となるのは心肺機能と運動機能である．循環器系では，動悸や胸部不快感，息切れなどが活動負荷によって自覚される．このような循環器に関連した症状や徴候により，日常の活動が制限されることがある．

d. 循環機能の低下についての自覚とセルフケアの状況，および本人の強み

高齢者は自覚症状があっても「歳のせい」と症状を見過ごしたり，我慢する場合が多い．また，典型的な症状が現れにくいことや，認知症のために症状を訴えられない等の理由で自覚できないこともある．そのため，高齢者自身が循環機能の低下を踏まえた健康管理行動をとることができているかが重要である．

血圧は循環状態を把握するうえで参考になる値であり，なおかつ自己測定が簡便にできる点で日常に取り入れやすい．高齢者が家庭内血圧測定を習慣化できているかを確認する．すでに血圧測定の習慣がついている場合は，本人の強みととらえることができる．また，動悸は心拍数が急に変化することや不規則になる，1回拍出量が増加する際に生じ，心臓の拍動を感じる状態である．動悸の性状（早さやリズム）を再現してもらうことで，より詳細な状況を知る手がかりとなる．必要に応じては自己検脈を指導することで健康管理行動を促す．

2●目　標

　加齢による循環機能への影響を最小限にとどめ，その人らしい生活を送るうえでの目標をウェルネスの視点で考えると以下の２点が挙げられる．

①健康的な生活習慣のもと循環器疾患の発症を予防することができる．
②加齢による循環機能低下を理解し自立した日常生活を継続することができる

3●介　入

(1) 健康的な生活習慣のもと循環器疾患の発症を予防することができる

　循環器疾患の予防のためには高血圧，脂質異常症，喫煙，糖尿病の４つの危険因子に注意する必要があり，そのためには健康的な生活習慣を送ることが大切である．

①栄養と食事

　高血圧に注意するためにも，減塩（6 g/日）した食事に心がける．また，血液中のコレステロールや中性脂肪を増やす動物性脂肪を減らし，青魚などに多い不飽和脂肪酸を多く含む食品を摂取できるようにする．高血圧のある場合には塩分の排出を促すカリウムを多く含む野菜や果物の摂取も効果的である．

②身体活動・運動

　適度な運動を行うことで，筋肉が鍛えられて心臓の負担を軽減することができる．習慣化することで，血圧の上昇を抑えることができ循環器疾患の発症予防に効果が高い．高齢者の運動機能等を考慮して，日常に取り入れやすい運動を提案する．高血圧の予防や改善として推奨されているのは，ウォーキング等の有酸素運動が挙げられる．

③嗜好品

　喫煙によるニコチンが及ぼす循環器系への影響を考えると禁煙の必要性を指導し，禁煙できるように支援する必要がある．緑茶やコーヒーに含まれるカフェインは交感神経を興奮させ，血管を収縮させる作用があるため血圧が上昇する原因となる．高血圧のある場合にはカフェインの摂取には注意が必要である．

④適切な降圧薬の管理

　高齢者は全般的に併存疾患があることより多剤併用（ポリファーマシー，p.436参照）となる傾向にある．一般的には５～６剤以上の服用をポリファーマシーの目安にしている．高齢者薬物有害作用の原因薬剤の中では，循環器薬が1/3以上を占めることが報告されている[7]．また，ポリファーマシーは服薬のアドヒアランスを低下させる要因であるため[8]，降圧薬の適切な管理が血圧を安定させるうえで重要である．薬剤が多い場合は医師や薬剤師と連携して適切な管理ができるように援助する．

(2) 加齢による循環機能低下を理解し自立した日常生活を継続することができる

　高齢者は血圧の動揺性が高いため，起立性低血圧や食後低血圧を起こしやすいことに注意が必要である．これらは立ち上がりの際の転倒につながりやすいため，血圧の変動を考慮した立ち上がりや移動方法を指導する．また，入浴時の急激な温度変化や排泄時の努責は血圧が変化しやすいため生活の中での注意が必要である．自己の血圧の動揺性を知るうえでは，家庭内血圧の測定を習慣化できるように支援していく．

4●評 価

高齢者の場合，バイタルサインや血液・検査データ等は個人差が大きいため正常値・異常値として評価することが難しい．循環機能は日常生活機能を支える基本であることを考えると，高齢者の生活へ及ぼす影響を評価し，その人らしく生活できているかを常に考えることが大切である．

a. 自覚症状

循環器疾患では，動悸，胸痛，背部痛，息切れや呼吸困難，チアノーゼ，浮腫，めまいなどが典型的な症状である．しかし，高齢者は典型的な症状が出にくい，症状を適切に訴えることが難しいことを念頭におく．日常生活でできなくなった活動や支援が必要となる活動があれば，その点に着目して活動を妨げている原因が循環機能の低下ではないか検討することが必要である．

b. フィジカルアセスメント

家庭内血圧を含めた血圧値を把握する．下肢末梢は動脈硬化性の変化が現れやすいため，末梢動脈の触知を行う．また，動脈血流が閉塞している場合には血圧値の左右差で予測可能であるため，初回の診察時は左右上下肢の血圧を測定する．10 mmHg 以内の場合は正常である．足関節上腕血圧比（ABI）は末梢動脈疾患の早期発見に有用なアセスメントである．ABI は足関節部の収縮期血圧／上腕動脈の収縮期血圧で求めることができる．標準値は $1.00 \leq ABI \leq 1.40$，0.90 以下では主幹動脈の狭窄や閉塞が疑われる．ABI は看護師がリアルタイムで測定可能である．

c. 客観的指標

高齢者の生活の側面を包括的に把握できる高齢者総合機能評価法（comprehensive geriatric assessment：CGA，p.29，**図Ⅱ-2-1** 参照）を用いて評価することは有用である．高齢者慢性心不全患者に対して CGA を用いた介入を実施した結果，再入院率の低下を認めたとの報告があるなど，CGA 活用の有用性が報告されている[9,10]．

血圧変化の経過観察は，降圧薬の効果を評価しながら急激な血圧上昇を避けられ，疾患への進行を予防する指標となる．

5●看護技術が高齢者に及ぼす影響

加齢に伴う循環機能の低下は避けられないことであるが，機能が低下してもこれまで通りの日常生活を送ることは可能である．そのためには教育を含めた適切な看護技術で循環器疾患の発症を予防することが大切になる．看護師の提供する，食事・運動・服薬指導を含めた生活指導によって高齢者がその人らしく生活ができるように支援することができる．

練習問題

Q2 収縮期血圧の上昇をきたす要因はどれか.

1. 副交感神経の興奮
2. 末梢血管抵抗の増大
3. 循環血液量の減少
4. 血液の粘稠度の低下

[解答と解説　▶p.477]

▋ 引用文献 ▋

1) 本郷賢一（黒澤博身監）：循環器の構造とはたらき．全部見えるスーパービジュアル循環器疾患，成美堂出版，p.31，36，2012
2) Arking R（鍋島陽一監）：進化とその結果としての老化．老化のバイオロジーメディカル・サイエンス・インターナショナル，p.172-173，2000
3) Ikeda A, Iso H, Yamagishi K, et al： Blood pressure and the risk of stroke, cardiovascular disease, and all-cause mortality among Japanese: the JPHC Study. American journal of hypertension. **22**（3）：273-280，2009
4) 厚生労働省：健康日本21（第2次）の推進に関する参考資料，p.40，〔https://www.mhlw.go.jp/bunya/kenkou/dl/kenkounippon21_02.pdf〕（最終確認：2023年1月26日）
5) 日本高血圧学会：日本高血圧学会高血圧治療ガイドライン作成委員会　高血圧治療ガイドライン2019，p.139-140，〔https://ci.nii.ac.jp/ncid/BA48007818〕（最終確認：2023年1月26日）
6) Ikeda F, Doi Y, Ninomiya T, et al：Haemoglobin A1c even within non-diabetic level is a predictor of cardiovascular disease in a general Japanese population: the Hisayama Study. Cardiovascular diabetology **12**：164，2013
7) 秋下雅弘，楽木宏実，山本浩一ほか：一般社団法人日本老年医学会，「高齢者高血圧診療ガイドライン」作成委員会：高齢者高血圧診療ガイドライン2017（2019年一部改訂）．解説．日本老年医学会雑誌**56**（3）：343-347，2019
8) Turner BJ, Hollenbeak C, Weiner MG, et al：Barriers to adherence and hypertension control in a racially diverse representative sample of elderly primary care patients. Pharmacoepidemiology and drug safety **18**（8）：672-681, 2009
9) 西永正典，中原賢一，服部明徳ほか：入院時診療計画の比較対照の研究　高齢慢性心不全患者に対する包括的診療計画　総合評価病棟と一般病棟との比較．Geriatric Medicine **38**（7）：1048-1050, 2000
10) 内山　覚，荒畑　和，藤田　博ほか：包括的心臓リハビリテーションを施行した心不全患者の再入院規定因子についての検討．心臓リハビリテーション **6**（1）：118-120，2001

③ 食　事

A. 基礎知識

1 ● 高齢者における食事とは

　食事は，生命を守り，活動エネルギーを生み出すと同時に，おいしいものを味わい，喜び，楽しむという人間の根源的な欲求である．食事により良好な栄養状態が得られることから免疫力を高め，病気の予防や自然治癒力を促進することができるといわれる．逆に，食事摂取が不適切な場合，つまり，過食や少食，偏食などが習慣化すると，肥満や**低栄養**，ひいては**生活習慣病**をまねくおそれがある．

　しかし，高齢者の場合は，長い生活経験と食習慣のなかで培われたそれぞれの「食事」のかたちが強く根づいているため，たとえ不適切な食習慣であっても，それを修正することは容易ではない．また加齢に伴い，各身体機能の変化や，高血圧，糖尿病，心疾患，脳血管障害などの疾病を併せもっていることが多い．このような場合には，治療の過程で食事制限が行われることになり，"食べたくても食べられない"状況を強いられることになる．

　さらに，脳梗塞や認知症などによって運動機能障害や**高次脳機能障害**（失認・失行・失語など）がみられる場合では，介護者の見守りや補助を要し，「食べる喜び」を他人に委ねなければならないこともある．

　一方，高齢者だけの家庭や，高齢者が１人暮らしなどでは，調理の負担が大きくなるという問題もある．また負担を避けるために，外食，インスタント食品，スーパーのお弁当などで賄うことになると，栄養状態を悪くさせる原因ともなる．また，若年者と食事をする場合では嗜好が異なるため，おいしく食事することが困難になることもある．このように，高齢者の食事をめぐる状況には，多くの問題が潜んでいる．

2 ● 成人の消化器の構造と機能

　消化器は，食べる，エネルギーの産生，老廃物を排出するなど，生命の維持において重要な機能をもち，日常生活の全般に影響をもたらせている．消化器系には口腔，舌，食道，胃，小腸，および大腸などの消化管とそれに付随する器官である肝臓がある（**図Ⅲ-3-1**）．

a. 口腔・咽頭

　咀嚼運動によって唾液と混合させて食塊をつくる．食塊は舌運動や頬筋などの嚥下筋群の収縮運動によって咽頭へ送り込むと**嚥下反射**が起こり，食塊を食道へ送り込む．また，口腔は，鼻腔とともに気道の入口でもあり，喉頭蓋と食道入口部付近で嚥下ルートと呼吸のルートが交差する．この交差する箇所で，飲食物の通過と空気の流入とを正しく切り換える機能がはたらかないと，誤嚥を起こす可能性が出てくる．

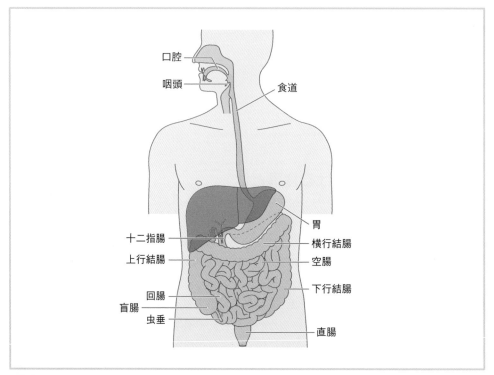

図Ⅲ-3-1   消化器の構造と食物の経路
食物は，口腔から，食道，胃，十二指腸，小腸（空腸，回腸），大腸（上行結腸，横行結腸，下行結腸，S状結腸，直腸）を経て，排出される．

b. 食 道

　食道は，**蠕動運動**（ぜんどう）によって食物を胃へ送り込む，全長約 25 cm の管状の消化管である．消化吸収機能はない．食道は頸部，胸部，腹部の 3 領域に及び，周囲にさまざまな臓器が隣接するため，食道疾患があると周囲へ影響する．また，その逆の場合も考えられる．

c. 胃

　胃は，食道と十二指腸の間にあり，横隔膜の下に位置する袋状の臓器で，飲食物が入ると膨らみ，最大 1.5 L くらいまでになる．胃の機能は，胃液を分泌し，食物を栄養として吸収しやすい状態（粥状）（じゅくじょう）にする．しかし，胃には栄養の吸収能力はない（水，アルコールやブドウ糖などわずかに吸収できる）．その後，蠕動運動によって十二指腸へ送られ，数時間後には，胃に食物は存在しない．

d. 小腸，大腸・直腸・肛門

　小腸は，全長 5～7 m で，その内腔にある輪状ひだと柔毛によって，表面積を広げ，吸収効率を高めている．吸収された栄養分のうち，糖とたんぱく質は毛細血管で，脂質はリンパ管で運ばれる．消化管からの静脈血は，門脈となって肝臓へ送られ，解毒やグリコーゲンの貯蔵などが行われる．食物は，胆汁や膵液などと混和され，主に空腸粘膜から吸収される．

　大腸は全長 1.6 m の管で盲腸から始まり，上行結腸，横行結腸，下行結腸，S状結腸，直腸で構成される．結腸は小腸から送られてきた液状内容物の水分を吸収して濃縮し，糞

便として直腸へ送る．水分は，主に上行結腸・横行結腸で吸収し，下行結腸とS状結腸は糞便を貯留する．

直腸は，長さ12 cmの腸管末端で肛門に続く．肛門は，長さ約3〜4 cmの肛門挙筋・肛門括約筋で占められている．直腸・肛門は，糞便の貯留と排泄の機能をもつ．水分や塩類などの吸収と粘液の分泌能をもつ．

S状結腸に貯留されていた糞便が腸蠕動によって上部直腸に送り込まれると，直腸壁が伸展する．それと同時に，反射性に内肛門括約筋は弛緩して肛門管内圧が下がり，糞便が下行する．この過程における直腸壁の伸展が大脳に伝えられて便意を催す．それにより，意識的に肛門挙筋・外肛門括約筋を弛緩させ，腹圧を加えて排便を行う．

3 ● 高齢者の摂食機能の特徴

a. 消化・代謝機能の低下

加齢によって，胃粘膜が萎縮することで胃酸分泌量の低下，また胆汁酸や膵液分泌量の減少などで，脂肪や糖の分解機能が低下し，食物の消化・吸収力低下を引き起こす．腎臓，肝臓といった臓器は萎縮に伴い重量も減少し，機能低下が起こる．腸の蠕動運動の低下による便秘や，消化不良による下痢など，消化器のトラブルを起こしやすい．十分な栄養量を摂取できても，栄養物の吸収能が低いので低栄養や脱水を起こす場合がある．一方，代謝機能が低下し，エネルギーの消費が悪くなるため，栄養過多や体重増加となる場合もある．

b. 誤　嚥

呼吸筋や嚥下筋群などの筋力低下によって，嚥下反射の不調をきたし，食物や水などで誤嚥しやすくなる．また，誤嚥を恐れて脱水傾向になることも懸念される．

c. 唾液量の低下

高齢者は，唾液が減少し粘稠（ねんちゅう）になるため，口腔内は汚染され，乾燥しやすくなる．したがって口腔粘膜は傷つきやすく，**口内炎や舌炎**などの炎症を起こしたり，**舌苔**（ぜったい）が付着したり，口臭が強くなったりする．

また，唾液の減少は咀嚼（そしゃく）運動や食塊形成を悪くし，食物の送り込みを困難にする．そのため，食物を口へ入れるときには水分を添えたり，ミキサー食を合わせたりするなど調理や摂食方法の工夫が必要となる．

d. 歯牙の欠損，咀嚼力の低下

高齢者は，歯牙が欠損し，義歯を装着するようになることが多い．義歯は適合性や咬合（こうごう）（上下の歯の噛み合わせ）が悪いと，うまく咀嚼ができず食物が口腔内でひろがり誤嚥しやすくなる．そのため，食事がおいしくなかったり，摂食量が低下したり，消化不良をきたしたりする．また，口腔ケアや義歯の手入れを要する場合，管理を怠ると口臭が強くなったり，痛みや，感染症を引き起こすことがある．

e. 感覚機能の低下

視覚，嗅覚，味覚など，五感に問題があるとおいしく食べることが困難になる．視力が低下すると，摂食行為が不自由となり，熱い汁物などで熱傷する危険性もある．また，味覚が鈍くなり，嗜好が変化する場合もある．一般的に高齢者は，肉食よりもあっさりした

食物を好むため，血液中のアルブミン値が低下し，低栄養をきたしやすい．

4 ● 高齢者の摂食機能に影響する要因

a. 疾患および治療

　現疾患や治療薬の影響によって，摂食機能が低下する場合がある．また摂食機能は，個別性があり，脱水や低栄養状態，貧血，便秘，発熱，意欲などによっても影響される．

　脳血管障害や神経筋疾患などによって摂食・嚥下機能が障害されると，誤嚥や食事動作がうまくできなくなる．たとえば，「食べる」ためには坐位をとり，箸やスプーンを用いて，食物をうまく口へ運ぶという動作が必要である．ところが，体幹の保持や上肢機能などに障害があると坐位保持ができず，自分で食べることが困難となる．

b. 口腔機能

　高齢者では，**唾液腺の萎縮**によって唾液の分泌が少ない．そのため，食塊形成や食物の咽頭移送を悪くし，誤嚥や嚥下反射の遅延などに影響する．また歯牙の欠損や義歯の不適合，口内炎や舌炎等による痛みなどからうまく咀嚼できず，摂食機能を低下させる場合がある．

c. 認知機能

　意識障害や認知症などによって，食べ方がわからなかったり，食べ物を認知できなかったりすることがある．たとえば，食物を見ても開口しない，口の中に入れても咀嚼や嚥下運動が起こらない，食べることに集中できないなどがみられる．

d. 心理状態

　体力の衰えや姿勢，運動麻痺などの外的変化から，自信を失い，疎外感を味わうことがある．また，食事の準備や介護を担う家族らに気兼ねし，拒食に走る場合もある．さらには生きがいや生活意欲を失うことによって，少食あるいは過食に代償を求めることなども考えられる．

e. 生活環境

　高齢者の1人暮らしや高齢者のみの世帯では，食事の準備に負担がかかるばかりか，自分で買い物へ出かけ，新鮮な野菜や好物を手に入れることが困難になる．また，若年者と同居する場合では，高齢者と嗜好が異なり，食事に魅力がなくなり，「おいしく食べる」ことが制約される場合もある．施設での食事は，食事の時間や選択メニューに限界があるため，個別的な対応が困難であるのが現状である．

B.　看護実践の展開

1 ● アセスメント

a. 摂食機能を低下させる要因

　疾患や治療薬の作用，口腔機能，嚥下障害，認知機能障害，心理状態，排泄状態，生活環境などの要因が考えられる．これらの情報については，病歴，診療録，看護記録，問診などから把握する．そのうえで直接，看護・介護に携わる家族や看護師，介護士などからも情報を得る．また，摂食時や生活場面などを観察し，病状の変化，反応などを読みとる．

　ちなみに高齢者は，疲労，脱水，発熱，睡眠不足，心配事などによっても摂食機能に影響を受けやすい．

b. 食欲，摂食機能

　生活面から，食欲，摂食機能，食に対する認識や行動などを観察し原因をアセスメントする．また診療録や看護記録などから，全身状態や栄養状態，BMIや血液検査所見，栄養摂取量や体重の増減，脱水の有無，尿量，呼吸状態などを読みとり，現在の状態を把握する．

c. 摂食機能の低下が生活に及ぼしている影響

　さらに，摂食機能が低下して十分な栄養が摂れなくなると，体力や気力が低下し，少しのことで疲れやすく，他者との交流も億劫になる．すると思考力が低下したり，認知症が進行したりするなどのことから，生活行動の多くを人の手に委ねなければならなくなる．加えて，臥床時間が増えると，廃用症候群や脆弱な身体状態（フレイル）から，筋肉量が減少してサルコペニアとなり，転倒しやすく，骨折したり，褥瘡ができたり，寝たきりになったりするなどが懸念される．そして，このような状況は，本人を取り巻く家族の生活環境へも大きく影響することが考えられる．

　摂食機能の低下によって食事をうまく食べられなかったり，おいしさを感じられなかったりすることで，日常生活の楽しみや喜びが失われてしまうと，物事に対する意欲の減退にもつながりうる．

d. 摂食機能の低下についての自覚とセルフケアの状況，および本人の強み

　食事の内容や摂取方法，食事中の様子から，高齢者本人の摂食機能に合わせたセルフケアができているか，摂食機能の低下を自覚しているかをアセスメントする．そのうえで，摂食機能低下の要因を取り除いたり，十分な栄養状態が保たれるよう，高齢者がもっている力やできる機能に着目し，「これができれば他の何ができるか」という発想と姿勢で向き合うことが重要である．

2●目　標

　高齢者の食事援助の目標をウェルネスの視点で考えると，次の3点が挙げられる．

①摂食機能を低下させる要因を除く，または緩和することができる
②必要な栄養摂取ができる
③「おいしく，楽しく食べる」ための環境を病院−地域の連携のもとで整えることができる

3●介　入

(1) 摂食機能を低下させる要因を除く，または緩和する

①疾患や治療内容による場合

　現疾患に伴う症状のほか，治療薬の作用によって，食欲低下，悪心・嘔吐，また意識障害あるいは嚥下反射の遅延，咳嗽反射の低下などがみられる場合がある．

　これらの影響に高齢者の特性が加わると，さらに低栄養や栄養バランスを壊し，脱水な

どをきたすことになり，全身倦怠感や体力の消耗，ひいては生活意欲を失うことなどが懸念される．これらは，複数の要因が複雑に絡み合いながら反応し，訴えや見た目よりも重症化していることが多い．したがって，観察は複眼的な視点をもつことが大切である．

　しかし，疾患に対する治療が原因で摂食量が低下しているとはいえ，治療を中断するわけにはいかない．効果的な治療の継続を優先するなかで，いかに高齢者の消費エネルギーを抑え，少量ずつであっても必要な栄養を絶やさずに供給させることが重要である．たとえば，好物や栄養価を考慮した食物を，少量ずつ何回でも根気よく食べられるように促すことや，消化・吸収のよい食材や食形態，量等を工夫する．また，食事環境や食器を工夫したり，安楽な体位に整えたり適度な一口量に調節したりすることも重要である．また，悪心・嘔吐，胃部不快の強い場合や，舌炎など口腔内の炎症による痛みがある場合は，口当たりや喉ごしのよいものを選ぶ．この場合も日ごとに，あるいは1日のうちに嗜好が変わる場合がある．このような際は，あまり甘くないみぞれアイスや果物などが喉ごしもよく，水分補給にも役立つ．また，香りも食欲に影響する．

②認知機能障害や高次脳機能障害による場合

　認知機能障害がある場合は，食物に反応しなかったり，食べたことを忘れたり，食べ方がわからなかったり，何でも口に入れてしまうなどがみられる．このような場合は，その状況をよく観察し，食事に集中できる環境づくりを工夫する必要がある．たとえば，気持ちを焦らせるようなかかわりや，騒音が激しく，めまぐるしく人が動くような環境では集中できず，摂食行動に影響を及ぼしやすい．

　食器の位置も，「自分で食べられること」を認識しやすいよう工夫する．認知機能−視野の欠損，失認，失行などがある場合は弁当箱や一皿に盛り付ける．次々に食物を口に入れて詰らせる可能性がある場合はコース料理のように小分けにして配膳するなどの方法もある．あるいは，高齢者自身で箸や器を持ち食物を口へ運ぶように促し，介助者は補助的に手を添えるにとどめる．このようなかかわりも食べる認識を引き出すうえで大切である．

　また，認知症にみる過食が，活動性の高い時期のためエネルギー消費量が多く肥満にいたらない場合であっても，異食や偏食にならないように注意する必要がある．摂食のリズムや速度，量の加減調節が求められる．

　いずれの場合も，患者は介護者に対する日常生活上の依存度が大きいため，両者がより強い信頼関係で結ばれていることが望ましい．食事においても患者が安心・安全に食べられるように，介入について工夫する必要がある．

③心理状態が影響している場合

　病状がなかなか改善しない，体力の消耗や倦怠感が強い，日常生活を自分でこなせないなどの心理面のストレスから拒食や少食がみられる場合がある．このような場合には，無理に食べることをすすめず，食事の場所や器を変えるなど，目先を変えた工夫をすることもストレスを和らげるうえで有用である．また，食べることだけで集中せず，楽しい会話や趣味などを引き出すなど，少しずつ元気を取り戻すようなかかわり方も摂食に効果的な場合もある．日常生活のなかで表情や行動を観察し，焦らず原因を包み込むように支えることが大切である．併せて，栄養状態のアセスメントも行い，ストレスの軽減とともに低栄養にならないように心がけることが重要である．

（2）必要な栄養摂取量が得られる

　栄養を取り込む方法には，経静脈やチューブ栄養などもあるが，もっとも生理的である経口摂取が望ましい．必要に応じて食事介助を行う．摂食時の体位はできるだけ安定した坐位をとり，半坐位の場合は頸部を軽く前屈する（うなずく）と嚥下しやすい．伸展位や過度の頸部前屈は，喉頭の挙上を制約し，嚥下反射が起きにくい．

　また，加齢に伴い唾液の分泌が減少したり，義歯の不適合などによって摂食機能が低下し，おいしく，楽しく食べることが難しくなったり，味覚や嗜好の変化がみられる場合がある．一般的な傾向として，淡泊な味を好み，野菜は多く摂るものの，肉類が少なくたんぱく質不足になりやすい．その一方で，甘い菓子やおまんじゅうなどを好む場合も多い．こうした高齢者の特性をふまえ，1日に必要な動物性たんぱく質（肉60 g，魚60 g，卵1個，牛乳200 mLのすべて）をバランスよく摂取するように献立し，規則正しい生活リズムのなかで3食摂れる食習慣を保てるように工夫する．

　ちなみに食欲低下の原因には，排泄や運動不足の問題もある．排便習慣を整えるとともに，その人が実施できる運動をすることが大切である．

（3）「おいしく，楽しく食べる」ための環境を病院‒地域の連携のもとで整える

　1人暮らしや老老介護の場合は，食事に関連する生活行動全般において負担が大きい．そのため，食べることをやめたり，食べさせなかったり（虐待），栄養状態が悪化しても治療を受けていないなどの場合がある．そのような理由から脱水や低栄養状態が続くと，フレイルやサルコペニア現象が起こり，全身状態の悪化をまねくばかりか，脳梗塞や心疾患の誘発，そして麻痺の進行や認知機能の低下などを引き起こすことなどが懸念される．

　このような状況を防ぐ施策として，行政では**地域包括ケアシステム**の構築を推し進め，また，介護保険サービスでも，重度介護認定者の在宅生活を継続的に支援する**看護小規模多機能型居宅介護**などがある．このサービスは従来型小規模多機能（泊まり，通所介護，訪問介護）に訪問看護が加わることによって医療との連携がとれる仕組みになっている．

4● 評　価

　介入によって摂食機能が維持，もしくは改善しているかを評価する．

a. 摂食状況の変化

　食事の必要摂取量が摂取でき，血液検査データやBMIなどにみる**栄養指標**が改善しているか（p.204，205参照），またそれぞれの状態に応じて，食事を味わい，楽しんで食べられているか，介助量の変化や手段的日常生活動作（instrumental activities of daily living：IADL）などを評価する．

　摂食時の姿勢や上肢機能，体幹保持機能をみる．また，摂食量や食べこぼし，食事内容の偏りの有無，食事形態，摂食に要する時間なども確認する．

b. フィジカルアセスメント

　表情や会話，活動などの場面から，栄養状態や摂食・嚥下障害の程度を観察することができる．**脱水**や**低栄養**状態の場合は，尿量が減少し，血圧が下りやすい．また，皮膚が乾燥している，疲れやすい，表情も乏しく声が小さい，脱力感があるなどが観察される．このような患者は，免疫力が低いので感染を起こしやすく，口内炎や褥瘡の予防が必要とな

る．話す声や咳嗽の大きさからは，咽頭周辺の**クリアランス能力**がアセスメントできる．逆に，**構音障害**があり会話がはっきりしない場合は，舌の動きがわるく，いつまでも噛んでいる場合など，食塊の送り込み障害が推測できる．また，嚥下後に突然，声音が変化したり，声が出ないなどの場合は，食物が咽頭に残留もしくは誤嚥している可能性があるのでハッフィングやスクイージング，場合によっては体位ドレナージを行う（詳細は後述）．

　その後，胸部の聴診やパルスオキシメータによって，呼吸器の状態を確認する．**不顕性誤嚥**（むせのない誤嚥）は，高齢者の生理現象であることから，誤嚥しても支障のない状態に保つよう心がけることが大切である．とくに夜間は意識レベルが低下し，誤嚥しやすい．ていねいな**口腔ケア**によって口腔内の清潔を保ち，唾液が肺へ流入した場合にも，できるだけ肺炎発症の可能性を軽減できるように留意する必要がある．

5 ● 看護技術が高齢者に及ぼす影響

a. 誤嚥・窒息

　食事介助のさい，一口量が多すぎたり，早いペースで次々に食物を口へ入れたりすると，嚥下反射のタイミングが合わず誤嚥や窒息を起こすおそれがある．次の一口は，嚥下反射を確認してから口元に差し出すといったリズムが望ましい．

　もし**誤嚥**した場合は，身体を前に倒し，口を開け，義歯を外して口腔内のものをかき出す．次いで，**ハッフィング**を行い，誤嚥物を喀出させる（**図Ⅲ-3-3a**）．呼吸が整うまでこれを繰り返すが，それでも改善しない場合は**体位ドレナージ**を行う．体位ドレナージは，**リラックス体位**（うつ伏せ側臥位）（**図Ⅲ-3-2**）が効果的である．この方法は，呼吸に重要な肩甲骨の動きや胸郭や腹部の呼吸運動を阻害しないばかりか，気道の生理的な位置からも異物を逆流させやすい．介助者は，同席のうえ5〜10分ぐらいリラックス体位のもとでの体位ドレナージを行い，呼吸音の聴取やバイタルサイン，血中酸素飽和度（SaO$_2$）などの測定を行う．このとき，呼吸を補助したり，**スクイージング**したりするとドレナージ効果が上がる．

　窒息はコロッケでも起こるように，喉ごしのよさや一口量の大きさと，咳嗽の強さが課題となる．**窒息**した場合はできるだけ応援者を集め，瞬時に処置の体制を整える．救急車

⊐⋲⋗ コラム

不顕性誤嚥と肺炎

　2020年の肺炎による死因順位は，悪性新生物，心疾患，老衰，脳血管疾患に次いで第5位であり，90歳代では男性で4位，女性で5位であった[i]．その原因は，びまん性嚥下性細気管支炎（肺炎）で，口腔内分泌物の持続的な誤嚥によるものと判明している．つまり，好きなおはぎは食べられるが，唾液は嚥下できないタイプで，睡眠中や意識状態が悪いと体液である唾液に対して嚥下反射が誘発されず，気道内へ流入するというものである．このような誤嚥はとくに高齢者にみられ，口腔内の清潔保持に限らず，誤嚥物をドレナージなどで排除することが重要である．ちなみに，肺炎治療には抗菌薬と「食べながら治す」という方法がとられ，絶食やチューブ栄養を行っても治らないことがわかってきている[ii]．

引用文献
i）厚生労働統計協会（編）：国民衛生の動向2021/2022, p.406-407, 2021
ii）寺本信嗣：誤嚥性肺炎の病態と治療. 呼吸器ケア 7(2)：149, 2009

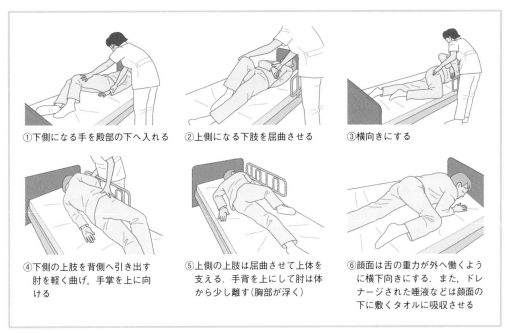

①下側になる手を殿部の下へ入れる　②上側になる下肢を屈曲させる　③横向きにする

④下側の上肢を背側へ引き出す　肘を軽く曲げ，手掌を上に向ける

⑤上側の上肢は屈曲させて上体を支える．手背を上にして肘は体から少し離す（胸部が浮く）

⑥顔面は舌の重力が外へ働くように横下向きにする．また，ドレナージされた唾液などは顔面の下に敷くタオルに吸収させる

図Ⅲ-3-2　リラックス体位への変換方法
リラックス体位の利点として，①呼吸運動を阻害しないので，有効な換気が得られる，②体位ドレナージによって，誤嚥を改善し，肺炎を予防することができる，③舌の重力によって，気道確保ができる，などが挙げられる．

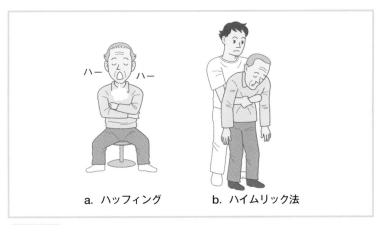

ハー　ハー

a．ハッフィング　　　　b．ハイムリック法

図Ⅲ-3-3　食物による誤嚥・窒息に対する応急処置
a．ハッフィング：声門を開いた状態で，2，3度「ハー，ハー」と咳をしながら，誤嚥した物や痰などを喀出する方法．
b．ハイムリック法：誤嚥した人の背後より両手を回して腹部のあたりで握り，その握った両手で強くすばやく手前上方に向かって圧迫し，誤嚥した物を吐き出させる方法．

を呼び，到着するまでに以下の応急処置をとる．介助者は，患者を前傾させ口腔内のものをかき出す．次いで，**ハッフィング**を行い，咽頭反射や咳嗽反射を誘発するために指を入れて刺激する（**図Ⅲ-3-3a**）．それでも改善しない場合は逆立ちの体位をとり背部を強打，または**ハイムリック法**を行う（**図Ⅲ-3-3b**）．

b. 口内炎・舌炎

　　口腔ケアを行うさい，乾燥した口腔内に付着する舌苔や嚥下できていない唾液などを前準備なしに除去すると，傷ができたり，出血したりすることがある．まずは水で濡らしたスポンジブラシで口腔内を湿潤させてからブラシで軽く叩くようにして少しずつ除く．また乱暴な操作は痛みを伴い，口内炎や舌炎をつくる危険性がある．

練習問題

Q3 高齢者の消化・吸収機能の変化で正しいのはどれか．2つ選べ．
1. 唾液量の増加
2. 胃酸分泌量の増加
3. 胆汁酸分泌量の増加
4. 腸の蠕動運動の低下
5. 肝臓重量の減少

［解答と解説 ▶ p.477］

4 排 泄

高齢者における排泄とは

　排泄には，排尿と排便がある．**排尿**とは，腎臓で生成され膀胱にためられた尿を，適当な時間と場所で体外へ排出することであり，**排便**とは，消化管で生成された食物の未消化残渣や消化液，粘膜上皮，細菌などからなる糞便を，S状結腸および直腸内にためられた状態から，適当な時と場所において体外へ排出することである．

　老年期には，老化，疾患，生活習慣，環境などによって排泄の様相が変化し，排泄のコントロールが徐々に難しくなり，日常生活に大きな影響を及ぼす．一方，高齢者の排泄の加齢変化に対する世間の認識はさまざまであり，高齢者の排泄に関する問題は，老化の一環であり不可避な問題であると考えられることも少なくない．そのため，高齢者のなかにも"排泄機能の低下は改善できない"という誤った認識をもつ人が多く，その誤解が排泄に関する健康行動への取り組みを遠ざける原因になっている．また，排泄が，人前では羞恥心を伴う生活行動であることも，問題を表に出しにくく，改善する機会を得られぬまま問題が潜在化する原因になっている．

　したがって，高齢者の排泄への援助では，高齢者自身の行動により問題の改善が見込まれること，早期の取り組みで大きな効果が出ることを十分に伝えることが重要である．

　ここでは，社会的に自立した生活を営む高齢者への排泄ケアを，排尿と排便に分けて述べる．

4-1 排 尿

A. 基礎知識

1 ● 成人の下部尿路の構造と機能

a. 構 造 (図Ⅲ-4-1)

　膀胱は恥骨の後方に位置する袋状の器官で，内面は粘膜におおわれ，その外側は全体が平滑筋により包まれている．尿道は，膀胱と外界をつなぐ内尿道口から外尿道口にいたる管腔器官で，男性で 18〜20 cm，女性で 3〜4 cm の長さがある．尿道の収縮を担当する括約筋は，膀胱に近い近位側が平滑筋（内尿道括約筋），遠位側が横紋筋（外尿道括約筋）で構成される．外尿道括約筋は随意収縮が可能である．

b. 機 能

　膀胱には，約 400 mL の尿をためておく蓄尿機能と，その尿を残りなく排泄する排出機

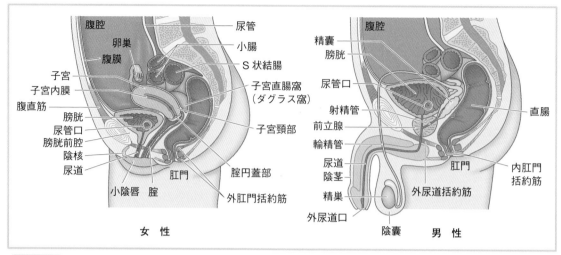

女性

男性

図Ⅲ-4-1　下部尿路の構造

能があり，これらは膀胱平滑筋（排尿筋）によって行われている．尿道は，膀胱にたまった尿を尿道口まで排出するルートとなるほか，蓄尿時は一定の圧力を保って尿を膀胱内にとどめる機能があり，これは内外の尿道括約筋や尿道平滑筋によって行われる．排尿の行為は，これらの膀胱や尿道からなる下部尿路の神経支配に加え，大脳皮質と橋の排尿中枢によりコントロールされている（**図Ⅲ-4-2**）.

　下部尿路の神経支配には，自律神経系と体性神経系がある．交感神経系の遠心路は，胸髄・腰髄（Th11-L2）から下腹神経となって膀胱や内尿道括約筋にいたる．副交感神経系の遠心路は，仙髄（S2-4）から骨盤神経となって膀胱や尿道へといたる．体性神経系の遠心路は，仙髄（S2-4）のオヌフ核より陰部神経となって外尿道括約筋に分布する．これにより，外尿道括約筋は，随意的な収縮ができる．一方，求心路は，膀胱壁の伸展刺激が伸展受容器から骨盤神経を経て大脳へと伝えられる．

　蓄尿時には，交感神経系が優位となる．尿の蓄積による膀胱壁の伸展によって胸腰髄で交感神経の反射が生じ，β_3受容体が刺激され，膀胱平滑筋が弛緩し，同時に，α_1受容体を介して膀胱頸部や尿道平滑筋ならびに前立腺が収縮する．また，体性神経を介し，外尿道括約筋が収縮する．これらの下部尿路の協働により，尿道内圧は膀胱内圧より大きくなり，尿の排出が回避される．初発の尿意は，膀胱容量が100〜150 mLとなったときに生じるが，排尿の準備が整うまでは排尿筋の収縮や尿道括約筋の弛緩が抑制され，排尿を回避することができる．排尿の随意的なコントロールには，自律神経系の働きに加え，橋の排尿中枢より上位の前頭葉や大脳基底核がかかわる．

　排尿時には，橋の排尿中枢から排尿の指令が出され，仙髄の副交感神経中枢の刺激により，ムスカリン受容体を介した膀胱の収縮と膀胱頸部および内外尿道括約筋の弛緩が生じる．これにより，膀胱内圧が尿道内圧より大きくなり，尿の排出にいたる．排尿中枢を介した尿の排出の反射を，排尿反射という．

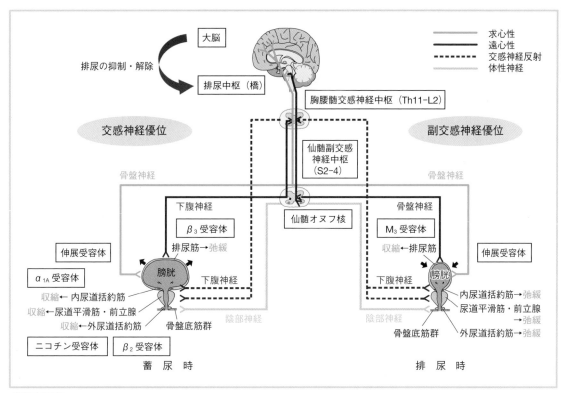

図Ⅲ-4-2　蓄尿と排尿の神経支配

2 ● 高齢者の下部尿路の特徴

a. 膀胱機能

　老年期には，平滑筋細胞の間の結合組織である膠原線維が増加し，排尿筋の線維化に伴う弾性の低下や萎縮によって，膀胱容量が減少する．高齢者の膀胱容量は250〜400 mLといわれる．また，排尿筋収縮力の低下により，加齢に伴う残尿量の増加[*1]や最大尿流率の低下[*2]が起こる（**排尿筋低活動**，detrusor underactivity）．

b. 尿道機能

　男性の場合は，加齢に伴い尿道が短縮し，最大尿道閉鎖圧[*3]が減少する．女性の場合は，加齢により横紋筋と血管成分が減少し，結合組織成分が増加する．とくに出産経験者において横紋筋線維の密度がより低下し，閉経後は尿道閉鎖圧が低下する．

c. 膀胱および尿道知覚

　加齢に伴って膀胱尿路上皮における神経伝達物質の放出が増加し，膀胱の知覚過敏や排尿筋過活動が生じる．これにより，排尿筋過活動（detrusor overactivity）や過活動膀胱（overactive bladder：OAB）が引き起こされる．

[*1] 腹圧をかけずに排尿を促して残尿量が50 mL以上の場合は，排尿筋低活動の可能性がある．
[*2] 最大尿流率は，測定した単位時間あたりの排尿量の最大値で，排尿時の排尿筋の収縮力や尿道狭窄の有無・程度の評価における指標となる．15 mL/秒以下の場合，排尿筋低活動や前立腺肥大が疑われる．
[*3] 最大尿道閉鎖圧：同時点における尿道内圧と膀胱内圧の差で，尿もれを防ぐ力を表す．これらは，専門医による尿流動態検査で測定される．

3 ● 高齢者の下部尿路機能に影響する要因

排尿は，膀胱や尿道の変化のみならず，全身の老化や疾患，運動機能，認知機能，生活習慣，環境による複合的な影響を受ける．

a. 老化や疾患による恒常性の変化

老年期には，老化による尿濃縮力の低下，抗利尿ホルモン（ADH）の夜間分泌の減少，高血圧に伴う心房性ナトリウム利尿ペプチドの増加，細胞間質に貯留した体液の夜間排泄の亢進，高血糖に伴う浸透圧利尿作用の亢進，睡眠パターンの変化などにより，**夜間頻尿**になる．

下部尿路機能障害を併発する疾患は，神経因性と非神経因性に大別される．神経因性のうち，中枢神経系の疾患には，脳梗塞，正常圧水頭症，慢性硬膜下血腫，パーキンソン病，認知症などがあり，尿もれなどの蓄尿機能障害が生じる場合が多い．また，脊柱管狭窄症，腰椎椎間板ヘルニア，糖尿病性ニューロパチーなどの末梢神経疾患では，排尿反射が低下して尿が出にくくなる排出機能障害が多い．一方，非神経因性の疾患である前立腺肥大症，膀胱脱*，膀胱がん，結石などは，排尿筋収縮力の低下や通過障害を生じ，尿が出にくくなる．

b. 薬剤の副作用

抗コリン作用を有する三環系抗うつ薬や抗精神病薬，抗ヒスタミン薬，抗不整脈薬は，排尿筋の収縮力を低下させ，排出機能障害を生じることがある．各種のパーキンソン病治療薬は，ドパミン作動性やα受容体刺激作用，抗コリン作用を有し，排出機能障害が生じることがある．麻薬は，排尿反射を減弱させるため排出機能障害につながる．利尿薬やカルシウム拮抗薬は，多尿や頻尿を引き起こす．アルツハイマー型認知症治療薬によって失禁や尿閉が生じることがある．

c. 日常生活能力

①移動にかかわる運動機能や衣類を着脱するさいのバランス機能，②手指の巧緻性，③「尿意の知覚」「トイレの認識」「排泄行為の遂行」などの認知機能，④意思伝達能力，⑤視覚，⑥聴覚，などが低下すると，一連の排泄行動に影響を及ぼす．

d. 生活習慣

排泄の間隔や排泄時の姿勢など，排泄に関する習慣だけでなく，水分摂取，嗜好品（しこう），喫煙などの生活習慣も排泄パターンに影響する．たとえば，カフェインやアルコール飲料は利尿作用があり，排尿量や排尿回数を増加させる．

また，とくに女性では肥満が尿失禁のリスクを高めるため，尿失禁の予防として，栄養状態の改善や活動性を維持することが必要である．

e. 環　境

住環境におけるトイレの仕様，トイレまでの動線，段差，照明器具などは，排尿行動に直接的に影響する．居室からトイレまでの距離が長い場合や移動に援助を要する家屋構造

＊膀胱脱：骨盤底の減弱化によって腟口から膀胱が脱出するもの．骨盤底は，肛門挙筋や尾骨筋などから形成され，重力に逆らって骨盤内臓器を保持する役割をしている．肛門挙筋の内側には尿生殖裂孔という開口部があり，尿道，腟管，直腸などが貫いている．男性では，前立腺が存在する．尿生殖裂孔は，通常，筋群が張力を保って閉鎖した状態であるが，とくに肛門挙筋が脆弱化して筋膜や靱帯が破綻すると，開大して骨盤臓器脱が生じる．

である場合，移動が間に合わず失禁することがある.

　また，排尿について相談する人が身近になく,「排尿に時間がかかる」「急に尿が近くなった」など早期の変化が見過ごされ，症状が悪化することもある.

B. 看護実践の展開

1●アセスメント

a. 下部尿路機能を低下させる要因

　水分摂取の状況，食生活，嗜好品，栄養状態，活動，睡眠，排便状況，服薬の内容について情報収集する. 自律的な排尿行為には，排尿にかかわる身体機能，認知機能，意思伝達能力，排尿についての考え方や，住環境，介助者の存在，介護力も重要である. 下部尿路機能や排泄動作にかかわる生活の全体像のアセスメントを心がける.

　高齢者の下部尿路機能低下の症状として，夜間頻尿や夜間多尿が現れることが多い. 高血圧や心疾患，糖尿病が原因となることが少なくないため，これらの併存疾患のアセスメントも重要である. 高血圧については，塩分摂取過多に注意する. また，身体的フレイルは排尿筋過活動の予測因子であり，排尿筋低活動とも関連するため，移動能力をはじめとする身体機能の衰えに注意する.

　尿路感染症によって知覚神経が亢進すると，頻尿や尿意切迫感につながる. 高齢者の場合は排尿時痛や残尿感を伴わないことが多く，尿検査が必須である. そのほか，多尿，脱水，膀胱がん，結石などの判断には尿検査が有効である. 宿便は尿道の閉塞や骨盤底機能の低下につながるため，排便状況を確認する.

　骨盤底筋群は尿道や膀胱が骨盤内で安定を得るための支えとなっており，衰えは尿漏れにつながる. このため，骨盤底筋群のアセスメントは重要である. 骨盤内手術の既往や出産歴について聴取するほか，機能として，骨盤底筋群を収縮させたときの腟圧を内診やマノメータを用いて評価したり，腟内コーンを挿入して腟内での保持力を観察する. 非侵襲的な方法では，会陰部からの超音波画像診断が有用である.

　排泄にかかわる身体機能や日常生活活動のアセスメントには，**バーセルインデックス**（Barthel Index, p.460, **付録1**参照）や**カッツインデックス**，江藤らによる **ADL-20**（**図Ⅲ-4-3**）が活用できる. 排泄動作は，①立ち上がる，②移動する，③トイレを認識する，④扉を開閉する，⑤下着の上げ下ろしをする，⑥座る，⑦拭く，⑧水を流す，といった動作で構成されており，アセスメントでは，それぞれの動作の自立度を確認する. 身体的フレイルとも関連する移動能力の評価には，椅子から立ち上がり，3m離れた目印まで歩いて行って折り返し，再び椅子に座るまでの時間を計測する 'Timed Up & Go Test' などが有用である. 移動に補助を必要とする場合は，周りにいる介護者に尿意を伝えることができているかどうかもアセスメントする.

b. 下部尿路機能

　排尿状況の把握には，排尿記録がもっとも重要である. 記録では，治療対象となりうる下部尿路症状を判断するための項目として，尿意，尿意切迫感，尿の性状，尿の出渋り，流出の勢い，尿のきれ，努責（怒責）の有無，残尿感，痛みの有無・程度などの自覚症状

ADL20 （老年者の総合的ADL評価法）						評価日時：	年　　　月　　　日	

対象者氏名：　　　　　　　　　　　　　　　年齢：　　　　　性別：　　　　評価得点：　　　　/60

基本的ADL：移動		基本的ADL：セルフケア		手段的ADL		コミュニケーションADL	
寝返り		食事		調理		表出	
起立		更衣		熱源		理解	
室内歩行		トイレ		財産			
階段		入浴		電話			
戸外歩行		整容		服薬			
		口腔衛生		買い物			
				外出			
BADLm 合計		BADLs 合計		IADL 合計		CADL 合計	

多少の介護サービスを期待しての住宅生活自立の目安は評価得点49点以上

以下の判定基準に則り，ADL 20項目についてそれぞれ0～3点で評価する．

日常生活動作・活動に関する判定基準
①実用的時間内にできるか，できないかの判定を原則とする
②本人，同居家族あるいは介護者より面接聴取し，内容的には日常観察に基づき判定し，直接テストを施行しなくともよい
③ADL 能力判定基準の原則
　3：完全自立，補助用具不要
　2：補助具（杖，手すり，自助具など）を利用して自立，監視不要
　1：他者の監視下，または部分的介助を必要とする
　0：他者の全面介助による
④施設長期入所症例など，実際に実行する機会がなく，実テストあるいは推定による判定も困難なものは不能と同一判定（すなわち0）とする

図Ⅲ-4-3　ADL-20

［江藤文夫，田中正則，千鳥 亮ほか：日本老年医学会雑誌 **29**（11）：841-848，1992を参考に作成］

を記入してもらう．排尿記録は，連続した3日間の記録であることが望ましい（**図Ⅲ-4-4**）．自覚症状の内容と程度を客観的に把握し，下部尿路機能に影響する疾患を明らかにするために，**主要下部尿路症状スコア**（core lower urinary tract symptom score：**CLSS**）[1]を活用するとよい（**図Ⅲ-4-5**）．糖尿病や脊椎疾患，もしくは排出機能障害にかかわる薬物を服用している場合は，平均尿流率を測定することで下部尿路機能を評価することができる．

　また，下部尿路機能障害の種類を評価するうえでは膀胱内尿量の計測が重要となる．排尿後の膀胱内尿量が100 mL（高齢者では50 mL）以上ある場合は残尿があると判断することができ，残尿がある場合，あるいは尿意がなく多量の膀胱内尿量がある場合は排出機能の障害が疑われる．従来，残尿量の計測には尿道留置カテーテルが使用されてきたが，侵襲性が高いという問題があった．そこで，近年は超音波画像診断装置（エコー）により非侵襲的に残尿量を計測することが標準的な技術として位置付けられている．現在は膀胱に特化したエコー機器の使用により簡便な残尿量計測が可能であるが，膀胱を正しく同定できているかを確認したうえで正しい計測値を得るためには，膀胱のエコー画像に基づく測定が必要である（**図Ⅲ-4-6**）．さらに，エコーで膀胱を画像化することにより，膀胱内での尿道留置カテーテルのバルーンの位置を観察することも可能である（**図Ⅲ-4-7**）．カ

記入日：7月20日6時　〜　7月20日22時　　　　　　　　おなまえ　　○○　○○

日付	午前/午後	時間	尿量(mL)※	下着等への漏れ	気づいたことなど	摂取した水分(種類, 量)
7/20	午前 午後	6：30	150	あり なし	起床時, 濃い黄色	
	午前 午後	7：00		あり なし		お茶　湯のみ1杯(200 mL)
	午前 午後	8：20	50	あり なし		
	午前 午後	10：10	不明	あり なし	2〜3回途中で止まった	
	午前 午後	12：00		あり なし		お茶 小さい湯のみ1杯
	午前 午後			あり なし		
	午前 午後			あり なし		
	午前 午後	7：30		あり なし		ビール コップ1杯
	午前 午後	8：20	不明, たくさん	あり なし	急にもよおした	
	午前 午後	21：00	200	あり なし		
	午前 午後	22：30	150	あり なし	寝る前	

※パッドなどの重さを計った時は, グラム数で記入してください.
また, 未使用のパッドの重さを計ってお知らせください.

図Ⅲ-4-4　排尿日誌の記入例

テーテルから排尿が認められない場合には, エコーを用いてバルーンの位置を確認し, 正しい位置にバルーンを誘導することができる.

c. 下部尿路機能の低下が生活に及ぼしている影響

高齢者において下部尿路機能の低下は, きわめて一般的に起こりうる現象である. いつトイレに行きたくなるかわからない, 失禁してしまうかもしれないという不安のために, 外出を控えたり, 仕事が妨げられたり, 気分が落ち込んだりしてうつのリスクを高め, 心身の活動性やQOLが著しく低下してwell-beingが損なわれる. さらには, フレイルやサルコペニアと相互に関係し, 転倒のリスクを増加させ, 高齢者の生命予後にも影響を及ぼす.

下部尿路機能の変化が生活に及ぼす影響についてアセスメントする際は, 通常は他人と共有する話題ではないことに留意し, プライバシーに十分に配慮する. より客観的に記録するときには, 日常生活活動度や健康関連QOLの尺度, 夜間頻尿が生活に与える影響を評価するNocturia Quality of Life Questionnaire (N-QOL)[2], GDS-5などのうつの尺度, 意欲の指標 (Vitality Index)[3] などが活用できる.

d. 下部尿路機能の低下についての自覚とセルフケアの状況, および本人の強み

下部尿路機能の低下は年齢に伴って進行し, 加齢による不可避の現象としてとらえられることが少なくない. そのため, 予防や治療の対象として自覚されていなかったり, 高齢者自身が症状に気づいていないことがある. 排泄に関する生活状況の聴取からそのような可能性が考えられたときは, CLSSなどの尺度を活用して症状を客観化し, 自覚を促すことで, 介入によって改善できる目標として認識することが可能になる.

セルフケアについては, 排尿に関する前兆や症状に対し, 本人が予防や改善の行動をとっているか確認する. 独自の健康行動をとっているならば, それは本人の強みととらえることができる. 健康的な排尿について本人の考えを共有し, 適応のための行為の具体的な内容を知り, どのような行動が下部尿路機能の維持や改善に寄与し, どう工夫すればよ

主要下部尿路症状質問票　　ID ＿＿＿＿＿＿＿＿＿　お名前 ＿＿＿＿＿＿＿＿

年齢 ＿＿＿＿ 歳　性別　男　女

この1週間の状態にあてはまる回答を1つだけ選んで，数字に○をつけてください．

何回くらい，尿をしましたか				
1	朝起きてから寝るまで	0	1	2	3
		7回以下	8～9回	10～14回	15回以上
2	夜寝ている間	0	1	2	3
		0回	1回	2～3回	4回以上

以下の症状が，どれくらいの頻度でありましたか		なし	たまに	ときどき	いつも
3	がまんできないくらい，尿がしたくなる	0	1	2	3
4	がまんできずに，尿がもれる	0	1	2	3
5	咳・くしゃみ・運動のときに，尿がもれる	0	1	2	3
6	尿の勢いが弱い	0	1	2	3
7	尿をするときに，お腹に力を入れる	0	1	2	3
8	尿をしたあとに，まだ残っている感じがする	0	1	2	3
9	膀胱（下腹部）に痛みがある	0	1	2	3
10	尿道に痛みがある	0	1	2	3

1から10の症状のうち，困る症状を3つ以内で選んで番号に○をつけてください

1	2	3	4	5	6	7	8	9	10	0 該当なし

上で選んだ症状のうち，もっとも困る症状の番号に○をつけてください（1つだけ）

1	2	3	4	5	6	7	8	9	10	0 該当なし

現在の排尿の状態がこのまま変わらずに続くとしたら，どう思いますか？

0	1	2	3	4	5	6
とても満足	満足	やや満足	どちらでもない	気が重い	いやだ	とてもいやだ

図Ⅲ-4-5　主要下部尿路症状スコア（CLSS）

り理想とする状態に近づけることができるか，本人の気づきや認識を確認し，強みを見出すことが重要である．

2●目　標

高齢者の排尿援助の目標をウェルネスの視点で考えると，以下の3点が挙げられる．**コンチネンス**とは，排尿や排便が滞りなく行われている状態をいう．高齢者が尊厳を維持しながら自立した社会生活を送るうえで，重要なポイントである．

①下部尿路機能を低下させる要因を除去または緩和できる
②資源を活用してコンチネンスの維持を促進することができる
③下部尿路機能の障害の予防につながる健康行動をとることができる

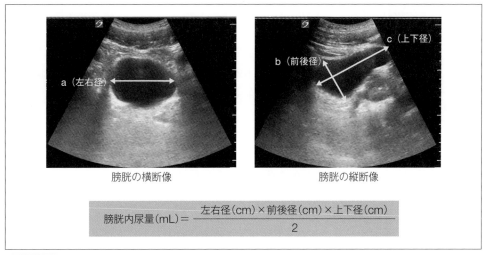

$$膀胱内尿量（mL）＝\frac{左右径（cm）×前後径（cm）×上下径（cm）}{2}$$

図Ⅲ-4-6　エコーを用いた膀胱内尿量の計測
膀胱の左右径，前後径，上下径を計測して膀胱内尿量を算出する．

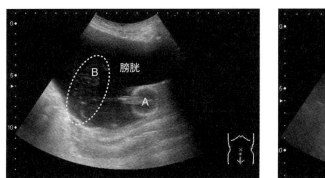

尿道留置カテーテル挿入直後のエコー画像

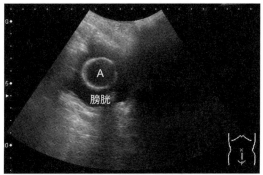

尿道留置カテーテルによる排尿（導尿）後のエコー画像

図Ⅲ-4-7　膀胱内における尿道留置カテーテルのエコー画像
Aは尿道留置カテーテルのバルーンを示す．尿道留置カテーテル挿入直後のエコー画像では，膀胱内腔の沈殿物の浮遊が確認できる（B）．

3●介　入

（1）下部尿路機能を低下させる要因を除去または緩和できる

　高齢者の下部尿路機能の変化には複合的な要因が関与するため，全身的な機能と活動レベルの維持が重要である．排尿に関連する生活習慣について，改善点や対処法を明確化するとともに，本人の強みを活かしてよい習慣は引き続き継続されるように支援し，改善が必要なものについては実現可能な対処法を本人と相談して段階的に導入する．

①水分の摂取

　水分は，疾患による制限がない限り，食事に含まれる水分以外に1,000 〜 1,500 mL/ 日，20 〜 25 mL/kgを目安に摂取する．頻尿などを理由に水分摂取を控えている場合は，脱水や腎機能障害などのリスクに注意し，本人の実体験や心情をはかりながら改善をすすめる．

②嗜好品の確認

カフェインを含む紅茶，コーヒー，緑茶には，利尿作用がある．また，わさび，こしょう，唐辛子，アルコールには，膀胱粘膜を刺激して排尿を促進する作用がある．アルコールは，膀胱の収縮を抑制する作用もある．これらの刺激に対する反応には個人差があるが，必要に応じて，1回あたりの摂取量や頻度，時間などについて調整する．

③排便のコントロール

慢性的な便秘は，尿失禁のリスクである．便秘を予防するために，十分な食事量と適量の水分摂取を促し，海藻，納豆，こんにゃく，完熟した果物などに含まれる水溶性食物繊維の摂取をすすめ，不溶性食物繊維と合わせて1日に20〜25gを目安に摂取できるように調整する*．

④排泄環境の整備

住環境は，トイレへ移動がしやすく，排泄行動をスムーズかつ安全に行える環境がよい．トイレでは，下着の上げ下げ，便座からの立ち上がり，方向転換など，身体の姿勢や重心が変化する動作が行われるので，安全に身体を支持することができるよう，必要に応じて手すりなどを設置する．

⑤疾患の治療

排尿に影響を及ぼす疾患がある場合は，必要な治療が継続されているか確認する．尿路感染症の予防には，十分な水分摂取で尿量を確保し，温水洗浄便座などを活用して陰部を清潔に保つ．

⑥薬物療法の確認

下部尿路機能障害に影響を及ぼす薬物が処方されている場合は，排尿記録に基づいて副作用の出現がないか定期的に確認し，異常があれば医師や薬剤師に相談する．

⑦骨盤底筋体操

経腟分娩，閉経，骨盤内手術による骨盤底の脆弱化は，尿失禁の原因になる．骨盤底の脆弱化を早期に回復させ，尿失禁を予防するためには，**骨盤底筋体操**（図Ⅲ-4-8）が有効である．

⑧運動機能の維持

排尿動作やトイレへの移動に必要な運動機能を維持する．必要に応じて本人の身体機能や活動レベルに応じた補助具を導入し，排泄動作や移動がスムーズで安全に行えることを確認する．個別の状況に合わせて効果的な訓練を行うために，理学療法士や作業療法士に相談するとよい．

(2) 資源を活用してコンチネンスの維持を促進することができる

移動のための自助具や着脱しやすい衣類を工夫するほか，生活時間や状況に応じてポータブルトイレや尿器などを利用し，高齢者が本人の力を最大限に活かし，可能な限り自立した排尿行動と社会生活が維持できるように支援する．排泄の自立にかかわる用具の貸出しや給付は，介護保険や地方自治体による給付事業で行われている．

---

* **食物繊維**は，食品中に含まれる難消化性の多糖類で，整腸作用や便秘・高コレステロール血症の改善，大腸がんの予防などへの効果が指摘されている．水溶性食物繊維は消化管内で水分を含んでゲル状になり，腸管内容物の移動を助けるほか，なかでもペクチン，グアーガム，マンナンなどはビフィズス菌によって分解され，腸内細菌の栄養源となる．一方，不溶性食物繊維は，腸管内容物の容積を保って腸管の活動を促進する．

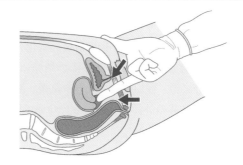

a. 内診の方法

b. 骨盤底筋体操に適した姿勢

仰臥位になり足を肩幅に開いて膝を立てる

床に膝をつき，肘をクッションの上に載せ頭を支える

足を肩幅に開いて椅子に座り，足の裏の全面を床につける

足を肩幅に開いて立ち，手は机の上に載せる

図Ⅲ-4-8　内診の方法と骨盤底筋体操

骨盤底筋体操とは，脆弱化した骨盤底筋群の強化によって腹圧性尿失禁を改善し，また予防するものである．

a：骨盤底筋群の収縮の感覚をつかむには，内診による指導が効果的である（①診察台に仰臥位で軽く膝を立てるよう促す，②指導者の第2，3指を腟内に挿入し，その指を締めつけるように収縮するよう指示する．もう片方の手を下腹部に当て，不必要な腹筋の緊張がないことを確認する，③息を吸いながら2〜5秒収縮させ，息を吐きながら弛緩する，④慣れてきたら，10秒間ゆっくり収縮し，20秒間弛緩させる．

b：骨盤底筋体操に適した姿勢（腹筋や大腿の筋肉に力が入りにくい姿勢）を紹介し，日常生活で習慣化できるよう援助する．

（3）下部尿路機能の障害の予防につながる健康行動をとることができる

　下部尿路機能障害の主な症状や予防の治療の方法について，本人の理解を促す．排尿に関する近隣の相談窓口，専門的な医療機関や尿失禁予防教室，有用なインターネットサイトなどについて情報を提供する．皮膚・排泄ケア認定看護師が活動する尿失禁外来や，尿失禁アドバイザーが活動する日本コンチネンス協会は排尿に関する専門的な相談機関であり，排尿障害の診断や改善の支援，骨盤底筋体操の指導，電話相談などが行われている．

4●評　価
a. 自覚症状

　下部尿路機能や排泄行為の自立度について低下の有無を判断し，それによる日常的な活動や睡眠，生活への影響を問診で聞きとる．排尿記録や記載された自覚症状の内容を確認する．

b. フィジカルアセスメント

　全身状態，下部尿路や骨盤底の形態・機能，感染症の徴候を観察する．具体的には，膀胱の大きさや緊満度を触診し，排尿前後の変化を確認する．局所の皮膚病変や器質的変化は，感染症や骨盤底の障害を考える際の情報になる．具体的には，外陰部周辺皮膚の発赤，びらん，分泌物，腟口周辺の変形や亀裂，腹圧をかけたときの**骨盤臓器脱**の有無を観察する．骨盤底筋群の評価で腟の内診について同意が得られた場合は，筋の収縮の強さ，速さ，持久力を観察する．

c. 客観的指標

　下部尿路機能の指標として，排尿記録に基づき，昼夜の排尿回数や排尿量，排尿直後の残尿量，尿漏れの有無や量をみる．下部尿路症状の有無については CLSS を活用する．排尿状態が生活や健康に及ぼす影響については健康関連 QOL やうつの尺度，意欲の指標などを用いて経時的な変化や介入の効果を確認する．

4-2 排　便

A. 基礎知識

1 ● 成人の直腸・肛門管の構造と機能

a. 構　造 (図Ⅲ-4-9)

　直腸は，長さ約 13 cm の管腔構造を有する．第 3 仙椎の高さで結腸から直腸に移行し，仙骨に沿って拡張して直腸膨大部を形成する．さらに，急激に狭小化して尾骨先端部の高さで肛門挙筋を貫き，恥骨直腸筋と恥骨尾骨筋の張力によって背側へほぼ直角に屈曲して肛門管へ移行する．肛門管は，直腸から肛門をつなぐ管腔で，2.5〜4 cm の長さを有する．

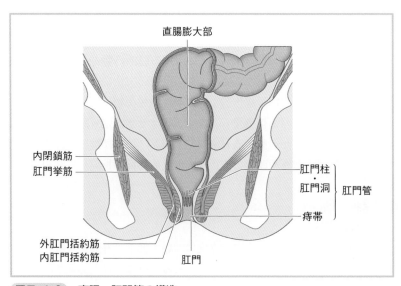

図Ⅲ-4-9　直腸・肛門管の構造

b. 機　能（図Ⅲ-4-10）

　大腸の運動は，腸管内の便量，食物や水分の摂取，歩行などによって刺激され，便塊は腸の蠕動運動により直腸内へ移動する．直腸内に便が充満すると（①），反射によって直腸壁が拡張する（②）．便の量が200 mL前後に達すると直腸壁内の伸展受容器が刺激を受け（③），内肛門括約筋が反射的に弛緩し（④），**肛門内圧***が低下して，便塊が肛門管上部へ移動する．この一連の反射を**直腸肛門反射**といい，仙髄の排便反射中枢（S2-4）が担っている．また，直腸壁の伸展刺激は骨盤神経を介して大脳皮質へ伝わり，便意として知覚される（⑤）．排便ができる状況になり（⑥），外肛門括約筋が弛緩すると（⑦），これに伴い，肛門挙筋などの骨盤底筋群が弛緩する．直腸肛門角は鈍角となり，怒責によって腹圧が高まると直腸内圧はさらに上昇し，漏斗状になった直腸と肛門から便が排出される．排便時にとる前傾姿勢は，直腸肛門角を大きくして便の排出を助ける（図Ⅲ-4-11）．

2● 高齢者の直腸・肛門管の特徴

a. 直腸・肛門機能の変化

　外肛門括約筋を支配する陰部神経の伝達速度は加齢に伴って延長し，直腸や肛門の知覚が低下する．さらに，加齢に伴う腸管の筋層間神経細胞の減少などの影響を受けて大腸通

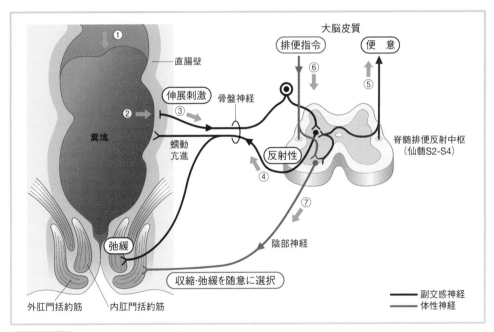

図Ⅲ-4-10　直腸・肛門管の機能と神経支配

［河原克雅，佐々木克典：カラー図解　人体の正常構造と機能Ⅲ 消化管, p.68, 日本医事新報社, 2000 より引用］

---

* 肛門内圧：内肛門括約筋や外肛門括約筋の活動によって，肛門管から便を排除する力を反映する指標．安静時の肛門内圧を肛門管静止圧（通常，最大値は40～100 mmHg），随意的に肛門を収縮させたときの肛門内圧を肛門管随意収縮圧（通常，最大値は80～200 mmHg）という．気づかないうちに便がもれてしまう場合は肛門管静止圧が低下している場合が多く，便意切迫感によってもれてしまう場合は肛門管随意収縮圧が低下していることが多い．肛門内圧検査は，圧変換器がついたカテーテルを肛門から挿入して行う．

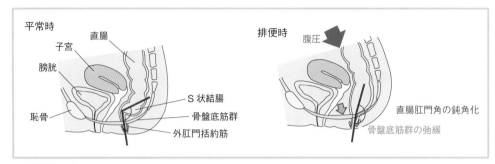

図Ⅲ-4-11　排便による直腸肛門角の変化（女性の例）
通常，骨盤底筋群の張力によって直腸肛門角は鋭角に保たれている．
いったん直腸へ糞便が移行すると，内肛門括約筋や骨盤底筋群が弛緩し，会陰が下降すると同時に腹圧による圧排を受け，直腸肛門角は鈍角になって直腸が漏斗状になり，糞便が通過しやすくなる．

過時間が延長するため，高齢者は慢性便秘に陥りやすい．一方，加齢により内肛門括約筋は肥厚する．内肛門括約筋は肛門管の収縮と静止圧の保持にかかわるが，高齢者では肛門管の内径および外径がともに大きくなり，最大静止圧が低下する．また，外肛門括約筋の筋力は加齢により低下し，随意収縮圧が低下する．女性では肛門管の長さが短く，とくに前方において加齢とともに短縮し，肛門管の最大静止圧と最大随意収縮圧は男性に比べてより低圧である．これらは，高齢者の便失禁の要因になる．便秘が恒常化して自力では排出困難な硬い便（嵌入便）が貯留すると，大腸の機能が障害され，下痢や溢流性の便失禁の原因になる．

3 ● 高齢者の排便機能に影響する要因

a. 老化や既往による恒常性の変化

　加齢による筋力の低下や怒責による血圧上昇のおそれ，からだの痛みなどがあり，腹圧がかかりにくい場合は，骨盤底筋群の弛緩や直腸肛門角の直線化が制限され，便の通過が阻害されて便の排出困難が生じ，便秘になる．さらに，渇中枢（のどの渇きを感受する神経）の機能低下による水分摂取量の減少，利尿薬による脱水，咀嚼機能の低下や食思不振による食事量の減少は，高齢者の便秘の要因になる．

　また，腸内環境は，排便機能に重要である．加齢により，腸内細菌叢は，**ビフィズス菌***などの消化機能や感染防御に寄与する微生物が減少し，大腸菌や腸球菌などの感染症の起炎菌が増加する．ビフィズス菌などの腸内細菌は，水溶性食物繊維やオリゴ糖を分解することで短鎖脂肪酸を産生する．短鎖脂肪酸は大腸上皮細胞のエネルギー源となり抗炎症効果を有するほか，新陳代謝や粘液の分泌，水分の吸収，大腸の運動性を促進し，その機能を維持している．したがって，腸内環境を整えることは，排便機能を保つうえで重要である．

　排便機能には，脳神経疾患，パーキンソン病，糖尿病などの「神経活動に関連する疾患」や，大腸がん，直腸瘤，直腸脱，痔核などの「器質的な疾患」，腸の蠕動運動が減弱する

---

* ビフィズス菌：ヒトの腸内細菌叢に多くみられるグラム陽性桿菌で，腸内で乳酸や酢酸を産生してpHを低下させ，有害物質（ガス，アンモニアなど）を産生する有害細菌の増殖を抑制し，腸内細菌叢を整える働きをもつ．

甲状腺機能低下症や電解質異常，水分摂取量や食事の内容に変更を伴う心疾患や腎不全，さらには，胃や腸管の手術，感染症，過敏性大腸炎，潰瘍性大腸炎などの炎症や感染を伴う疾患が影響を及ぼす．

　女性では，経腟分娩を経験している場合は，肛門括約筋，肛門挙筋，会陰体，陰部神経の損傷により，骨盤臓器脱や失禁が起こりやすい．

b. 薬剤の副作用

　便秘を起こす薬剤には，平滑筋に作用して腸の運動に抑制的に働く抗コリン薬，カルシウム拮抗薬，β遮断薬，ドパミン作動薬，三環系抗うつ薬，抗ヒスタミン薬，鎮痛薬（オピオイド，NSAIDs）のほか，収斂作用を有する制酸薬（アルミニウム，カルシウムを含有する），鉄剤がある．緩下薬の長期使用は，平滑筋を無緊張の状態にして腸管の正常な蠕動運動を消失させる．抗菌薬による腸内の菌交代現象では，腸内細菌叢の変化により下痢が生じる．経腸栄養で濃厚流動食を使用する場合は，浸透圧性の下痢を起こすことがある．

c. 生活習慣

　排便には，食事や運動，生活習慣が影響する．日常的に便意をがまんする傾向がある場合，便意が誘発されにくくなり，便秘になりやすい．食事の総量や食物繊維の摂取量が少ない場合は腸の蠕動が惹起されず，便塊の停滞によって水分の吸収が進み，便秘につながる．運動習慣が少ない人は，便秘の頻度が高い．一方，カフェインや香辛料など刺激が強い嗜好品や冷たい飲み物，乳製品の摂取は，体質によって下痢を生じることがある．ストレスに曝露されることが多い生活では，交感神経が優位になり，便秘や下痢を生じやすい．

d. 環　境

　排便の時刻や排便するときの姿勢，トイレの場所や清潔さなどは，個人の排泄の習慣に関連するため，それらの環境の変化はスムーズな排便を妨げ，排便障害につながることがある．また，プライバシーが保たれない状況では，安心が得られず緊張を強いられるため，排便は苦痛で困難になる．

B.　看護実践の展開

1 ● アセスメント

a. 排便機能を低下させる要因

　排便には，心身の状態や生活の全般が影響するため，包括的にアセスメントを行う必要がある．食事の内容や水分摂取の状況，既往歴，出産歴，薬物療法，嗜好品，排便にかかわる身体機能やトイレの環境，補助具の使用の有無，介助者の有無，排便についての考え方や満足度などについて聴き，排便機能と排便行為にかかわる心身の状況と生活の全体像をアセスメントする．

　便の観察では，炎症性疾患や感染症，腫瘍や痔核の可能性を念頭に，便の性状や，粘液・血液の付着の有無をみる．身体の観察では，肛門括約筋の収縮を妨げる外痔核や外傷，変形・直腸脱の有無をみる．肛門管の内診では，残便，腫瘤やポリープ，腟後壁にお

ける直腸瘤を確認する．骨盤臓器脱がある場合はその程度や頻度と，日常的な対処法を確認する．

b. 排便機能

排便回数，時刻，所要時間，1回排泄量，便の性状，便意，ガスとの区別，努責の程度，痛みの有無・程度，緩下薬や浣腸の使用，摘便の有無，止瀉薬や整腸剤の使用，腹部膨満感や残便感，切迫感，排便困難感とそれが生じる具体的な状況，排便に対する考えなどを問診する．便の性状の判断には**ブリストル便性状スケール（図Ⅲ-4-12）**[4]を用いるとよい．腸の走行に沿って，便塊の量や位置，ガスの貯留を触診し，蠕動音を聴診する．肛門の閉鎖状態や便の付着，皮膚障害の有無を観察する．可能なかぎり直腸診（肛門の内診）を行い，便塊の有無と性状，肛門管の長さや狭窄・痔核の有無，内肛門括約筋の収縮力，肛門挙筋（恥骨直腸筋・恥骨尾骨筋）・外肛門括約筋の随意収縮力，直腸肛門角などを観察する．

近年ではフィジカルアセスメントの1つとして，携帯型エコーによる直腸便貯留の観察手法が開発されており，リアルタイムかつ非侵襲的に体内を可視化することで，便塊の量や位置・性状，ガスの貯留を評価することができるようになっている（**図Ⅲ-4-13**）．このような技術が今後標準的になることが期待される[5]．

c. 排便機能の低下が生活に及ぼしている影響

排便機能の低下は，たとえば，腹部膨満による不快感や食欲の低下による低栄養を引き起こし，フレイルの悪循環を惹起する．排便のために長時間トイレにこもることを余儀なくされたり，ゆるい便が漏れてしまうのではないかという心配から社会生活が妨げられ，高齢者の生活の質に影響を及ぼす．さらに，高齢者における排便機能の低下は，加齢だけでなく慢性疾患の影響を受けて進行するため，合併症として療養生活に影響を与えている可能性があることにも注意する．

d. 排便機能の低下についての自覚とセルフケアの状況，および本人の強み

排便機能は生活習慣や慢性疾患の影響を受けながら加齢に伴って徐々に低下するため，

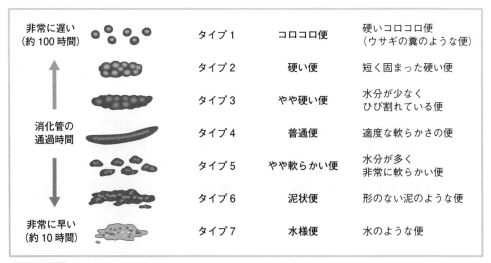

非常に遅い（約100時間）		タイプ1	コロコロ便	硬いコロコロ便（ウサギの糞のような便）
		タイプ2	硬い便	短く固まった硬い便
		タイプ3	やや硬い便	水分が少なくひび割れている便
消化管の通過時間		タイプ4	普通便	適度な軟らかさの便
		タイプ5	やや軟らかい便	水分が多く非常に軟らかい便
		タイプ6	泥状便	形のない泥のような便
非常に早い（約10時間）		タイプ7	水様便	水のような便

図Ⅲ-4-12　ブリストル便性状スケール

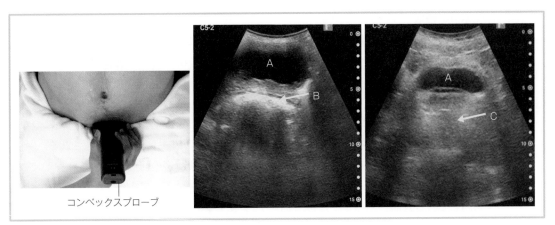

図Ⅲ-4-13　エコーを用いた直腸便貯留の観察
恥骨上縁にコンベックスプローブを当て，膀胱(A)より深部に位置する直腸を描出させる.
(B)直腸に便貯留がある場合，貯留した便に超音波が反射したことを示す，半月型あるいは三日月型の高エコー域(白色)が観察できる.
(C)直腸に便貯留がない場合，高エコー域は観察できない.

高齢者の日常生活に大きな影響を及ぼすまで予防や治療の対象として自覚されないことがある．また，排便に関して家族や他人の手助けを受けることを避けたい気持ちから社会的に孤立し，前徴や症状を察知していても相談できずに我慢して機能低下を助長することもある．まず，自らの排便習慣をかえりみる機会をもち，本人の気づきや認識を確認して自覚を促したうえで，生活習慣の見直しによって改善が可能であることを伝える．自分で摘便や浣腸をしたり，食生活の工夫などで対処をしている場合は健康行動への強みととらえ，包括的なアセスメントをもとに，よりよい対処や生活の向上につながる可能性を模索する．

2●目　標

高齢者の排便援助の目標をウェルネスの視点で考えると，以下の3点が挙げられる.

①排便機能を低下させる要因を除去または緩和できる
②排便行動の自立にかかわる資源を活用し，社会的なコンチネンスの維持が促進できる
③排便に関する相談窓口や医療機関，尿失禁予防教室などの情報を提供し，障害の予防につながる健康行動をとることができる

3●介　入

(1) 排便機能を低下させる要因を除去または緩和できる

①排便習慣の確立

排便には，規則正しい習慣が重要である．便意がなくても，毎日，決まった時間に排泄を試みることで，定期的な排便習慣を獲得できる．

②水分の摂取

脱水は，便の水分含有量が減少するため，硬便による便秘を引き起こす．治療上の必要などで水分の制限がないかぎり，食事以外で1,000～1,500 mL/日を目安に水分の摂取をすすめる．

③食生活の改善

十分な量の食事を定期的に摂取することは，腸管の活動を促進し，規則的な排便につながる．また，空腹時に食物を取り込むと，胃－結腸反射*が生じ，排便が促進される．

整腸作用がある**食物繊維やビフィズス菌**の摂取は，排便障害の回避に推奨される．食物繊維として，ペクチン，グアーガム，ムチン，グルコマンナン，アルギン酸などの水溶性食物繊維を含む食品（完熟した果物，かぼちゃ，オクラ，里芋，豆，納豆，こんにゃく芋，海藻類などに含まれる）の摂取を促し，不溶性食物繊維（セルロースやリグニンで，野菜，豆，きのこ，ごぼう，ふすま，穀類などに含まれる）と合わせて，1日に20～25 gを摂取できるように調整する．食事の内容が容易に変更できない場合は，顆粒タイプのサプリメントなどを活用するとよい．

④運動習慣の確立

散歩などの適度な運動は大腸の活動を促進し，腹式呼吸や腹筋・背筋を使った体操は，排便で腹圧をかけるときに必要な筋群の維持につながる．さらに，運動で日中の活動性が高まることによって睡眠との均整のとれたリズムがつくられ，このような生活の周期が規則正しい排便習慣につながる．

⑤ストレス・コーピングの支援

排便にかかわる腸管の活動は，自律神経に支配され，ストレスの影響を受けやすい．また，ストレスは，規則正しい生活のリズムを妨げ，排便習慣の変調をきたしやすい．したがって，ストレスに適切に対処し，活動と休息のバランスがとれた生活を維持できるように支援する．

⑥排便環境の整備

住環境として，トイレへの移動がしやすく排泄行動がスムーズにできることは，便失禁や便秘の予防に重要である．また前傾姿勢は，肛門直腸角を直線に近づけて便の移動を促進し，努責をかけやすい体勢にすることによって便の排出を促す．よって，トイレは，安全に排便の姿勢を保つことができ，かつ，その人にとってリラックスできる環境であることが望ましい．

⑦疾患の予防と治療

脳血管疾患，糖尿病，痔核，感染症などは，排便障害を生じうる疾患である．生活習慣の見直しや定期健診によってこれらの疾患を予防し，すでに罹患している場合は治療が継続されているかを確認する．

（2）自立にかかわる資源を活用し，社会的なコンチネンスの維持が促進できる

移動のための補助具，着脱しやすい衣類，生活時間や状況に応じてポータブルトイレや採便器などを利用し，高齢者のもつ力が最大限に活用され，可能な限り自立した排便行動

---

* 胃−結腸反射：空腹時に食事をする場合に，胃に食物が入ると，自動的に大腸が反応し，便意を催すもの．

と日常生活，社会生活が維持できるように支援する．排泄の自立にかかわる用具の貸し出しや給付は，介護保険や地方自治体による給付事業で行われている．

(3) 情報を提供し，予防につながる健康行動をとることができる

排便障害の症状と予防の効果を説明するとともに，近隣の相談窓口や医療機関，健康教室について情報提供し，高齢者の健康行動を促進する．皮膚・排泄ケア認定看護師が活動する便失禁外来や，コンチネンスが活動する日本コンチネンス協会は，排泄に関する専門的な相談機関であり，電話相談，排便状況についての診断と改善の支援が行われている．

4 ● 評 価

a. 自覚症状

排便に関して，日常生活への影響を聞く．また，腹部膨満感，排便に伴う排便困難感，切迫感，残便感，努責，痛みについて，出現の頻度や程度の変化を聞き，排便障害の有無や変化をみる．

b. フィジカルアセスメント

全身状態，肛門管や骨盤底の形態・機能，肛門周囲の皮膚を観察する．具体的には，腸の走行に沿って，便塊の位置や量，ガスの貯留を触診する．骨盤臓器脱の有無，肛門の変形や裂傷の有無，周囲皮膚の汚染や発赤，びらん，感染症の有無を観察する．肛門の内診では，残便や腫瘤の有無を確認する．また，肛門直腸角で骨盤底筋を触知し，骨盤底筋群と外肛門括約筋の収縮の強さ，持久力を観察する．

c. 客観的指標

排便の頻度，所要時間，規則性，1回排泄量や便の性状，緩下薬や止瀉薬の使用頻度や量について質問し，排便のコントロール状態をみる．また，排便機能の低下に関連したQOL の指標としては，SF-36® (MOS 36-Item Short-Form Health Survey)[6] や便失禁に特異的な Fecal Incontinence Quality of Life Scale (FIQL)[7]，慢性便秘には Patient Assessment of Constipation Quality of Life (PAC-QOL) Questionnaire[8] が活用できる．

練習問題

Q4 高齢者にみられる排尿の特徴について，正しいものはどれか．
1. 加齢に伴い，残尿量は減少する
2. 加齢に伴い，夜間の尿量は増加する
3. 抗コリン作用がある薬は，蓄尿機能障害の原因になる
4. 加齢に伴い，膀胱の知覚は低下する

Q5 高齢者にみられる排便の特徴について，正しいものはどれか．
1. 加齢に伴い，肛門管は萎縮する
2. 慢性的な便秘により，下痢が生じることがある
3. 抗菌薬の継続使用により，腸内細菌叢は保たれる
4. 抗コリン作用がある薬は，下痢の要因になる

[解答と解説 ▶ p.477]

▍引用文献▍

1) Homma Y, Yoshida M, Yamanishi T, et al：Core lower urinary tract symptom score（CLSS）questionnaire：a reliable tool in the overall assessment of lower urinary tract symptoms. International Journal of Urology **15**(9)：816-820, 2008

2) 吉田正貴, 池田俊也：夜間頻尿QOL質問票（ICIQ-Nqol）：N-QOLの日本語版の開発. 泌尿器外科**23**(6)：833-838, 2010

3) Toba K, Nakai R, Akishita M, et al：Vitality Index as a useful tool to assess elderly with dementia. Geriatrics Gerontology International **2**(1)：23-29, 2002

4) Heaton KW, Radvan J, Cripps H, et al：Defecation frequency and timing, and stool form in the general population：a prospective study. Gut **33**(6)：818-824, 1992

5) 日本創傷・オストミー・失禁管理学会編：エコーを用いた直腸便貯留観察ベストプラクティス, 照林社, 2021

6) Fukuhara S, Bito S, Green J, et al：Translation, adaptation, and validation of the SF-36 health survey for use in Japan. Journal of Clinical Epidemiology **51**(11)：1037-1044, 1998

7) Ogata H, Miura T, Hanazaki K：Validation study of the Japanese version of the faecal incontinence quality of life scale. Colorectal Disease **14**(2)：194-199, 2012

8) Nomura H, Agatsuma T, Miura T：Validity and reliability of the Japanese version of the patient assessment of constipation quality of life questionnaire. Journal of Gastroenterology **49**(4)：667-673, 2014

動作と移動

A. 基礎知識

1● 高齢者における動作と移動とは

動作とは，食事や排泄など基本的日常生活動作から洗濯や買い物をすることなども含まれる．**移動**には，独歩，歩行補助具を用いての歩行，車椅子を用いての方法がある．動作と移動は，人の自立した生活を支え，さらには趣味の遂行や生活圏の拡大につながるため，高齢者の生きがい，すなわち生活の質（QOL）にまでかかわる．反面，高齢者に動作・移動障害があれば，本人の苦痛だけではなく，家族の介護負担といった社会問題にまでかかわる．加齢による心身機能の低下は避けられないが，要介護への移行を予防し，できるだけ自立した生活を支え，かつ必要な援助は何かを適切に見極めて支援する看護が重要である．高齢者の動作と移動に関するアセスメントは，加齢による影響と高齢者に特徴的な健康問題をふまえ，身体を動かすための筋骨格系機能，活動耐性にかかわる呼吸・循環機能，活動を意図的に行えるための認知機能，活動に対する意欲，生活不活発病（廃用症候群）も含めた動作・移動障害が生活に及ぼす影響という視点から行う．ここでは，筋骨格系と脳神経系を中心に述べる．

2● 成人の筋骨格系・脳神経系の構造と機能

a. 構　造

（1）筋骨格系

①筋

筋は横紋筋と平滑筋に大別され，横紋筋はさらに骨格筋と心筋に，平滑筋は血管筋と内臓筋に分類される．筋の構造（**図Ⅲ-5-1**）は，筋原線維の束からなる**筋線維**とよばれる筋細胞が集まり筋線維束を形成し，さらに筋線維束の集合が全体の筋肉を形成する．

②骨

骨（**図Ⅲ-5-2a**）は，関節接合面にある軟骨を除いて骨膜におおわれ，骨組織の表層は緻密骨からなる．その内部は，骨頭部は海綿骨で満たされ，骨幹部の内層は造血組織である骨髄があり，骨髄腔とよばれている．骨組織は，細胞と細胞外基質からなる．細胞には骨芽細胞，骨細胞，破骨細胞があり，細胞外基質はカルシウムやリンなどミネラルが占めている．骨膜には血管，リンパ管，神経がある．

おのおのの骨は互いに接続し関節をつくり，**骨格**（**図Ⅲ-5-2c**）を形成し，人体を形づくっている．膝，股，肩関節などの可動性のある関節面（**図Ⅲ-5-2b**）には，クッションの役割を果たす関節軟骨や，滑膜から産出された滑液で満たされた関節腔があり，関節の動きをなめらかにしている．また，袋様構造となっている滑液包が，筋肉，腱，靱帯など

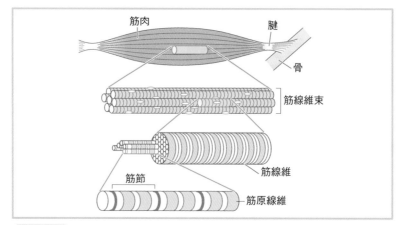

図Ⅲ-5-1　筋の構造

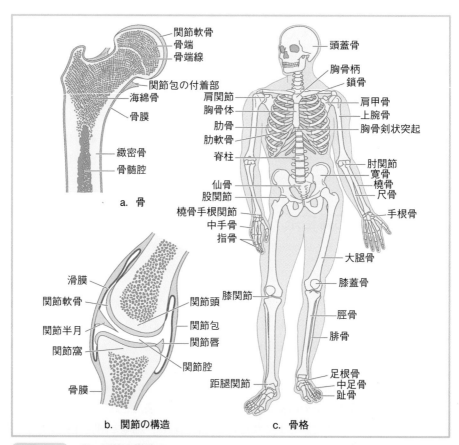

図Ⅲ-5-2　骨・関節の構造

の互いに動く組織間に位置し，関節運動時の相互の摩擦を和らげている．**靱帯**は関節包をおおい，骨と骨とをつなぐ線維性の結合組織のことである．

(2) 脳神経系

　脳神経系は，脳と脊髄からなる中枢神経系と，それ以外の神経である末梢神経系に大別

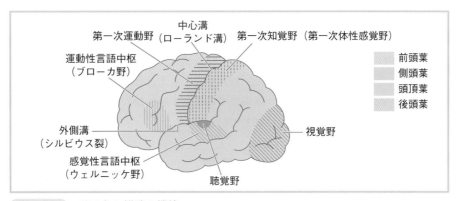

図Ⅲ-5-3　脳の主な構造と機能

される．脳は頭蓋骨におおわれており，大脳，間脳（視床，視床下部），脳幹（中脳・橋・延髄），小脳からなり，延髄から脊髄は続き，脊柱の椎間孔を通る構造となっている．大脳皮質（**図Ⅲ-5-3**）は主に運動の発令とさまざまな知覚情報を受け分析する中枢の役割を担っており，運動，体性感覚，言語（ブローカ［Broca］の運動性言語中枢，ウェルニッケ［Wernicke］の感覚性言語中枢），視覚，聴覚などの中枢がある．大脳基底核は大脳の深部にあり，協調運動を担う錐体外路の神経核をもつ．視床は，全身の知覚情報を集束し，それぞれの知覚情報に応じて大脳皮質の知覚中枢に伝達する．視床下部は，内分泌機能や自律神経の中枢である．脳幹はすべての遠心性・求心性神経線維が通過する経路であり，血圧，脈拍，呼吸など生命維持の中枢やさまざまな脳神経核がある．小脳は，大脳基底核と連携をはかりながら姿勢の保持や歩行動作の協調にかかわる．脊髄は運動・感覚神経の経路である．末梢神経は，脳に直接出入りする脳神経（12対），脊髄から出入りする脊髄神経（31対），自律神経（交感神経・副交感神経）とそれらの分枝からなる．

　運動に関する脳・神経は，中枢神経である上位運動ニューロンと末梢神経である下位運動ニューロンからなる．上位運動ニューロンは錐体路と錐体外路がある．錐体路は，皮質脊髄路と皮質延髄路があり，**随意運動**の主要経路となっている．皮質脊髄路は四肢や体幹の動きに，また皮質延髄路は顔面，眼球，舌・咽頭・喉頭などの動きにかかわる．皮質延髄路は，大脳皮質運動領野から発信された動きの指令が脳幹にある脳神経核までいたる経路である．錐体外路は，随意運動がスムーズに行えるための調整役を担っている．

b. 機　能

（1）筋骨格系

　骨格筋は随意筋であり，運動ニューロンを介して伝達された指令により，筋線維に平行して配列している筋紡錘とよばれる感覚受容器から筋緊張状態のフィードバックなどを受けながら，関節周囲の筋が協調して収縮・伸展運動を行うことにより動作を可能にしている．

　骨の主な機能は，①骨格を形成し，胸腔や骨盤腔を形成することにより外部衝撃から内臓器官を保護すること，②骨髄で血液をつくること，③カルシウムやリンの貯蔵を行い体液の恒常に関与することであり，運動機能には，①が深くかかわっている．

　関節は，その形態と働きによりそれぞれ関節運動の方向や**可動域**が異なる．最大可動域は個人差や年齢差がある．

(2) 脳神経系

　動作や歩行を安定的に遂行するには，不随意運動を調整する錐体外路，小脳の調節機能，内耳にある前庭神経の平衡感覚，位置感覚，視覚による身体と空間の位置関係の認識がかかわっている．**位置感覚**は，固有感覚ともよばれ，皮膚末梢の神経受容体，関節の可動を感知するゴルジ腱器官，筋緊張を察知する筋紡錘からフィードバックされた情報により過度な筋の伸展・収縮を抑制している．

3 ● 高齢者の動作と移動の特徴

a. 動作・移動の遂行能力

　高齢者は，①筋線維数の減少，筋線維の硬化，筋萎縮による四肢や腰背筋の筋力低下，②骨・関節周囲組織の萎縮による関節可動域の低下，靱帯の弾性低下，骨量（骨密度）・骨質の低下（骨の糖化），③シナプスからの神経伝達物質の分泌量低下，神経細胞数の減少などによるバランス能力の低下が生じる．そのため，個人差はあるものの，動作は一般的に緩慢となり，成人に比べ重い荷物は持てない，細かい作業（巧緻動作）が困難となる，歩幅は狭くなり歩行速度は成人に比べ遅い，歩行時に足趾の挙上程度が低いためつまずきやすくなり，結果としてセルフケア不足や転倒・転落事故の可能性がある．運動不足は加齢変化を助長させるため，さらに転倒しやすくなる[1]．

　関節接合面の軟骨摩擦による疼痛（**関節痛**）を回避するための不活発な生活（歩行距離の短縮等）が加齢による筋力低下をさらに助長する．関節の変形や円背により不安定な姿勢となり，転倒が起こりやすくなる．手・手指関節の拘縮・萎縮により巧緻動作が，肩・肘関節では遠くにある食器を腕を伸ばしてつかむといったリーチ動作が困難となる．小脳や大脳基底核で神経細胞数の減少や機能低下があれば，姿勢保持の安定性やスムーズな動きは不足する．

　他にも，老人性白内障では水晶体が混濁しているため，段差の境目がわかりづらく，また加齢による水晶体の膨隆がかかわる原発閉塞隅角緑内障では視野狭窄や視力障害が生じるため，それらの症状の進行により，四肢の移動能力に障害はなくとも，移動やセルフケアに介助が必要となる．また，認知機能低下により記憶力や注意力が低下していれば，セルフケア不足や事故発生の可能性がある．

b. 活動耐性

　高齢者は，呼吸機能の低下から持久力低下，疲労が起こりやすい．また，加齢により心機能の低下があり，活動がその個人にとって相対的に過多であれば，循環動態の調整不良（血圧の急激な上昇，起立性低血圧など），不整脈，動悸が発生することがある．さらに，消化吸収能力の低下，肝・筋組織減少に伴うグリコーゲン貯蔵量の減少，味覚機能の低下などで食欲低下を生じ，経口摂取量の低下があれば，活動の基盤となる体力を低下させる．

c. 動作・移動の意欲

　一般的には身体機能低下の自覚から老いを認識し，動作・移動に対する意欲の低下が起こる[1]とされている．

4 ● 高齢者の動作・移動能力に影響する要因

a. 日常生活習慣

　高齢者では細胞レベルで加齢変化が生じていることから，①動作・移動に関する機能低下や障害が起こりやすく，②それにより低活動状態をまねき，③さらにその低活動状態が**生活不活発病（廃用症候群）**の合併や自己の健康感の低下をもたらすことで，④よりいっそうの活動意欲の低下につながる可能性がある．⑤このような活動意欲の低下は，高齢者を，閉じこもりや，さらに不活発な生活状態へと導く傾向にあり，より深刻な動作・移動能力低下へとつながる悪循環を形成しやすい（**図Ⅲ-5-4**）．

　喫煙習慣は，呼吸機能を低下させるため活動耐性に影響し，動作時間，歩行距離・時間の縮小につながる．また，また高齢者のなかには，1人暮らしの孤独感による食欲低下が摂取エネルギー不足や動作・移動能力障害をまねき，食料品の買い物もままならなくなることで，さらに栄養バランスを悪化させ，それが活動耐性を低下させ，結果的に動作・移動能力の障害をさらに悪化させる人も少なくない．

b. 疾　患

　変形性関節症，後縦靱帯骨化症，骨粗鬆症による脊椎圧迫骨折などは，患部に痛みや関節可動域制限が伴い，動作・移動の遂行を阻害する．加齢による筋肉への影響として**サルコペニア**がある．サルコペニアの発症率は10～30％程度であり，Ⅱ型糖尿病や慢性閉塞性肺疾患（COPD）患者に起こりやすく，とくに透析患者では40％と高い[2,3]．サルコペニアとは「筋量と筋力の進行性かつ全身性の減少に特徴づけられる症候群で，身体機能障害，QOL（quality of life）低下，死のリスクを伴うもの」[2]と定義されている．サルコペニアは高齢者の歩行能力やバランス能力の障害の原因となっており，**骨粗鬆症**をともに発症していることがある[2]ため，骨折に注意した生活を送る必要がある．

　脳血管疾患の合併症による運動麻痺や運動失調では，片麻痺などで動作・歩行障害が生じる．運動麻痺や位置感覚に障害があれば関節運動の制御に影響するため，立位や歩行時に膝関節過伸展もしくは**膝折れ**[4]が起こりやすくなる．膝折れとは自分の意思ではなく，荷重をかけた伸展状態の膝関節が突然に屈曲してしまうことである．筋力低下が著しい高齢者では，運動麻痺がなくとも長距離の歩行や坂道で膝折れが生じやすい．脳卒中発症後1～3ヵ月の間で20％程度の患者が**肩手症候群**[5]を発症しており，麻痺側に疼痛，腫脹，

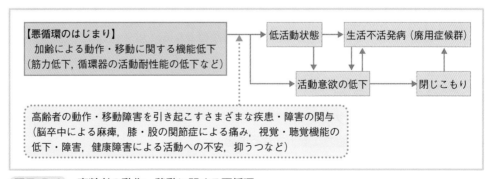

図Ⅲ-5-4　高齢者の動作・移動に関する悪循環

発赤，皮膚の熱感（ほてり）が生じている．原因は自律神経機能障害と考えられている．疼痛は日常生活動作（ADL）能力を遂行するさいに多大な支障となる．

　病態失認がある患者では，寝返りのさいに麻痺側上肢を身体の下敷きにしたり，麻痺側の肩関節を保護しないで起き上がりや歩行をすることで肩関節に亜脱臼が生じやすい．失認・失行があれば，杖を適切に使用できない，ADLを遂行できないなどが生じる．言語理解に障害のある**感覚性失語症**や**全失語症**の患者では，意図的な動作が行えず，また目的地に到達できないなどの生活障害を生じる．錐体外路系の障害の1つである**パーキンソン病**は，移動能力の障害が病状の進行によりみられる（p.423参照）．

　高齢者に比較的多い疾患である心臓病，慢性閉塞性肺疾患（COPD），動脈硬化，肺炎，貧血は，細胞への酸素供給量が低下し，動作・移動の遂行を制限するばかりでなく，心肺臓器の過活動が引き金となり，さらに心筋梗塞などの疾患を発症し，また重症化させる機会ともなる．

　白内障，緑内障，難聴，脳神経疾患による**運動・感覚障害**，糖尿病による末梢神経障害では，安全な動作・移動が困難となる．

c. 認知機能

　高齢者は，加齢により脳細胞数の減少，シナプスの減少，神経伝達物質分泌量の低下などから記銘，保持，追想（想起）能力が低下し，認識面で動作・移動の遂行困難となることがある．

d. 活動と関連した心理状態

　高齢者は，**受容と適応**（悲嘆のプロセス）の過程で親しい人との離別や身体機能の低下・喪失により悲哀，自責，自尊心低下，孤独感，あきらめ，疾患や障害による苦痛から抑うつとなり，活動意欲を低下させることがある．抑うつなど精神活動の低下は，高齢者の閉じこもりの原因[6,7]の1つであり，動作や移動の自発性にかかわる．高齢者の移動能力は，①転倒事故への恐怖感，②関節症による痛み，③活動による呼吸・循環機能への負担に対するおそれ，④感覚器の機能低下・障害による外部からの情報不足に対する心配，などに影響を受けて低下する．

e. 環　境

　高齢者は，家屋構造（段差，床の状態，照明，手すりなど），居住階，住宅周辺の環境が不十分であれば，動作・移動が阻害されることがある．また，物理的環境だけではなく，家族の介護力など人的環境，福祉サービス（デイサービスや福祉施設の利用，歩行補助具などの貸与，福祉用具購入の補助），地域のサポート体制といった社会資源も，高齢者の動作・移動の可否に大きな影響を及ぼす要因となる．

B. 看護実践の展開

1 ● アセスメント

a. 動作・移動能力を低下させる要因

　動作・移動能力を低下させる要因として，①疾患・障害，②認知機能，③活動意欲，④生活環境，⑤家族介護力や社会的サポート状況，をアセスメントする．これらは診療録・

看護記録，高齢者本人や家族から情報を得る．

b. 動作・移動能力

　生活遂行の状態をアセスメントする．**BADL**（basic activities of daily living：基本的日常生活動作）**能力**は，**カッツインデックス**（Katz Index），**バーセルインデックス**（Barthel Index）があり（p.460，461，**付録1，2**参照），買い物などBADL以外の応用動作は**IADL**（instrumental activities of daily living：手段的日常生活動作）**尺度**，生活全般から機能評価する生活機能評価のチェックリスト（p.155，**表Ⅳ-1-5**参照），**老研式活動能力指標**，**障害高齢者の日常生活自立（寝たきり度）判定基準**，**認知症高齢者の日常生活自立度判定基準**がある（p.461〜464，**付録2〜6**参照）．生活不活発病の早期発見にはチェックリスト（**図Ⅲ-5-5**）がある．徒手による筋力測定として，**徒手筋力テスト**[8]がある．サルコペニアの診断基準に骨格筋量低下，筋力低下，歩行速度の低下があるが，スクリーニングをするためのツールとして，各項目の頭文字から名づけられたSARC-Fがあり，早期に発見する手立てとなっている[2,9]．合計点4点以上が陽性とされている[9]．

c. 活動と休息のバランス状態

　高齢者は予備力が低下しており，休息の不十分な過度な活動・移動を行うことは，さまざまな疾患の発症や悪化の原因となる．反対に休息が過度になれば，生活不活発病の原因となる．活動と休息のバランス状態は，高齢者の動作・移動能力を効果的に維持するうえで重要となる．①日ごろの活動内容・程度，休息のとり方，夜間の睡眠，②動作・移動の前・中・後の健康状態（循環動態，疲労感，起立性低血圧など），③疾患や障害の活動耐性への影響，④入浴後など適切に水分補給をしているか，などを観察する．

d. 活動・移動能力の低下が生活に及ぼしている影響

　活動・移動能力の低下の自覚により，活動・移動に対する意欲や**自己効力感**（セルフ・エフィカシー）の低下が起こる[10]とされている．とくに，疾患や障害を有している高齢者の場合は，自ら活動を制限し，**閉じこもり**となるケースが多い[6]．

　IADL尺度，**老研式活動能力指標**，介護量をもとにした**FIM**（Functional Independence Measure：機能的自立度評価表）[11]などの指標がある（p.461〜464，**付録2〜6**参照）．影響を具体的にとらえるには，高齢者・家族からの聞き取りや活動・移動状況を観察する．

e. 活動・移動能力の低下についての自覚とセルフケアの状況，および本人の強み

　上述のように活動・移動能力の低下の自覚が生活への影響を及ぼすことがあるため，生活状況を確認する．

　自己効力感とは，行動する前に「ある結果を生み出すために必要な行動をどの程度うまく行うことができるかという個人の確信」[12,13]の程度のことである．支援を含む活動への環境が整い，意欲や自己効力感が維持・向上できれば，活動・移動の維持・促進や閉じこもり，閉じこもり症候群の予防となる[6]．閉じこもり症候群とは活動性の低下により廃用症候群から寝たきりに移行するという考え方である[6]．それには，活動・移動能力が低下しないための生活・運動習慣をもつなどのセルフケアを行うことが重要であり，それができるということは本人の強みとなる．本人の考えや関心を共有し，失敗体験は意欲や自己効力感を低下させるため，無理なく日課として続けられることを環境の状態も踏まえて見出す．

下の①～⑦の項目について 1年前・災害前 （左側）と 現　在 （右側）のあてはまる状態に印□✓をつけてください．

1年前・災害前	現　在
①屋外を歩くこと	
□ 遠くへも1人で歩いていた □ 近くなら1人で歩いていた □ 誰かと一緒なら歩いていた □ ほとんど外は歩いていなかった □ 外は歩けなかった	□ 遠くへも1人で歩いている □ 近くなら1人で歩いている □ 誰かと一緒なら歩いている □ ほとんど外は歩いていない □ 外は歩けない
②自宅内を歩くこと	
□ 何もつかまらずに歩いていた □ 壁や家具を伝わって歩いていた □ 誰かと一緒なら歩いていた □ 這うなどして動いていた □ 自力では動き回れなかった	□ 何もつかまらずに歩いている □ 壁や家具を伝わって歩いている □ 誰かと一緒なら歩いている □ 這うなどして動いている □ 自力では動き回れない
③身の回りの行為（入浴，洗面，トイレ，食事など）	
□ 外出時や旅行の時にも不自由はなかった □ 自宅内では不自由はなかった □ 不自由があるがなんとかしていた □ 時々人の手を借りていた □ ほとんど助けてもらっていた	□ 外出時や旅行の時にも不自由はない □ 自宅内では不自由はない □ 不自由があるがなんとかしている □ 時々人の手を借りている □ ほとんど助けてもらっている
④車椅子の使用	
□ 使用していなかった □ 時々使用していた □ いつも使用していた	□ 使用していない □ 時々使用 □ いつも使用
⑤外出の回数	
□ ほぼ毎日 □ 週3回以上 □ 週1回以上 □ 月1回以上 □ ほとんど外出していなかった	□ ほぼ毎日 □ 週3回以上 □ 週1回以上 □ 月1回以上 □ ほとんど外出していない
⑥日中どのくらい体を動かしていますか	
□ 外でもよく動いていた □ 家の中ではよく動いていた □ 座っていることが多かった □ 時々横になっていた □ ほとんど横になっていた	□ 外でもよく動いている □ 家の中ではよく動いている □ 座っていることが多い □ 時々横になっている □ ほとんど横になっている
⑦家事（炊事，洗濯，掃除，ゴミ捨て，庭仕事など）	
□ ほぼ全部していた □ 一部していた □ 時々していた □ ほとんどしていなかった □ 全くしていなかった	□ ほぼ全部している □ 一部している □ 時々している □ ほとんどしていない □ 全くしていない

＊このチェックリストで，赤色の□（一番よい状態ではない）がある時は注意してください．

＊特に 1年前・災害前 （左側）と比べて，現　在 （右側）が1段階でも低下している場合は，早く手を打ちましょう．

氏名　　　　　　　　　　　　　　（男・女）　　　年　　　月生

図Ⅲ-5-5　生活不活発病チェックリスト

［大川弥生：生活機能低下予防マニュアル─生活不活発病を防ごう，p.10，〔http://www.dinf.ne.jp/doc/japanese/resource/bf/manual/saigaijiseikatsukinouteikayobou_manual.pdf〕（最終確認：2023年1月26日）より引用］

2●目　標

　　高齢者のその人らしい，すなわちその人が望む生活を支えるために，動作・移動について ウェルネスの視点で考えると，次の3点が目標として挙げられる．

①動作・移動能力を低下させる要因を除去または低減できる
②動作・移動能力を維持・拡大できる
③動作・移動への意欲を維持・向上できる

3●介　入

(1) 動作・移動能力を低下させる要因を除去または低減できる

　動作・移動能力を低下させる悪循環を形成しないため，活動と休息のバランスをとること，転倒・転落による損傷を予防することが重要である．前述のように，過度な休息により起こる生活不活発病の予防，ならびに過度な活動により生じる疾患の発症と悪化の予防が，活動と休息のバランスにつながる．

①活動と休息のバランス

　生活不活発病の予防には，生活リズムの調整や社会参加の促進の支援を行う．高齢者には，不活発な生活でいることがいかに心身への悪影響を及ぼすものとなるかについて教育を行う必要がある．予防には，毎日の適度な活動が必要であり，高齢者が苦痛を感じることなく継続できるよう趣味や関心のあることを日課に組み込む，健康教室や地域で提供されている催し物の参加をすすめるなどして，生活習慣を整えてもらうようにする．自力での動作・移動が困難な患者の場合は，**良肢位保持**や**関節可動域訓練**による関節拘縮・変形の予防，健康上可能であれば筋力低下予防のための**運動療法**を取り入れる．

②活動による疾患の発症・悪化の予防

　過度な活動による負担を避けるため，活動や運動のさいは，高齢者の心身の健康状態や意欲の度合いをはかりながら，必要に応じて計画を修正し安全・安楽に実施する．急性期にある心疾患，脳血管疾患，呼吸器疾患，循環器疾患，筋・骨格系疾患や，慢性期であってもコントロール不良な疾患を有している場合には病状の急変に対する注意が必要である．筋力運動の例を**表Ⅲ-5-1**に示す．基礎疾患がある高齢者では，医師から活動量や留意点を確認し，**ボルグ（Borg）スケール・修正ボルグスケール**（**表Ⅲ-5-2**）[自覚的（主観的）運動強度スケール]やバイタルサイン，血中酸素飽和度を目安に，高齢者の健康状態を常にモニタリングしておくことが重要である．なお，有酸素運動を行う場合，ボルグスケールは11〜12点まで[14,15]，修正ボルグスケールは4点までを運動継続の目安とする．Talk testで「快適に会話しながら行える運動強度」も有酸素運動としての目安となる[14]．介護予防のための運動器の機能向上プログラム[16]では，安全に運動が行えるための留意点を示している（p.156，**表Ⅳ-1-6**参照）．関節症などにより膝・股関節に変形や疼痛がある場合は，体重による負荷を軽減するため坐位や臥位の姿勢で行える運動を紹介する．運動後に異常が起こっていないかを確認する．

③転倒・転落の予防

　動作や移動時は，転倒・転落の原因となる環境を取り除く（p.315，転倒予防の「環境の整備」参照）．

(2) 動作・移動能力を維持・拡大できる

　筋力・バランス能力，活動耐性，認知機能の維持・向上，生活環境を整えることを目指

表Ⅲ-5-1 歩行に関する筋力運動（例）

①脚を上げる：**大腰筋**をきたえ，歩行時に脚を上げやすく，段差を上りやすくする

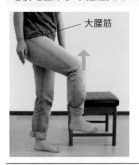
大腰筋

- 立位保持が安定している場合：椅子の背もたれにつかまり，片脚を上げる
- 立位保持は不安定だが坐位保持が安定している場合：坐位で膝を曲げたまま脚を上げる

ポイント　ゆっくりと上げ，ゆっくりと下げる（人工股関節全置換術を受けた患者は90度以上曲げない）

②脚を横に開く：**中殿筋**をきたえ，骨盤の回旋運動がなめらかとなり，安定した歩行にしやすくする

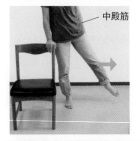
中殿筋

- 椅子の背もたれにつかまり，片脚を開く
- 片足で立つことが困難な場合：床に側臥位となり，片脚を上げる

ポイント　ゆっくりと上げ，ゆっくりと下げる
　　　　　側臥位で行ってもよい

③膝下を上げる：**大腿四頭筋**をきたえ，歩行時に脚を前に出しやすくする

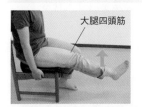
大腿四頭筋

- 椅子に座り，ボールを蹴るように膝下を上げる

ポイント　ゆっくりと上げ，ゆっくりと下げる（腰に負担のかからないように行う）

④爪先を上げる：**前脛骨筋**をきたえ，歩行時のつまずきを予防する

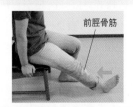
前脛骨筋

- 床に足をおいたまま，爪先を上げる．そのさいに，アキレス腱が十分伸びるようにする

⑤足指（趾）を曲げる・伸ばす：足趾関節屈曲・伸展筋群をきたえ，足指（趾）の機能を向上させ，足底の安定性を高める

す．高齢者がその人らしく生活できることを念頭に，動作・移動についての顕在的・潜在的能力ならびに活動耐性，活動意欲や事故予防という観点をふまえたケア計画を立案する．

(3) 動作・移動への意欲を維持・促進向上できる

　動作・移動の自立には，活動意欲の維持・向上，ならびに意欲が実質的に支えられる周囲の環境を整えることを目指す．動作・移動の意欲や動機を引き出すには，社会的参加の機会提供や家族からの心理的支援を含めた心理社会面のサポートが必要である．運動機能

表Ⅲ-5-2　ボルグ（Borg）スケールと修正ボルグスケール

ボルグ（Borg）スケール		修正ボルグ（Borg）スケール	
6			
7	非常に楽である	0	感じない
8		0.5	非常に弱い
9	かなり楽である	1	やや弱
10		2	弱い
11	楽である	3	
12		4	多少強い
13	ややきつい	5	強い
14		6	
15	きつい	7	とても強い
16		8	
17	かなりきつい	9	
18		10	非常に強い
19	非常にきつい		
20			

　障害や転倒事故への恐怖感から動作・歩行訓練の意欲が低下することがある．看護師は，患者の思いを傾聴し，周囲の環境を整え，不安となる要因を除去するように努める．

4 ● 評　価

　動作・移動は患者の心身の状態のみならず社会的側面がかかわるため，それらを網羅して評価する．高齢者の動作・移動能力にかかわる身体機能は多様であり，評価では1人ひとり発症前と推移を比較する必要がある．

a. 自覚症状や行動

　生活動作・移動についての意欲や動機を高齢者の言動からとらえる．疼痛による苦痛や予後への不安が動作・移動への意欲に影響していないか観察する．障害がある場合，回復への焦りから単身で歩行することで転倒が発生するリスクがないか観察する．脳卒中患者では，動作・移動時に肩関節亜脱臼予防のためのアームスリングを麻痺側に着用しているか確認する．栄養状態は体力とかかわるため，食事摂取への意欲も観察する．また，家族や社会的サポートなど，意欲や動作・移動遂行が実質的に支えられる環境（手すりの設置など）となっているのか観察する．

b. フィジカルアセスメント

　動作・移動の遂行に必要な筋力として，移乗時や歩行時に下肢の支持性，関節可動域の状態，杖の把持状態など握力を観察し，BADL や IADL など尺度の経時的得点の推移をとらえる．下肢装具を使用している場合は下肢の安定性に加え，皮膚圧迫による損傷および疼痛がないか観察する．活動耐性についてはバイタルサインの変動などを観察する（栄養状態に関しては，p.204，低栄養の「アセスメント」参照）．

5 ● 看護技術が高齢者に及ぼす影響

　平成30（2018）年の熱中症による死亡率は，65歳以上の高齢者が81.5％を占めている[17]．また，高齢者は一般的に加齢により動脈硬化や関節症が進み，複数の健康問題を

もっており，通院者率ならびに有訴者率が高い[18]．有訴者率では「足腰の痛み」をもつ高齢者が多く[18]，痛みは活動・移動意欲および実質的な生活の遂行に影響する．日頃から，高齢者が熱中症の予防や自身の健康管理に留意しながら安全にその人らしく活動・移動をしていくよう支援する．

　日頃の動作・移動において，スタッフによって声かけの手順や支援の方法が異なれば，高齢者は戸惑い，事故につながりかねない．とくに，記憶力や判断力の低下がある高齢者の車椅子使用では，適時，声をかけ，ブレーキ・フットレスト操作を行ってもらう．ブレーキ・フットレスト操作の声かけは常に同じ内容で，同じ順序で行い，習慣として身につくようにする．片麻痺のある患者では，健側から脱いで，患側から着る．

練習問題

Q6 高齢者の運動機能の変化で正しいのはどれか．2つ選べ．
1. 骨密度の増加
2. 筋線維の軟化
3. 靱帯の弾性の低下
4. 関節痛の増加
5. 関節可動域の増大

[解答と解説 ▶ p.477]

▌引用文献▌

1) 森谷敏夫：加齢，不活動による身体諸機能の変化に対する筋力トレーニングの意義．National Strength and Conditioning Association Japan **18**（8），2011
2) 荒井秀典：サルコペニア診療ガイドライン．日本内科学会雑誌 **109**（10）：2162-2167，2020
3) 鈴木一裕：高齢化が進む透析患者への対応　サルコペニア・フレイルと運動療法．診断と治療 **108**（11）：1475-1481，2020
4) 高柳智子，川西千恵美，西田直子ほか：脳卒中片麻痺患者の車椅子移乗動作に関する分析—健側配置と患側配置による比較．日本看護研究学会雑誌 **24**（4）：76-86，2001
5) 岩田　学：脳卒中患者の肩関節の治療と管理—急性期から回復期における片手症候群を含む肩関節痛の治療と管理について．Modern Physician **34**（7）：778-781，2014
6) エビデンスを踏まえた介護予防マニュアル改訂委員会：介護予防マニュアル，第4版，生活機能が低下した高齢者を支援するための領域別プログラム（令和4年3月），第5章 閉じこもり予防・支援マニュアル p.67-76，第7章 うつ予防・支援マニュアル p.90-99，2022
7) 桧山美恵子，徳重あつ子，岩﨑幸恵：高齢者の閉じこもりの概念分析．日本健康医学会雑誌 **31**（2）：170-180，2022
8) 高柳清美，中川法一，木藤宏伸ほか：運動器障害理学療法学テキスト，第3版，細田多穂監，南江堂，2021
9) 解良武士，河合　恒，大渕修一：SARC-F；サルコペニアのスクリーニングツール．日本老年医学会雑誌 **56**（3）：227-233，2019
10) 江本リナ：自己効力感の概念分析．日本看護科学会誌 **20**（2）：39-45，2000
11) 河元岩男，坂口勇人，村田　伸（編）：日常生活活動学テキスト，第2版，細田多穂監，南江堂，2019
12) Bandura A: Self-efficacy mechanism in human agency. American Psychologist **37**（2）：122-147, 1982
13) 牧迫飛雄馬，赤井田将真，「加齢に伴う生体の変化とその理解」加齢に伴う心理の変化．理学療法学 **48**（2）：242-247，2021
14) 日本循環器学会/日本心臓リハビリテーション学会合同ガイドライン 2021年改訂版，心血管疾患におけるリハビリテーションに関するガイドライン，p.27-32，2021
15) 絹川真太郎：治す9—ステージCの心臓リハビリテーション．Heart View **24**（6）：56-62，2020
16) 前掲6），第2章 運動器の機能向上マニュアル，p.24-42
17) 厚生労働省：熱中症による死亡数　人口動態統計（確定数），〔https://www.mhlw.go.jp/toukei/saikin/hw/jinkou/tokusyu/necchusho18/dl/nenrei.pdf〕（最終確認：2023年1月26日）
18) 厚生労働省：2019年 国民生活基礎調査の概況，〔https://www.mhlw.go.jp/toukei/saikin/hw/k-tyosa/k-tyosa19/index.html〕（最終確認：2023年1月26日）

睡　眠

A. 基礎知識

1 ● 高齢者における睡眠とは

　人は**睡眠**なくしては生きていけない．高齢者のみならず，人はどの発達段階においても，実に多くの時間を睡眠と休息に費やしている．**睡眠パターン**とは，睡眠時間の量と通常の就寝時間と起床時間を意味する．必要睡眠時間は人によって差があり，成人では4～10時間といわれている．高齢者においては，加齢による生理的変化によって**睡眠サイクル**の前進がみられ，いわゆる早寝早起きの現象がみられることが多い．しかし，睡眠パターンは個人差が多く，1日2～3時間の睡眠で多くの仕事をこなす人もいれば，科学者のアインシュタイン（Einstein A）のようにしばしば14～16時間，数日間にわたって眠る[1]ことが必要な人もいることに注意する必要がある．健康で長生きしたいと願う高齢者にとって夜間よく眠れること，熟眠感が得られることは重要な関心事である．多くの高齢者が睡眠について何らかの不満をもっている[2,3]ことを考えると，高齢者のよりよい睡眠に対する看護支援が重要であるといえる．

2 ● 成人の睡眠の構造と機能

a. 構　造（図Ⅲ-6-1）

　人の睡眠は脳波の特徴と**レム**（rapid eye movement：**REM**）の有無によって分類される．睡眠サイクルは，4段階の**ノンレム**（non-rapid eye movement：**NREM**）**睡眠**と1段階の**レム睡眠**から構成される．夜間の睡眠中は，4～6回の睡眠サイクルが起こり，それぞれ70～120分持続する．

(1) ノンレムステージ

　成人では，ステージ1が睡眠のはじめに起こり，ステージ2～4は断続的に全サイクルを通して起こる．ステージ3と4は徐波睡眠のステージ（深い睡眠）で，ステージ4ではとくに生体に必須の修復機能とホルモンの放出が起こる．とくに脳の休息が図られると同治に成長ホルモンが放出されることは重要である．ノンレム睡眠時には，筋肉は徐々に弛緩し，身体システムは低いレベルで機能する．また心拍数，呼吸数とも遅くなり，レム睡眠時や覚醒時よりも規則的になる．

(2) レムステージ

　レム睡眠は夢のステージで，レム睡眠中には，もっとも活動的で生き生きした夢をみる．レム睡眠中には胃酸分泌の増加，筋肉の弛緩，血圧変動，体温調節機能の消失，脳血流量の増加などの生理学的変化が起きる．

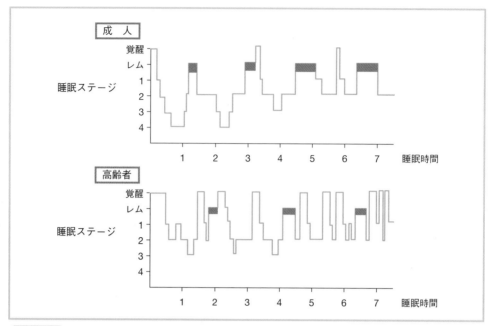

図Ⅲ-6-1　加齢に伴う睡眠サイクルの変化
加齢に伴い，レム睡眠の減少，覚醒回数の増加，睡眠ステージ1の延長，および入眠時間の延長がみられる．
[Miller CA: Nursing Care of Older Adults：Theory and Practice, 3rd Ed, p.408, Lippincott, 1999 より筆者が翻訳して引用]

b. 機　能

　睡眠の機能としては以下の5点が挙げられる．

　①身体的および精神的休息
　②組織の修復と蛋白質合成
　③脳内における認知的情報や感情的情報の濾過，体系化，保存
　④睡眠に依存する認知機能，とくに記憶，保存された情報を統合する機能や洞察
　⑤ストレスに対するコーピング方略

　睡眠中には，生理学的機能と心理社会的機能の充足がはかられている．睡眠と休息時間には，多くの内分泌機能が低下するが，成長ホルモンの生産量は増加し，組織の修復と蛋白質合成は促進される．生体の維持と活動のためには不可欠な要素である．睡眠中，とくにその深い段階では，脳内において認知的また感情的情報は，濾過され体系化される．最近の研究では，睡眠中，脳は日中得た情報を処理し，将来重要な情報の要点のみを記憶にとどめる働きをしていること，睡眠によって覚醒中に取り組んでいた問題を解決するべく記憶にある情報のなかから関係性を見出す分析統合的な機能や新しいアイデアを想像する洞察ももたらされることが示されている[4-6]．また睡眠によって心配や悩みなどのストレスの軽減がはかられる．この睡眠の機能の重要性について，貧困や戦争など人生の苦難を乗り越えてきた82歳女性が次のように述べている．

　「人生で苦しいときや悲しいこと，困難なことなどにぶつかったときには，できる限り自分で解決しようとしますが，もう1つ重要なのは，それらのことを忘れることです．そ

のために睡眠は重要です．よく寝たあと，気分がさっぱりしてくよくよ悩んでいたことは
すっかり気持ちから消えていることが多いのです．これが私の困難を乗り越えてきた秘訣
です.」

心配や悩みといったストレスに対し，よく寝ることによって軽減をはかるコーピング方
略を用いて困難を生き抜いてきたといえる．

以上のように，人の生理学的機能と心理社会的機能は，睡眠の質と量によって影響を受
けるといえる．

3 ● 高齢者の睡眠の特徴

睡眠は，年齢によって変化する生理現象である．高齢者の睡眠は，それまでの職業やラ
イフスタイルによって多様である．また睡眠時間帯や必要とする睡眠時間も個人差が大き
い．10歳代後半に約8時間であった実質的な平均睡眠時間は70歳代には約6時間とな
る[7]．高齢者の睡眠の特徴として，総睡眠時間の減少，在床時間の延長（早寝），睡眠効
率低下，中途覚醒回数の増加，早朝覚醒，睡眠の質的変化（深いノンレム睡眠期およびレ
ム睡眠期の減少），体内時計の位相の前進と振幅の低下に伴う睡眠時間帯の前進と昼寝の
増加による多相性の睡眠パターンへの変化，自己の睡眠に対する不満足感，日中の疲労
感，睡眠覚醒スケジュールの変化に対する適応能力の低下が挙げられる[8]．高齢者の**睡眠
障害**の多くは，睡眠障害の危険因子と他の外的影響によって起こることを理解することが
大切である．高齢者の睡眠障害と加齢変化および他の複数の原因の組み合わせとの間に
は，有意な関連があることが報告されている[9]．

a. 睡眠効率と覚醒回数

睡眠効率とは，総就寝時間における実際の睡眠時間の割合で，睡眠の質の評価に影響を
及ぼす．成人の睡眠効率は，80〜95％であるのに対し，高齢者では約70％である[10]．こ
の睡眠効率低下の原因は，眠りにつくまでにかかる時間の延長と夜間の**中途覚醒**（夜間覚
醒）の回数増加による．高齢者の中途覚醒の回数増加は，睡眠時無呼吸症候群，身体的不
快感，認知症またはうつ病，経時的な四肢の動き，聴覚覚醒閾値の低下，血中ノルアドレ
ナリンレベルの増加が関係する可能性があるといわれている．中途覚醒の回数増加は睡眠
障害の危険因子として考えることが大切である．

b. 睡眠ステージ

高齢者の睡眠サイクルの各ステージは，成人と比較して以下の特徴がある．

高齢者の睡眠サイクル

①**ノンレムステージ1**：成人期から高齢期にかけて徐々に長くなり5％から7％〜
　12％に増加する．高齢者は，より長い時間うつらうつらする時間を経験する

②**ノンレムステージ2**：ほとんど変化なし

③**ノンレムステージ3**：高齢者は成人に比較し，このステージの睡眠は多様である

④**ノンレムステージ4**：加齢とともに減少する．多くの高齢者においてこのステージ
　の睡眠が消失する

⑤**レムステージ**：レム睡眠は夜間の総睡眠時間に比例して減少する．高齢者において，レム睡眠は成人とほぼ同じ回数起こるがその長さが短くなる．小児期において総睡眠時間の40％がレム睡眠であるのに対し，70歳では約25％に減少する．また成人ではレム睡眠は眠りの後半に多く起こるが，高齢者では睡眠中均一に起こるといわれている

c. 臥床時間と総睡眠時間

　高齢者は臥床時間が長くなり，実際の睡眠時間の割合は減少するものの，総睡眠時間については，成人とほとんど変わらないといえる．成人の睡眠パターンと比較すると，高齢者はより多くの回数昼寝をし，夜間の睡眠時間は短くなる[11]．地域高齢者を対象とした研究では，昼寝を含めると成人も高齢者も総睡眠時間に差はなく，6.5～7.5時間であり，高齢者の睡眠と休息時間の平均は10～12時間であった[12]．

4 ● 高齢者の睡眠に影響する要因

　高齢者の50％以上が，身体的要因，**サーカディアンリズム**（circadian rhythm，**概日リズム**，p.108参照）の変調，他のリスク要因から睡眠に問題を抱えている[3]．高齢者の睡眠に影響する要因は，身体的生理学的（疾病を含む），心理社会的，環境的，生活習慣的要因に分けられる．

a. 身体的生理学的要因

（1）睡眠時無呼吸症候群

　睡眠時無呼吸症候群とは，睡眠中呼吸が不随意に10秒間またはそれ以上中断することと定義される．睡眠時無呼吸症候群に関連する要因は，いびき，肥満，認知症，うつ病，などである．

（2）レストレス・レッグス症候群（restless legs syndrome：RLS）

　レストレス・レッグス症候群は，夜間安静時に身体の末端に「ムズムズする」「じっとしていられない」といった不快感や「針で刺す」ような痛みなどの異常感覚が起こり，これを抑えるために常に足を動かしたい欲求を感じる症状で，入眠障害などの睡眠障害が引き起こされる[13]．カフェイン，アルコール，薬剤がこの発生を増加させるとされている[14]．

（3）サーカディアンリズムの変調

　睡眠と覚醒のリズムは，脳内の生物時計と恒常性によって能動的に調整されている．加齢に伴ってサーカディアンリズムの位相が前進し，夜間の睡眠維持が困難となり，また覚醒後再び眠りにつくことが困難になることが示唆されている．

（4）痛みや身体的不快感

　外傷や外科手術後などの急性疼痛やリウマチ，膝関節炎などの慢性疼痛や不快感は睡眠障害に関連する．腓腹筋（ふくらはぎ）や足の筋肉のひきつりは，夜間に起こり睡眠を妨害する．

（5）疾　病

　睡眠に影響を与える疾病は，高血圧，狭心症，甲状腺機能亢進症，潰瘍，糖尿病などである．表Ⅲ-6-1に，それぞれの疾患の睡眠への影響を示した．

高齢者に多い認知症，うつ病，感覚器系の障害（難聴・視力の低下など）でも睡眠障害が起こる．

(6) 頻 尿

加齢による生理的変化で膀胱容量が減少したり，膀胱が過敏となることで頻尿が起こる可能性がある．利尿作用のある物質の摂取や，高血圧や心疾患治療のための利尿薬服用の影響，あるいは糖尿病で血糖値が高くなることで排泄回数が多くなり睡眠が中断される．

(7) 薬剤の副作用

利尿薬のほか，睡眠障害に関連する薬剤は，睡眠薬（バンビツール酸系，ベンゾジアゼピン系など），ステロイド，抗うつ薬，甲状腺ホルモン製剤，抗不整脈薬（β遮断薬など），中枢神経作用降圧薬，気管支拡張薬（イソプロテレノールなど）である．**表Ⅲ-6-2**は，薬剤とその睡眠への影響を示している．

睡眠薬はその第一義的目的に反して睡眠障害を引き起こす可能性が高いので，以下のような注意を要する．

表Ⅲ-6-1　疾病と睡眠への影響

高血圧	早朝覚醒
狭心症	痛みの知覚なしの覚醒
甲状腺機能亢進症	入眠困難の増悪
リウマチ	睡眠を妨害する慢性的な痛みと不快感
糖尿病	夜間排尿または血糖値コントロールができないことによる覚醒
潰瘍	胃酸分泌の増加による夜間の痛みによる覚醒
COPD	無呼吸と呼吸苦による覚醒
うつ病	精神症状による入眠困難や早朝覚醒
認知症	不安や認知機能障害などによる入眠困難，中途覚醒，昼夜逆転

表Ⅲ-6-2　薬剤と睡眠への影響

抗コリン薬	筋肉のひきつり，反射過敏，活動性の高揚
バルビツール酸系薬	レム睡眠の抑制，悪夢，幻覚
ベンゾジアゼピン系薬	睡眠時無呼吸による覚醒
β遮断薬	悪夢
ステロイド	落ち着きのなさ，睡眠障害
利尿薬	排尿のための覚醒，アルカローシスによる睡眠時無呼吸
レボドパ（パーキンソン病治療薬）・イソプロテレノール	入眠と睡眠ステージの妨げ
抗うつ薬	レム睡眠の抑制，睡眠時周期性四肢運動（PLMS）

PLMS：periodic limb movement in sleep

[Miller CA：Nursing Care of Older Adults—Theory and Practice, 3rd Ed, p.405, Lippincott, 1999を参考に作成]

- 服薬初期には薬に対する反応はよいが，通常耐性ができる
- 中枢神経系抑制作用と高齢者の薬剤に対する過敏性により，副作用が起こりやすい
- 恐ろしい夢をみたり興奮したりするなどの副作用がある
- レム睡眠や深い眠りを妨げる
- 服用をやめると，離脱症状で悪夢や不眠が生じる
- とくに長年服用している薬は，非常に長い半減期をもつ．高齢者は体脂肪の増加および代謝や排泄の遅延が起こりやすいので，血中半減期が延長して薬が体内に蓄積されやすい．睡眠剤の蓄積は，寝覚めを悪くするとともに昼間の眠気を引き起こし，夜間の不眠の原因となる

(8) 化学物質の作用

　睡眠に影響のある化学物質としては，アルコール，ニコチン，カフェインが代表的な物質である．ニコチンとカフェインは，中枢神経刺激物質であり，入眠時間の延長と中途覚醒を生じさせる．アルコールはレム睡眠を抑制し，とくに睡眠の後半において覚醒回数を増加させるとともに早朝覚醒を生じさせる．

b. 心理社会的要因

(1) 心配・不安感

　心配や他の心理的要因は入眠困難の大きな原因となる[15]．また不安は，入眠困難，夜間の頻回の覚醒と再び入眠することの困難さに関連することが示唆されている[4]．

(2) 睡眠に対する考えや思い込み

　不眠に対して必要以上に心配し，また否定的な考えをもつと，必要のない治療を受けることになりさらに不眠が増悪する．

(3) 同居者または同室者の行動や睡眠パターン

　家族との同居や施設などで他者と共同生活をしていると，同居者の行動や睡眠パターンに影響を受ける．

c. 環境的要因

(1) 病院や施設への入院・入所

　病院や施設へ入院・入所すると，睡眠環境の変化を経験する．騒音，プライバシーの欠如，他者と近くで就寝すること，寝具の変更，就寝前の習慣が許されない場合などが睡眠を妨げる要因となる．

(2) 音や光，温度

　加齢に伴い，夜間，音に対して繊細になり，高齢者はより小さな物音にも覚醒するようになる．高齢者の中途覚醒と音と光の変化[16]，睡眠障害と音の間には有意な相関がみられる[17]．不快な高温または低温の環境もまた睡眠障害を導く．

(3) 寝衣や寝具

　就寝中にはかなりの発汗があり，それに伴い熱の放散が起こり，体温が低下する．したがって，吸湿性がなく断熱性や保温性がよすぎる寝衣や寝具を用いると，放熱が妨げられ寝苦しくなり睡眠が妨げられる．また寝具が重たすぎても眠りを妨げられる．麻痺のある高齢者にはとくに注意が必要である．

d. 生活習慣的要因

(1) 日中の活動量と刺激量

日中の活動量と刺激量も，睡眠に影響を与える．適度な疲労感は，入眠を容易にするが，仕事や社会的役割，運動や趣味などの活動の少ない高齢者は，身体的にも精神的にも適度な疲労感を感じないことが多い．実際，運動習慣のある高齢者は，不眠の訴えが少ないという研究結果が報告されている[18]．

(2) 喫　煙

喫煙者は，非喫煙者に比較し，およそ2倍の入眠時間がかかる．喫煙者の睡眠は浅く，中途覚醒も多い．

(3) 食　事

就寝前に満腹になるほど食物をとると不眠となる．また空腹でも不眠となる．

B. 看護実践の展開

1 ● アセスメント

高齢者の睡眠に関するアセスメントは，日中の生活を含めた生活全体を包括的に行うことが大切である[19]．その目的は，①高齢者本人から主観的な通常の睡眠の適切さに関する情報を得ること，②睡眠の量と質に影響を与えている要因または妨害している要因を明らかにすること，さらに③睡眠パターンをアセスメントすることである．アセスメントをするときは，一般的な質問よりも具体的な質問をする．睡眠をアセスメントするツールとして睡眠日誌，活動量計測，ピッツバーグ睡眠質問票日本語版（土井ら，1998）やベック・リトル（Beck-Little R）とウェインリッチ（Weinrich SP）[20]による高齢者の睡眠障害とマネジメントのためのインタビューガイドライン（表Ⅲ-6-3）などを用いるとよい．

a. 睡眠の量と質を低下させる要因

高齢者の睡眠に影響を及ぼす身体的生理学的，心理社会的，環境的，生活習慣的要因の有無をアセスメントする．そのためには，①1日の生活習慣やライフスタイルを調べ，平均睡眠時間と時間帯，睡眠の環境，食事や運動の有無とそれらの時間帯などについて確認する．次に②不眠の症状の有無，③睡眠障害に関する夜の症状（いびき，無呼吸，夜間頻尿，足のびくつき，こむら返りなど）と昼の症状（眠気，疲労感，朝の頭痛など）の有無，④睡眠障害を起こす疾患や不快症状の有無，⑤不安や心配の有無などについて確認する．高齢者によくみられる睡眠障害の関連要因は，中途覚醒回数，痛み，不安，うつ症状，夜間排尿，失禁，薬剤の副作用，更年期のホルモン変化，環境の変化および条件，認知症その他の疾病であることに留意する．

b. 睡眠パターン

正常な睡眠パターンか，異常な睡眠パターンであるかを判断する．睡眠パターンは，①睡眠時間の量，②通常の就寝時間と起床時間，③昼寝の回数と量をアセスメントする．

さらに正常・異常の判断のために，①高齢者自身の睡眠に対する満足度，②入眠，睡眠の持続の困難さの有無をアセスメントする．観察項目は，疲労の徴候（欠伸，表情，動作

表Ⅲ-6-3　高齢者の睡眠をアセスメントするインタビューガイドライン

A. 夜間の睡眠パターンをアセスメントする質問
1．夜どこで寝ますか？ 寝るのは布団ですか，ベッドですか？
2．布団に入ってから寝つくまでにどのくらいかかりますか？
3．睡眠の途中で目が覚めますか？ 何回起きますか？
4．夜どんなことで眠りが妨げられますか？（例：トイレ，騒音，照明，同室者の動きや音など）
5．（過去数ヵ月間に居住環境が変わった場合）起床時間や就床時間，睡眠時間に何か変化はありますか？

B. 睡眠と休息に影響する就床前の活動をアセスメントする質問
1．眠る前にいつも行っていることがあればお話ください．
2．いつも何時に床につきますか？
3．眠るのを助けてくれるものはありますか？（例：食べ物や飲み物，リラクセーション，環境など）
4．眠るために何か薬を飲んでいますか？ 反対に眠らないように何か薬を飲んでいますか？ それは何ですか？
5．夕方にアルコールやアルコールを含んでいる薬を飲んでいますか？ 何をどれくらい飲んでいますか？
6．日中と夕方にはどんな活動をしていますか？

C. 主観的な睡眠の質と適切さをアセスメントする質問
1．朝起きたとき，熟眠感はありますか？
2．日中や夕方眠たく感じたりボーっとしたりしますか？
3．疲労感で日中，思うような活動ができないことがありますか？
4．1〜10のスケールで，10が最高の睡眠とするとあなたの睡眠はいくつですか？

［Miller CA：Nursing Care of Older Adults―Theory and Practice, 3rd Ed, p.410, Lippincott, 1999を参考に作成］

など），結膜の充血，眼の下のくま，集中力の低下，イライラした様子，怒りやすさ，無気力，活動性の低下，注意力・判断力の低下，見当識障害などである．さらに専門家の検査と治療を受ける時期を見極めることも重要である．

c. 睡眠の量と質の低下が生活に及ぼしている影響

　睡眠の量と質の低下が高齢者の生活に及ぼしている影響としては，眠気による交通事故の発生リスクの上昇，作業能力の低下，ストレスの高まり，自己の睡眠に対する不満足感，日中の疲労感などが挙げられる．さらに，血圧の上昇，生活習慣病のリスクの増大や認知機能低下，とくにアルツハイマー病発症リスクとなることも指摘されている．また，睡眠不足時には，脳内の扁桃体の活動が活発となり感情反応の異常がみられ，怒り，不安，悲しみといった情動が増長される．高齢者の睡眠の量と質の低下は生活の質に影響するといえる．

d. 睡眠の量と質の低下についての自覚とセルフケアの状況，および本人の強み

　高齢者は睡眠に対する不満足感から眠れないことに対する不安や焦燥感をもつことが知られている．加齢により睡眠の質と量が変化することに対する正しい知識が欠如していたり，睡眠の量と質の変化に対応するセルフケアの適切な実施内容と方法を得ることが課題となっていることが多い．生活習慣病の予防，メンタルヘルス不調の予防，集中力のアップ，認知症の予防のために良質な睡眠を確保することが重要であることを理解すること，睡眠の質を高めるためには，朝日を浴びること，運動をすること，眠る2時間以上前からリラックスするなど生活習慣を整えることが求められる．また，主観的にはよく眠れたという「熟眠感」があることも大切である．高齢者の強みとしては，それまでの生活の中で培ってきたストレスに対する対応方法をもっていることが多いこと，また，高齢期には生理的に深い眠りが成長期ほど必要ではないことを理解することで高齢期の変化に適応して

いくことが可能であると考えられる.

2●目　標

　高齢者の睡眠援助の目標をウェルネスの視点で考えると,以下の3点が挙げられる.睡眠障害を予防し,よい睡眠習慣を促進するために,障害となるライフスタイルの要因を見出し改善することを目標とする.

> ①睡眠の量と質を低下させる要因を除去または緩和できる
> ②睡眠パターンの量と質を改善することができる
> ③良眠習慣を促進し,生活の質を維持・促進することができる

3●介　入

(1) 睡眠の量と質を低下させる要因を除去または緩和できる

　アセスメントで明らかになった睡眠障害の要因を除去,またはそれが不可能な場合は緩和し,"よい睡眠"の規則性を確立し,高齢者の生活の質を維持・促進することを目指した介入を行う.また睡眠障害に関連する基礎疾患および併発疾患の治療を促進する活動も大切である.

　看護ケアにおいては,睡眠障害の要因中,とくに①痛みや身体の不快症状の除去・緩和,②不安やストレスの除去・緩和,が重要である.高齢者は痛みを訴えないことが多いので,表情や行動から痛みの程度を予測することが大切である.鎮痛薬は与薬されてから効果が現れるまでに30分くらい要するので,痛みや不快感のある高齢者には,就寝の30分前に与薬するとよい.また睡眠を妨害する薬を飲んでいないか確認することも必要である.

　不安や心配,ストレスを感じている高齢者に対する看護ケアは重要で,「真に共にある」看護実践が有用である[21].看護師は高齢者のかたわらに静かに身をおき,話し合いを行い,長く「共にあり」ながら高齢者を理解し支援する.看護師は,高齢者が不安や気になることを表出できるよう支援し,高齢者自身がそれらの意味を理解することを助け,看護師が「共にある」ことを伝えながら不安やストレス軽減へ向けて支持的に働きかける.また,高齢者の好みや実行可能性に合わせてリラクセーションテクニックを教え,自己効力感を高める支援を行うことも有用である.

(2) 睡眠パターンの量と質を改善することができる

　睡眠パターンの量と質の改善のためには,睡眠だけではなく日中の生活全体を含むライフスタイルの調整が不可欠である.介入としては,①サーカディアンリズムの調整,②食事,運動,排泄行動,昼寝,リラクセーションなどよい睡眠パターンを推進する支援,②睡眠薬についての情報と服用の方法についての教育的支援,③睡眠薬の与薬と効果および副作用のモニタリング,が重要である.体内時計は光(照度),食事,運動,社会生活などの影響を受けるといわれている.**高照度光療法**など日光に当たる時間を規則的に提供することで,サーカディアンリズムの調整をはかる.不眠を経験している高齢者に夕方明るい光を照射すると有意に夜間睡眠の質が改善したことが報告されている[22].睡眠の質と量の改善のために,正午〜午後3時ごろまでに30分以内の短い昼寝をとることを支援す

る．また，高齢者が食事の量と摂取時間，またアルコール，ニコチン，カフェインの睡眠
への影響を理解することが大切である．夜間の排尿回数を少なくするために，就寝前には
カフェインの入った飲み物や食べ物をとらないことや，就床前には水分をあまりとらず，
排泄を済ませて床に入る習慣を身につけるよう支援する．日中，適度な運動をすることに
よって疲労感を感じること，また心身のストレス等軽減のためにリラクセーションも有用
である．

　睡眠薬に関する教育的支援については，高齢者はとくに薬剤に対する過敏性と蓄積に
よって副作用が出やすいことを伝えたうえで，その効果と副作用について情報を提供し，
理解の促進をはかる．看護師は，睡眠薬を正しく与薬し，効果と副作用についてモニタリ
ングを正確に行う必要がある．

(3) 良眠習慣を促進し，生活の質を維持・促進することができる

　良眠習慣を促進するようなライフスタイルの要因を見出し改善することは，生活の質
（QOL）の維持・向上を導く．高齢者の睡眠リズムを整える，生活習慣を整える，睡眠環
境を整えることなどが大切である．高齢者の日中の活動と趣味の様子を観察し，楽しみや
充実感を伴う適度な活動を計画する．

　また安楽と休息を促進する看護ケアを提供する．たとえば，就寝時にはとくに安楽な体
位と清潔な寝具と寝衣，シーツのしわがないことや布団の温かさ，重たさ，照明の明るさ，
騒音などを確認し，心地よい睡眠環境を可能な限り提供することが重要である．

4 ● 評　価

　高齢者の睡眠の質と量の改善の程度を，客観的および主観的に測定し評価する．

a. 自覚症状

　主観的評価指標として，高齢者自身が朝起きたときに十分な休息がとれたと感じること
ができるかを評価する．

b. 客観的指標

　客観的な測定指標としては，①睡眠効率，②夜間の睡眠時間（夜間短い中断をはさんで
も 6～8 時間の睡眠をとることができるか），③昼寝の回数と時間，④総睡眠時間，⑤昼間
の表情と行動観察（十分な休息がとれた様子かどうかを判断），などを用いるとよい．ア
セスメント項目として，活動の集中時間，目の輝き，覚醒レベル，動作のスピード，反応
時間，活動意欲，疲労の徴候（欠伸，表情，動作など），結膜の充血，眼の下のくま，イ
ライラした様子，怒りやすさ，活動性，注意力・判断力，見当識などが挙げられる．

5 ● 看護技術が高齢者に及ぼす影響

　前述のように，睡眠薬の投与によって睡眠障害をまねく場合があることに注意が必要で
あり，高齢者は薬剤の半減期が延長し，体内に蓄積されやすいことが原因である．またそ
の副作用も重篤で，悪夢やレム睡眠の減少をまねく．睡眠薬の投与にあたっては，安易に
用いることなく，高齢者に睡眠薬の効果と副作用について説明し理解を促すとともに，必
ず副作用のモニタリングを行う．

練習問題

Q7 高齢者の睡眠の特徴として正しいものを１つ選べ．
1. 総睡眠時間は，成人と比較すると長くなる
2. 睡眠効率は成人と比較すると低下し約70％となる
3. 入眠時間が短くなる
4. 中途覚醒回数が減少する．
5. レム睡眠時間が長くなる

Q8 以下の文章で正しいものを１つ選べ．
1. 加齢によって睡眠サイクルの後進がみられる
2. 睡眠パターンとは睡眠時間の量と質を意味する
3. 睡眠サイクルは３段階のノンレム睡眠と１段階のレム睡眠からなる
4. 加齢によってノンレム睡眠のステージ１の延長とレムステージの短縮がみられる
5. 高血圧による睡眠への影響として入眠困難が挙げられる

[解答と解説 ▶ p.477]

引用文献

1) Meddis R, Pearson A, Langford G： An extreme case of healthy insomnia. Electroencephalography in Clinical Neurophysiology **35** (2)：213-214，1973
2) 武山圭吾：不眠．高齢者ケアマニュアル（福地義之助編），p.110-114，照林社，2004
3) Ancoli-Israel S：Sleep problems in older adults：putting myths to bed. Geriatrics **52** (1)：20-30，1997
4) Stickgold R, Ellenbogen JM：Quiet! Sleeping brain at work. Scientific American Mind August/September：23-29，2008
5) Wagner U, Gais S, Haider H, et al：Sleep inspires insight. Nature **427** (6972)：352-355，2004
6) Ellenbogen JM, Hu PT, Payne JD, et al：Human relational memory requires time and sleep. Proceedings of National Academy of Science **104** (18)：7723-7728，2007
7) 水木　慧，小曽根基裕：睡眠障害．臨床と研究**98** (4)：57-61，2021
8) 大熊輝雄：老人と睡眠　老年者の睡眠障害とその対応．老年精神医学会雑誌**2** (3)：359-368，1991
9) Miller CA： Nursing Care of Older Adults：Theory and Practice，3rd Ed，p.398-419，Lippincott，1999
10) Campbell SS, Murphy PJ：Relationships between sleep and body temperature in middle-aged and older subjects. Journal of the American Geriatrics Society **46** (4)：458-462，1998
11) Buysse DG, Browman KE, Monk TH, et al：Napping and 24-hour sleep/wake patterns in healthy elderly and young adults. Journal of the American Geriatric Society **40** (8)：779-786，1992
12) Hayter J：To nap or not to nap? Geriatric Nursing **6** (2)：104-106，1985
13) 鈴木圭輔，宮本雅之，宮本智之ほか：不眠をきたすその他の睡眠障害．不眠の科学（井上雄一，岡島　義編），p.179-181，朝倉書店，2012
14) Blazer DG： Emotional Problems in Later Life：Intervention Strategies for Professional Caregivers，2nd ed，Springer，1998
15) Maggi S, Langlois JA, Minicuci N, et al：Sleep complaints in community-dwelling older persons：prevalence，associated factors，and reported causes. Journal of the American Geriatrics Society **46** (2)：161-168，1998
16) Schnelle JF, Ouslander JG, Simmons SF, et al：The nighttime environment，incontinence care，and sleep disruption in nursing homes. Journal of the American Geriatrics Society **41** (9)：910-914，1993
17) Cruise PA, Schnelle JF, Alessi CA, et al：The nighttime environment and incontinence care practices in nursing homes. Journal of the American Geriatrics Society **46** (2)：181-186，1998
18) Kim K, Uchiyama M, Okawa M, et al： An epidemiological study of insomnia among the Japanese general population. Sleep **23** (1)：41-47，2000
19) 尾崎章子：高齢者の睡眠のアセスメントとケア．コミュニテイケア**21** (14)：14-18，2019
20) Beck-Little R, Weinrich SP：Assessment and management of sleep disorders in the elderly. Journal of Gerontological Nursing **24** (4)：21-29，1998
21) Parse RR： Illuminations：The Human Becoming in Practice and Research，Jones & Bartlett Learning，1999
22) Campbell SS, Dawson D, Anderson MW：Alleviation of sleep maintenance insomnia with timed exposure to bright light. Journal of the American Geriatrics Society **41** (8)： 829-836，1993

7 体　温

A. 基礎知識

1 ● 高齢者における体温調節とは

　体温は，熱産生と熱放散による平衡で正常範囲に維持される．熱の産生と放散には2種類の方法があり，①意識的な行動，たとえば衣類を着脱するなどによる行動性調節と，②身体内部の自律的な作用による自律性調節がある．高齢者は，老化や疾病に伴い，適切な体温調節行動がとれなくなること，また自律的な体温調節が困難になるなど，これら2つの方法が機能しにくくなる．

　高齢者における**体温調節**の看護技術は，熱産生と熱放散の平衡の乱れを早期に発見し，異常体温のリスクを最小限にすることを目的にしている．また，体温には，**概日リズム***があり，**睡眠-覚醒リズム**と関連しているといわれている．したがって，体温調節の看護技術は，この睡眠－覚醒リズムを整えるうえでも重要なケアとなる．

2 ● 成人の体温調節の構造と機能

　人の体温調節は，入力系，体温調節中枢，出力系の3つの機構により行われている（**図Ⅲ-7-1**）．**入力系**は，皮膚や脳に分布する温度受容器により生体の温度を検出し，温度情報を体温調節中枢に送る．**体温調節中枢**は，温度受容器からの入力と体温設定温度を比較して，違いがあれば出力系に指令を与える．**出力系**は，熱の産生と放散を増減させて温度調節し，核心温度（深部体温）を約37℃に維持する．寒冷刺激を受けると交感神経が刺激され，皮膚血管が収縮し，体熱放散を抑制する．同時に熱産生ホルモンが分泌され，血中にグルコースと脂肪酸をあふれさせ，それらの細胞の取り込みを促し，**熱産生**を促進させる．また，体性神経を介して，筋収縮やふるえを起こさせることで筋の代謝を上昇させ，熱を産生させる．逆に温熱刺激を受けると，交感神経の緊張低下，熱産生ホルモンの分泌低下，筋緊張低下，皮膚血管拡張，発汗など**熱放散**が促進される．環境温度が35℃以上になると発汗による熱放散がほとんどである．体温調節行動には，場所の移動，姿勢変化，温かいまたは冷たい飲食物の摂取，室温調節，衣類調節などがある．

　前述の体温調節は，中枢および末梢に存在する体内時計の影響も受け，成人の1日の体温は一定のリズム（概日リズム）で変化する．**図Ⅲ-7-2**の若年者のグラフをみると，早朝から体温が上昇し，18時ごろに最高体温をとり，その後下降し，7時ごろに最低体温をとったのちに再び上昇している．最高体温と最低体温との差（振幅）は1.7℃，平均体温

---

* 概日リズム：人間は時を知ることのできない環境においても24 ～ 25時間ごとに眠ったり起きたりの生活を繰り返すが，この生活リズムを概日リズムという．間脳の視交差上核という視神経が交差する部位のすぐ上に概日リズムをコントロールする体内時計が存在するといわれている．サーカディアンリズムともいう（p.100参照）．

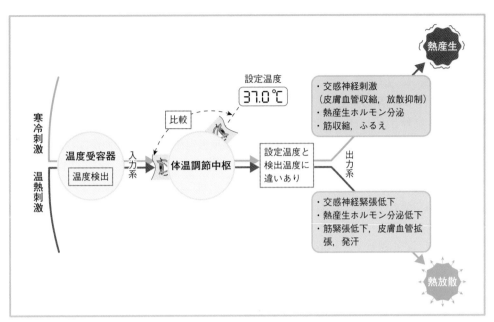

図Ⅲ-7-1 体温調節のしくみ

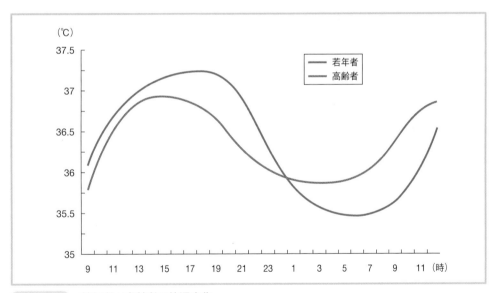

図Ⅲ-7-2 若年者と高齢者の体温変化
非加熱型深部体温計測装置を腹部に装着して測定した結果である.
[佐谷 茜, 中田好美, 岩野有里ほか:女性入院高齢者における体温の概日リズムとその対象者の特性. 看護実践学会誌 22(1):28 - 35, 2010を参考に作成]

は36.3℃である. 多少のずれはあるものの, ほぼ一定の変化のカーブを描きながら, 日ごとのサイクルが繰り返されることがわかる.

　正常範囲の体温維持は, 生命維持に必要な体内の化学反応を円滑に進める必須条件である. したがって体温が正常範囲を逸脱することは, 生命が危機にさらされていることを意

味している.

3● 高齢者の体温調節の特徴

a. 体温調節

(1) 入力系の特徴

　高齢者の全身皮膚温は，26.0～33.0℃で，若年者の28.5～33.9℃より低い[1]．老化とともに，皮膚の温点・冷点の数が減少し，温度識別能力の低下傾向がみられる[2]．またその減少・低下傾向は個人差が大きい[2]．また高齢者は，若年者と比べて，自らの身体に適切な気温（室温）を認知する能力が弱いことが知られている．状況によって自らの感じる"適温"がまちまちであり，たとえば，実際の温度を伏せながら，高温環境から"適温"にエアコン調整してもらう場合と，低温環境から"適温"にエアコン調整してもらう場合とでは，その調整する"適温"にずれが生じるといわれている．また，その温度設定の再現性も乏しく，たとえば同じ高温環境からの調整であっても，調整するごとに"適温"にばらつきが生じるといわれている[3]．自分の身体に適した温度を認知する能力の減弱は，行動性調節反応の遅れをもたらす危険性がある.

(2) 出力系の特徴

　老化とともに，基礎代謝の低下，日常身体活動の低下，エネルギー代謝に大きく関与する筋肉量の減少が起こり，熱産生機能が低下する．また，老化に伴い体内水分量が減少し，汗腺の機能低下や皮膚血流量低下によって発汗や不感蒸散による熱放散機能が低下する[4]．さらに，血管の運動機能にも老化の影響は及び，皮膚末梢血管の拡張・収縮運動による体温調節機能も低下する．これらの理由により，激しい寒冷・暑熱環境に対し身体機能が追いつかず体温の異常をきたしやすい.

b. 体温変化

　高齢者の体温変化も，早朝に最低体温をとったのち，上昇して夕方に最高体温をとり，その後早朝にかけて下降するという概日リズムがある．しかし，成人と比較すると，平均体温の低下，位相の前進（最高体温が出現する時間が早まる），振幅の減少といった違いがみられる．図Ⅲ-7-2の高齢者のグラフをみると，早朝から体温が上昇し，13時ごろに最高体温をとり，その後下降し，3時ごろに最低体温をとったのちに再び上昇している．最高体温と最低体温との差（振幅）は約1.2℃で平均体温は36.5℃である.

4● 高齢者の体温調節に影響する要因

　高齢者の体温調節機能をさらに低下させる背景として，日常生活習慣，疾患および治療，全身状態，周囲の温度が挙げられる.

a. 日常生活習慣

　体内でもっとも熱産生が多い臓器の1つは**骨格筋**である．寝たきり高齢者，坐位を中心とした生活を送る高齢者では，**廃用性萎縮**がみられ，熱産生が乏しい．日常生活自立度の低い高齢者は，体温が相対的に低いという報告もある[5].

　また，経管栄養を受ける高齢者は，直接体内に大量の液体が注入されるため，その注入物の温度に影響されやすい.

　嗜好品であるタバコに含まれるニコチンは血管収縮させ，逆にアルコールは血管拡張させ，ともに体温調節に影響する．

　衣服は伝導，対流，放射のすべてに対して熱放散の効率を減少させ，体温低下を防ぐ．したがって体表の露出が多い入浴，清拭では熱放散が大きく，体温が低下しやすい．

　日常生活を送るなかでの身体の姿勢も体温に影響を与える要素であり，人間は姿勢に変化をつけながら体温調節を行っているといわれている．たとえば臥位は物質に触れる面積が多く，冷たい物質に面していれば，伝導による熱放散に有効な姿勢である．また立位は空気に触れる面積が多く，放射（輻射），対流，蒸散による熱放散に有効な体位である[6]．

b. 疾患および治療

　認知症や運動機能障害を有する高齢者は，自ら衣類を着脱する，部屋の空調を行うなど体温調節行動がとれないことが多い．また，脳機能障害，甲状腺機能低下，血行障害など体温調節に関与する臓器に異常があると影響される．

　抗コリン作用のある薬，鎮痙薬，頻尿治療薬，パーキンソン病治療薬，抗ヒスタミン薬，抗てんかん薬，睡眠薬，抗不安薬，自律神経調整薬，抗うつ薬，β遮断薬，麻薬などは発汗を抑制する．利尿薬は脱水を起こしやすい．また，多くの抗精神病薬は，体温調節中枢を抑制する可能性がある．

　輸液療法中の高齢者は，直接血管内に液体が注入されるため，体温低下の要因になることがある．

c. 全身状態

　るいそう（やせ）の著明な高齢者は，熱伝導が小さい，すなわち保温に有効な皮下脂肪が少ないため，体温が低下しやすい．

B. 看護実践の展開

1 ● アセスメント

a. 体温調節機能を低下させる要因

　熱産生低下要因として，極端なるいそうによる脂肪・筋肉量の低下，活動性・可動性の低下による筋肉量の低下がある．身体計測，活動状況の観察・問診から情報を収集する．食事摂取量と内容からも情報を収集する．

　熱放散・保存に関連する要因として，温湿度，衣類・リネンの種類と枚数，輸液・経管栄養の有無と量および実施時間帯，関節の変形・拘縮による姿勢の制限，更衣・移動・食事など行動性体温調節に関する日常生活動作自立度などについて情報を収集する．

　体温調節機構に関連する疾患・治療について情報を収集する．たとえば，基礎代謝に関与する炎症，甲状腺機能障害の有無，体温調節中枢に支障をきたす脳疾患の有無，などである．薬剤においては，添付文書に「発汗（あるいは体温調節中枢）が抑制されるため，高温環境下では体温が上昇するおそれがある」という記載がないか確認する．

b. 体温変化

　腋窩で体温を測定するのが一般的であるが，皮下脂肪が少ない高齢者や，麻痺などで肩関節可動域が制限される高齢者は，腋窩腔を密着できず正しい体温測定ができないことが

あるので注意が必要である．入院高齢者の腋窩温平均は 36.29 ± 0.43℃である[7]．

　臨床での体温測定は，高体温や低体温を発見する目的で 1 日数回程度しか測定されていないのが通常である．しかし，概日リズムは，自律神経系，内分泌，睡眠−覚醒と密接に関連しており，日常生活の規則性，メリハリを生み出す鍵となるものといえる．そのため，高齢者の体温概日リズムを詳細に測定し，アセスメントすることは重要なことである．非加熱型深部体温測定装置を用いて高齢者の体温概日リズムを把握する試みも始められており[8,9]，今後のこの観点からの新たな看護技術の開発が期待される．

c. 体温調節機能の低下が生活に及ぼしている影響

　高齢者において体温調節機能の低下は，きわめて一般的に起こりうる現象である．このように温度識別能力が低下しさらに発汗による認識ができなくなるため，高齢者は日常生活の中で暑さや寒さを感じて適切な衣服を選択する，空調を適切にコントロールする，といった行動をとることが困難になる．そのため体温調節が適切に行われず，夏は熱中症，冬は低体温症になるリスクが高まる．

d. 体温調節機能の低下についての自覚とセルフケアの状況，および本人の強み

　加齢による体温調節機能の低下については，高齢者自身が自覚していないケースが多い．

　そこで，セルフケアとして，普段本人が体温異常に対する予防や早期発見の行動をとっているかを確認し，自覚の状況・程度をはかる．すでにとっている健康行動があれば，それを本人の強みとして活かしていくことが重要である．

2●目　標

　高齢者の場合は，老化，疾病に伴い熱産生機能が低下している．また，激しい寒冷・暑熱環境に対し身体機能が追いつかず，体温の異常をきたしやすい．看護目標をウェルネスの視点で考えると，次の 2 点が挙げられる．

> ①体温異常の要因を除去，または緩和できる（不要な熱放散を抑制する，激しい寒冷・暑熱環境への曝露を避けることができる）
> ②体温異常を早期に発見できる

3●介　入

　加齢による体温調節機能の低下とそれに伴うリスク，起こりうる症状などを説明することで自覚を促し，高齢者自身でこまめに体温測定を行う，食事や飲水による水分・塩分の補給を促すなど，体温異常を予防・早期発見するためのセルフケアが行えるように援助することが重要である．

(1) 体温異常の要因を除去，または緩和できる

①不要な熱放散を抑制する

　熱放散は，すべて体表から行われる．衣類は，熱放散の能率を減少させて体温低下を防ぐため，衣類を適切に利用し，また不必要な皮膚の露出を避けながら，熱放散を抑制することが必要である．入浴・清拭，オムツ交換など皮膚を露出するケアを実施する場合に

は，浴室・更衣室，病室の温・湿度をこまめに調節し，不要な熱放散を避ける．また皮膚からの熱放散を防ぐために必要に応じて綿毛布などを使用する．最近では，保温効果や速乾性の高い衣類・寝具が開発されているため，それらも適宜利用する．

寝たきり高齢者は，仰臥位や側臥位でいることが多い．このためリネンとの接触面積が大きく，熱の伝導により，体温が奪われやすい状態となる．とくに冬季の夜間・早朝の気温が下がるときには注意が必要である．

物体は周囲に赤外線を放射することによっても熱を移動させるため，高齢者の周囲に極端に温度が低い物体があると熱が奪われやすい．スクリーン（仕切り）やカーテンを利用し，あるいは高齢者の周囲の空気を温める．また，温度の低い物体がないかを確認し，あれば速やかに可能な限り除去するようにする．

②激しい寒冷・暑熱環境への曝露を避ける

熱中症予防のため，気温が28℃以上のときは，外出をなるべく避け，涼しい室内にとどまることが望ましい．屋内にいても熱中症を発生する危険性があり，皮膚温より高温の物体，たとえばアスファルト，ビルの外壁から放射される放射熱をすだれ，カーテン，ブラインドなどを使用して遮断することが必要である．寒冷環境の場合については，風が強い日の外出をなるべく避ける．

高齢者の場合は，温度識別能力が低下しているため，本人の主観のみに頼るのではなく，室内温度・湿度も併せて測定するよう本人および家族に指導する．

(2) 体温異常を早期に発見できる

高齢者の体温異常として高体温と低体温がある．

高体温には，感染症，疾患増悪に伴うものがある．高齢者介護施設や病院にいる高齢者は，施設職員によって毎日定期的な体温測定がなされ，常にモニタリングされている環境にある．一方，家庭にいる高齢者の場合，毎日こまめに体温測定するという習慣は少ないと推察される．しかし，近年，新型を含むインフルエンザやその他感染症の流行や熱中症の多発といった，比較的健康な高齢者にも容易に高体温が生じる状況下にあることからすると，やはり，日ごろから自らの健康チェックのために起床時に体温測定を行う習慣が必要であり，それを促す健康教育が望まれる．とくに熱中症による救急搬送人員数に対する65歳以上の高齢者の割合は，2021年統計では約2万7千人で56.3％を占めており[10]，高齢者の生命を脅かすものといえる．今日，温暖化現象に伴い，日中最高気温が38℃を超えることが珍しくなくなった．気温が28℃以上の環境下では，すべての生活活動で熱中症が起こる危険性があるとされ，31℃以上では，高齢者の場合，安静状態でも発症する危険性が大きいといわれている．

低体温の危険性に関しては，熱産生低下要因をもつ高齢者に対する観察が重要となる．とくに核心温度が35℃以下となる低体温症への注意が必要である．

4● 評　価

介入後に体温が正常範囲に保たれているか，異常体温が正常に回復したかを評価する．

a. 訴え・行動

体温異常に伴う，寒気，熱感，頭痛などの症状の有無および程度を確認する．認知機能

に障害がある高齢者や寝たきり高齢者は，行動性体温調節が看護者に委ねられているため，とくに“寒い”とか“暑い”と訴えられない場合は，正確な体温測定を経時的に行い，評価する必要がある．

b．客観的指標

介入後に体温が正常範囲に保たれているか，異常体温が正常に回復したかを，体温測定で評価する．

練習問題

Q9 高齢者の体温で正しいのはどれか．2つ選べ．
1. 加齢により概日リズムの位相は前進する
2. 高齢者の平均体温は成人と比較して高い
3. 高齢者では，自分の身体に適した気温を認知する能力が若年者に比べて低い
4. 加齢により体温の概日リズムの振幅は増加する
5. 高齢者のるいそう（やせ）は体温調節に影響しない

[解答と解説 ▶ p.477]

引用文献

1) 大形一憲，森 英俊，西條一止：冬・春季のサーモグラフィーによる全身皮膚温分布の検討—高齢者と若年者及びその比較．Biomedical Thermology **23**（4）：173-180，2004
2) 田中正敏：基礎医学から—高齢者の体温調節．日本医事新報 **4025**：41-43，2001
3) Natsume K，Ogawa T, Sugenoya J, et al：Preferred ambient temperature for old and young men in summer and winter．International Journal of Biometeorology **36**（1）：1-4，1992
4) Inoue Y，Shibasaki M：Regional differences in age-related decrements of the cutaneous vascular and sweating responses to passive heating．European Journal of Applied Physiology and Occupational Physiology **74**（1-2）：78-84，1996
5) 中村和利，田中正敏，島井哲志ほか：高齢者の生活動作能力と体温にかかわる温熱環境—老人ホームの事例から．日本公衆衛生雑誌 **39**（12）：913-919，1992
6) 貴邑冨久子，根来英雄：体温とその調節．シンプル生理学，第7版，p.327-338，南江堂，2016
7) 北川直子，青木真由美，久保田友子：高齢者の平均腋窩温の調査とその関連因子—入院患者の過去3年間のデーター分析より．東京都老年学会誌 **9**：108-111，2002
8) 佐谷 茜，中田好美，岩野有里ほか：女性入院高齢者における体温の概日リズムとその対象者の特性．看護実践学会誌 **22**（1）：28-35，2010
9) Matsumoto M, Sugama J, Okuwa M, et al：Non-invasive monitoring of core body temperature rhythms over 72 h in 10 bedridden elderly patients with disorders of consciousness in a Japanese hospital: a pilot study．Archives of Gerontology and Geriatrics **57**（3）：428-432, 2013
10) 総務省消防庁：令和3年（5月から9月）の熱中症による救急搬送状況．p.3，2020，〔https://www.soumu.go.jp/main_content/000775354.pdf〕（最終確認：2023年1月26日）

8　清　潔

A. 基礎知識

1 ● 高齢者における皮膚の清潔とは

　清潔行動には，入浴や歯みがき，整髪，更衣などがあり，皮膚とその付属器（爪，毛包，脂腺，汗腺），粘膜，歯牙，歯茎の清潔を保つことを目的としている．本項では，皮膚とその付属器に焦点を当てて述べる．

　老化は，全身的に皮膚を含むすべての臓器・器官に起こる外見的な構造の衰えや機能の衰えを指す．**皮膚の老化**とは，皮膚を構成している個々の細胞の機能低下であり，表皮，表皮付属器の機能低下によって形態と機能に異常が起こる．さらに，太陽紫外線による光老化の影響によっても形態と機能に異常が起こる．具体的には，萎縮，たるみ，しわ，乾燥などである．また，頭髪は軟毛化し白髪になり，脱毛する．爪はもろくなり，縦線が入る．高齢者における皮膚の清潔技術は，この低下した皮膚がもつリスク，すなわち創傷発生のリスク，感染のリスク，創傷治癒遅延のリスクを最小限にすることを目的にしている．

2 ● 成人の皮膚の構造と機能

a. 構　造（図Ⅲ-8-1）

　成人の皮膚は約 1.6 m² の面積があり，人体最大の臓器である．皮膚は表皮，真皮および皮下組織の 3 層からなり，その厚さは部位によって異なる．また，表皮付属器や血管系，リンパ系，神経系などが含まれている．

　表皮は，下層から順に基底層，有棘層，顆粒層，透明層（手掌・足底にのみ存在），角質層の 5 層に分かれ，それぞれで形態の異なる表皮角化細胞（ケラチノサイト）で構成されている．表皮角化細胞は基底層で産生され，成熟・分化しながら上方へ向かい（角化），角質層ではがれて落ちる．この産生から脱落までの時間をターンオーバー時間といい，約 28 日である．それ以外に表皮には，ランゲルハンス細胞，色素産生細胞（メラノサイト）が存在する．

　表皮付属器として，爪，毛包，脂腺，アポクリン汗腺，エクリン汗腺が存在するが，胎生期に表皮角化細胞から分化したものである．

　真皮は乳頭層と網状層に分かれる．主要構成成分は，膠原線維（コラーゲン線維）と弾力（弾性）線維（エラスチン線維）の線維成分と基質成分である．

b. 機　能

　皮膚の機能は，①外界から身体への侵襲に対する保護，②体温調節，③排泄・分泌，④ビタミン D 合成，⑤感覚，⑥免疫である．もっとも重要な役割は①であり，衝撃・外傷などの物理的障害，酸・アルカリなどの化学的障害，温熱・寒冷などの温熱障害，細菌な

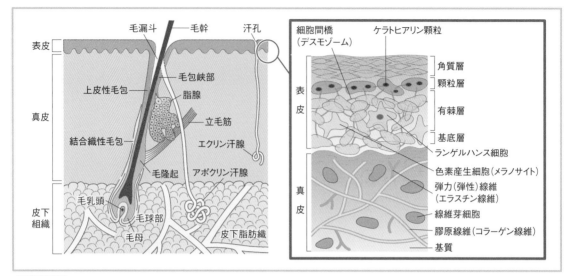

図Ⅲ-8-1　皮膚の構造

どの病原性微生物，紫外線などの光線障害から身体を保護することである．さらに体内の水分や血漿・栄養分が体表面から喪失するのを防ぐ機能もある．

3 ● 高齢者の皮膚の特徴

老化に伴い細胞成熟過程が遅延し，正常細胞が少なくなる．たとえば表皮角化細胞のターンオーバー時間が30〜50％延長する[1]．さらに正常な細胞成熟過程の遅延だけでなく，異常な成熟過程をたどる細胞が出現することによっても正常細胞が減少する．このように表皮・真皮の正常細胞の量的および機能的低下が皮膚の構造を変化させ，機能を低下させる．

a. 水分・化学物質に対する保護

表皮角化細胞から分泌される角質層細胞間脂質の減少，角質細胞内保湿因子の減少，皮脂分泌低下により皮膚が乾燥する（図Ⅲ-8-2a）．また，体外からの侵入にもろくなり，**接触性皮膚炎**のリスク増加，過剰な水分による浸軟などが起こる．さらにこれら保護機能低下によって起こる症状がかゆみをもたらす．

b. 物理的外力に対する保護

表皮では，表皮角化細胞間の結合が弱まり，表皮にひび割れなどが起こったり，医療用テープ剥離時に表皮角化細胞がはがれ，創傷が発生したりする．

表皮突起と真皮乳頭の消失によって表皮と真皮接合部が平坦化する．このため外力が加わると**創傷**が生じやすい．

真皮層では膠原線維束は細く，方向性が不規則となり，線維束間の間隙も開大し断片化することで組織崩壊がすすむ．弾力線維は乳頭層の細い線維が消失し，不可逆的な構造の変化が起こる．これらの変化によって線維成分のもつ，どの方向にも強い柔軟性，伸縮性，弾力性が低下する．膠原線維の減少と弾力線維の変性が萎縮やしわ・たるみの要因である

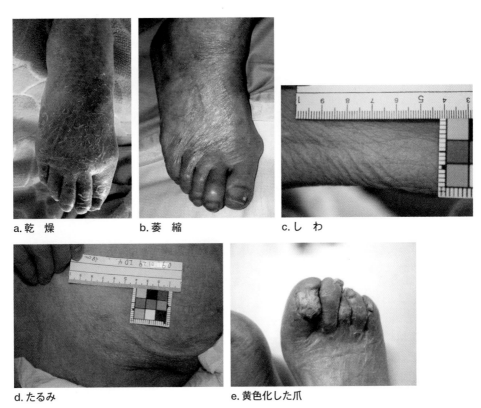

a. 乾　燥　　　　　　b. 萎　縮　　　　　　c. し　わ

d. たるみ　　　　　　　　　e. 黄色化した爪

図Ⅲ-8-2　高齢者の皮膚の特徴と障害

（図Ⅲ-8-2b, c, d）．

c. 紫外線に対する保護

　紫外線防御として働くメラノサイトの分布密度は，年齢が10歳増すごとに20％減少する[2]．しみは，50歳以降，顔面や手背などの日光露出部の皮膚にみられる淡褐色ないし黒褐色の色素斑であり，長期の反復性の紫外線によって誘発されると考えられる．逆に60歳をすぎるとメラノサイトの消失や機能障害のためメラニン色素を欠く**白斑**（老人性白斑）が出現する．また，毛母メラノサイトの減少と機能低下により，毛髪が白くなる．

d. 体温調節

　自律神経系による血管運動，発汗，体性神経によるふ・る・え・を通して行われる体温調節機能が低下する．また汗腺の減少と細胞の小型化，真皮乳頭層平坦化に伴う毛細血管の血流低下も体温調節機能低下に関与している．

e. ビタミンＤ合成機能

　皮膚での**ビタミンＤ合成機能**が低下し骨粗鬆症（こつ そ しょうしょう）の要因となる．

f. 感　覚

　皮膚の知覚神経の反応が低下し，身体に危険な刺激（痛みなど）への反応が遅れる．

g. 免疫機能

　ランゲルハンス細胞の減少により，表皮から侵入する異物に対する免疫力が低下する．また皮脂分泌量低下により表皮表面の**弱酸性**が崩れ（**アルカリ性**に傾く），皮膚表面に細菌

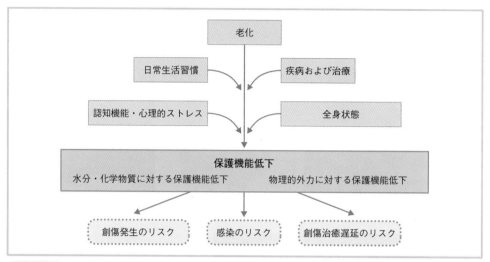

図Ⅲ-8-3　高齢者の皮膚に起こるスキンケア上の問題

が増殖しやすくなる.

h. その他

　毛細血管の血流低下に伴い，表皮および真皮への栄養が低下する.

　眉毛，鼻毛，耳毛の毛周期が長くなり，長い眉毛，鼻毛，耳毛を生じる．50歳以降に
なると頭毛は徐々に軟毛化し，まばらとなる．毛数が減少し脱毛する．これはホルモンの
影響も受け，男性に症状が起こりやすい．また，爪の成長速度も遅くなり，色調は黄色み
を帯びる（**図Ⅲ-8-2e**）．爪の縦の溝は50歳代以降から生じる.

4● 高齢者の皮膚保護機能に影響する要因

　高齢者における皮膚の清潔技術は，前述した水分・化学物質および物理的外力に対する
皮膚保護機能低下がもたらす**創傷発生**のリスク，**感染のリスク**，**創傷治癒遅延**（p.242参
照）のリスク（**図Ⅲ-8-3**）を最小限にすることを目的にしている．皮膚保護機能をさら
に低下させる背景として，日常生活習慣，疾患および治療，全身状態，認知機能・心理状
態が挙げられる.

a. 日常生活習慣

　清潔技術は日常生活習慣であり，成人期と同じ方法では，老化により低下した皮膚保護
機能をさらに低下させる場合がある．たとえば，ナイロン製のタオル使用による角質の剥
離である．また，しわ・たるみなど成人期にはない身体変化があるため，しわ・たるみを
伸展させて皮膚を洗浄する，入浴後に保湿するなどの新たな清潔行動を身につけなくては
ならない.

b. 疾患および治療

　高齢者は種々の疾患に罹患していることが多い．糖尿病，栄養状態低下，血管病変など
の疾患が皮膚機能低下をもたらす．また放射線治療，ステロイド療法などの治療の副作用
によっても皮膚機能が低下する.

　　脳血管障害後遺症，認知症などで日常生活自立度が低下すると，本来は個人の価値観（習慣）に基づき実施される清潔行動を他者（看護者・介護者）に委ねなくてはならないこともある．

c. 全身状態

　　尿・便失禁がある場合は，皮膚が汚染し，とくに下痢便の場合，消化酵素の影響で**アルカリ性**に傾き，皮膚に付着する時間が長いと皮膚が浸軟し，皮膚透過性が増す．pH がアルカリ側へ傾くことは，バリア機能破綻を意味し，感染・炎症を起こしやすく，失禁関連皮膚炎（incontinence associated dermatitis：IAD）の発生を招くことがある．

d. 認知機能・心理状態

　　高齢者には，老化に伴う身体的変化に対する対応，退職，配偶者の死などに伴う役割変化，これまでの人生の振り返り，自身の死といった発達課題に伴う心理的ストレスが存在する．ストレスが過度になると細胞分裂が抑制され，表皮細胞の増殖と修復が遅延する．また，ストレスによる睡眠障害も，表皮細胞の増殖を減少させる．さらに認知機能の低下などにより，自らの痛み，かゆみなどの不快症状を訴えられない高齢者もいる．

B. 看護実践の展開

1 ● アセスメント

a. 皮膚保護機能を低下させる要因

　　日常生活習慣，疾患および治療，全身状態，認知機能・心理状態について，情報を収集する．高齢者本人からの情報収集が困難な場合は，日常生活を援助している家族または看護師，介護職員から行う．清潔行動は，無意識的，定状態的，自動的に実施されているため聞きとりのみからでは正確にアセスメントできず，それに加えて観察が必要となる．

　　高齢者の皮膚保護機能低下の症状は，皮膚の乾燥がもっとも顕著であり，四肢に表れやすい．四肢は衣服で覆われる部分であり，意図的に観察する必要がある．また乾燥した皮膚は脆弱であり，物理的外力によって皮膚損傷（**スキン-テア**〔skin tear〕）を発生することがある．物理的外力には，高齢者自身の転倒による打撲，介護者による移動・移乗の介助を受けるときの皮膚摩擦などがあり，高齢者の身体機能や行動についても確認する．

　　排泄機能の低下（便・尿失禁）があり，排泄後の皮膚清潔行動が伴わないなどの場合は，IAD という排泄物の付着する皮膚に紅斑やびらんなどの皮疹が生じ，痒みや疼痛を伴うことがある．高齢者の排泄機能のアセスメントにより，排泄機能の低下を確認した場合は，IAD についても確認する．

　　衣服により皮膚保護機能が低下することはないが，高齢者の皮膚は生理機能が低下していることから，刺激を受けやすい状態であることを理解する．刺激により，接触皮膚炎発症や不快症状（ちくちくする，など）を増強する．

b. 皮膚保護機能

　　水分・化学物質に対する保護機能低下として肉眼的に明らかな症状は，皮膚の乾燥（ドライスキン）である．また客観的指標として，**経皮水分蒸散量**（transepidermal water loss：TEWL），皮膚表面 pH，皮表角質水分量などの指標が使用されているが[3]，測定す

るには専用の機器が必要で，順化時間も必要なことから，研究目的で使用されることが多く，臨床実践への普及は十分ではない.

c. 皮膚保護機能の低下が生活に及ぼしている影響

皮膚の乾燥により，掻痒感を伴うようになる. 掻痒感が強くなると皮膚を掻き皮膚損傷にいたることもある. また掻痒感により不眠となることもある.

物理的外力に対する保護機能低下による皮膚損傷（スキン-テアなど）がないか，全身皮膚を観察する. 皮下出血，紫斑，裂傷，医療用テープによる皮膚損傷，爪の欠損・破損，褥瘡，過去の創の瘢痕などを観察する.

d. 皮膚保護機能の低下についての自覚とセルフケアの状況，および本人の強み

高齢者が皮膚の乾燥についての自覚が掻痒感として現れた場合，その掻痒感を，皮膚を清潔にすることで解消できると考え，清潔行動の回数を増やすことがある. 生活習慣を聞き取り皮膚乾燥につながる行動を把握し，正しい対処行動を伝えることで，皮膚の乾燥を防ぐ清潔行動の実施に転ずることができる. また，皮膚に直接触れる着衣（下着や衣服）は，皮膚の生理機能低下を踏まえたものを選択できることも大切である.

2●目　標

高齢者の皮膚の清潔援助の目標をウェルネスの視点で考えると次の4点が挙げられる.

①皮膚保護機能を低下させる要因を除去または緩和できる
②皮膚の乾燥を防ぐ，または緩和できる
③皮膚への刺激を除去または緩和できる
④皮膚への物理的外力を除去または緩和できる

3●介　入

（1）皮膚保護機能を低下させる要因を除去または緩和できる

皮膚の清潔援助は，看護業務のなかで重要な技術であり，看護師が主体性を発揮できる技術であるが，疾患および治療，全身状態，認知・心理状態の多くの要因が皮膚機能低下に複雑に関与していることを理解し，看護師だけでなく，医師，栄養士，薬剤師らとカンファレンスを行い適切な治療・ケアが受けられるようにする. また，スキンケアを専門とする皮膚・排泄ケア認定看護師がいる場合は，ハイリスク高齢者や皮膚障害がある高齢者については相談するとよい.

とくに高齢者の場合，活動性の低下をもたらす疾患によって自力で清潔行動をとることができない場合がある. 本人の状況に応じて，浴室に手すりや椅子，高さの低い浴槽，滑り止めを設置したり，身体を洗うための補助具を使用したりする. 直接的な援助や見守りが必要なこともある.

（2）皮膚の乾燥を防ぐ，または緩和できる

入浴，足浴，洗顔などの皮膚洗浄後は，放置すると乾燥するため**保湿剤**を塗布する. とくに下肢は乾燥が生じやすい. 保湿剤の成分には，グリセリン，尿素およびヒアルロン酸に代表されるように水に対する親和性（親水性）を示し，水を抱える能力を高めるヒュー

メクタント（humectant）効果をもたらすものと，ワセリンに代表されるように油に対する親和性（親油性）を示し水分閉塞能が高く，皮膚からの水分の蒸発を防ぐエモリエント（emollient）効果をもたらすものがある[4]．入浴により角質層の経皮浸透性が増すことから，外からの吸収が促進される．したがって，保湿成分を含む入浴剤の使用は，さら湯のみの入湯よりもすすめられる．入浴後20分で角質水分量が低下するとの報告[5]があり，浴槽から出て20分以内に保湿剤を塗布することがすすめられる．

湯温が高くなると，皮脂膜が除去され，角質細胞間脂質や角質細胞内保湿因子も溶け出しやすくなることから，微温浴（36～38℃）とする．また暖房により冬季の室内は，温度が高くかつ湿度が低く，皮膚からの水分蒸散量が増加しやすいので，室内の温湿度管理にも注意する．

(3) 皮膚への刺激を除去または緩和できる

皮膚の汚れは，洗浄剤を用いなければ除去することはできない．アルカリ性の強い石けん，香料の含まれる皮膚洗浄剤は使用せず，弱酸性の皮膚洗浄剤を使用する．皮膚洗浄剤が残らないように十分にすすぐ．物理的刺激を避けるためナイロン性のボディブラシ，タオルを使用しないようにする．また，身体に接する下着，衣類も皮膚への刺激が少ない繊維製品を選択する．

尿・便失禁がある場合は排泄物の皮膚への付着を避ける．下痢便，感染尿の場合は，IAD発生のリスクが高く，発生した場合，痛み，かゆみなどの症状によってさらに高齢者の苦痛が増す．排泄物の付着を避けるための簡便な方法として，皮膚保護剤を塗布するという方法がある．

腋窩部，鼠径部などの間擦部や脂漏部位は，皮脂の分泌が多く，また皮脂がたまりやすく，汚れやすいため，皮膚を伸展させて洗浄する必要がある．四肢に屈曲型拘縮がある高齢者も屈側の皮膚が汚染しやすいので注意する．

(4) 皮膚への物理的外力を除去または緩和できる

皮膚の角質層を剥離させる軽石，ナイロンタワシの使用を避ける．皮膚洗浄剤をよく泡立てて皮膚につけた後にこすらずに洗浄する．医療用テープによる皮膚損傷予防には皮膚粘着性の弱い医療用テープの選択，貼付・剥離時の愛護的な手技が必要である．またその他の創傷発生防止には，皮膚を圧迫しないカテーテル管理，ベッド柵，椅子・車椅子による打撲防止のための環境整備などが重要である．また，皮膚生理機能の低下を踏まえた衣服の選択も重要である．24時間接触する下着は，接触皮膚炎を避け，摩擦による皮膚刺激を除去するために，化学物質が精錬され，静電気が生じない素材（綿100%）を選ぶ．縫い目の加工がされている（無縫製加工，縫い目が裏にでない）ものを選ぶことも皮膚の圧迫や摩擦を防ぐことになる．季節性の問題として，冬季は重ね着などにより皮膚温が上昇するが，吸湿発熱素材の下着は皮膚の乾燥がみられる場合，掻痒感が増し苦痛となるため注意が必要である．

4 ● 評　価

介入後に皮膚保護機能が維持されているか，低下によって起こる症状が改善したかを評価する．

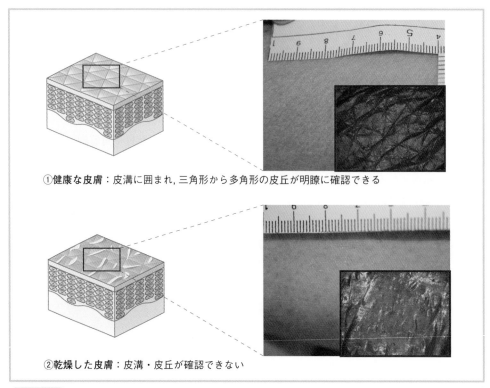

①健康な皮膚：皮溝に囲まれ，三角形から多角形の皮丘が明瞭に確認できる

②乾燥した皮膚：皮溝・皮丘が確認できない

図Ⅲ-8-4　皮溝と皮丘の整列度からみる皮膚の乾燥状態
赤枠で囲った写真は，皮膚をマイクロスコープで拡大し（50倍），撮影したものである.

a. 自覚症状・行動

　かゆみやひりひり感などの訴えの有無や程度を評価する．臨床において痛みの測定に使用される **VAS**（Visual Analogue Scale）などを用いれば，ケアによってかゆみが消失しなくても，緩和したことが評価できる（p.217，**図Ⅳ-6-6** 参照）．言語によるコミュニケーションが困難な高齢者では，掻破行動の有無を観察する.

b. フィジカルアセスメント

　全身皮膚を観察する．具体的には，左右，日光に曝露される部位とされない部位，物理的外力の加わる部位と加わらない部位，といったように対照性を意識して視診し，異常があれば触診もする.

c. 客観的指標

　皮膚のバリア機能を客観的にアセスメントでき，皮膚の乾燥状態を推察することができる指標として，経皮水分蒸散量，皮膚表面 pH，皮表角質水分量がある.

　また，皮膚の乾燥状態は，皮膚の形態学的特徴である皮溝と皮丘の整列度をみることによっても評価でき（**図Ⅲ-8-4**），それらを数値化する取り組みも行われている.

5 ● 看護技術が高齢者に及ぼす影響

a. 入 浴

(1) 温熱作用が高齢者に及ぼす影響

　温熱刺激は自律神経を刺激する．高温浴（42℃以上）では，交感神経が刺激され，心拍数が上昇，末梢血管収縮により血液が心臓に戻り，一時的に静脈還流量が増加する．中温浴（37〜41℃），微温浴（36〜38℃）では副交感神経が刺激され，心拍数が抑制，末梢血管が拡張，血圧が低下する．

　高齢者，とくに動脈硬化が進んだ患者の場合，温熱刺激により末梢血管拡張が臓器虚血をまねく場合がある．さらに，内臓器官のほとんどは交感神経と副交感神経の二重支配を受け，かつ作用は拮抗することから，消化管機能においては，交感神経優位時は抑制され，副交感神経優位時には促進される．したがって食後すぐの入浴は，交感神経が優位となり消化管運動を低下させる可能性があるため避けるべきである．また，入浴により発汗が促進する．入浴後は必ず水分摂取を行う．

(2) 静水圧が高齢者に及ぼす影響

　水中では深さが1m増すごとに体表1cm^2あたり100gの静水圧がかかる．入浴中は，身体がつかった部分に静水圧が加わるため，その範囲内の血管，リンパ管が圧迫され，静脈還流量が増加する．肩までつかる全身浴と胸までつかる半身浴では，静脈還流量に差が生じ，肩までつかると結果として，血圧の上昇と心拍出量の増加がもたらされる．さらに肩や胸まで（横隔膜より上）つかった場合，横隔膜・胸郭が圧迫され，吸気時の拡張が不十分となり，残気量・肺活量が減少して呼吸数が増加する．したがって呼吸器に問題がある患者が入浴する場合は，半身浴（横隔膜以下でつかる状態）から始める．また，浴槽から出ると，急激に静水圧が解除される．そのため心拍出量が低下し，立ちくらみが生じる．心肺機能が低下している患者，あるいは潜在的に低下している高齢者では，静水圧が小さい体位・湯量での入浴が望ましい．

(3) 浮力が高齢者に及ぼす影響

　水中では，重力は1/9〜1/10となる．浴槽内では体位が不安定になることがあるため，転倒に留意する．

b. 清 拭

　ベッド上臥床状態での清拭では，エネルギー消費量からするとほとんど生理的負荷を要しない行為である．しかし不必要な肌の露出や清拭タオルの温度によっては気化熱によって体温が奪われ，侵襲を及ぼす行為になりかねない．

　洗浄剤成分除去のためには3〜5回の清拭が必要で，その都度タオルを替えることが必要であるといわれている[6,7]．この方法では，皮脂も除去されるが，入浴時と比較して，皮表角層水分量の変化やpHの変化が少ないとされている．とはいえ，高齢者の場合は，入浴同様に清拭後の保湿剤塗布が必須である．

(1) 洗 髪

　洗髪により汚れは除去されるが，毛包内部の皮脂腺から分泌される脂質が減少しているため，かゆみが増すことがある．洗髪後から脂質分泌により表面が保護されるまで，24時間以上が必要である．高齢者は2〜3日に1回の頻度で洗髪することがすすめられる．

　また，洗髪時のすすぎは，シャンプーの頭皮への刺激を除去するうえで重要であるため，念入りに行う必要がある．さらに，高齢者においては，皮膚同様，弱酸性のシャンプーを用いたほうが安全である．

練習問題

Q10 退高齢者の皮膚の清潔行動において，機能低下をまねくと考えられるものはどれか．2つ選べ．
1. ナイロン製のタオルを使用して皮膚を洗う
2. 45℃以上の湯温で入浴する
3. 尿・便失禁による皮膚の汚染を速やかに除去する
4. 入浴後，皮膚の保湿を行う

[解答と解説 ▶ p.477]

■ 引用文献 ■

1) Fore J：A review of skin and the effects of aging on skin structure and function. Ostomy Wound Management **52**（9）：24-35, 2006
2) 伊藤雅章：老人の皮膚疾患．標準皮膚科学，第10版（富田 靖監，橋本 隆，岩月啓氏，照井 正編），p.562-566，医学書院，2013
3) 武馬吉則：表皮（角層）の機能．ACD ③スキンケアを科学する（今山修平，宮地良樹，松永佳世子ほか編），p.71-76，南江堂，2008
4) 前掲3)，高橋元次：保湿，保湿剤をつくる目的は何か．p.198-205
5) 戸田 淨：入浴剤．Digest of Dermatologist **13**：8, 1994
6) 月田佳寿美，竹田千佐子，長谷川智子ほか：看護技術における清拭に関する基礎研究．福井大学医学部研究雑誌 **4**（1-2）：35-45, 2003
7) 岡田ルリ子，徳永なみじ，相原ひろみほか：弱酸性石鹸を用いた清拭の皮膚への影響．愛媛県立医療技術短期大学部 **1**（1）：35-39, 2004

9 コミュニケーション

A. 基礎知識

1●高齢者のコミュニケーションとは

　高齢者によっては，加齢の影響による視聴覚機能をはじめとした身体機能の低下，社会・心理的変化などでコミュニケーション能力が低下したり，コミュニケーションがとりづらい環境下におかれる場合があり，疾病の早期発見や治療，また生活の質（QOL）の維持・向上がしばしば困難となる．高齢者のコミュニケーションに対する援助は，低下したコミュニケーションによって引き起こされるリスク，すなわち疾病の罹患や悪化，社会的役割の喪失，精神的不安定のリスクが最小限になるように整えることを目的とする．

2●コミュニケーションとは

　高度に発達した頭脳をもった人間は，日常生活のなかで必要性に迫られ，言葉や文字などの**言語的**（バーバル，verbal），表情・身振り・動作などの**非言語的**（ノンバーバル，non-verbal）なコミュニケーション手段を用いて，自己の意思を他者に伝える能力を獲得してきた．この能力は，個別にみれば，幼いときから両親をはじめとするまわりの人々の働きかけに応答するなかで学習され，育まれてきたものである．また，コミュニケーションとは，互いの意思を確認するために，送り手が受け手に**情報を伝える過程**（**図Ⅲ-9-1**）とも説明される．コミュニケーションは,「個人」対「個人」のかかわりから「個人」対「集

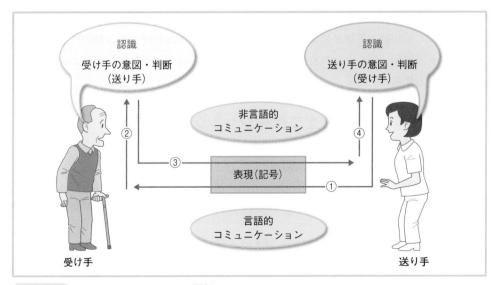

図Ⅲ-9-1　コミュニケーションの過程

団」,「集団」対「集団」とさまざまな場面で用いられる.近年では,ラジオ,テレビ,新聞・雑誌などのマスメディアの発達やインターネットなどの普及によって,さらに複雑で大量の情報が交換される時代となってきた.

　しかし,看護や介護などの対人援助サービスにおいては,一方的な情報提供だけではコミュニケーションが成立したことにはならない.情報の送り手に何らかの伝えたい意図があり,受け手がその意図を理解し,受け手からのフィードバックがあることが必要である.双方が互いの意図を理解できてはじめてコミュニケーションは成立する.看護職者には,対象を援助するにあたって,コミュニケーションの本質を理解し,また一方的ではなく,双方向のコミュニケーションをはかるための基本技術を習得することが求められる.

a. コミュニケーションに影響を与える要因

　要因については,一般的に次のようなものが考えられる.

(1) 相手に対する認識

　相手に対する印象・認識によってコミュニケーションの状況は変わる.互いに相手によい感情をもっている場合は,同じ言葉でもよい意味でとらえられる傾向があり,逆に悪い感情をもつ場合には,悪い意味でとらえられる傾向にある.この違いによって,当然コミュニケーションの質は変わる.また相手への先入観や偏見は,相手の本来の姿をゆがめてとらえてしまい,コミュニケーションを妨げる要因ともなる.

(2) 表現技術の巧拙（上手・下手）

　語彙の豊かさ,適切な敬語・音量・速さ,平易な言い回しなどは,コミュニケーションをスムーズに行ううえで,重要な要素である.

(3) コミュニケーションの場の雰囲気

　コミュニケーションの場の雰囲気も重要な要素である.たとえば“周囲が騒がしい”ときなど,場の雰囲気が落ち着かない場合は,コミュニケーションを妨げることがよくある.

(4) 対象の心理状態や,人格特性,身体状態,年齢

　相手が,①“ほかのものに熱中している”“ボーっとしている”など心理的に会話への集中を欠くとき,②発熱,痛みなどの身体的な不調があるとき,③感覚器官の障害があるとき,④加齢の影響,によってコミュニケーションは妨げられる傾向にある.さらに,⑤教養・情動・関心などの有無,価値観の傾向など両者の相性も,コミュニケーションを左右する要素といえる.

3● 高齢者のコミュニケーションの特徴

　高齢者のコミュニケーションにおいては,全体的には,次のような特徴がある.

a. コミュニケーション能力の低下

　加齢や疾病により,感覚機能,言語・認知機能などの機能が低下し,コミュニケーション自体がとれなくなったり,判断力の低下によって適切なコミュニケーションがとれなくなったりする.

b. 価値観の異なる世代との考え方のずれ

　長い人生経験のなかで培ったもののとらえ方や考え方は,若い世代になかなか理解されにくいことがある.一方,高齢者も,若い世代の考え方や言葉になじめないことが多く,

価値観の異なる世代とのコミュニケーションに，疲労感や不安を抱く，また自尊心の低下を味わうこともある．

c. 環境の変化

　入院や入所という環境の変化や親しい関係の人との別れは，コミュニケーションに影響する．また，現代社会におけるコミュニケーション手段として欠かせなくなったパソコン，携帯電話（スマートフォン）などの IT 機器も，徐々に浸透してきているが高齢者にとっては使用困難なことが多く，若い世代ほどには有用なコミュニケーションの道具とはなりにくい．

d. ネットワークの縮小

　加齢や疾病，社会的役割の喪失，1 人暮らし，閉じこもりなどにより，情報の入手が困難となることがある．

4 ● 高齢者のコミュニケーションに影響する要因

　高齢者は，長い人生のなかで豊富な体験をもち，さまざまなことに適応しながら今日まで生き抜いてきた存在でもある．人生の統合の時期を迎え，話題が豊富であるとともに，ものごとへの寛容な受け止めや相手の立場も考えることができ，バランスを考慮した自己抑制も可能である．

　一方で，加齢に伴う体力や気力の衰えは対処能力の低下につながり，性急に結論を求めたりわるいほうに考え込んだりすることも予測され，コミュニケーションに影響する要因ともなる．具体的な要因については，次のようなものが挙げられる．

a. 身体的変化

(1) 感覚器（p.166，第IV章「2. 感覚機能障害」参照）

　情報の伝達と，その処理に必要な感覚機能における加齢変化の特徴として，ほとんどの感覚器官に神経細胞の生理的減少を背景とした機能低下が現れることが挙げられる．たとえば，視力は加齢に伴い 40 歳代から視覚の調節をしている水晶体の弾力性が低下し，屈折力の低下が生じる．いわゆる**老眼**である．さらに角膜変化や明暗順応の低下，視野の減少が生じる．また，水晶体の混濁により視力低下をきたす**白内障**の罹患も増加する．つまり，加齢による視機能の変化は，視覚情報の減少やゆがみの原因となる可能性がある．

　また，聴力は，60 歳前後から内耳と神経細胞に加齢による変化が生じ，徐々に聴覚が低下してくる．いわゆる**老人性難聴**である．言葉の識別力の低下，高音域の聴取能力の低下が生じ，小さい音声，摩擦音などが聞きとりにくくなる．グループでの会話の際や周囲が騒がしい場合などは，一段と聞きとりにくくなる．

(2) 知的機能

　知的機能をつかさどる脳細胞は，20 歳を過ぎると加齢のため減少し，再生できないと考えられてきた．しかし近年，脳細胞の著しい減少が生じるのは，脳血管障害やアルツハイマー病，パーキンソン病などの変性疾患に罹患した場合が大半であると指摘されるようになってきた．したがって，脳の器質的な障害があると，記憶力やいままで培ってきた言語能力，学習能力，問題解決能力，知恵などの知的機能の低下がみられ，ときには心理・行動障害として顕在化することがある．知的機能のなかでも学習や経験に基づく判断など

の**結晶性知能**は，高齢になっても影響を受けることが少ないが，新しい場面への適応や記憶の保持・想起など速さや正確さの情報処理能力に関連する**流動性知能**は，脳の器質的変化に影響を受けやすい（p.2〜3，**図Ⅰ-1-1** 参照）．そのため高齢者の多くは，話したり内容を理解したりする速度が遅くなる．

(3) 言語能力

言語能力は，加齢による変化は少ないとされているが，聴力の低下や記憶の保持・想起能力の低下により適切な言葉が出てこなくなり，スムーズな会話に支障をきたす可能性がある．また，歯牙の欠損，義歯など口腔機能の低下により発音が不明瞭となる場合もある．

b．社会・文化的変化

(1) 役割の交代

高齢者は，仕事などの社会的な役割や親役割も終了する．このような役割の変化は，社会との交流や付き合いの機会を減らし，生きがいや目標を見失い，孤立した生活を過ごす高齢者も少なくない．このような役割の変化や孤立した生活は，日常の会話の減少をもたらし，コミュニケーション能力に影響を及ぼす要因となる．

(2) 時代の変化

現在の高齢者が生きてきた時代は，第二次世界大戦をはさんで大きく価値観が変化してきている．"高齢者" といっても，決してすべてをひとくくりには判断することはできず，どの時期をどのように生きてきたかによってその価値観は多様である．高齢者は生活していた地域の政治・経済・文化・宗教的な背景に影響を受けて個々の価値観が形成されてきていると考えられるため，その人が体験してきた過程は，その人となりを理解する重要な要素であり，したがってコミュニケーションの内容を深めるうえでも大きな影響を及ぼす要因といえる．

(3) 家族構成の変化

時代の変化とも関連して，日本においては少子・核家族化が進行し，世帯数の増加とともに平均世帯人員が減少している．令和元年国民生活基礎調査の概況をみると，1992年には平均世帯人員が3人を割り，2019年時点では2.39人にまで減少している[1]．また，65歳以上の者のいる世帯の世帯構成をみると，夫婦のみの世帯が32.3%，単独世帯が28.8%を占め，双方で6割を超えている[2]．家族構成員の減少によって，高齢者の日々の暮らしのなかにおけるコミュニケーションの対象が減り，また生活の変化も乏しくなるため，人との交流やコミュニケーションをはかる機会が減る傾向にある．

c．心理的変化

(1) 自己概念

高齢者は若いころから形成してきた**自己概念**が，加齢による身体的変化や病気，社会や家庭における役割の変化，身近な家族・友人との別れなどによって，自尊心の低下，老いの自覚，自分の死を意識するなど自己概念が変化していく体験をする．このような自己概念のマイナスの変化があった場合には，人とかかわることを避けるようになり，また積極的なコミュニケーションを妨げる可能性がある．

(2) 認知と判断

認知機能は，外界の刺激を感覚受容器を通して受け取り，受け取った刺激を，感情，過

去の体験や学習内容の記憶を加えて情報化し判断する活動である．高齢者は，記憶の保持・想起の機能低下のため，とっさに人や物の名前が出てこなくなり「あれ」「それ」などの代名詞を使用して，もどかしい体験をすることが多い．「もの忘れ」は，日常的な不自由でとどまる場合もあれば，進行して周囲との人間関係の悪化にまでつながる場合もあり，コミュニケーションに大きく影響する要因といえる．

(3) ストレスへの対処能力

長年，さまざまな体験を積み重ねてきた高齢者は，若いころ以上にストレス耐性があり，ものごとに柔軟に対応できる場合もある．しかし，ストレスが，高齢者の対処能力を超えると，心理的に大きく消耗し，不安が増大する．不安の増大は，コミュニケーションに大きく影響する．

(4) 死生観

高齢者の多くは，"死"を身近な現実としてとらえている．自分の死については，家族や親しい人に看取られ，苦しむことなく，また自分らしさを保ちつつ，できる限りまわりの迷惑とならないように，静かに死んでいきたいと願っている．一方で，最期は誰かの世話にならないといけないとも考えている．自分の人生の最終段階に対する相反するとらえ方（**死生観**）は，高齢者に複雑な心理状態を形成し，そのことを周囲の人々と分かち合えない場合には，孤独な思いに陥りコミュニケーションを阻害する要因ともなる．

以上，高齢者とのコミュニケーションにおいては，身体的な側面だけではなく，その高齢者がいままで生きてきたなかで培ってきた社会的，文化的，心理的な側面を含めた高齢者の全体像を理解することが重要である．

B. 看護実践の展開

1● アセスメント

高齢者とのコミュニケーションにおいては，認知機能や言語能力を中心としたアセスメントだけではなく，ウェルネスの視点から，その高齢者が生きてきた過程のなかで培った能力も含めた対象理解が必要となる．つまり，その人の全体性への理解が重要であり，そのアセスメントには，具体的に次の視点と情報が必要である．

a. 対象の性別・年齢

対象の性別・年齢を把握する．現在の高齢者が育ってきた時代は，「男性は外で仕事，女性は家で育児と家事」と性差による役割分担を明確に区別していた時代であり，女性の社会進出が著しい現代とは大きく世相が異なる．また，1947～1949年生まれの団塊の世代以降の高齢者は，戦後の教育を受け，新しい価値観で生きてきた人たちでもある．世相が違えば，必然的に会話の話題も変化する．コミュニケーションを円滑に進める前提として，その人が生きた時代の背景をアセスメントし，理解しておくことが必要となる．

b. コミュニケーションに影響を及ぼす健康障害の有無と程度

①とくに視覚・聴覚などの感覚機能や，言語機能など，コミュニケーションに影響を及ぼす健康障害の有無や程度とその機能を補う機器の活用の有無を把握する．老眼や白内障への罹患，老人性難聴などは，外界の情報を受けるうえで障害となり，コミュニ

ケーションの阻害要因となる可能性がある．その機能を代替する方法や適切な治療といった改善方法を理解しているか把握する．

②認知機能の変化の有無・程度を観察する．記憶を中心とする認知機能の中核症状の変化を把握する．認知機能の変化は，コミュニケーションを妨げる大きな要因となる可能性がある．一方，人とかかわる力についてその人のもてる力を見出す．認知機能の把握にはHDS-R（p.465, **付録7**参照），MMSE等の尺度で計るデータも参考にできる．

③罹患している疾病を把握する．脳血管障害や脳の変性疾患が背景にあると，意識障害や適切な判断や言語を構成する機能の低下を予測できる．その他，がんや糖尿病，肝障害，腎障害など身体的な健康問題を抱えていると，内部環境のバランスを乱して知的機能に影響を及ぼす可能性が大きい．骨・関節疾患など運動機能が障害された場合は，自由に動けない苦痛から認知症の行動・心理症状など認知機能に混乱をきたす高齢者もみられる．全身状態の安定のため，どのような治療が行われているのか把握する．

c. これまでの生活過程の特徴

高齢者の個人的な体験（過去の仕事ぶり，役割など）を把握する．長い人生を生きてきた高齢者の現在までの活躍ぶりや人との交流，労働内容を知ることで，会話の内容は広がり，相手の意思を尊重したコミュニケーションをはかりやすくなる．また，高齢者の果たしてきた役割から，その人の培ってきた力を知り，今後のコミュニケーションなかで活用することも可能である．一方で，高齢者は過去のつらい体験を思い起こし，目前の検査や治療への拒否，自尊心の低下，コミュニケーションを阻害する要因となることも理解しておくことが重要である．

d. 24時間の生活習慣

食事や排泄，活動や休息，整容，更衣，入浴，趣味など24時間の生活習慣を把握する．高齢者の今までの生活習慣を尋ねて，その人らしい個別の生活習慣を理解しようとかかわることから，円滑なコミュニケーションの第一歩が始まる．一方で，高齢者が今までの生活習慣を環境の変化や加齢や疾病により継続できないことは大きな消耗となり，コミュニケーションの阻害要因ともなる．

e. 家族との関係

家族構成，家族への思い，家族との関係性を把握する．高齢者が，家族の愛情に支えられて，病気の改善や療養生活への適応に努めようとしていることも少なくない．高齢者を支える家族（キーパーソン含む）を把握することで，コミュニケーション内容が豊かになることも多い．その一方で，今日のような少子高齢化の時代は，そのような家族を築けなかった高齢者も存在しているため，多様な理解，とらえ方をすることも重要である．

f. コミュニケーション能力の低下が生活に及ぼしている影響

コミュニケーション能力は人と人との意思疎通に欠くことのできない能力である．加齢や健康障害，環境要因などで円滑な意思疎通ができないと，治療やケアの意図が理解できず，判断できない人として誤った受け止められ方につながる．

また，日常生活上も混乱を助長し，認知症の行動・心理症状として判断されるおそれが

ある．また，今後の退院先や生活場所の選択，医療の選択など重要な意思決定に参画でき
ない可能性がある．高齢者のコミュニケーション能力をできるだけ引き出せるよう感覚機
能や認知機能の正確なアセスメントに加え，コミュニケーションを妨げる老年期うつ等が
ないか，GDS-5（p.470，471，**付録14, 15** 参照）の尺度，意欲の指標（Vitality Index）
なども活用することができる．

g. コミュニケーション能力の低下についての自覚とセルフケアの状況，および本人の強み

　高齢者のコミュニケーション能力の低下は，個人差が際立つが，他者とのかかわりを通
して本人に自覚されやすい．

　他者と意思疎通ができなくなると，活動への参加や外出を避けるなど他者との交流を断
つ人もいる．ますますコミュニケーション機能の低下を助長し，認知症の進行等にも影響
する．セルフケアとして，自分の好きなことや得意なことを活かし，人との交流を続け，
また，家族・友人・知人などとの対話の機会を増やす生活ができるよう支援する．本人が
人と交流する機会の必要性がわかれば，自ら培ってきた生活の中でコミュニケーションを
はかる機会を創り出すことも可能となる．一人だけでは困難であれば，必要に応じて地域
のネットワークの活用，周囲の知人・友人等の協力，公的サービスの利用へとつなぐこと
も重要となる．

2●目　標

　高齢者のコミュニケーションにおける看護の目標は，ウェルネスの視点から次の2点が
挙げられる．

> ①これまで培ってきたコミュニケーション能力を十分引き出し，自己の意思を表現で
> きる
> ②加齢や健康障害に伴うコミュニケーションを阻害する要因を最小とし，周囲の人と
> 意思疎通がスムーズにできる

3●介　入

(1) これまで培ってきたコミュニケーション能力を十分引き出し，自己の意思を表現できる（図Ⅲ-9-2）

①出会いの場面の演出

　高齢者にかかわる場合，最初の出会いが重要である．高齢者やその家族が看護者と接す
るときは，健康上の問題を理由に生活の不安や困難感を抱いている場合が多いと考えられ
る．そのような相手の不安や困難感を予想しながら，看護者への信頼をつくりだすような
かかわりが必要である．具体的には，①きちんと目を見て挨拶をする，②名札を提示して
自己紹介をする，③世代にかかわらず安心・信用できる外観（服装や化粧など），言葉遣
いであるか意識して自分を演出することなどである．感染予防のためマスクなどを使用し
ている場合においても，対象者が空気感染，飛沫感染を引き起こす感染症である場合を除
き，看護者の表情が見える対応をすることが望ましい．

　以上のような点を留意しながら，挨拶や自己紹介を通して，高齢者の反応を確認する．

図Ⅲ-9-2　自己の意思を表現できるようにするためのかかわりポイント

声の大きさや名札の字が見えているかどうかなどを確認することによって，視聴覚の機能を観察することができる．また，高齢者の服装や身だしなみなどの外観や歩く姿勢・速さ，応答時の会話内容から，高齢者の生活の自立度や理解力などを観察する．不自由な点を見出した場合に，必要な補助具の使用や説明のしかたを工夫することや，その後の行動の順序やスケジュールなどを配慮することが可能となる．

②看護者自身の自己呈示

高齢者のコミュニケーション能力を十分引き出すためには，高齢者のことを十分理解することが必要である．しかし，最初から対象者のすべてを理解することは難しい．まずは，看護者自身のことを理解してもらい，話しやすい雰囲気をつくることが重要となる．対象者からみた第一印象が肯定的なものとなるように自分を表現し，看護者として何か役立ちたいと思っていることを率直に伝える．

また，自己紹介に加えて，自分の出身地や勤務経験，特技や趣味など，個人情報保護の観点から差し障りのない範囲で伝えると，対象者自身も親近感をもち，自己表現しやすくなる．

③対象者との関係強化

高齢者やその家族と出会って，リラックスし，落ち着いたころを見計らって必要な情報収集を行う．話を聴くときには，何の目的で，どのような看護を行いたいのかを十分に説明することが必要である．看護者の情報収集の目的が納得できると，高齢者やその家族も話しやすくなる（情報収集の内容は，p.17，第Ⅱ章「老年看護の基本技術—ヘルスアセスメント」参照）．

会話をするときは，自己の判断を押しつけたり，安易に励ましたりせず，相手のおかれ

た状況をイメージし，相手の立場に立って考えられるように，相手の培ってきた価値観を積極的に理解する態度でかかわる.

(2) 加齢や健康障害に伴うコミュニケーションを阻害する要因を最小とし，周囲の人と意思疎通がスムーズにできる

①加齢による身体機能，認知機能の変化に配慮したコミュニケーション方法

高齢者とのコミュニケーションをスムーズに進めるためには，「A. 基礎知識」で学んだ加齢による身体機能や認知機能の変化を考慮して，次のような点に留意する.

①周囲の騒音が聞こえたり，会話が中断されたりしない静かな環境を準備する
②質問は矢継ぎ早にしないで，相手のペースに合わせて落ち着いてゆっくりと行う
③相手の関心の高いこと（困っていること，要望など）から話題にする
④高齢者の個々の特徴に合わせてわかりやすい表現を用いる
⑤言葉は，アクセントやイントネーションを正確に発声し，はっきりとした口調で話す
⑥声の大きさは相手の反応をみて加減しながら大きくする
⑦難聴のある高齢者には聞こえやすい側から話し，補聴器を使用している場合は，補聴器の集音装置に近いところで話す
⑧声の高さは，高い音声は避けてやや低音で話す
⑨言語だけでは伝わりにくい場合には，手ぶり身ぶりなどジェスチャーを交えたり，絵や文字を活用したりして理解を手助けする
⑩話が長くなると最初の内容を忘れてしまう場合もあり，途中で要約して確認する

②その人らしいコミュニケーションを支援する方法

高齢者を人生の先輩として，生きてきた人生を尊重し，その人らしいコミュニケーションができるよう支援するためには次のような点に留意する.

①高齢者であってもきちんと姓で呼ぶ.「おじいさん」「おばあさん」と呼ぶことは老いたイメージを与え，高齢者のプライドを傷つけることがある. 長期療養の介護保険施設などへの入院・入所の場合には，看護者や介護者が家族の代理となる関係が生じ，互いに親しみを込めた呼称を用いることもある. 状況を見極めて判断する
②言葉遣いについては，個々の高齢者に対して長い人生において社会に貢献してきたことや家族のために努力してきたことを理解し，適切な敬語を用いる. また，心身の機能が低下して日常生活に全面的な援助を受けている状態となっても，幼児に話しかけるような言葉遣いは高齢者の主体性や自尊心を奪う行為なので避ける
③高齢者自身が生きてきた人生を振り返り，語ることができるよう支援する. 自己の人生の統合段階を迎え，過去の経験を語り受け止めてもらえることは，高齢者の自尊心が保持され，自己の肯定感が高まり感情の安定につながる

4 ● 評　価

高齢者のコミュニケーション能力と高齢者のコミュニケーションを阻害する要因について理解し，それをふまえたコミュニケーション方法を用いて，高齢者の意思表示を手助けすることができたかどうかをウェルネスの視点から評価することができる.

a. 身体機能・認知機能の変化に応じたコミュニケーション

身体状態の変化や病状の変化などを伝えるうえで，必要に応じて不自由なく表現することができる．

b. その人らしいコミュニケーション

①高齢者が療養生活を送るうえで，医療機関や介護保険施設に，日常生活習慣や環境への要望や，不自由や不安なことについて具体的に表現することができる．

②今後の自分の治療や受けるケアについて，どのように行われるのか，見通しを尋ねることができる．

③いままで生きてきた人生や担ってきた役割，家族への思いなどを表現することができる．

④季節の話題，最近のニュースなど，気軽なおしゃべりにも応答でき，自ら話題を提供することができる．

5 ● 看護技術が高齢者に及ぼす影響

コミュニケーションをはかるうえで，看護技術が高齢者に及ぼす影響については，次のようなものが考えられる．

(1) 理解しづらさからくる勘違い

視聴覚機能の低下や認知機能の低下に伴って看護者の説明が理解しづらくなり，その結果，誤った行動につながる場合がある．たとえば，時間の聞き間違いが多くなることや，治療内容の理解が困難となること，などである．また，専門用語が多いと，正しく理解できず，高齢者独自の判断によって誤った行動をまねきやすい．あるいは，看護者の「検査前には，食事や水分などの摂取は控えてください」との説明に，「食事や水分がだめということは，牛乳ならばよいのだろう」と判断して牛乳を飲んでしまうこともある．「起床時に中間尿を採ってください」と説明されて，「中間尿？　2回目のおしっこのことかな？」と勘違いする場合もある．このような間違いが起きないように，看護者はその高齢者に合わせたわかりやすい表現を心がけ，ときには図を使って表現するなどの工夫も必要であろう．

(2) 自尊心の低下

慣れない環境で排泄の失敗などを経験したときに，看護者が思わず「あら，失禁したのね」と，なにげなく表現した一言が，高齢者の自尊心を傷つけることにつながり，居場所をみつけられず，帰宅願望へと発展していくこともある．また，入院時にたくさんの内容を一度に質問されて不快に思い怒り出す高齢者も存在する．

(3) 疲労感

若い世代の看護者との会話についていけず，不安とともに疲労感を覚える．また，看護学生がずっとそばにいて，会話をすることに緊張して疲れてしまう高齢者もいる．高齢者のペースに合わせたコミュニケーションが重要となる．

(4) 高齢者本人を抜きにした意思決定

治療方法あるいは退院後の生活の場を決めなければならないなど，重要な決定をする場合に，高齢や判断力の低下を理由に，本人を除いてキーパーソンとなる家族とだけ話し合

いをすすめ，決断しようとすることがある．これは，本人の意思を無視した取り組みであり，倫理の原則である**自律の原則**，**真実の原則**からも外れるものであり，高齢者の憤慨や深い悲しみをもたらすことにもつながるため，当事者の意思を最優先できるチームづくりをする必要がある．

　高齢者の立場に立った看護者とのよいコミュニケーションが，高齢者の安定した感情をつくりだす支援となり，療養環境への適応を促進し，快適な生活につながることも少なくない．また，認知症の高齢者などの理解力を補うようなコミュニケーション技術があれば，高齢者の日常生活がよりスムーズになり，より快適な生活を送ることが可能となるだろう．その意味でも，コミュニケーション技術は，看護者の役割のなかでもより重要な要素であるといえる．

練習問題

Q11 高齢者のコミュニケーションについて正しいものはどれか．
1. コミュニケーションとは，言葉で互いの意思を伝え合うことである
2. コミュニケーション能力は，加齢の影響を受けない
3. 看護ケアには，患者のコミュニケーション能力に応じた工夫が必要である
4. 高齢者の多くは，長年の経験で会話スピードや，内容の理解が早くなる
5. 治療や療養の場についての意思決定は，高齢患者の判断力が低下している場合，本人を除いてキーパーソンと行う

［解答と解説 ▶ p.477］

引用文献
1) 厚生労働省：令和元（2019）年国民生活基礎調査の概況，p.3，2020，〔http://www.mhlw.go.jp/toukei/saikin/hw/k-tyosa/k-tyosa19/dl/14.pdf〕（最終確認：2023年1月26日）
2) 前掲1），p.4

10 性

A. 基礎知識

1 ● 高齢者における性とは

　人間は，この世に誕生し，生きる力が整い，自立して日常生活を送れるようになると，社会関係の輪を広げつつ社会人として独立し，やがて生涯のパートナーを求めて結婚して新たな家族を形成し，性差に見合った役割分担をしながら子供を生み育てる．

　高齢者における**性**とは，次世代へ命を引き継ぐ「生殖」という側面から離れて，パートナーとの「互いの愛情を確かめ合う」側面があると考えられる．また，健康な性欲の発露としての両性の合意による快楽の営みであり，プライバシーの高い営みでもある．

　しかし，家族の在り方や性のとらえ方も，その時代や国の文化，法律，政治，経済などの社会状況に大きく影響を受ける．これまで日本では，性について語ることは，一部を除き，「恥ずかしいこと」「隠さないといけないこと」として否定的に扱われてきた．第二次世界大戦後の産業の発展とともに豊かな物質や情報が享受できる現在，日本は高齢化，核家族化，女性の社会進出に伴う晩婚化・少子化が生じている．このような社会背景のなかで，人間の性の在り方にも多様な価値観が広がってきている．たとえば，「未婚率の上昇」「婚前交渉」「LGBTQ」「セックスレス・カップル」「婚外関係（不貞）」など，伝統的な規範と異なった性のありようも見受けられるようになっている．その背景には現憲法の下，男女平等の教育を受けてきた高齢者たちにおいて，教育の機会の増加や女性の社会進出などが女性の性のとらえ方にも影響を及ぼしていることが挙げられる．高齢者の間でも，育ってきた時代の影響を受け，多様な性に対する受け止め方にも違いが生じてくることを理解しておくことが重要となる．その一方で，超高齢社会となった日本では，65歳以上の高齢者人口が29％を超え，80歳を過ぎても心身ともに健康ではつらつとしている高齢者の割合も多くなっている．高齢者の性は，配偶者の存在や夫婦関係，いきがいや心身の健康と密接な関係にあり，高齢者の全体像を把握するなかで理解することが重要である．

　看護者が高齢者の性を理解するときには，このような人間における性の一般，その国の社会状況，加齢による性機能の変化をふまえて理解していく必要がある．

2 ● 成人における性の構造と機能

　男女それぞれの性器の構造を**図Ⅲ-10-1**に示す．正常な性機能は，心と身体の両方が関与する複雑な反応である．性交時における性反応は，一般的に，**表Ⅲ-10-1**のように，①興奮期，②安定期，③オルガズム期，④消退期，の段階を経るとされている．互いの満足感はオルガズムに達するかどうかによって左右される．

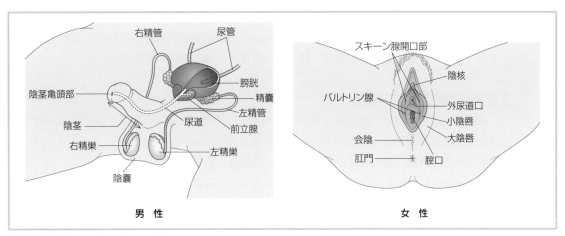

図Ⅲ-10-1　男女の性器の構造

表Ⅲ-10-1　性交時の性反応の段階

1. 興奮期	男性	陰茎が勃起
	女性	乳首が勃起．陰核（クリトリス）は充血して膨らみ露出する．大陰唇は周辺筋肉の緊張に引っぱられて平坦化する．小陰唇は充血して膨らみ，腟は粘液で潤い，奥が伸展する
2. 安定期	男性	亀頭部や茎部が最大に膨らむ．亀頭部は紫〜赤紫色になり，先端から粘液が出る．精巣が挙上する
	女性	乳房が最大に膨らみ，乳輪も膨らむ．陰核も小陰唇や腟の膨張で見えにくくなる．小陰唇は充血して赤や暗赤色となる．腟は腟口から3分の1ほどに膨隆して狭くなる
3. オルガズム期	男性	陰茎や精巣近くの筋肉が収縮して射精，肛門括約筋がリズミカルに収縮する．血圧や脈拍数が上昇し発汗がみられる
	女性	子宮や腟の狭くなった部分が短い周期で収縮する．皮膚が紅潮し発汗がみられる
4. 消退期	男性	陰茎が縮み，精巣が下垂する
	女性	乳房，陰核，小陰唇，腟などがゆっくり元の状態に戻る

a. 性ホルモンの働き

性機能の生理的変化に影響を与える要因として**性ホルモン**の分泌の変化が考えられる．男性のテストステロン，女性のエストロゲンは，とくに性器を活動的にする性ホルモンである．

男性ホルモンの**テストステロン**（testosterone）は，精力増強，筋肉増大，育毛，蛋白同化作用の促進など男性的な身体をつくり，精子の生産に強くかかわってくるホルモンである．主に，精巣と副腎から分泌される．脳の下垂体から分泌される性腺刺激ホルモンの**黄体形成ホルモン**（luteinizing hormone：**LH**），**卵胞刺激ホルモン**（follicle-stimulating hormone：**FSH**）により分泌を調節されている．思春期以降分泌が活発となり，30歳代以降減少していく．

女性ホルモンの**エストロゲン**（estrogen）は，第二次性徴を促し，生殖機能の成熟にかかわり，女性的な身体をつくるホルモンである．思春期になると視床下部から脳下垂体刺激ホルモンが分泌し，脳下垂体から黄体形成ホルモン（LH），卵胞刺激ホルモン（FSH）

が分泌し，卵巣からエストロゲンが分泌される．エストロゲンは，皮膚の潤いを保ち，骨の生成の促進，HDL（high density lipoprotein，高比重リポ蛋白）の増加による動脈硬化予防，子宮や卵巣の働きの活発化，腟の潤いの保持，などの作用がある．

3● 高齢者の性の特徴

　高齢者の性の特徴は，性ホルモンの分泌減少による性欲の減退である．男性において，測定可能な遊離型テストステロン（free-T）は，50歳代からの低下が著しくなっている．そのため勃起機能や射精機能の低下がみられる男性もいる．

　また，女性においては，閉経を機にエストロゲンの分泌が低下する．加齢とともに女性の外性器は萎縮し，外陰，腟，子宮，卵巣，乳房の萎縮は閉経後加速される．とくに腟壁が薄くなり，性交時に出血したり，性交痛が生じたりして，性交不能となる女性もいる．

　ただ，従来からの日本における社会的規範のなかではまだ多く見出せる考え方ではないものの，「子育てをする必要のない年齢になったときにこそ，パートナーとの充実した性を謳歌できる」と考える高齢者も存在する．

4● 高齢者の性機能に影響する要因

　影響する要因は，先に述べた性ホルモンの分泌による性欲の低下が大きいが，パートナーとの性生活に対する意識の違いや，双方の健康状態，また環境要因やストレスの有無なども影響するとの指摘もあり，その実態は，多様であり，かつ個別的である．

B. 看護実践の展開

1● アセスメント

　高齢者の性生活の目的は「互いの愛情を確かめ合う」ものであり，健康な性欲に基づいた快楽の営みであり，若いときのように激しいものではなくとも互いを気遣い，思いやる行為であることが大切となってくる．高齢者の性生活をウェルネスの視点から支援するためには以下のような情報を収集し，アセスメントを行う．しかし，高齢者が性のことについて看護職者に相談する機会はごく限られている．まずは，相手の年代や，育ってきた生活過程を考えながら，高齢者の性に関して正しく認識し，その理解の範囲を広げておくことが重要である．

a. 性機能を低下させる要因

（1）パートナーとの性生活に関する考え

　性機能を低下させる要因としては，夫婦の性格，価値観，役割分担，相手への思いやり，満足感，期待感，マンネリズム，過去の不貞など，パートナーとのそれまでの性生活に関する考えや体験が影響すると考えられる．また，パートナーとの性生活に関する合意の形成や相手の望む性行為について話し合いの有無，性に関する誤った知識，思い込みなどが，高齢期になってからの性生活を左右すると考えられる．

（2）心身の健康状態

　高血圧，心疾患，脳血管障害，糖尿病，うつ病，尿失禁，更年期障害などの健康障害，

治療内容，服薬状況，入院経験，手術の既往（前立腺，子宮，直腸，痔疾，脊髄疾患など）が，男性の場合には**勃起障害**（**勃起不全**，erectile dysfunction：**ED**）や**射精障害**を，女性の場合には**性交痛**をもたらし，そこから「もう性生活は行えない」との思いにつながり，性機能を低下させることが考えられる．

（3）心理社会的な状態

同居家族の有無，仕事や経済上のストレス，家族や友人，近隣との人間関係のストレスが性機能の低下に影響することもある．安心できる環境条件（夫婦の寝室，防音状態，室温調節，照明の調節など）を整えることが，パートナーとの性生活を良好に保つ要因ともなりうる．

（4）ソーシャルサポートの有無

高齢者にとって，気兼ねなく性生活に関する相談ができる人がいるか，性生活に関する専門的な相談窓口や治療を行う専門機関の存在を知っているか，高齢者の性生活の教育的機能が周囲にあるかなど，身近なソーシャルサポートの有無に大きく影響されるため，そのアセスメントも重要となる．

コラム

性交頻度に関する調査

荒木[i]は『セックス・セラピー入門』（金原出版）の老年期の章で，日本性科学会セクシュアリティ研究会で実施した2012年調査では60〜70歳代（関東圏在住の在宅男女が対象）の性行動について，2000年調査と比較して夫婦間のセックスレス化が目立ち，婚外セックス，男性のマスターベーションは増加したと報告している．また，性的欲求では，有配偶者で配偶者との性交を望む女性は60歳代12％，70歳代10％であるのに対し，男性は60歳代47％，70歳代38％と男女差が見受けられたと述べ，この差は夫婦間の葛藤の種にもつながると指摘している．同書「老年期女性のセックス・カウンセリング」の項では，2012年調査にあった自由記載の内容から①愛情の感じられない性生活に悩む，②パートナーとの性欲の差に悩む，③性交痛に悩む，④触れ合うことで安らぎたい，⑤死に臨んで性を求められて悩むといった高齢女性の声を紹介している．とくに死に瀬した夫との性交に関して「がん末期の夫が病院から外泊を許された．（中略）病院に迎えに行くと夫は何が何でも2人でホテルに行くと言って聞かない．ホテルでは性交を求められ，ここで死んだら……と不安の中で応じた．その2週間後，夫は亡くなった」という具体的な事例を紹介している．死に臨む性の意味を伝え，死別後に後悔を残さないようにしたい．また，看取りの時は夫婦2人きりの別れの時間を大切に考えたいと述べている．

引用文献

ⅰ）荒木乳根子：セックス・セラピー入門：性機能不全のカウンセリングから治療まで（日本性科学学会 編），p.311-318，金原出版，2018

b. 性機能の程度

(1) 性的欲求の程度

　加齢に伴い性交の頻度は低下していくが，背景には性的欲求の低下がある．ただ，そもそも性的欲求は，男女ともに個人差が非常に大きい．また，高齢者の場合，データ収集の限界もあるが，男性の4割近くが相手の欲求が自分より淡白だと感じており，女性の2割が相手の欲求が自分よりおう盛だと感じている．つまり，性的欲求については，まず男女の間に“ずれ”があることを理解しておくことが重要となる．

(2) 勃起障害の程度（男性）

　勃起障害については，客観的な観察によるスケールはないが，米国において開発された自己診断型の「勃起の硬さスケール（erection hardness score：EHS）」を参考とした日本語版EHS「勃起の硬さスケール」がある．

日本語版EHS「勃起の硬さスケール」
グレード0　陰茎は大きくならない
グレード1　陰茎は大きくなるが，硬くはない
グレード2　陰茎は硬いが，挿入に十分なほどではない
グレード3　陰茎は挿入には十分硬いが，完全には硬くはない
グレード4　陰茎は完全に硬く，硬直している

　このスケールを用いると，高齢になればなるほど，勃起に自信がない人の割合が増加する．若いときは数秒で勃起したものが，高齢者の場合には時間がかかり，挿入できる硬さにいたらない場合も増えてくる．

(3) 射精障害の有無（男性）

　射精は，副精巣から尿道前立腺部にいたる第一段階と，尿道前立腺部から尿道海面体部を経て尿道口にいたる第二段階がある．通常，第一段階に「射精不可避感」と「射精切迫感」を感じ，第二段階の射出が生じる．それに対して高齢者の場合は，第一段階の射精感に気づかないまま射出にいたることが多い．そのため射精した感覚が乏しく，物足りなさを感じる傾向にある．さらに，高齢者は精液の生産量も減少し，射精に伴う快感も減少する．これは，あくまで加齢に伴う生理的な変化であることを理解しておく必要がある．

(4) 性交痛，腟の潤滑液不足の有無（女性）

　更年期のエストロゲンの分泌低下は，腟や外陰部の萎縮を生じさせ，高齢者では腟の長さや幅が短くなり，拡張能力も低下する．性交時に腟壁から分泌される潤滑液も，加齢に伴って減少し，70歳を超えると，ほとんど出なくなる．潤滑液の分泌不足によって，性交時に粘膜損傷を引き起こす．また，性器の痛みの記憶は，次の性交時において恐怖感となり，心理的な抵抗として作用する．性交痛については，まずは“痛み”があることをしっかりパートナーに伝えているかどうかが大切である．その点を確認したうえで，具体的な解決策である潤滑剤ゼリーの使用やホルモン補充療法（hormone replacement therapy：HRT）などについての知識があるかどうかも確認する．

(5) オルガズムが得られるかどうか

　性反応は，加齢によって多少の変化はあるものの，高齢者であってもオルガズムを得る

ことは可能である．壮年期から比較すると，オルガズム期の筋緊張が減少し，持続時間が短いといった変化が生じることは多い．生理的な変化を理由として，オルガズムの減退を理解することも可能であるが，それだけが原因ではない場合も多い．たとえばその背景には性交痛などによってリラックスできないことが，快感を妨げる原因となっている場合もある．オルガズムを得られない大きな理由は何かを慎重に見極めることが重要である．

c. 性機能の低下が生活に及ぼしている影響

加齢による性機能の低下は，配偶者間の関係に少なからず影響を及ぼす．しかしながら中高年の性に関する調査などは限定的なものしか見当たらないため，一般論で語ることには限界がある．そうした中でも，中高年を対象とした調査では，セックスレスとなるカップルが増えてきていること，夫と妻の間の性の欲求の差があること，配偶者以外の異性との性交の経験者の増加，単身の高齢者の性交頻度にも差異を及ぼしているなどが明らかになっている．これまでの性に関する規範が揺らいでいる現状が浮き彫りとなってきている．

d. 性機能の低下についての自覚とセルフケアの状況，および本人の強み

高齢であっても性への関心は失われるわけではない．高齢者の健康な反応として受け止めていくことが重要となる．しかしながら性への欲求があったとしても配偶者やパートナーとの間に望むような性生活が営まれているとは限らない．その認識のずれを感じることは当事者がもっとも自覚するところである．性交以外の方法でパートナーとの愛情を確認したり，自慰（マスターベーション）や触れ合うことで性的満足を得ているカップルも存在することは，高齢者の強みとして理解すべきことである．

看護者は高齢者の性に関して「もう，年だから」「枯れている」といった見方ではなく，「生殖」という役割を果たし終えたあとも，人間は，パートナーとの「互いの愛情を確かめ合う」行為として，健康な性欲に基づいた性生活を継続して不思議はない．まずはその認識をもつことが大切である．そのような考えに立てば，性的な関心はあるが，どのようにパートナーにそのことを伝えればよい関係を築けるか，また性機能の衰えにどう対処すればよいか，といったことに悩んでいる高齢者も少なくないことに思いいたるであろう．

2●目　標

高齢者は自分の性生活の悩みを口にすること自体を「恥ずかしいこと」としてとらえ，「自分はもう性行為を行う能力がない」と自尊感情を低下させ，誰にも言えずにあきらめて過ごしている人も少なくないと考えられる．

高齢者の性生活を援助する目標として，ウェルネスの視点から次の5点が挙げられる．

①性生活を否定的なものとしてとらえず，「よりよい夫婦関係を築く」ことを大切に双方の理解を深めることができる
②心身の健康状態と性的な関心を関連づけ，身体的な健康問題の解決をはかることができる
③心理社会的な影響や環境要因を考慮し，ストレスを緩和できる
④性生活について相談できるソーシャルサポートを得ることができる
⑤性機能に関する衰えなどの問題を解決する

3●介　入

a. 介入方法

（1）性生活を否定的なものとしてとらえず，「よりよい夫婦関係を築く」ことを大切に双方の理解を深めることができる

　高齢者が自己の性生活に満足していない場合，高齢者自身が性生活に関して否定的な思いを抱いていることも少なくない．日ごろの相手への関心，愛情のこもったコミュニケーションの延長上に性生活も成り立つのだということを理解してもらえるような支援が必要である．また，性生活はパートナーとスキンシップをはかるだけでも満足する場合もある．双方の求める性生活の在り方について話し合うことも大切である．高齢者に抵抗の少ない方法・場における啓発活動も重要である．

　配偶者に先立たれたり，病気で入院したりしている高齢者は，活力を失い，健康を損なう者が少なくないと報告されている．個人差はあるが，趣味や地域の活動などを通して異性と交流することも高齢者の活力を取り戻し，健康を維持する機会になることを伝え，本人や家族の理解を促す働きかけも必要である．

（2）心身の健康状態と性的な関心を関連づけ，身体的な健康問題の解決をはかることができる

　心身の健康状態は性的関心の大きさと関連があるとの報告もあり，持病をコントロールし健康を取り戻すことで性欲が戻り，性生活が充実した高齢者も存在する．服薬している薬（降圧薬，抗うつ薬など）が勃起障害をまねく場合もあるため，内服薬の副作用を理解すること，また主治医への相談を促す支援も必要である．また骨盤内臓器の手術で神経損傷を合併し，性機能障害を残すこともある．性機能障害の有無も見落とさないように術後経過を観察し，確認していくことが重要となる．

（3）心理社会的な影響や環境要因を考慮し，ストレスを緩和できる

　心理的なストレス，自尊心を低下させるような体験がないか確認し，あれば自信を取り戻せるような働きかけを行う．場合によっては専門的なカウンセリングを受けるようにすすめることも効果がある．

　必要に応じて生活環境に関する助言を行う．高齢者の性にとって環境要因は大きい．寝室は広すぎず，明るすぎないことがリラックスするうえでのポイントである．照明は，間接照明で光線が直接目に入らないこと，また蛍光灯よりも白熱灯のほうが，光源がやわらかく，安心できるとされている．物音は意識を乱す一方で，静かすぎても緊張を高める．軽いBGMを流すのも効果的である．時には自宅ではなく旅行に出かけたり，ホテルを活用したりするなど環境を変えることで性的な気持ちが高まることもある．

（4）性生活について相談できるソーシャルサポートを得ることができる

　高齢者の性に関しては，国内ではいまだ十分なサポート体制が整っているとはいいがたい状況である．まずは，身近な保健・医療・福祉の従事者が相談に乗れる体制を整えておくことが必要となる．そのために高齢者の性について専門家チームも偏見をもたず，正確な知識をもつことが重要となる．

各地域には性機能障害の相談を受け付ける医療機関があり，インターネットで検索することもできる*.

(5) 性機能に関する衰えなどの問題を解決する

性欲の減退については，性ホルモンの低下が考えられる．さらに男性の性交困難（勃起障害や射精遅延，早漏など），女性の性交痛，倦怠感のあるパートナーとの関係と，パートナーへの性的関心の低下，高齢に伴う慢性疾患などが考えられる．

性欲の過剰は，高齢者においても生じることがある．しかし，パートナーと相性が一致しない，パートナーがいないなどの場合には性欲の解消に苦悩することになる．たとえば，妻に先立たれた男性高齢者が身近な息子の配偶者に性的な関心を寄せ，不快な思いをさせるといったことも生じる．パートナーの理解が得られるように働きかけ，性欲の健康的な発散の手助けをすることもときには必要となる．パートナーがいない高齢者には新たな出会いの機会を一緒に考えることも大切な援助となる．

場合によっては認知症などが進行していることもあり，その場合には放置せずに，積極的に専門家に相談するようにすすめる必要がある．

①男性の性機能低下への援助

男性の勃起障害に対しては，①薬物療法（勃起不全改善薬），②血管拡張薬陰茎海綿体注射法，③陰圧式勃起補助具，④血管系手術，⑤陰茎プロステーシス挿入手術，などが考えられる．専門医にこれらの治療の相談をするように助言する．

射精の遅延や早漏は，男性高齢者の生理的変化として起こりうることである．双方ともこのような生理的変化を受け入れ，女性がオルガズムに達するよう前戯に十分時間をかけ，射精後の後戯を入念に行うことで満足感を高めることができる．

②女性の性機能低下への援助

女性の性交痛には，前戯を長くして腟分泌が十分になされてから性交を行うことが重要である．性交痛を和らげる目的で，腟の潤いを助ける「潤滑剤ゼリー」[1]などを使用することをすすめてもよい．あるいは，ホルモン補充療法（HRT）で腟粘膜の萎縮を予防することで，性交痛を緩和することもできる．なお，性交を停止すると廃用萎縮を起こすことも知られており，それを防ぐためにも性生活を継続することは大切なことである．

③パートナーとのマンネリズムを除く援助

パートナーとの「互いの愛情を確かめ合う」行為としてそれぞれのカップルに見合った性生活を演出することも重要となろう．①性欲を高めるランジェリーや寝衣を着用する，②アダルトビデオを見る，③互いに好むところを愛撫する，④いつもとは異なる体位をとる，などである．互いに愛情と性的な満足を得られるよう工夫することが大切である．

b. 高齢者の性との付き合い方

(1) 性的関心が看護者に向けられた場合

高齢者の性的な関心がスタッフに向けられることもある．毎日，単調な生活を過ごしている高齢者は，うつうつとした気持ちとともに性的欲求不満が積み重なり，その気持ちが歪曲した性的関心のかたちで看護者に表現されることがある．看護者は，ときどきのスキ

---

* EDの相談できる医療機関：https://www.ed-care-support.jp/search/　（最終確認：2023年1月26日）

ンシップとともに，常に身近な存在として感じる対象である．そのような状況もあいまって，男性高齢者が女性看護者の身体に触れたり，卑わいな言葉を発したりしては，反応をみて面白がる，といったケースもある．また，女性高齢者が特定の男性看護者にのみケアを求めることも経験する．身近な人々に対し，性的な関心・欲求のはけ口としているとも考えられるような行動であるが，裏を返せば，現在の生活に満足していない心理的な反応と読みとることも可能である．

　一方で，直接ケアを行っている看護者にとって思いがけない高齢者の性的な反応に，とまどい，傷つき，不快な経験として記憶に蓄積されていることも見過ごすことはできない．さりげなく関心をほかに向けるなどの対応も必要である．高齢者の性的欲求を明るく発散できるようにする取り組みは，容易ではないが，人間への深い洞察が必要となってくるのではないだろうか．

(2) 高齢者の性に対するスタッフの理解を深める

　ケアを提供する看護者は，高齢者の性的関心を異常行動として嫌悪感をもって語ることも少なくない．しかし，そのような看護者の対応や視線が高齢者を一層孤独にさせることに注意を向けなければならない．看護者には，高齢者であっても性的な関心を抱くことは異常ではなく，健康な在り方と理解を深めることが求められる．若い看護者やケアワーカーにも高齢者の性を正しく受け止められるように，職場における学習，研修などが必要である．ときには，身近な高齢者の「老いらくの恋」を聞く機会を設け，高齢者の性に対する認識や理解を深めることも大切であろう．

4 ● 評　価

　介入後に高齢者の性生活に関する悩みが解決したかを評価する．性行為自体を行うことができたかということよりも，パートナーとの関係が改善できたか，お互いの思いやりや愛情を再確認することができたか，といった観点のほうが評価としてより重要である．

練習問題

Q12 高齢者の性について正しいものはどれか．
1. 性についての認識は，時代によらず同じである
2. 女性は閉経を機に，エストロゲンの分泌が低下する
3. 高齢女性の性的欲求は低下するが，高齢男性の性的欲求は低下しない
4. 高齢者の性に関するソーシャルサポートは充実している
5. 入院高齢者が身近なスタッフに性的な関心を示した場合は，秩序を乱すため即時退院を促す

［解答と解説 ▶ p.478］

■ 引用文献 ■
1) 日本家族計画協会：性交痛とリューブゼリー「リューブゼリーとは」，〔https：www.jfpa.or.jp/luve-jelly/products/〕（最終確認：2023年1月26日）

高齢者に特徴的な
症状と看護
—老年症候群

1 起立・歩行障害

A. 基礎知識

1●定　義

　起立とは，立ち上がり動作をいう．立ち上がり動作とは，重心（体重）を坐骨で受けている姿勢から足で受ける姿勢へと変化することである．起立は，屈曲相と伸展相の2相に分類される．屈曲相では，重心を前方に移送するために頸部・体幹を前方に屈曲させ，さらに体幹・膝を前方へ進めることで重心を足部に移動させる動作がなされる．また，伸展相では，重心を上に移動して立ち上がる動作がなされる[1]（**図Ⅳ-1-1**）．

　老年症候群における**起立障害**とは，いったん獲得された円滑で無意識的な立ち上がり動作が，主に加齢による筋力低下により困難になる状態をいう．

　歩行は，両下肢のリズムのある動きにより身体を1点から他点に移動する動作をいう．老年症候群における**歩行障害**とは，いったん獲得された円滑で無意識的な2足歩行が，主に加齢による筋力低下のために困難になる状態をいう[2]．

2●疫　学

　歩行障害を有する割合は60〜97歳で32.2％であり，70歳代で37.4％，80歳以上では61.7％と，高齢になるほど上昇したという報告がある[3]．さらに高齢者の運動機能の低下は，立ち上がり動作をはじめとする起居動作からその徴候がみえ始め，しだいに歩行動作を含む下肢の運動機能の低下に進んでいくという報告がある[4]．つまり，起立・歩行障害は，高齢者の機能低下の初期段階で生じるものといえる．

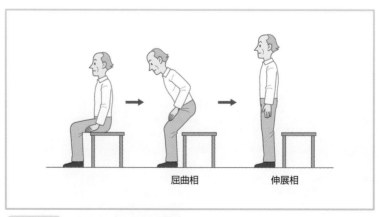

屈曲相　　　伸展相

図Ⅳ-1-1　立ち上がり動作の過程

3 ● 病態と生理学的特徴

a. 病　態

(1) 起立障害

　加齢とともに筋力低下，椎間板の萎縮，脊椎の彎曲（わんきょく），変形性関節症，骨粗鬆症（こつそしょうしょう）が起こる．これらにより，身長の減少，前胸部の前出，胸郭拡大，円背，下腹部の前出，O脚の姿勢変化や，前傾姿勢がみられるようになる．前傾姿勢では，身体の重心が基底面を外れた前方に位置するため，立ち上がり動作や立位の安定性が保ちにくくなる．著しい筋力低下や筋萎縮による筋の機能低下，膝や股関節の疼痛が生じた場合，自力での起立は困難となる．

　さらに，高齢者の場合，起立時の循環調節を行う自律神経機能が低下するため，**起立性低血圧**（起立位になると血圧が異常に低下する状態をいう）を生じやすい．起立性低血圧は，起立時や立位を続けたときにめまい感や眼前暗黒感を生じ，収縮期血圧が70 mmHg以下になると失神にいたるため[5]，注意が必要である．

(2) 歩行障害

　明らかな神経障害や全身疾患がないにもかかわらず，高齢者にみられる歩行のしかたに**老年性歩行**とよばれる歩き方（**表IV-1-1**）がある．歩行速度は低下し，歩幅は狭くなる[6]．前述の筋力低下や姿勢の変化（関節の変化）のため歩行の安定性が保ちにくくなり，つまずきやすく，迅速な移動やとっさの危険回避が困難になる[7]．前傾姿勢での歩行は，視線が足元に集中し周囲の状況へ注意が向きにくくなるうえに，歩行時の安定性が保ちにくくなる．

　一方，病的歩行障害[7]とよばれる基礎疾患による歩行障害がある．病的歩行障害は，主に，①歩行に関する中枢（大脳皮質運動野，錐体路）の障害，②運動調節機構（小脳，前庭神経系，大脳基底核，深部感覚や視覚などの感覚系）の障害，③歩行の中枢と運動器を結ぶ運動ニューロンの障害，④歩行の実行にかかわる運動器系（骨・関節・筋肉）の障害，に分類される[7]．原因となる疾患として，脳血管障害，パーキンソン病，筋萎縮性側索硬化症，多系統萎縮症などの神経疾患が挙げられる．これらの疾患による歩行障害には，片麻痺歩行，対麻痺歩行，パーキンソン歩行，小脳失調性歩行，脊髄失調性歩行，動揺歩行，下垂足歩行（鶏歩），間欠性跛行（はこう）などがある[8]（**表IV-1-2**）．

b. 発生要因

(1) 運動器系の要因

①筋力低下

　安全な起立・歩行には，筋力の維持が欠かせない．しかし，不活発な生活や加齢により，全身の筋力は低下する．起立・歩行のさいには，下肢筋力のうち，つま先を上げる働きを

表IV-1-1　老年性歩行の特徴

1. やや両足を広げ，小股で歩く
2. やや前傾姿勢で，股・膝関節が屈曲し，腕振りが乏しい
3. 方向転換がスムーズにできない
4. ときに歩行開始の困難，ふらつき，転倒傾向を示す

［小澤利男(編)：エッセンシャル老年病学, 第3版, p.104, 医歯薬出版, 1998より引用］

表IV-1-2　病的歩行障害の主な特徴

歩行障害	主な特徴
1. 片麻痺歩行	麻痺側の下肢は伸展し，つま先は垂れていることが多い．足を前に出すときは，股関節を中心にして外側に弧を描くようにして歩き，つま先は床をひきずる．脳血管障害による痙性片麻痺でよくみられる．
2. 対麻痺歩行	両側の下肢が痙性であるときは，それぞれの下肢が内反尖足となり交互に外側に弧を描くようにして，歩幅を狭くして歩く．「はさみ歩行」ともいわれる．脳性麻痺，両側の錐体路障害を伴う脊髄障害でみられる．
3. パーキンソン歩行	前かがみで膝を曲げ，小刻みに歩く（小刻み歩行）．方向転換で多歩になったり，歩行開始時にすくんだりする．前傾歩行中に重心が前方に移動し，これを追いかけるように駆け足となる（加速歩行，前方突進現象）．パーキンソン病，パーキンソン症候群でみられる．
4. 小脳失調性歩行	両足を広く開き，酩酊様で全身の動揺が強く，「酩酊歩行」ともいわれる．片足立ちも不安定で継ぎ足歩行も拙劣である．小脳の血管障害や脊髄小脳変性症でみられる．
5. 脊髄失調性歩行	両足を広く開き，足を異常に高く上げて，足を投げ出すようにして踵を床に強くたたきつけるように歩く．視力による代償がある程度できるので，暗い環境で症状が強く現れる．脊髄癆，感覚性ニューロパチーでみられる．
6. 動揺歩行	腰と上半身を左右に振って歩く．腰帯筋群が弱く，1歩ごとに骨盤が傾くために起こる．上体を反らし気味にしてバランスをとる．多発性筋炎，筋ジストロフィーなどの筋原性の疾患でみられる．
7. 下垂足歩行（鶏歩）	垂れ足を代償するように膝を高く上げ，つま先から着地する．腓骨神経麻痺でみられる．
8. 間欠性跛行	歩行を続けると腓腹筋の痛みと疲労が強くなり，休まざるをえなくなる．休息すると再び歩行が可能となる．腰部脊柱管狭窄症，下肢の閉塞性動脈硬化症，腰髄部の血流不全などでみられる．

[田崎義昭, 斉藤佳雄, 坂井文彦：ベッドサイドの神経の診かた, 第17版, p.59-62, 南山堂, 2010を参考に作成]

する足背屈筋群と，膝を伸ばす働きをする膝伸展筋群の筋力が重要であるが，それらの筋力も低下する．このような高齢者の筋力低下は，**日常生活動作（ADL）能力**に影響する状態を引き起こすようになる．なかでも進行性の全身の骨格筋の減少によって日常生活に支障が生じる状態は，**サルコペニア**とよばれる[9]．骨格筋の減少は，広背筋・腹筋・膝伸筋群・殿筋群などの抗重力筋において多くみられ，立ち上がりや歩行がおっくうに感じるようになる．このような背景から生じる活動量の低下は，さらなる筋力低下を招く．骨格筋減少症とそれに伴う筋力低下，活力低下，栄養状態の悪化，活動量の低下などは，互いに悪循環，連鎖を引き起こす**虚弱（フレイル）化のサイクル**（cycle of frailty）を形成し，要介護状態につながる（**図IV-1-2**）[10, 11]．

(2) 運動器の障害と関節可動域の制限

起立・歩行に影響を及ぼす運動器の障害には，膝痛を引き起こす**変形性膝関節症**，骨折しやすくなる**骨粗鬆症**，下肢のしびれの原因となる**腰部脊柱管狭窄症**などがある．とくに骨粗鬆症は閉経後の女性に多く，60歳以上の女性では30％にみられる[12]．

さらに，病気による長期臥床によって関節の動きが制限されると，関節の運動範囲が狭くなる「関節可動域の制限」が生じ，さらに進行すれば，関節拘縮・変形が起こる．とくに，膝関節症のような疼痛を伴う疾患，また麻痺などにより自力での起立・歩行が困難な高齢者の場合には注意が必要である．

(2) 感覚器系の要因

視覚障害は，高齢者の起立・歩行の機会を減少させ，また危険に対する察知の遅れや回

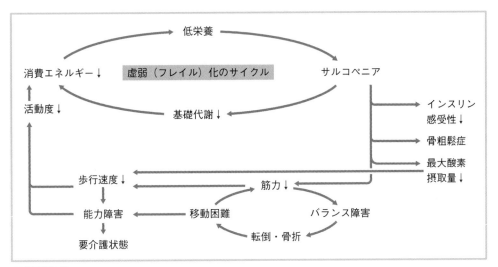

図Ⅳ-1-2　虚弱（フレイル）化のサイクル

[Xue QL, Bandeen-Roche K, Varadhan R, et al：Initial manifestations of frailty criteria and the development of frailty phenotype in the Women's Health and Aging Study Ⅱ. J The Journals of Gerontology：Series A, Biological Sciences and Medical Sciences **63**(9)：985, 2008／道場信孝：臨床老年医学入門─すべてのヘルスケア・プロフェッショナルのために，第2版（日野原重明監），p.71-72，医学書院，2013を参考に作成]

避の遅れにつながりやすい．また，平衡感覚や深部感覚の低下は，安定した起立・歩行の障害となりやすい．深部感覚とは，運動覚，位置覚，深部圧覚，深部痛覚，振動覚のことであり，主に身体各部位の位置，関節運動の状態，身体への抵抗や重量に対する感覚である．

(3) 循環器系の要因

通常，臥位から起立したさいは，重力により血液は身体の下方に移動するが，**自律神経調節機能**（**図Ⅳ-1-3**）[13]の働きにより下肢の血管は収縮し，立位になっても血圧は維持され，脳血流を維持できる．しかし，これらの機構が正常に機能しないとき，つまり，自律神経調節機能の低下もしくは障害がある場合には，起立時に血圧が低下し，めまいや失神が生じる[5]．これは，**起立性低血圧**とよばれ，高齢者によくみられる症状である．とくに，多くの高齢者が罹患する糖尿病の場合には，自律神経障害が起こりやすく，注意が必要である．

(4) 脳・神経系の要因

脊髄に歩行リズム形成を担う神経が存在するが，高齢者においては中枢機能の低下により，歩行リズムの変動が生じやすいといわれており[6]，歩行障害の一因となっている．さらに，歩行リズムなどの運動機能は保たれていたとしても，中枢機能の障害による判断力の低下や反射低下がみられるさいには，安全な起立・歩行が困難になる．

4 ● 主な症状と生活への影響

運動器不安定症は，高齢者の歩行障害，易転倒，易要介護状態をもたらす包括的な概念であり，加齢によりバランス能力および移動歩行能力に低下が生じ，閉じこもり，転倒リスクが高まった状態と定義されている（日本整形外科学会，日本運動器リハビリテーショ

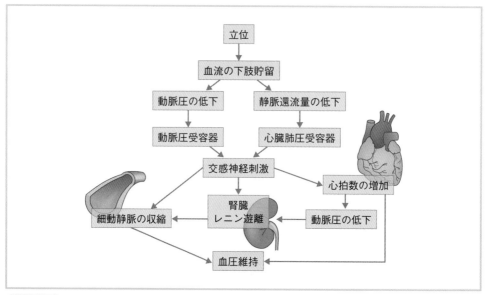

図Ⅳ-1-3　起立時の血圧調整

［三木健寿：動脈圧の調整．やさしい生理学（彼松一之，能勢 博編），p.47，南江堂，2016を参考に作成］

表Ⅳ-1-3　運動機能低下をきたす疾患

- 脊椎圧迫骨折および各種脊柱変形症（亀背，高度脊椎後彎・側彎など）
- 下肢骨折（大腿骨頸部骨折など）
- 骨粗鬆症
- 変形性関節症（股関節，膝関節など）
- 腰部脊柱管狭窄症
- 脊髄障害（頸部脊髄症，脊髄損傷など）
- 神経・筋疾患
- 関節リウマチおよび各種関節炎
- 下肢切断
- 長期臥床後の運動器廃用
- 高頻度転倒

ン学会，日本臨床整形外科医会）．その評価基準は，①運動能力低下をきたす疾患（**表Ⅳ-1-3**）をもち，②日常生活自立度判定基準ランク（p.463，**付録5**参照）が，JおよびA（要支援1・2〜要介護1・2にあたる，p.294，**表Ⅳ-13-1**参照）であり，③運動機能評価において，開眼片脚起立時間15秒未満，または移動能力を測定するTimed Up and Go test（**TUG**）が11秒以上の場合に「運動器不安定症」があると判断される．なお，TUGは，椅子から立ち上がり，3mの目標まで歩行したあと方向転換し，もとの椅子まで戻り腰かけるまでの時間を測定し，かつ，その動作過程でふらつきがないかも観察する．

　一方，運動器の働きが衰えると，暮らしの中の自立度が低下し，介護が必要になったり，寝たきりになる可能性が高くなる．加齢に伴う筋力の低下や関節や脊椎の病気，骨粗鬆症などにより運動器の機能が衰えて，要介護や寝たきりになってしまったり，そのリスクの高い状態を**運動器症候群**（ロコモティブシンドローム：locomotive syndrome）とい

う（p.315, **コラム**参照）[14,15]．高齢者での特徴は，骨，関節軟骨・椎間板，筋骨格系と神経系の障害が互いに関係し合い，運動機能を低下させることである．進行すると，社会参加や生活活動を制限し，要介護につながる（図Ⅳ-1-4）．このように，運動器症候群は「立つ」「歩く」機能が低下した状態から，日常生活活動が困難になり，医療的介入が必要となる状態までを含む概念である[14]．

　歩行障害をもつ高齢者では介入がなければ，加齢により筋力が低下し続けることに加え，歩行への意欲は低下し，また今までできていたことができなくなったために歩行する機会が減少することでさらに歩行に必要な筋力が低下するため，ますます移動範囲は狭小化し，人との交流が減るためやがて人間関係の維持が損なわれることになる．歩行距離の低下は死亡率にも影響し，歩行距離が1日1.6 km未満の人は，3.2 km以上の人に比べて調査開始から12年間の死亡率が約2倍高いとの報告がある[16]．

　さらに，歩行障害による生活への影響として，高齢者の虚弱（フレイル）に注意する必要がある．フレイルとは，「健常な状態と要介護状態の間」の要介護となるリスクの高い状態であり，早期発見・介入により再び健常な状態に戻れる可能性のある状態をいう[17]．フレイルでは，身体的，精神的，社会的側面から多面的に高齢者の生活をとらえることが強調される[18]（図Ⅳ-1-5）．要介護状態にいたる前の段階とされる虚弱（フレイル）状態の段階で支援を行うことにより，生活機能の向上が可能とされる．

5 ● 対処の方法（セルフケアの視点から）

　起立・歩行障害の予防に重要な身体機能の基礎は，筋力，バランス能力，巧緻機能，歩行能力の4つからなるといわれる[19]．自力で起立・歩行できる場合は，その機能をなるべく維持・増進すること，また自力での歩行が困難である場合も，適切な方法や援助によって，ADLのレベルに合わせた起立や歩行が行えることが重要である．ADLの自立に

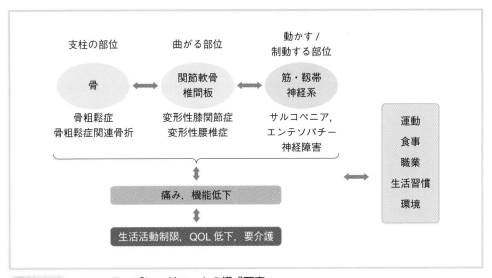

図Ⅳ-1-4　ロコモティブシンドロームの構成要素
［中村耕三：ロコモティブシンドローム（運動器症候群）．日本老年医学会雑誌 **49**(4)：395, 2012より許諾を得て転載］

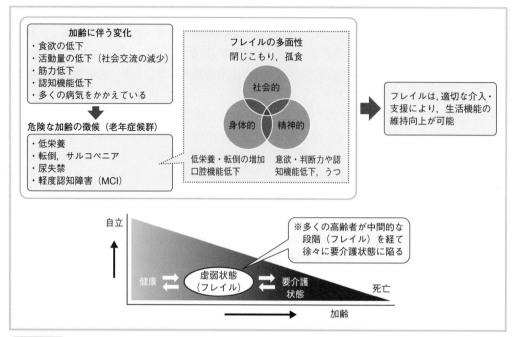

図Ⅳ-1-5　高齢者の虚弱

［厚生労働省：平成28年度版厚生労働白書, 2016, p.141,〔https://www.mhlw.go.jp/wp/hakusyo/kousei/16/dl/all.pdf〕（最終確認：2023年1月26日）を参考に作成］

は，トイレでかがんだり，畳や床に直接座る和式の生活よりも，椅子やベッドを用いる洋式の生活にするなど，生活環境の工夫が必要である．サルコペニアやフレイルの予防には適切な栄養と運動が重要である[9, 20]．

B. 看護実践の展開—予防と治療

　起立・歩行障害をもつ高齢者の看護でもっとも注意することは，転倒予防であり，また，できるだけ移動能力を失わないようにすることが重要である．ここでは，高齢者が安全に，そして安心して起立・歩行を行うことができるために必要なアセスメント，介入，評価について，予防と悪化防止の観点から述べる．

1 ● 起立・歩行障害を予防する

a. アセスメント

(1) 起立・歩行に関する身体機能をアセスメントする

　高齢者の場合，日ごろの活動量が少ない人ほど，また，基礎的疾患をもつ人ほど，運動による循環動態が変動しやすいため，起立・歩行の前・中・後に，血圧，脈拍，呼吸などのバイタルサインや，呼吸苦・動悸・疲労感の有無・程度などの主観的徴候を把握する必要がある．

　高齢者は，発熱により歩行能力が低下することがあり，また，低血圧により起立時や歩

行時にめまいやふらつきなどの症状が生じることがある（**起立性低血圧**）．起立時に
20 mmHg 以上の収縮期血圧の変動がみられる後期高齢者は，生命予後が不良であること
に加え，ADL も低下することが報告されている[21]．そのため，血圧の変動も十分にアセ
スメントする必要がある．

　高齢者によくみられる関節症は，腰痛や膝関節痛を引き起こし，症状の程度によっては
起立・歩行が不安定となったり，また困難となったりするため，それらの有無・程度もア
セスメントする．

　起立・歩行の身体機能のアセスメントの視点は，麻痺の有無（部位，程度），筋力（上肢，
下肢，体幹），関節可動域，足の振り出しと足の踏み込み状態（股関節，膝関節，足関節），
足底の接地の安定性（足の変形の有無・程度），歩行時の膝折れの有無，歩行速度である．
歩行速度は下肢機能の評価指標となっており，歩行速度の測定方法は，後述の「歩行をア
セスメントする」で説明する．

　安定した起立・歩行や安全確認のために不可欠である平衡感覚，視覚，聴覚は，加齢に
より機能低下が生じやすいため，その有無と程度を把握する．認知機能障害の高齢者は，
運動能力は保っていたとしても，判断・記憶能力の低下や注意障害により，起立・歩行に
危険が伴う可能性があるため，それらも併せてアセスメントする．

(2) 起立をアセスメントする

　起立では，立ち上がり動作の屈曲相と伸展相において，重心の移動がスムーズに行われ
ているか観察する．5 回立ち上がりテスト（秒）[22]は，起立動作能力の指標の 1 つに用いら
れており，椅子からの坐位から始め，"坐位→起立（立ち上がり）"を 5 回行い（最終の姿
勢は立位），それにかかった時間を測定する．実施の際は，背もたれのある床に固定した
椅子を用い，「腕を胸の前で組んで，できる限り早く，椅子から 5 回連続で立ち上がって
ください．立ち上がるときは，膝を完全に伸ばしてください．座るときはお尻を座面につ
けることに注意してください」と述べ，始めてもらう．測定者は両手を伸ばし，高齢者が
バランスを崩しても支えられる位置にいる．このテストは，坐位時に坐骨骨折を起こす危
険性があるため，坐位時の衝撃を緩衝するクッションを用いること，および骨粗鬆症のあ
る高齢者にはこのテストは実施しないなどの注意が必要である．基準値は，12 秒以上でサ
ルコペニア，転倒リスクとして示されている[22,23]．

(3) 歩行をアセスメントする

　歩行は，立脚期・遊脚期，両脚支持期・片脚支持期からなる**歩行周期**の繰り返しによ
り，移動が可能となる．正常な歩行方法とは，重心位置の揺れの少ない効率的な歩行であ
り，かつエネルギー消費の少ない歩行である．歩行運動には 6 つの要素（細分化された動
作）があり（**表Ⅳ-1-4**）[24]，それら 6 つが同じ歩行周期のもとスムーズに繰り返されるこ
とで，重心位置のゆれが少なくなり，また効率的な歩行動作となる．そのため歩行のアセ
スメントでは，これら歩行要素と歩行周期の観察が重要になる．たとえば，麻痺や下肢の
関節痛などがあると，歩行周期は不規則になる．

　歩行速度（秒）の測定[25]には，5 m 歩行時間（通常・最大）による方法がある．5 m の
計測区間の前後に加速路と減速路としてそれぞれ 3 m 設けてある計 11 m の歩行路を歩い
てもらい，体幹が計測区間開始の線を越えた瞬間から，体幹が終了の線を越える瞬間まで

表Ⅳ-1-4　歩行周期と歩行の要素

歩行周期：踵接地から同側の踵接地まで	歩行の要素
・立脚期 　　踵接地からつま先離れまで ・遊脚期 　　つま先離れから次の踵接地まで ・両脚支持期 　　両脚が同時に地面についている時期 ・片脚支持期 　　一方脚のみが地面についている時期	1. 骨盤の回旋 2. 骨盤の傾斜 3. 立脚期の膝屈曲 4. 足—膝関節のメカニズム 5. 骨盤の側方移動 6. 各関節の横断回旋

[米本恭三, 石神重信, 石田　暉ほか：リハビリテーションにおける評価Ver.2, 医歯薬出版, 2000を参考に作成]

の時間を測る．「いつも通りのスピードで歩いてください」と伝える．歩行中に転倒がないよう十分に注意する．下肢に骨折や麻痺がある場合は，「原則として機能が低下している側」に測定者は立ち，バランスを崩した際に身体を支えられるようにする．基準値は，1m/秒未満の速度，もしくは5秒よりもかかった場合はサルコペニア，フレイルとして示されている．最大歩行速度は，必要に応じて測定する[26]．

　身体の安定に関する感覚機能についてのアセスメントは，ふらつき，またバランスを崩したさいに自ら立ち直ることができるか，またバランスを崩したこと自体に気づいているかなどを確認して判断する．身体のバランスに障害がある場合は，そのほか，①内耳，②視覚，③位置覚，に障害があることが考えられるため，それらも併せて確認する．

(4) 起立・歩行に対する思いをアセスメントする

　起立・歩行障害のある高齢者は，起立・歩行時に緊張感や不安をもつことが多い．「人込みがこわい」「転びたくない」「歩くのが遅くて人に迷惑がかかる」などの思いから，外出や他者との交流を制限したり，ときに家族から危険であることを理由に起立や歩行を制限されたりすることもある．つまり起立・歩行障害は，単に運動機能障害だけを原因とするものではなく，併せてそれぞれの高齢者の抱える思いが原因となることも多い．そのため，高齢者と家族の思いをアセスメントすることも重要である．

b. 介　入

(1) 運動器の機能を向上させる

　高齢者が健康な状態から要介護状態になる，あるいは軽度の要介護状態から重度の状態になることを予防するために，運動器の機能向上をはかる必要がある．介護予防の観点から，**生活機能評価を行うツールである25項目の基本チェックリスト**（**表Ⅳ-1-5**）を用いて，介護が必要となるおそれがあるか否か，また要介護状態悪化のおそれがあるか否かを判断する．生活機能の低下があると判定された場合，高齢者の状態に応じて介護予防事業の利用をすすめる必要がある．たとえば，介護保険制度の要支援1・2に認定された場合は，通所介護，通所リハビリテーションなどのサービスが活用できる．

　運動療法は，下肢の筋群のうち抗重力筋である下腿三頭筋，大腿四頭筋，大殿筋など，日常生活に必要な筋群を中心にすすめる．さらに，転倒を予防するために，前脛骨筋などの抗重力筋に拮抗する筋群も運動療法の対象とする（**図Ⅳ-1-6**）．また，運動は下肢のみならず上肢の筋群の種目も加え，なかでも，体幹の安定性とかかわりが深い腹横筋や腹斜

表Ⅳ-1-5　生活機能評価の基本チェックリスト

質問項目	回　答 （いずれかに○を お付け下さい）	
1.　バスや電車で1人で外出していますか	0.はい	1.いいえ
2.　日用品の買い物をしていますか	0.はい	1.いいえ
3.　預貯金の出し入れをしていますか	0.はい	1.いいえ
4.　友人の家を訪ねていますか	0.はい	1.いいえ
5.　家族や友人の相談に乗っていますか	0.はい	1.いいえ
6.　階段を手すりや壁をつたわらずに昇っていますか	0.はい	1.いいえ
7.　椅子に座った状態から何もつかまらずに立ち上がっていますか	0.はい	1.いいえ
8.　15分ぐらい続けて歩いていますか	0.はい	1.いいえ
9.　この1年間に転んだことがありますか	1.はい	0.いいえ
10.　転倒に対する不安は大きいですか	1.はい	0.いいえ
11.　6ヵ月間で2～3kg以上の体重減少がありましたか	1.はい	0.いいえ
12.　身長　　　cm　体重　　　kg　（BMI＝　　　）注		
13.　半年前に比べて固いものが食べにくくなりましたか	1.はい	0.いいえ
14.　お茶や汁物などでむせることがありますか	1.はい	0.いいえ
15.　口の渇きが気になりますか	1.はい	0.いいえ
16.　週に1回以上は外出していますか	0.はい	1.いいえ
17.　昨年と比べて外出の回数が減っていますか	1.はい	0.いいえ
18.　まわりの人から「いつも同じ事を聞く」などの物忘れがあると言われますか	1.はい	0.いいえ
19.　自分で電話番号を調べて, 電話をかけることをしていますか	0.はい	1.いいえ
20.　今日が何月何日かわからないときがありますか	1.はい	0.いいえ
21.　（ここ2週間）毎日の生活に充実感がない	1.はい	0.いいえ
22.　（ここ2週間）これまで楽しんでやれていたことが楽しめなくなった	1.はい	0.いいえ
23.　（ここ2週間）以前は楽にできていたことが今ではおっくうに感じられる	1.はい	0.いいえ
24.　（ここ2週間）自分が役に立つ人間だと思えない	1.はい	0.いいえ
25.　（ここ2週間）わけもなく疲れたような感じがする	1.はい	0.いいえ

（6〜10：運動（3項目以上に該当）、11〜12：栄養（2項目以上に該当）、13〜15：口腔（2項目以上に該当）、16〜17：閉じこもり、18〜20：認知機能（1項目以上に該当）、21〜25：うつ（2項目以上に該当）、1〜20：10項目以上に該当）

注：BMI（＝体重（kg）÷身長（m）÷身長（m））が18.5未満の場合に該当とする

［エビデンスを踏まえた介護予防マニュアル改訂委員会：介護予防マニュアル, 第4版, p.9, 2022年3月, 〔https://www.mhlw.go.jp/content/12300000/000931684.pdf〕（最終確認：2023年1月26日）より引用］

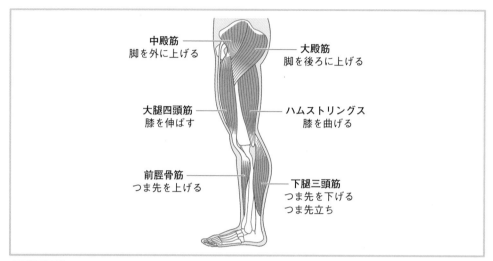

図Ⅳ-1-6　下肢の筋群

［「運動器の機能向上マニュアル」分担研究班：運動器の機能向上マニュアル（改訂版），p.21, 2009,〔http://www.mhlw.go.jp/topics/2009/05/dl/tp0501-1d.pdf〕（最終確認：2023年1月26日）より引用］

表Ⅳ-1-6　介護予防のための運動器の機能向上プログラムの注意点

全体の注意点	基礎疾患のある患者の場合は，運動を行ってよいか主治医から確認する
運動を控えるべき項目（1つでも該当すれば運動を避ける）	収縮期血圧180mmHg以上，または80mmHg未満 拡張期血圧110mmHg以上 体温37.5℃以上 脈拍が120拍/分以上 いつもと異なる脈の不整がある・いつもより多く不整脈が発生する 関節痛など慢性的な症状の悪化がある
参加者に事前に周知すべき注意事項（全てが該当する）	運動直前の食事は避ける 水分補給を十分に行う 睡眠不足・体調不良のときには無理をしない．身体に何らかの変調がある場合には，実施担当者に伝える
実施中に安全確認すべき項目（全てを確認する）	顔面蒼白 冷や汗 吐き気 嘔吐 脈拍・血圧（開始時と比較して収縮期血圧40mmHg以上または拡張期血圧20mmHg以上の上昇した場合，脈拍140回/分以上を超えた場合は，運動を中止する） 痛み ふらつき，転倒・転落

［エビデンスを踏まえた介護予防マニュアル改訂委員会：介護予防マニュアル，第4版，第2章 運動器の機能向上マニュアル，p24-42，表2-9・10・11, 2022〔https://www.mhlw.go.jp/content/12300000/000931684.pdf〕（最終確認：2023年1月26日）を参考に作成］

筋群への運動も行う．運動療法の実施にあたっては，おのおのの身体状況を把握し，個別の運動プログラムを作成する．運動プログラムの開始前には体調の確認を行う．禁忌事項や注意事項は**表Ⅳ-1-6**のとおりである[27]．運動機能をモニタリングし，開始3ヵ月後には再度，運動器の機能評価を行うことが望ましい[27]．

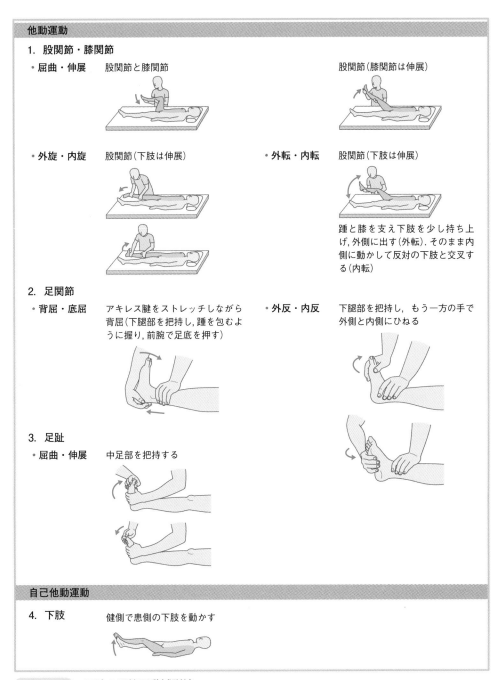

図Ⅳ-1-7　下肢の関節可動域訓練

青い領域 ▨ は自力で運動が困難な側を示す.

(2) 下肢の関節可動域を維持・拡大する

　活動性が低下している高齢者は，関節の拘縮が起こりやすいため，予防のためのストレッチ体操を指導する．自力での運動が困難な場合は，下肢を中心に**関節可動域訓練**を実施する（**図Ⅳ-1-7**）．高齢者の残存能力に応じて自己他動運動をすすめる．

(3) 事故を予防する

起立性低血圧を起こす可能性のある高齢者は，最初から「臥位→立位・歩行」とせず，臥位からいったん坐位をとり，循環動態が安定してから立位・歩行を行うようにする．

筋力低下，麻痺，足部変形などにより身体の支持性が低下している場合や，認知機能の低下により安全確認が十分に行えない場合などは，転倒や転落事故の危険性がある．転倒予防には，起立・歩行スペースを十分に確保し，照明を適度に調整し，床の水濡れをなくすなどの環境調整を行う必要がある．また必要に応じて，高齢者の起立・歩行障害の程度に合わせた見守りや声かけも行う．なお，歩行介助をするさいには，急がせたり，急な方向転換をしたり，高齢者のペースを乱すような介助は避ける．足部や足関節の変形では，短下肢装具を着用することにより歩行の自立や安定性につながることがある．必要に応じて理学療法士と情報を共有し，装具や補助具の使用をすすめる．

c. 評価の視点

起立・歩行障害の予防における評価の視点は，身体的には自律神経調節機能や運動器系の障害の悪化がないか，また新たな障害の出現がないかであり，心理・社会的には日常生活や他者との交流に支障がないかについてである．また，事故を防止できる方法で起立・歩行が行われているかどうかも確認する．

2● 起立・歩行障害を改善する

加齢や疾患の影響により起立・歩行障害を生じたさいには，歩行補助具を用いたり介助を受けながら，身体機能に合わせた起立・歩行動作能力を維持する援助を行う．

a. アセスメント

(1) 歩行補助具使用の必要性

歩行補助具の使用を検討するさいは，目的・適用，身体機能，生活状況に合わせた補助具の選択が重要である．歩行補助具の目的は，下肢の障害により，歩行困難・不能に陥った患者の自力での歩行を再獲得すること，また歩行を可能にすることで ADL の自立および生活圏拡大による QOL（生活の質）の向上をはかることである．

歩行補助具の適用は，①下肢の骨・関節が体重の重さに耐えられない，②下肢の筋力低下によって身体の支持力が低下している，③不随意運動や平衡感覚の障害により歩行時の安定性が低下している，④関節拘縮や股関節症などにより下肢長に左右差がある，⑤中枢神経系の障害により運動麻痺や運動失調がある，といった理由により下肢に十分に体重をかけられない場合に適用となる．

(2) 生活状況の把握

起立・歩行障害を抱える高齢者が生活する居住環境や行動範囲に応じて，介助方法や歩行補助具を検討する．そのさい，生活する自宅や施設内の広さ，床面の状況，段差の有無，手すりなどの設置の有無，外出の機会の頻度，外出先，移動手段などを把握する．

b. 介 入

(1) 歩行補助具を選択する

歩行補助具は主に，杖と歩行器がある（**図Ⅳ-1-8**）．高齢者の身体機能や生活様式，行動範囲などを考慮して選択する．

①T字杖：
握りがT字型の杖がもっとも一般的である．歩行バランスが比較的よい場合に用いる．杖の長さは，肘関節屈曲30度，手関節背屈位，足小指の前外側15cmのところより背屈した手掌面までの距離が，杖の長さの目安である

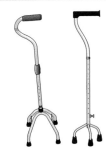

②多脚杖：
多脚杖（3点杖，4点杖）は，平面を多脚で指示することで安定した接地状態を得ることができる歩行バランスがやや不安定な場合に用いる．凸凹のある面では，不安定になりやすく，屋外での使用には不向きである

③松葉杖（axillary crutch）：
松葉杖は，骨折後の患肢免荷用として用いられることが多い．握り手の位置は，杖と同じく大転子の高さである．腋窩当ては，橈骨神経や腋窩動脈を直接圧迫しないように，腋窩より2〜3cm低いところに位置させて使用する

④ロフストランド杖
（Lofstrand crutch）：
免荷および運動失調や上肢の筋力低下が認められる場合に適用される．握りから手を離すことができるため，歩行時以外に手の動作が可能である

⑤プラットフォーム杖
（platform crutch）：
関節リウマチなどで，手関節や手指に負担をかけることが難しい場合に適用される

⑥歩行器（walker）：
歩行器タイプには左右の脚が菱型に動かせる交互歩行（多くは四点型）が容易な可動型と左右に動かせないが同時歩行に適した固定型がある．また脚部全部に，あるいは前脚部にキャスターのついたものがある

⑦歩行車：
脚に車輪がついている．左右のフレームにあるグリップを握るタイプと，アームレストに体重をかけることができるタイプがある

⑧シルバーカー：
自力歩行可能な使用者が，主に屋外で使用する．収納スペースや腰掛けがついている

図Ⅳ-1-8　歩行補助具の種類と特徴

　杖には，さまざまな種類があり，それらは，接地面と持ち手（柄）の違いによって区別される．初期の歩行訓練には，安定性の高い歩行補助具を用いることがあるが，基底面が広いため水平の床面で，かつ広さにゆとりのある場所以外での使用は適さない．日常生活の場における歩行では，高齢者の身体の安定性がより低下している場合は，3点杖，または4点杖など，基底面積が広い多脚杖（**図中の②**）を用いる．多脚杖は，階段の幅と同程度の幅があり，階段で杖をつくこと自体が不安定となりやすいため，エレベーターを用いる必要がある．1点杖であるT字杖（①）は，緩い斜面や地面の凹凸にも対応できるが，つま先が凸部分より挙上できてつまずかないなど，身体の安定性がより高い高齢者に適応となる．ロフストランド杖（④）や松葉杖（③）は，両上肢の筋力が強力である必要があり，高齢者の使用に不向きな場合が多い．

　歩行器と**歩行車**は，i）下肢筋力が低下し，立位バランスがしっかりとれない場合，ii）上肢の筋力低下などで杖をしっかり握ることができないが下肢筋力は比較的保たれている場合，iii）認知機能に障害があり杖の使用が困難である場合，などに用いられる．歩行器（⑥）は，左右のフレームにあるグリップを握って体重を支える．四脚で車輪がついておらず，屋内で用いる．歩行車（⑦）は，左右のフレームにあるグリップを握るもののほかに，アームレストに肘をかけて体重を支え握力低下や手指の障害があっても使用できるものもある．四脚または三脚で車輪がついており，屋内用と屋外用がある．シルバーカー（⑧）は歩行車の一種であり，歩行器や他の歩行車と比較して荷重することができない．そのため，歩行訓練用には向かず，歩行の安定，歩行距離の延長のために屋外で使用する．キャスター付きのものは，不意な動きや安定性が損なわれるような使用方法を避けるよう指導する．歩行車の使用方法について，i）ブレーキやストッパーのある場合は停止時や体重をかけるさいには必ず使用する，ii）（ストッパーをかけた場合でも）歩行器にもたれかからない，iii）段差や溝にキャスターがはまらないよう注意する，ことなどを十分に指導する．なお，歩行器と歩行車は，介護保険ではすべて歩行器に統一されている．

(2) 杖の使用方法を確認する

　杖は健側の上肢で持つ．健側上肢で杖を把持すると，患側下肢への負担が軽減，バランスが補助され，歩行リズムが整い，歩容が良好に保たれるためである．杖の握り方を**図Ⅳ-1-9**に示す．関節リウマチなど，手指の関節に障害がある場合は，**図Ⅳ-1-9a**のように人差し指と中指の間に杖をはさむことが困難であるため，握りをはさまないで持つオフセット型の杖を使用する（**図Ⅳ-1-9b**）．また，4点杖の使用方法を**図Ⅳ-1-10**に示す．4点杖の脚の長さは内側と外側で異なり，短い脚を内側，長い脚を外側にして使用する．外側の脚が長いのは，外側に力を入れても倒れにくくするためである．

　杖の長さの決め方（**図Ⅳ-1-11**）は，歩行時に使用する靴を履いたうえで立位になり，①大腿骨の大転子の位置で杖を握り，②杖を足先から10〜15 cm前・側方の位置につき，③杖を握る肘関節が30度に屈曲するような長さを目安とする．

　杖歩行の方法として，3点歩行と2点歩行がある（**図Ⅳ-1-12**）．高齢者の身体の安定性がより低下している場合には，2点歩行より3点歩行を指導する．3点歩行は，まず，杖を前方に出し，杖と反対側の下肢を1歩踏み出す．そして，杖側の下肢を1歩踏み出す．一方，2点歩行は，杖と，杖の反対側の下肢を一緒に前方に出し，次に杖側の下肢を1歩

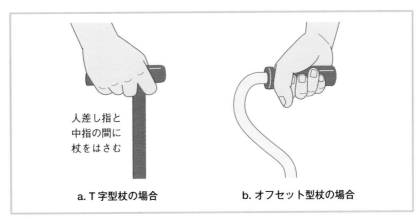

人差し指と
中指の間に
杖をはさむ

a. T字型杖の場合　　　　　　b. オフセット型杖の場合

図Ⅳ-1-9　T字杖の握り方

図Ⅳ-1-10　4点杖の使用方法
4点杖の脚の長さは内側と外側で異なり，短い
脚を内側，長い脚を外側にして使用する．

踏み出す．2点歩行は，3点歩行より安定性が劣るため上下肢の筋力を必要とするが，歩行速度は速くなる．比較的身体の安定性のよい高齢者に適している．

(3) 歩行補助具を使用した場合の歩行介助を行う

　杖歩行の場合は，高齢者が杖を使用していない側の半歩後方に立ち，必要に応じて高齢者の腰を手で支える（**図Ⅳ-1-13a**）．歩行器の場合は，高齢者の患側の半歩後方に立ち，高齢者の腰を手で支える（**図Ⅳ-1-13b**）．高齢者の膝折れなどによって，高齢者が転倒しないように十分に注意を払う．

　重度の視力障害のある場合は，介助者は高齢者の半歩前方に立ち，介助者の上腕または肩につかまってもらうことによって，介助者の体の動きを高齢者に伝え，スムーズに移動介助が行えるように工夫する（**図Ⅳ-1-13c**）．また，実際に歩行する場面では，歩き始めや停止のさいに声に出してそれらの動きを説明し，次にどのように動くかを高齢者に述べ，さらに，方向転換や段差がある場合なども，いったん立ち止まり声に出して説明し，安心して歩行してもらう必要がある．

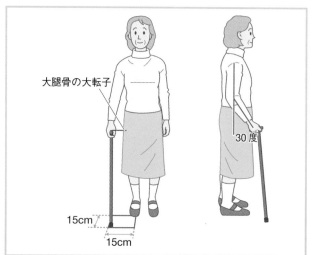

図Ⅳ-1-11　Ｔ字杖の長さの決め方

杖の長さは，①大腿骨の大転子の位置で杖を握り，②杖を足先から10～15 cm前・側方の位置につき，③杖を握る肘関節が30度に屈曲するような長さを目安とする．

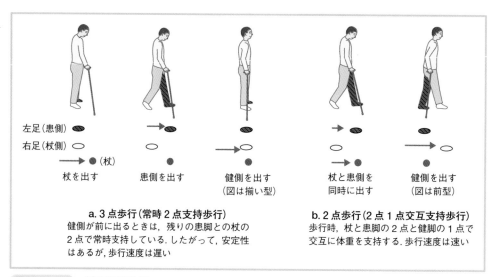

図Ⅳ-1-12　杖歩行の方法

c. 評価の視点

　起立・歩行障害の看護を評価する視点は，安全な方法で起立・歩行が行われているかという点である．具体的には，生活の場にあった起立・歩行方法を用いているか，正しい使用方法で歩行補助具を使用できているかということである．

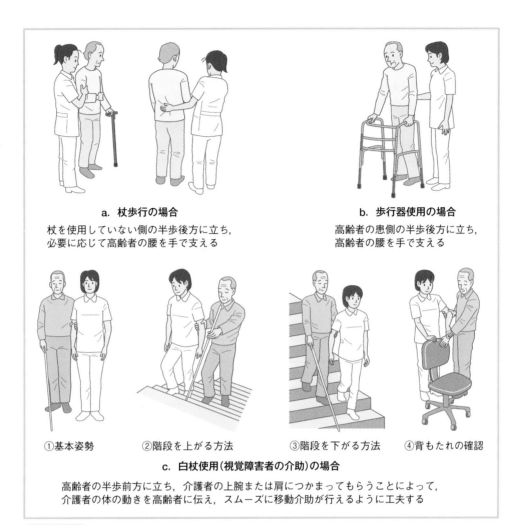

a. 杖歩行の場合
杖を使用していない側の半歩後方に立ち,
必要に応じて高齢者の腰を手で支える

b. 歩行器使用の場合
高齢者の患側の半歩後方に立ち,
高齢者の腰を手で支える

①基本姿勢　　②階段を上がる方法　　③階段を下がる方法　　④背もたれの確認

c. 白杖使用(視覚障害者の介助)の場合

高齢者の半歩前方に立ち, 介護者の上腕または肩につかまってもらうことによって,
介護者の体の動きを高齢者に伝え, スムーズに移動介助が行えるように工夫する

図Ⅳ-1-13　歩行補助具の使用と歩行の介助
［内閣府障害者施策推進本部：公共サービス窓口における配慮マニュアル―障害のある方に対する心の身だしなみ,
p.24, 2005,〔https://www8.cao.go.jp/shougai/manual/25out.pdf〕（最終確認：2023年1月26日）より引用］

C. 実践におけるクリティカル・シンキング

演習① 検査目的で2週間入院した女性

　82歳，女性．退院前に「入院してから立ち上がるのが大変になったのに加えて，足が重くて歩くのがおっくうになった．長く歩くと膝に力が入りにくくなって，ふらつくことがある．膝の痛みは入院前よりもよくなっている．退院したら，入院前のように家事をしたり買い物に出かけられるか心配．」と話した．病棟内では手すりにつかまって歩行し，検査や売店に行くときには，看護師にすすめられて車椅子を押して歩行している．入院前は，膝に軽度の痛みがあったが，杖などの歩行補助具は使用せずに歩行していた．1人暮らしで，家事全般をこなしていた．

問1 この患者の歩行に関してアセスメントせよ

問2 この患者に適した歩行補助具の使用について検討せよ

問3 退院後，安全に歩行するために必要な退院指導を検討せよ

[解答への視点 ▶ p.472]

練習問題

Q13 歩行に重要な役割を担う下肢筋群の説明のうち，正しいものを1つ選べ．

1. ハムストリングスは膝を伸ばす働きをする
2. 前脛骨筋はつま先を下げる働きをする
3. 大腿四頭筋は膝を曲げる働きをする
4. 大殿筋は脚を後ろに上げる働きをする

[解答と解説 ▶ p.478]

引用文献

1) 山本康稔，加藤宗規：腰痛を防ぐらくらく動作介助マニュアル，p.17-24，医学書店，2005
2) 大内尉義，井藤英喜，三木哲郎ほか（編）：老年症候群の診かた（大内尉義監），p.146-152，メジカルビュー社，
3) Mahlknecht P, Kiechl S, Bloem BR, et al：Prevalence and burden of gait disorders in elderly men and women aged 60?97 years：a population-based study. PLoS One **8**：e69627，2013
4) 日本医師会総合政策研究機構：介護サービスの有効性評価に関する調査研究第2報—複数保険者でのケアマネジメントの実態と効果の検証．日本医師会総合政策研究機構報告書**65**：65-130，2004
5) 榊原隆次，澤井　摂，尾形　剛：高齢者の自律神経障害と脳疾患．自律神経 **59**（3）：311-319，2022
6) 奈良　勲，高橋哲也，淺井　仁ほか（編）：移動と歩行　生命とリハビリテーションの根源となるミクロ・マクロ的視座から，p.76-85，医学書院，2020
7) 小澤利男（編）：エッセンシャル老年病学，第3版，p.304-312，医歯薬出版，1998
8) 田崎義昭，斉藤佳雄，坂井文彦：ベッドサイドの神経の診かた，第17版，p.58-65，南山堂，2010
9) 荒井秀典：サルコペニア診療ガイドライン．日本内科学会雑誌**109**：2162-2167，2020
10) 日本老年医学会（編）：老年医学系統講義テキスト，p.117-120，西村書店，2013
11) 道場信孝：臨床老年医学入門—すべてのヘルスケア・プロフェッショナルのために，第2版（日野原重明監），p.69-88，医学書院，2013
12) 介護予防の推進に向けた運動器疾患対策に関する検討会：介護予防の推進に向けた運動器疾患対策について報告書，p.2-3，2008，〔https://www.mhlw.go.jp/shingi/2008/07/dl/s0701-5a.pdf〕（最終確認：2023年1月26日）
13) 三木健寿：動脈圧の調整．やさしい生理学（彼松一之，能勢　博編），p.47，南江堂，2016
14) 日本整形外科学会：ロコモを知ろう，〔https://locomo-joa.jp/locomo/〕（最終確認：2023年1月26日）
15) 中村耕三：概念．ロコモティブシンドロームのすべて，日本医師会（編），p.30-33，診断と治療社，2015
16) Hakim AA, Petrovitch H, Burchfiel CM, et al：Effects of walking on mortality among retired men. The New England Journal of Medicine **338**（2）：94-99，1998
17) 荒井秀典，山田　実：介護予防ガイド　実践・エビデンス編，運動機能向上マニュアル（全般），p.6-19，

〔https://www.ncgg.go.jp/ri/topics/documents/cgss2.pdf〕（2023年1月26日確認）

18）厚生労働省：平成28 年版厚生労働白書，2016，p.139-141，〔https://www.mhlw.go.jp/wp/hakusyo/kousei/16/dl/all.pdf〕（最終確認：2023年1月26日）

19）小澤利男：老年医学と老年学—老・病・死を考える，p.159-165，ライフ・サイエンス，2009

20）エビデンスを踏まえた介護予防マニュアル改訂委員会：第2章 運動器の機能向上マニュアル．介護予防マニュアル，第4版，生活機能が低下した高齢者を支援するための領域別マニュアル（令和4年3月），p24-42，2022

21）西永正典，宮野伊知郎：起立時に20 mmHg以上の収縮期血圧上昇・下降する後期高齢者は生命・機能予後ともに不良．医学のあゆみ **224**（7）：564-565，2008

22）前掲17），p.221

23）Tiedemann A. Shimada H, Sherrington C. et al., The comparative ability of eight functional mobility tests for predicting falls in community-dwelling older people, Age Ageing, **37**（4），430-435, 2008

24）米本恭三，石神重信，石田　暉ほか（編）：リハビリテーションにおける評価Ver.2，p.132-141, 医歯薬出版，2000

25）前掲17），p.220

26）前掲20），第3章 栄養改善マニュアル，p.82

27）前掲20），p.31-42

2 感覚機能障害

A. 基礎知識

1 ● 定　義

　人間は，胎児期には母体の中で羊水に守られ，刺激の少ない安定した環境下で成長を遂げる．出生後は，温度・湿度，明暗，音など一挙に外界からの多くの刺激を身体全体で受容する．こうした刺激を受け止める感覚受容器としては，①視覚，聴覚，味覚，嗅覚，触覚受容器のいわゆる五感といわれる感覚や，②平衡感覚や四肢体幹感覚などの深部感覚，③空腹や便意などの内臓感覚，に区別できる．

　出生後は，看護職者あるいは母親の手で授乳や排泄の世話を受けて，1つひとつ新しい経験として脳に知覚・記憶されていく．それらのさまざまな刺激は，それぞれの感覚受容器によって受け取られ，電気的な刺激（インパルス）に変換されて，末梢神経から中枢神経へ伝達される過程をたどる．一般的に，人間の感覚機能のなかでもっとも多く情報を収集するのは，視聴覚であるとされている．

　高齢者における**感覚機能の変化**は，加齢による生理的な変化と老年期に生じやすい疾患によるものが原因として指摘され，もっとも多い障害として，視覚系では「白内障」，聴覚系では「難聴」がある．加齢に伴う視聴覚機能の低下は，情報収集の量と質の低下につながり，活動性や対人関係，認知機能，とくに情報処理能力に大きな影響をもたらす．高齢者における感覚機能の変化は，ゆっくりと進行し，気づかれないことも多く，定期的な検診が必要である．

2 ● 疫学（有病率）

(1) 視　覚

　視覚の加齢による変化は，40歳代から老眼が始まり，加齢とともに進行し，読書時の目のかすみや，読みづらさに発展する（**図Ⅳ-2-1**）．視覚機能におけるもっとも多い疾患である白内障の有病率は，人種間の差なくすべての人が加齢に伴って増加する．日本における初期の混濁も含めた水晶体混濁有所見率は50歳代で37～54％，60歳代で66～83％，70歳代で84～97％，80歳以上では100％である[1]．女性は，男性に比べ白内障の罹患率が高いことが報告されている．

(2) 聴　覚

　聴覚の加齢による変化としては難聴がある．40歳を過ぎると聴力低下が高音域から徐々に始まり，50歳代では3,000 Hz以上の周波数に著明な低下が現れる．さらに年齢が上がると，高音域での聴力低下が著明になるとともに，低音域での聴力低下も進行する．老人性難聴の原因は蝸牛の働きの衰えが多いとされている．国立長寿医療研究センターが実施

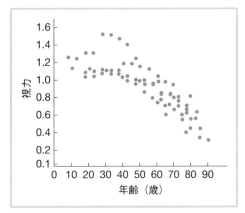

図Ⅳ-2-1　加齢による視力変化

[Pitts DG：The effects of aging on selected visual functions：dark adaptation, visual acuity, stereopsis, and brightness contrast. Aging and Human Visual Function (Sekuler R, Kline D, Dismukes K eds), Alan R. Liss Inc., p.131-159, 1982より引用]

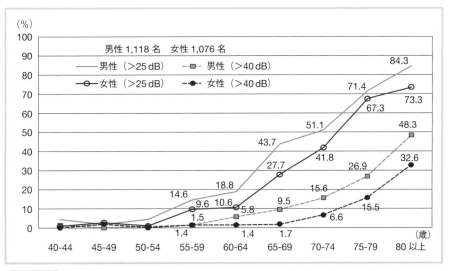

図Ⅳ-2-2　難聴有病率

※：NILS-LSA第6次調査(2008-2010)参加者における難聴有病率を示している.
70歳代男性で5人に1人，女性で10人に1人が日常生活で支障のある難聴者と推測される.
[国立長寿医療研究センター老化疫学部：知的な能力と難聴の関係，[https://www.ncgg.go.jp/ri/lab/cgss/department/ep/topics/33.html]（最終確認：2023年1月26日）より許諾を得て転載]

している「老化に関する長期縦断疫学研究（NILS-LSA）」データ[2]によると，日本における高齢難聴者の推計では，男性の65〜69歳，70〜74歳，75〜79歳，80歳以上の年齢群順に43.7％，51.1％，71.4％，84.3％で，女性では27.7％，41.8％，67.3％，73.3％といずれも高い有病率を示した（**図Ⅳ-2-2**）.また，聴力に有害な作用をもたらす耳疾患と騒音職場就労を除外した推計では，同様の年齢群順に男性で37.9％，51.4％，64.3％，86.8％であり，女性では26.5％，35.6％，61.4％，72.6％であった.

認知症施策推進総合戦略（新オレンジプラン，2015年）では，認知症の危険因子とし

て高血圧，糖尿病，喫煙と共に「難聴」を挙げている．また，英国「ランセット認知症予防，介入，ケアに関する国際委員会」（Lancet International Dementia Prevention, Intervention and Care，2017 年）は，認知症発症の 9 つの危険因子の 1 つに「難聴」があることを報告している．

（3）味覚・嗅覚

味覚・嗅覚は，加齢による影響に関しては個人差が大きいとされている．

3 ● 病態と生理学的特徴

a. 発生機序

情報伝達と処理に必要な感覚器の加齢による変化としては，ほとんどの感覚器官に神経細胞の生理的現象を背景とした機能低下が現れる．

（1）視　覚

視覚機能については，加齢に伴って 40 歳代から眼の調節をしている水晶体の弾力性が低下し，屈折力の低下が原因で調節力の低下（**老眼**）が生じる．さらに，角膜変化（角膜の肥厚）は光を散乱させ，見えづらくさせる．また，瞳孔サイズの縮小や瞳孔反応の低下は，光に対する明暗順応の低下につながり，視野の低下が生じる．**白内障**は，水晶体の混濁が原因であり，加齢による影響がもっとも大きいが，糖尿病や外傷，薬剤によっても影響を受ける．水晶体の混濁は，その場所により皮質白内障，核白内障，後嚢下白内障などに分類され，瞳孔領に混濁がかかると，視力低下や霧視（霧のような見え方），羞明（まぶしさ）などの症状が現れる．

（2）聴　覚

聴覚機能については，60 歳前後から鼓膜や耳小骨，内耳，聴覚神経細胞に，加齢による変化が生じ，徐々に聴力が低下してくる．難聴には大きく 2 種類あり，1 つは**伝音性難聴**で，外耳道，鼓膜，耳小骨連鎖のどこかに障害があり難聴をきたす．もう 1 つは**感音性難聴**で，中耳，内耳，聴覚中枢路のいずれかに障害があり難聴をきたす．両者が混在した混合性難聴もみられる．高齢者の伝音性難聴としては，外耳道の耳垢や耳漏が原因となっている場合もある．また，老化に伴う耳管の狭窄や閉塞のため，中耳炎に罹患・再燃しやすくなり，難聴をきたす場合もある．感音性難聴の代表として，いわゆる老人性難聴がある．**老人性難聴**は，感覚細胞の変性，内耳血管の動脈硬化，蝸牛内の有毛細胞の数の減少，聴毛が抜け落ちるなどの加齢による変化が原因とされている．言葉の識別力の低下，高音域の聴取能力の低下が生じ，小さい音声，摩擦音などが聞きとりにくくなる．その他，回転性のめまい，耳鳴，悪心・嘔吐が伴うメニエール（Ménière）病も高齢者には少なくない．

（3）味覚・嗅覚

味覚機能については，加齢による味らい（味覚の受容体）の減少に加え，唾液分泌の低下や咀嚼機能の低下，義歯の装着が食物の分解を妨げ，味覚の感受性低下をまねく．高齢者の味覚障害は，全身状態や栄養状態，薬剤などによって影響を受ける．

嗅覚機能については，加齢による嗅神経などの萎縮がみられ，鼻粘膜の感覚細胞の脱落に加え，鼻粘膜の粘液分泌の低下によりにおいのもととなる物質の感知が妨げられ，嗅覚

の感受性を低下させる.

b. 発生要因

(1) 視　覚

白内障の発生要因としては，研究による若干の違いはあるものの，喫煙や野菜などのビタミン類の摂取不足，糖尿病の罹患者，BMI の増加などと有意な関連がみられている.

(2) 聴　覚

難聴の発生要因としては，騒音の長期間の曝露や心理的なストレスが関連するとされている.

4 ● 主な症状と生活への影響

感覚機能の低下は，外から察知しにくい障害であるだけに，理由がよくわからないまま，仕事の継続，外出に支障が生じ，また人との付き合い方が難しくなり，やがて閉じこもりや活動性の低下，ひいてはその人の自尊心が低下してしまう状況にもつながりうる.

(1) 視　覚

老眼により，本や新聞が読みづらい，商品のラベルの字が読めない，人の顔がよくわからない，手先を使用する縫い物ができない（針に糸が通せない）など日常生活に不便を感じる状況となり，あるいは対人関係にも支障が生じることもある. また，車の運転時に視界が狭まり，標識が見えにくく，夜間の運転が困難になるといった支障も生じる. また，白内障などの疾患が進行してくると，明暗の区別がつきにくく，色の識別力が低下する. その結果，段差に気がつかず転倒する状況も生じ，危険回避の能力も低下することになる. さらに視力の低下は，疲労や集中力の低下にもつながる.

(2) 聴　覚

聴覚機能の低下による主な症状として，難聴が進行すると，会話が聞きとれず，コミュニケーションは消極的となる. さらに，大声で話したり，何度も繰り返して聞き返したり，情報を誤って聞いたりしてしまうことで，人間関係を損なう場合もある. また，車のクラクションが聞こえないなど，交通事故の要因ともなる.

高齢者の難聴は，高音域の障害，語音聴力（音は聞こえても言葉がわからない）の低下が特徴であり，本人は自覚しにくいため受診行動も遅れがちとなる.

(3) 味覚・嗅覚

味覚や嗅覚の低下は個人差も大きく，外からはなかなか理解しにくいものである. しかし味覚の低下によって，食事の味つけが変化してしまい，腐敗に気づかずそのまま食してしまう可能性もある. また，嗅覚の低下についても，香りを楽しめないことはもちろんのこと，ガスもれや火災の臭いを察知できずに災難から逃げ遅れるなど生命にかかわる状況も考えられる. つまり，味覚や嗅覚などの感覚機能の低下は，飲食の楽しみを奪うと同時に，身のまわりの危険回避能力を妨げる特徴があり，その弊害は比較的重大といえる.

5 ● 対処の方法（セルフケアの視点から）

まずは高齢者自身が感覚機能の低下を自覚することが重要である. その自覚があって，はじめて自ら日常生活に生じる支障を回避する手段を考えることができるようになる.

　感覚機能の低下の有無・程度について，定期的に検診を受け，その早期発見に努める必要がある．また，機能低下要因と考えられる喫煙や食の偏りを最小限にとどめ，持病を悪化させないようにコントロールすることができれば生活を継続できる．

　環境面では，電球をワット数の高いものに取り替えたり，インターホンや電話の音量を変えたり，日常生活への支障を少なくすることは可能である．

　視力の低下に対しては適切に調節された老眼鏡や拡大鏡を使用し，難聴に対しては補聴器や対話支援システム[3]（**コラム**参照）などの補助機器をタイミングよく導入することで，日常生活における支障を最小限にすることが可能である．白内障に関しては，医師の診察のうえ，手術，眼内レンズを使用することで，良好な視力を取り戻すことも可能である．

コラム

大きい声だから聴こえやすいわけではない：対話支援機器の活用のススメ

　加齢による難聴がある方であっても比較的周波数の低い「あ，い，う，え，お」といった母音については，聴き取る力はあまり低下しない．しかし，周波数の高い子音「か，さ，た，は」行などの音声情報は，全体にくぐもったような，はっきりしない音声のように感じ，会話内容が理解できない（弁別できない）とされている．そのため，高齢者は小さな音も聴こえにくいが，大きな音はかえってうるさく感じる（リクルートメント現象）とされている．呼び掛けても応答されないので耳元で大きな声で呼んだら，「そんな大声を出さなくても聞こえる！」と怒られてしまうことになる．そこで，難聴のある高齢者に対して，話す側に対話支援機器の活用をすすめることも考慮したいところだ．難聴（聴力障害）のある人の聴覚機能を補い，対話を支援するための機器として，下図のような対話支援機器comuoon（コミューン）がある．comuoonは音の周波数や歪みを調整し明瞭度を高めてくれる機器である．本人ばかりではなく，周囲の者が対話支援機器を活用することで意思疎通が円滑になり安心して対話できる環境づくりも超高齢社会では大切になってくるのではないだろうか．

独自のメガホン構造により強指向性を実現

室内での壁面反射を抑制し，利用者の最適な聴こえやすさを向上させる卵形状

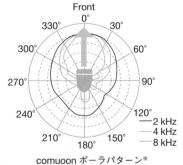

comuoon ポーラパターン※

※円形グラフで指向性を360度にわたって示した図

独自の卵形メガホン形状デザインと，スピーカーの最適配置により，2kHz以上の帯域の周波数をスピーカーの前方に強く指向させます．
このメガホン構造により指向性を向上させ，室内における壁面での音の反射を抑制することで音声の聴き取りやすさを向上させています．

B. 看護実践の展開―予防と治療

　これらの感覚機能障害を予防し，また治療するためには，ウェルネスの視点からまず障害をどのように補い，どのような代償手段を用いて日常生活を送っているかを観察することが重要となる．感覚機能の低下があると，情報が十分入らず，刺激の絶対量が減少し，日々の生活が単調となり，認知機能への影響も出やすいこと，それをどのような方法で補っているかを理解しておくことが大切である．感覚機能の低下を十分理解していないと，認知機能が低下していると受け止められる可能性がある．

　感覚機能の障害は外部からは見ることができないため，高齢者が周囲から理解が得られないと感じることや，今まで支障なくできたことが制約される体験は，大きな喪失感，不自由感を生む．また感覚機能は，自己概念を確立するうえで大きな役割を果たしているが，加齢や障害による感覚機能の低下は，自己概念を揺るがし，自信や自尊心を低下させる原因ともなる．まずは，そのような高齢者の感覚機能の低下を正確にアセスメントし，心理面や生活への影響を理解することが重要となる．

　感覚機能障害が出現すると住み慣れた地域や自宅での役割遂行にも影響が出て，自分が思い描いていた老後の生活が困難となる可能性もある．このような高齢者の日常生活や心理社会的な面を考慮して，感覚機能の代償手段や有効な社会資源や補助機器の活用ができるように支援することが必要である．

　以下，高齢者の感覚機能障害の予防と治療について，白内障と老人性難聴に焦点を当てて考えていく．

1 ● 白内障を予防する

a. アセスメント

①視力の低下や眼鏡の度が合わないなどの自覚症状の変化を訴えた場合には，眼球の外観や視力や視野の状態についてフィジカルアセスメントを行い，専門医への受診を促し，視力低下や水晶体混濁などの有無・状態の検査を受けるようすすめる．

さらに，基礎疾患のコントロール状態や合併症の有無も観察し，医師の専門的な判断を受ける．視力の低下は自覚されることが多いので，早期に検査を受けることで進行を遅くすることは可能である．

②視力低下の訴えがない場合でも，日常生活状況を本人や家族に確認し，生活上の不自由の有無を聞くことで視力低下の可能性を探る．新聞や本が読みにくい，細かい手先の仕事がしづらい，昼間でも薄暗く感じる，光がまぶしい，夜の車の運転ができない，などの訴えがないか確認する．

白内障を判断するためのフィジカルアセスメント

• **眼球の視診**：対象者の眼球の外観を左右均等に観察する．軽度の白内障は判断が難しいが，瞳孔内を見て混濁など変化がないか，異常にまぶしいと感じていないか，によって判断することができる

- **視力のスクリーニング**：看護者の名札や新聞や雑誌を声に出して読んでもらうことで判断する．水晶体の混濁により水晶体自身の屈折力が変わり，遠視に傾くこともある．また，屈折力が強くなり，近視に傾き，老眼症状がなくなることもある．いずれにしても，徐々に物がはっきり見えなくなる
- **視野のスクリーニング**：対象者の前に立ち，相手と視線を合わせ，看護者の眼から視線を動かさないよう伝え，指と指をすり合わせながら，対象の背面から頭頂，両側面の方向に順次，前方へ動かし，看護者の指が見えたところで「見えた」と指し示してもらう．白内障が進むと物が見えにくくなり，視野の狭窄が生じる

b. 介　入

　白内障は，高齢になるほどその発症の割合が増加するとされており，完全な予防は難しい．しかし，喫煙習慣や食生活の偏り，とくに野菜や果物などのビタミン類の摂取不足，体重増加が発症の危険因子ともされているため，これらの生活習慣を改善することで進行を遅らせることは可能である．1人暮らしや高齢者のみ世帯では，買い物や調理ができない場合もあり，食習慣の偏りも生じることが考えられるため，地域にある宅配や食事サービスなども活用できるよう支援する．

　白内障の進行にしたがって，運転が危険，段差が見えにくいなど社会生活を営むうえで事故につながる可能性もあるため，日常生活上の留意点について具体的に説明する．

c. 評価の視点

　評価の視点は，①視力障害がみられず日常生活を事故などの支障がなく過ごせているかどうか，②生活習慣の改善に努め，定期的な検診を受ける意思をもち，また現に受診行動につながっているかどうか，などである．

2 ● 白内障を治す

　平成29年患者調査（傷病分類編）によると，白内障の総患者数は，2005年（平成17年）には約10万9,600人だったのが，2014年（平成26年）には8万5,100人と減少傾向にあったが，2017年（平成29年）には約9万800人と上昇に転じている．白内障治療における入院患者は65歳以上の高齢者が圧倒的多数を占め，加齢とともに増加している[4]．

a. アセスメント

　白内障の治療が決定した場合には，対象の年齢や性別，体格，基礎疾患や手術経験，手術する眼（片眼だけか，両眼か），いままでの生活習慣や家族構成，認知機能などの情報

を収集して手術前・中・後に生ずる問題をウェルネスの視点からアセスメントする．高齢者が入院し，新たな環境下で治療を受けるときに，新たな体験にとまどい，うまく適応できず，混乱することも予測される．術後の規制を守ることができないことも，十分予測しておくことが必要である．そのためには，いままでの生活内容や家族はじめ周囲の人の支援が得られるか確認しておくことが重要となる．また，手術に対する本人の認識についても確認しておく．積極的に手術を受けようと思う高齢者は，術前の説明や術後の安静も比較的受け入れやすいが，受動的である場合には，苦痛や不安が増大し，せん妄につながることも考えられる．視力の回復に向けて前向きな気持ちで過ごせるよう説明を尽くす．

b. 介入（白内障手術を受ける高齢者の看護）

　現在では，多数の高齢者が白内障の手術を受け，視力を取り戻すことができるようになってきている．ウェルネスの視点から白内障手術を受ける高齢者への看護について述べる．なお，多くの医療機関では白内障クリニカルパスも整っており，事前にイメージができる支援が大切となる．

(1) 術前の看護

　手術が決まってから入院までに，術前の検査が円滑に受けられるよう十分な説明を行う．また，手術時の経過についても，高齢者にもわかりやすい図やモデルを用いてイメージできるようにするなど，工夫した術前オリエンテーションを行うとよい．手術後の視力の回復過程についても説明を行い，日常生活上の注意事項を説明する．具体的には，①目をこすらない，②手洗いを頻繁に行う，③読書やテレビなどの視聴は避け，目を疲労させないようにする，④遠近感が低下するため，ベッドからの昇降や段差のある場所での移動は慎重に行動する，⑤転倒して顔や目を打撲しないようにする，⑥栄養バランスのとれた食事を摂取する，⑦点眼の練習を行うなど，高齢者の反応を確認しながらゆっくりとしたペースでオリエンテーションを行うことが重要である．不安なことや尋ねたいことがないかも随時確認する．

(2) 術中の看護

　体調の安定を確認しながら，手術直前は安静に過ごす．食事は手術時間によって絶食ないし軽い食事を摂ることが可能である．ただし医師の指示を確認する必要がある．手術は局所麻酔にて行い，開眼状態が保持されるため，手術の器械が目に入り，緊張感はいやがおうにも高まる．リラックスして手術を受けられるように緊張をほぐす必要がある．手術中は，手術室の看護師とも連携し，不安や痛みなどがあれば，患者がそれを表現できるよう手助けする．また，手術後は車椅子などで移動を手助けする．

(3) 術後の看護

　手術後の観察のポイントは，一般状態の観察に加え，術後の眼の出血や疼痛などの異常の早期発見，感染徴候の観察である．また患者には，視力がゆっくりと回復してくることを伝え，不安を軽減できるように，その都度不明点がないか尋ね，質問があればわかりやすい説明を行う．術後の眼球保護を目的に眼帯（アイカバー），保護メガネを使用する場合は，絆創膏などによる皮膚のかぶれがないかメガネが合っているかなどを観察する．また，転倒などの事故がないよう生活環境を整理整頓し，たとえば床が水で濡れた状態とならないように注意を払う．さらに，点眼方法が練習どおりに，正確に実施できているかを

確認する．点眼の方法は，退院後も継続して行わなければならない方法なので確実に習得してもらう．手先の振戦や麻痺がある高齢者，また，認知症がある高齢者には，介助が受けられるように家族はじめ周囲の人にも説明を行い，習得してもらう．具体的な点眼の方法は以下のとおりである．

点眼の方法
①点眼前には薬用石けんにて手洗いを行う
②清潔な拭き綿で内眼角から外眼角に向けて眼脂などを静かに拭き取る
③点眼びんの縁が目に触れないよう，上方を見るようにして下眼瞼を下げて点眼を行う
④あふれた薬液は静かに清潔な拭き綿に吸わせる
⑤複数の薬剤の点眼を行う場合には，時間を5分以上おいて実施する

近年は手術療法の進歩で，外来で白内障手術を受ける高齢者も増加してきている．短時間のかかわりで理解を得られるよう本人・家族へ治療内容がイメージできる説明が重要である．

c. 評価の視点

評価の視点としては，①白内障の手術を安全に受けられ，術後の合併症もなく，順調に視力の回復過程をたどることができているかどうか，②入院中，環境に適応でき，事故なく過ごすことができているかどうか，③自宅退院後，術後の眼の保護，感染防止，点眼の実施について知識をもち，確実に行動できているかどうか，④家族が，高齢者の回復過程をともに喜び支えることができているかどうか，などが挙げられる．

3● 老人性難聴を予防する

a. アセスメント

①聴力の低下を訴えた場合には，耳介や外耳道の視診，聴力のフィジカルアセスメントを行い，また専門医への受診を促し，定期的に難聴の検査を受けるようすすめる．

老人性難聴を判断するためのフィジカルアセスメント
- **耳介や外耳道の視診**：耳垢の蓄積や耳漏がみられないか観察する
- **聴力のスクリーニング**：対象から30cmほどの距離から言葉をささやき，同じ言葉を繰り返してもらう．同様の要領で指をこすり，その音が聞こえるか確認する

②聴覚機能の低下は，視覚に比べると，自覚されにくいため，ウェルネスの視点から相手の自尊心を低下させないように，予防の必要性を伝えて受診行動につなげることが重要となる．難聴による変化は，同居している家族のほうが気づくことが多いので，テレビの音量や会話時の声の大きさ，何度も繰り返し聞き直すような行動がないか確認する．

b. 介 入

老人性難聴も，高齢となるほど発症する割合は増加するため，完全に予防することは難しい．しかし，騒音の長時間の曝露や心理的ストレスの増大が危険因子とされ，また，動脈硬化の進行も聴力低下の要因となるため，騒音環境の改善やバランスのよい食生活を心

がけることで症状の進行を遅らせることが可能である．まずは環境・習慣改善の必要性について，高齢者に理解できるように説明することが重要である．高血圧，脂質異常症，糖尿病などの基礎疾患がコントロールできるよう観察を継続する．1人暮らしや高齢者のみ世帯などで買い物や調理ができない場合には，地域にあるサービスを活用できるよう支援する．

　また，耳垢や耳漏が貯留している場合は，専門医に受診して除去するようすすめる．耳介や外耳道，鼓膜に炎症などがなく，耳垢だけであれば，オリーブ油を垂らしてしばらく綿球をする．耳垢が軟らかくなったところで耳用鑷子や綿棒で除去する．

c. 評価の視点

　評価の視点は，①聴力低下の進行がみられず，日常生活が支障なく過ごせているか，②環境が改善しているか，③生活習慣の改善に取り組むことができているか，④定期的な検診を受ける意思をもち，また受診行動につながっているか，である．

4 ● 老人性難聴を治す

　高齢者の難聴は，根本的な治療法はないとされているが，聴力低下を補う方法として補聴器の導入・使用への援助，対話支援システムの活用等が重要となる．補聴器には多くの種類があり，その人に合わせた機種の選択，使用方法の習得に根気よくかかわることが求められる．その補聴器が高齢者の聴覚の低下を十分補っているものか，また十分なトレーニングを受けて使用しているかを確認し，機器に不具合があるときはどこで調整を受けることが可能かの情報も伝えておく．

a. アセスメント

　老人性難聴の高齢者に補聴器の導入を検討する場合には，対象の年齢や性別，体格，基礎疾患やその他の機器の使用経験，聴力低下の程度，意思の疎通性，いままでの生活習慣や家族構成，認知機能などの情報を収集して，補聴器等の導入に関する有用性と課題をアセスメントする．高齢者が新たな機器を使用するにあたっては，障害を自覚させられることにより，自尊心が低下し，機器に慣れるまでのトレーニングを前向きに取り組めず，使用をあきらめる人も少なくない．いままでの生活上の信念を保つことができるか，家族はじめ周囲の人の支援が得られるかを確認しておくことが重要となる．

　また，補聴器に対する本人の認識についても確認しておく必要がある．積極的に使用を考えている高齢者は，新たな取り組みにも前向きになれるが，外観を気にし，高齢の自覚から意気消沈しているような場合には，補聴器の導入にも困難が伴いやすいことを予測しておくことが必要である．また，認知機能の低下があると，補聴器の管理ができない場合も予測され，家族はじめ周囲の人の支援が必要となる．

b. 介　入

(1) 補聴器を導入する

　老人性難聴のある高齢者に**補聴器**を導入するには，聴力レベルを正確に把握したうえで，専門医の処方が必要となる．難聴の分類と会話理解の程度を**表Ⅳ-2-1**に示す．

　補聴器の導入は，40 dB以上の難聴であると効果的であるとされているが，90 dB以上であると補聴器活用の効果が少ない．しかし，会話の強弱や抑揚，周囲の雰囲気や物音の存在など社会音を聞きとるには有用とされている．また，感音性難聴の場合は，補聴器を

表Ⅳ-2-1　難聴の程度分類

音の大小（dB）	人の声の例	程度分類（聴力レベル）	聞こえ方
0		正常 （25 dB未満）	聞き取りにくさは感じない
10			
20 木々のそよぎ音	小さな寝息	軽度難聴 （25〜39 dB）	小さな声やにぎやかな場所での会話が聞き取りにくい
30	小さなささやき声		
40 小雨の音	ささやき声	中等度難聴 （40〜69 dB）	普通の大きさの会話で聞き取りにくさや聞き間違いがある
50	やや小さな声		
60 日常会話	普通の声		
70	大きな声	高度難聴 （70〜89 dB）	非常に大きな声でないと聞き取れない 補聴器を装用しないと会話が聞こえない
80 ピアノの音	かなり大きな声		
90	怒鳴り声	重度難聴 （90 dB以上）	耳元で話されても聞こえない 補聴器を装用しても聞き取れないことが多い
100	声楽のプロが歌う声		
110 車のクラクション			
120 ジェット機の通過音			

［日本聴覚医学会：難聴対策委員会報告：難聴（聴覚障害）の程度分類について，2014／シニアのあんしん相談室，〔https://hochouki.soudan-anshin.com/cont/hearing-level/〕（最終確認：2023年1月26日）を参考に作成］

使用しても音の明瞭度がわるく，雑音ばかりが耳に入る現象もみられ，使用に消極的な高齢者も少なくない．補聴器の使用に拒否感をもつ高齢者には，実際に手に取ってみたり，体験使用したりして有用性を実感できるような支援が重要である．補聴器の利点と欠点について患者が納得したうえで，選択することが大切となる．

(2) 補聴器の選択を援助する（図Ⅳ-2-3）

①箱形補聴器

サイズが大きいので性能のよい補聴器が製作しやすい．操作部分が見やすいので，高齢者には使用しやすい．100 dB以上の重度難聴者に使用できる．しかし，外観を気にする人には使用を拒まれる傾向にある．

②耳かけ型補聴器

耳にかけて使用するので箱形に比較すると目立たない．自然音に近い音が聴取でき，衣服などの摩擦音が入りにくく，軽度難聴者から80 dBの高度難聴者まで幅広く使用できる．

③挿耳型補聴器

超小型で耳かけ型より高音域の増幅が可能である．耳介の集音効果により前方からの音がよくマイクロホンに入る．ハウリング*が起こりやすい．55 dB程度の中等度の難聴者に適している．電池のサイズが小さく指先の機能が衰えた高齢者には操作が難しい．箱型や耳かけ式より値段が高価である．

---

* ハウリング：補聴器を装用しているときに，補聴器から「ピーピー」と音が鳴る現象．補聴器は，補聴器のマイクに入ってきた音を増幅器で大きくし，イヤホンから出すという仕組みになっている．補聴器が耳の穴にピッタリと合っていれば問題はないが，少しでもすき間があると，イヤホンから出た音が補聴器と耳穴の間のすき間を通って再度マイクに入ってしまう．この場合，増幅器が一度大きくした音がマイクに入ることになり，イヤホンから出る音はさらに大きくなる．その音が再々度，すき間を通ってマイクにと繰り返され，音がますます大きくなっていく．

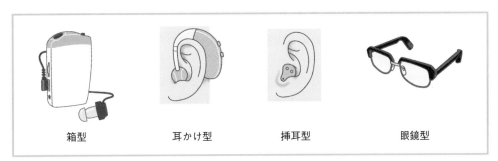

| 箱型 | 耳かけ型 | 挿耳型 | 眼鏡型 |

図Ⅳ-2-3　補聴器の種類

④眼鏡型補聴器

眼鏡の耳かけ部に補聴器の本体を入れて見えにくくしてあるため，外観がよい．操作しやすく耳の圧迫感がない．眼鏡型には気導補聴器と骨導補聴器があり，後者は柄の部分に振動端子が付いていて，骨伝導で直接聴覚神経に伝える（**図Ⅳ-2-3**）．

(3) 高齢者の補聴器に対する否定的な思いを理解し援助する

高齢者が補聴器を使用するうえで抱く思いは，「もう年だからしかたがない」「じゃまくさい」「小さすぎて自分には使いこなせそうにもない」と新しい機器を使用することへの抵抗感とあきらめが入り混じった感情である．難聴により外界からの刺激が少なくなると，情報量は減り，単調な生活につながりやすい．積極的に外界から情報を取り入れる方法の1つとして，補聴器の使用を前向きに考えられるような支援が必要である．具体的には，補聴器の種類の特徴や使い方を説明し，ともに練習の機会を設け，受け入れを促す．

(4) 補聴器使用のためのリハビリテーションを行う

①補聴器の調整

補聴器の使用にあたっては，使用する環境に合わせて音質と音量の調整をはかる．少しずつ調整することが重要である．

②補聴器の装用訓練

補聴器の機械的な音と除去できない雑音に慣れ，補聴器の調整を習得するために会話音の聞きとりやすい静かな場所での使用から段階的に訓練をすすめる．

③補聴器装用中の自己管理

補聴器から大きな音が継続して入ってくることで聴覚障害が進行するおそれがある．また，疲労感や頭痛が回復しないこともある．聴力の定期的検査を受け，必要以上に大きな音量で用いないようにし，また後頭部や首のマッサージを行い，機器のメンテナンスを行うなど自己管理できるよう援助する．

c. 評価の視点

高齢者が感覚機能に低下をきたすと，刺激が減少し，生活そのものが単調とならざるをえない．聴覚障害を補う補聴器の使用で生活が活性化し，人との交流関係が保持され，できるだけ自立した生活を営めているか確認する．また，自分で補聴器の調整や管理ができ，不都合なところがあれば，自ら相談することができるかどうかも確認する．

5 ● 感覚機能障害のある高齢者の安全に配慮した環境への支援

感覚機能障害のある高齢者の安全を確保するために，周囲の環境整備が大切となる．

(1) 視　覚

視覚機能の低下に対して，周囲の物が識別しやすい照度を確保し，危険箇所には色による識別を施し，表示の字の大きさなどにも工夫が必要となる．書類などが読みやすいように，老眼鏡やルーペの準備などもあることが望ましい．視覚障害者には，盲人用のカセットレコーダー，音声時計，電磁調理器の導入を考える．

(2) 聴　覚

聴覚機能の低下には，音量を変えることのできるナースコールや電話などを準備することが望ましい．ファックスや来客を知らせるインターホンを，音ではなく，光の点滅で表現するなど，高齢者に使いやすい補助機器の導入を考える．

さらに，感覚機能障害をもつ高齢者は，とくに転倒転落事故の危険が大きいため，生活の場面では，次のような箇所の安全確保に努める必要がある．

①浴室やトイレの床が濡れて滑らないか確認する
②浴槽の温度を確認してから入る
③ドアは完全に閉めたままか，開放したままとする
④段差や手すりの位置を説明する
⑤通路の角や病室には蛍光テープを貼る
⑥ベッド柵を固定する
⑦ベッドのストッパーをかけ，内側に向けておく
⑧ベッドのハンドルは常に収納しておく
⑨熱湯入りのポットの使用は，患者と相談し，給湯設備使用時は介助する
⑩シーツや毛布は滑り落ちない工夫をする，など

自宅での生活においても，同様の危険性が考えられる．本人や家族に自宅の家屋の構造を聞いて，早めに住宅改修などに取り組めるよう社会資源の紹介を考える．受診や買い物などの外出時には，ガイドヘルパーの確保などさまざまなサポートが得られることも伝える．

6 ● 感覚機能障害を代償する日常生活の自立に向けた支援

(1) 視　覚

視覚の中途障害者（人生の途上で疾患や事故により障害をもつにいたった人）の場合は，いままでの通常の生活体験に基づく生活のイメージ像をすでにもっているため，そのイメージ像を基準に新たな生活に適応できるよう働きかけることが重要となる．具体的な援助方法は，①食事をクロックポジション*で配置し，食事内容の説明を行う，②トイレや洗面所，浴室，食堂などは自室からの距離を歩数で覚える．③トイレや浴室には手すりを設け，安全を確保する，④シャンプーやリンスなどは，容器の凹凸の有無で識別する，⑤

---

* クロックポジション：食器の配置を時計の文字盤にたとえて説明すること．「ご飯は8時，味噌汁は4時，主菜は10時の方向」などと伝えると，中途障害の高齢者もおよその食器の配置がイメージでき，それに沿って摂取できる．

視覚機能以外の感覚機能を用いて周囲の物の配置を決める，などである．

(2) 聴　覚

　聴覚の中途障害者に対する具体的な援助方法は，①生活に必要な場所の表示をわかりやすくする，②重要なことや高齢者が伝えたい内容については筆談で意思を伝え合う，③身体に触れるなど合図やサインを決めてコミュニケーションの手がかりとする，などである．

C.　実践におけるクリティカル・シンキング

演習② 老人性難聴のため社会生活に支障が生じた男性

　87歳，男性．妻との2人暮らし．糖尿病患者で，老人性難聴がある．定年まで繊維会社現場責任者として勤務．その後，趣味を楽しみ，町内の世話役などをしていた．数年前より会話が聞きとりにくくなり，電話の応対が難しくなってきた．また，妻からはテレビのボリュームが大きいと指摘され，医療機関に受診するようすすめられるが，受け流していた．先日，町内の高齢者サロンで次の企画について話し合っていたが，会話が聞きとれず内容を誤解し，サロンの中で言い争いに発展した．

問1 ▶ 難聴が患者の生活に及ぼす影響として，どのようなことが考えられるか
問2 ▶ Q1で挙げた影響に対して，どのようなケア方法が考えられるか

［解答への視点 ▶ p.472］

練習問題

Q14 ▶ 高齢者の聴力低下・難聴について正しいものはどれか．2つ選べ．
1. 騒音の長時間の曝露を避ければ，予防が可能である
2. 他者との交流・コミュニケーションの減少につながる
3. 高齢者の難聴は，感音性難聴である
4. 治療は手術療法が第一選択である
5. 補聴器の使用は，高齢者に受け入れられやすい

［解答と解説 ▶ p.478］

▮ 引用文献 ▮

1) 厚生科学研究補助金21世紀型医療開拓推進研究事業「科学的根拠（evidence）に基づく白内障診療ガイドラインの策定に関する研究」班：科学的根拠（evidence）に基づく白内障診療ガイドラインの策定に関する研究，2002年3月，〔https://minds.jcqhc.or.jp/n/med/4/med0012/G0000028/0021〕（最終確認：2023年1月26日）
2) 内田育恵，杉浦彩子，中島務ほか：全国高齢難聴者数推計と10年後の年齢別難聴発症率；老化に関する長期縦断疫学研究（NILS-LSA）より．日本老年医学会誌49（2）：222-227，2012
3) ユニバーサル・サラウンドデザイン：コミューン公式サイト，comuoonとは，〔https://www.comuoon.jp/about/#technology〕（最終確認：2023年1月26日）
4) 厚生労働省大臣官房統計情報部：平成29年（2017）患者調査の概況，〔http://www.mhlw.go.jp/toukei/saikin/hw/kanja/17/dl/toukei.pdf〕（最終確認：2023年1月26日）

3 摂食・嚥下障害

A. 基礎知識

1●定　義

　　摂食・嚥下障害とは，食物を口から取り込み胃まで送りこむことが困難，または不可能な状態になることである．摂食・嚥下のメカニズムは，通常，①先行期，②準備期，③口腔期，④咽頭期，⑤食道期の5期モデルに分けられる（**表Ⅳ-3-1**）．

　　①先行期は，食物を認知して食べる構えをつくり，②準備期は，食物を口唇でとらえ咀嚼運動によって食塊を形成する．また，③口腔期は，食塊を咽頭へ移送し，④咽頭期は，嚥下反射によって食塊を食道へ送り込み，⑤食道期は，蠕動運動によって胃へ送り込む

表Ⅳ-3-1　摂食・嚥下の過程とメカニズム

段　階		摂食・嚥下運動の内容	
認　知	先行期	これから食べる食物を認知・予測し，何をどれだけどのように食べるかを決定する	
咀　嚼	準備期	食べ物を口に取り込み，随意的に嚙みくだき，唾液と混ぜて食塊を形成する	
嚥　下	口腔期 （嚥下 第1期）	食塊を口腔から咽頭へ移送する段階で，①舌が押し上げられ，②軟口蓋と③咽頭筋後壁が接近して鼻腔への通路をふさぐ	
	咽頭期 （嚥下 第2期）	嚥下反射によって食塊を咽頭から食道へ移送する段階で，①舌と②軟口蓋と③咽頭筋後壁が口腔への通路をふさぐ．さらに④喉頭蓋が気道を閉じ通路をふさぐ	
	食道期 （嚥下 第3期）	蠕動運動によって食塊を食道から胃へ移送する段階で，食塊が食道に送り込まれると⑤上食道括約筋が収縮し，逆流しないよう閉鎖する．そして，蠕動の波が食道へ移動すると，役目を終えた他の部分（①～④）が元に戻る	

（詳細は p.182 参照）．これらのどの過程がうまくいかなくても摂食・嚥下障害が起こる．

2 ● 疫学（有病率）

　日本人の死因の順位（2021 年）は，第 1 〜 4 位の悪性新生物，心疾患，老衰，脳血管疾患に続いて，第 5 位が肺炎（73,194 人），第 6 位が誤嚥性肺炎（49,488 人）であった[1]．また，75 歳以上の肺炎患者の約 7 割が誤嚥性肺炎であり，しかも，死亡者の中心が 85 歳以上の男性と 90 歳以上の女性であった．

　このように高齢者に多い誤嚥性肺炎を引き起こす嚥下障害の原因疾患は，脳卒中が約 6 割を占めており，脳卒中の後遺症が誤嚥性肺炎の発生に大きく関係していることが示唆される．したがって，嚥下障害を改善し，誤嚥性肺炎の発症リスクを抑えることを目指して，日常的にも口腔ケアや嚥下体操などを行うとともに，臥床時の体位や食事の形態や介助の方法などを工夫することが，肺炎を予防するうえで意義がある．

3 ● 病態と生理学的特徴

a. 発生機序・発生要因

　摂食・嚥下障害は，延髄の出血や血栓，腫瘍，外傷，進行性球麻痺，仮性球麻痺，筋萎縮性側索硬化症など，嚥下中枢への侵襲や筋力低下などによって起こる．また，原因疾患は何であれ，摂食・嚥下のメカニズムにおける器質的変化や機能的異常によって引き起こされる（**表Ⅳ-3-2**）．

(1) 筋力低下，筋肉の過緊張などによる要因

　加齢や**筋萎縮性側索硬化症**（amyotrophic lateral sclerosis：**ALS**）などによって嚥下筋群などの筋力が低下すると，食塊の移送や喉頭挙上のタイミングがずれるので誤嚥しやすい．また，脳幹部障害などによって筋の過緊張がある場合では反射が亢進し食道粘膜の攣縮によって通過障害をきたし，つかえ感，吃逆（しゃっくり），嘔吐，逆流などがみられることもある．つまり，食べ物を飲み込む（嚥下）には嚥下筋群の収縮が必要であり，胃へ送り込むにはリラクセーションが求められる．

(2) 意識低下や認知機能の低下による要因

　脳血管障害・脳腫瘍，認知症などによって，**意識**や**認知機能の低下**があると，嚥下反射のタイミングが合わなくなったり，食物や食べ方がわからなくなったり（先行期障害）する．また，開口や咀嚼障害（準備期の障害），食塊の送り込み障害（口腔期の障害）などがみられることもある．

(3) 呼吸機能障害による要因

　肺炎や肺がん，喉頭がん，慢性鼻炎などによる**呼吸機能障害**や呼吸困難があると，嚥下性無呼吸（嚥下するとき 1〜2 秒間呼吸を止め，口腔内圧が高まる）を確保する余力がなくなる．このような場合は，呼吸を優先するために，口唇や鼻咽腔，喉頭が閉鎖できず，嚥下反射に必要な口腔内圧を高めることが困難となり，嚥下反射の惹起を困難にする（咽頭期の障害）．また，気管切開や酸素療法，人工呼吸器を装着しているなどの患者では，呼吸と嚥下運動のタイミングが難しくなり誤嚥しやすい．

表Ⅳ-3-2　嚥下困難をきたす疾患

口腔疾患	口腔の奇形（唇裂，口蓋裂，顎裂），口内炎，歯肉炎，舌炎，舌がん
咽喉頭疾患	急性咽喉頭炎，急性扁桃炎，扁桃周囲膿瘍，咽喉頭結核，咽喉頭がん
食道疾患	先天性食道閉鎖，逆流性食道炎，食道裂孔ヘルニア，好酸球性食道炎，腐食性食道炎などの瘢痕狭窄，異物，アカラシアなど食道運動機能異常疾患，食道憩室，術後狭窄，食道がん
胃疾患	噴門部がん
神経疾患	脳血管障害（脳出血，脳梗塞），パーキンソン（Parkinson）病，筋萎縮性側索硬化症，多発性硬化症，脳炎，急性球麻痺，進行性球麻痺，多発性脳神経炎，ジフテリア，脳脊髄腫瘍，外傷
筋疾患・神経筋接合部異常疾患	筋ジストロフィー，多発性筋炎，二次性ミオパチー，重症筋無力症
全身疾患	強皮症，糖尿病，アミロイドーシス
心血管系疾患	大動脈瘤，血管走行異常，心膜炎
呼吸器疾患	肺腫瘍，縦隔腫瘍，リンパ節腫大，縦隔炎，胸膜炎
その他の疾患	甲状腺腫瘍，横隔膜弛緩症，ヒステリー球

［藤原靖弘：嚥下困難．疾患・症状別今日の治療と看護，第3版（永井良三，大田　健総編），p.103，南江堂，2013より引用］

（4）口腔機能障害による要因

　口内炎や舌炎，咽頭炎や扁桃炎などの炎症による痛み，あるいは，口腔内の乾燥，また，歯牙の欠損や合わない義歯，頬筋や舌の麻痺などによって，咀嚼運動や食塊形成，食塊の咽頭移送（口腔期）などが障害される．

（5）食道の器質的・機能的障害による要因

　食道の腫瘍や炎症（逆流性食道炎や食道潰瘍など），甲状腺腫瘍，あるいは術後狭窄などによって，通過障害が起こる．また，アカラシア*にみる食道下端の拡張不全や食道痙攣などがあると蠕動運動異常が起こる．

（6）上肢や体幹支持機能の低下による要因

　脳血管障害に伴う片麻痺，小脳疾患，あるいはパーキンソン病などによって運動・知覚麻痺や運動失調などがあると，自分で食器や箸，スプーンを持ち，口まで運ぶことができなかったり，安定した坐位がとれなかったりする．そのため，口からこぼれ，また，食物が口腔内で広がり，咽頭への移送を困難にする．

4 ● 主な症状と生活への影響

　摂食・嚥下障害患者は，身体的な問題に限らず，種々の生活障害を併せ持つ場合が多い．それは家族にとっても，大きな負担を抱えることになる．

（1）摂食・嚥下の過程別にみる影響

①先行期の障害

　先行期とは，食物を前にして，何をどれだけ，どのようにして食べるかを決定する過程である．この過程が障害されると，食物を認知できなかったり，食べ方がわからなかったりする．たとえば，パン食い競争の場面では，パンを目のあたりにしても開口しなかった

---

* アカラシア：神経の異常を原因として，食道の筋肉の弛緩運動が正常に機能しなくなる疾患．

り，認知症患者が消しゴムや石ころを食べたりするような行為も先行期の障害である．したがって，先行期は，認知機能の低下や意識障害，睡眠中など意識の存在に影響される．

②準備期の障害

準備期とは，食物を口唇でとらえ，**咀嚼運動**によって唾液と混合し，食塊を形成する過程である．舌下神経や顔面神経，三叉神経麻痺などに影響される．この過程が障害されると，食物をまとめられず口からボロボロこぼしたり，口腔内で食物が広がったりする．長期臥床患者の顎関節亜脱臼や義歯の不適合などがみられる場合は，咀嚼運動が障害される．

③口腔期の障害

口腔期とは，舌と頬筋との協力によって食塊を咽頭へ移送する過程である．舌下神経や顔面神経麻痺などがあると障害される．この過程が障害されると，いつまでも嚙んでいたり，食物が頬に貯留したり，構音障害が認められたりする．

④咽頭期の障害

咽頭期は，食塊が嚥下反射誘発部位（軟口蓋や舌根部，咽頭の後壁）を通過するときの刺激（舌咽・迷走神経支配）によって口唇や鼻咽腔，喉頭が閉鎖し口腔内圧が高まり，**嚥下反射**が誘発される．この反射によって食塊が食道へ移送される．したがって，食塊が嚥下反射誘発部位へ到達しなかったり，この部位が舌根沈下などによって覆われていたりすると嚥下反射は惹起しない．この過程が障害されると，食物を体内へ取り込めず，体重や筋肉量が減少してサルコペニアやフレイルに陥るなどが懸念される．また，鼻咽腔閉鎖不全があると，鼻水が出たり，口腔内圧が高まらず，十分な嚥下反射が得られない．

⑤食道期の障害

食道期とは，食道へ送り込まれた食塊が，**蠕動運動**によって胃へ到達する過程である．食道期に障害がある場合は，食物の通過障害や逆流に伴う嘔吐や喘鳴，吃逆，嗄声などがみられる．とくに，大口，早ぐいによって窒息する場合がある．ここでは食事の形態や体位，リラクセーションが重要である．

(2) 食事介助による誤嚥・窒息

摂食するさいの不安は，誤嚥や窒息である．患者は，誤嚥によって咳き込み，チアノーゼや呼吸困難に陥り，場合によっては，意識を失うこともある．なかには，**不顕性誤嚥**（誤嚥してもむせない誤嚥）の場合もある．誤嚥すると喘鳴や呼吸困難，発熱，などが出現し，これがくり返されると肺炎などを発症し，生命を脅かすような事態にもなりかねない．このように誤嚥の苦しみは「楽しい食事」を奪い，患者や家族，介護者にも恐怖感を抱かせることになる．同時に，家族は調理や食事介助に手を要し，介護負担が増大することになる．

(3) 低栄養・脱水

摂食・嚥下障害によって，十分な栄養がとれなくなると，低栄養や脱水傾向に陥りやすい．**低栄養状態**では下痢や浮腫，貧血，低体重などがみられるほか，フレイルやサルコペニアによって転倒しやすく，生活機能障害をきたしやすい．また，免疫力が低下して病気に罹患しやすく，治癒力が低下する．また**脱水**があると，脳や腎などの血流障害から脳梗塞，心疾患を患い，場合によっては再発や麻痺の進行，意識レベルの低下などがみられる場合もある．とくに，高齢者は体力にも予備力がなく，自覚症状が乏しかったり，見た目

より重度であったりする場合が多い．また，このような状態になると，生活は依存的で外出や友人との交流の機会が減り，これまでできていた生活行動も消極的になる場合がある．臥床生活が増えると，疾病の重度化や褥瘡の発生，筋力低下，ひいては転倒や骨折などのリスクも懸念される．

5 ● 対処の方法（セルフケアの視点から）

摂食・嚥下訓練の方法には，間接訓練と直接訓練がある．**間接訓練**は食物を使わないで行う方法であり，食べる前の準備として行う．一方，**直接訓練**は食物を用いて行う訓練で，誤嚥のリスクがある．一般的には，誤嚥のリスクを重視し，はじめに間接訓練を行う．たとえば，誤嚥しても良い環境を目指す口腔ケアに加えて，舌のマッサージやストレッチ，呼吸や咳嗽訓練，嚥下反射惹起を促す寒冷刺激法などを行う．あるいは大きな声で歌えば，舌や頬の筋肉など嚥下筋群の活動性が引き出され，呼吸にとって効果的なトレーニング法となる．いずれも日常生活の中で習慣化することが望ましい．

B. 看護実践の展開―予防と治療

高齢者は，誤嚥性肺炎を繰り返しやすい．本項では，その予防と治療について述べる．

1 ● 摂食・嚥下障害を予防する

a. アセスメント

(1) 摂食・嚥下障害を観察する

高齢者が，「食欲がない」とか「むせて苦しい」「痰が多くなった」「体重が減った」「微熱がある」などを訴える場合がある．これらは，摂食・嚥下障害を疑う症状であり，誤嚥している場合もある．高齢者は自覚症状に乏しく，重度になるまで気づかないことが多いので，日常生活場面をよく観察することが大切である．

①見てわかること

話すときの表情や歩く姿勢などから，麻痺の部位や程度がわかる．摂食場面ではこぼしたり，いつまでも噛んでいたり，よくむせ込んでいたりする．このような場面から，顔面麻痺や咀嚼運動，または喉頭挙上や嚥下反射惹起などの様子が読みとれる．

②聞いてわかること

会話を交わすことによって，話の内容や声の大きさ，長さ，鼻声，言葉の明瞭さ，喘鳴などを観察できる．これらから，呼吸状態や舌の動き，鼻咽腔の閉鎖不全などが推察できる．

③触れて，動かしてわかること

口腔ケアや摂食場面などを通して観察できる．口腔ケアでは，舌や頬のマッサージを行うさいに触れる筋の強さや緊張，運動機能の状態などが読みとれる．舌運動は舌下神経の刺激によって発動するが，頬筋に麻痺があれば，舌の動きや歯の機能がよくても食塊を咽頭へ送り込むことができない．顔面麻痺があると，口から食物がこぼれたり，いつまでも噛んでいたり，嚥下反射が遅延する，などがみられる．たとえば「ぱぴぷぺぽ」と発声す

ることで，口輪筋や頬筋，舌の動きを確認することができる．

　以上のような観察は，目の前の現象をとらえるだけでなく，障害状況の変化や推移を読むことが重要である．

(2) 摂食場面や会話の様子，活動の状況など日常生活のなかに潜む情報を読みとる

　たとえば，摂食場面では，食物をうまく口まで運べない，体幹が不安定である，よく咳込む，同じ調子で話せないなどの場合がある．これらは，球麻痺や仮性球麻痺患者などによくみられる症状である．さらに歩行状態や上肢の動き，顔面や舌下神経の交代性麻痺の有無などを観察し，多職種チーム内で情報を共有し障害に応じた摂食方法を工夫する．

b. 介　入

　介入に際し，安楽な体位と呼吸調整が重要である．

(1) 口腔ケアを実施する

　高齢者の**口腔ケア**は，清浄化と保湿によって誤嚥してもよい口腔環境をつくるとともに，歯や義歯の咬合，粘膜の損傷，舌苔の有無などをよく観察し，嚥下機能を引き出す"口づくり"が求められる（**図Ⅳ-3-1**）．

(2) 日常生活習慣を整える

　摂食・嚥下障害の発生要因の多くは，高血圧や肥満，糖尿病，脂質異常症，脳血管障害などの**生活習慣病**である．それらの発病は，過食，運動不足，飲酒，喫煙，ストレスなど日常生活の歪みに加齢と遺伝的要因が加わって起こる．その原因を是正することが病状の進行を止め，症状を回復させ，ひいては摂食・嚥下障害の予防になる．

(3) 楽しみながら摂食・嚥下の間接訓練を行う

　大きな声で話をすることや歌うこと，身体を動かすこと，絵や書に親しむことなどの効用は大きい．たとえば，歌う場合は表情豊かに，大きな口を開け，声を長く出す．これだけでも喉まわりの筋力をきたえ，舌の動きを引き出し，口腔機能の向上につながる．さらに，1フレーズの終わりに力を入れて声を出せば，スクイージング効果が得られ，気道のクリアランスもできる．また，歩くことは体幹支持機能を高めて，口腔内で食塊がばらつくのを防ぐなど，日常生活行動も摂食・嚥下障害の間接訓練である．

c. 評価の視点

　摂食場面や日常の会話の様子などから，摂食・嚥下障害の有無や程度を観察できる．呼吸状態のよし悪しによって，唾液を嚥下できているか否かがわかり，声の大きさや言葉の明瞭さからは呼吸の様子や舌の動き，食塊の送り込み具合が推察できる．また，咳嗽のタイプ，吃逆，食欲や栄養状態，体重，活動性，水分の摂取量・排泄量，血液所見や皮膚の乾燥などから，誤嚥のリスクを予測できる．

2 ● 摂食・嚥下障害を改善する

　摂食・嚥下障害の主たる原因は加齢変化と基礎疾患の影響によるものなので，治療のかたわら，早期から経口摂取ができるようにアプローチすることが重要である．治療法には，間接・直接訓練のほか，外科的手術が行われる場合もある．手術は，誤嚥防止を求める喉頭挙上術や喉頭と食道の分離術，声門閉鎖術などがある．また，栄養供給のために胃瘻造設術が行われる場合もある．

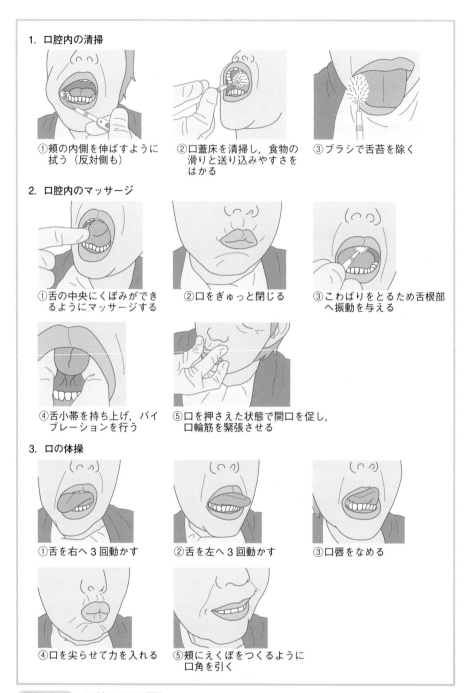

1. 口腔内の清掃

①頬の内側を伸ばすように拭う（反対側も）

②口蓋床を清掃し，食物の滑りと送り込みやすさをはかる

③ブラシで舌苔を除く

2. 口腔内のマッサージ

①舌の中央にくぼみができるようにマッサージする

②口をぎゅっと閉じる

③こわばりをとるため舌根部へ振動を与える

④舌小帯を持ち上げ，バイブレーションを行う

⑤口を押さえた状態で開口を促し，口輪筋を緊張させる

3. 口の体操

①舌を右へ3回動かす

②舌を左へ3回動かす

③口唇をなめる

④口を尖らせて力を入れる

⑤頬にえくぼをつくるように口角を引く

図Ⅳ-3-1　口腔ケアの手順

a. アセスメント

　水飲みテストや嚥下造影，内視鏡検査などによって，誤嚥の有無や摂食・嚥下障害のスクリーニングができる．しかし，これが確定診断ではない．患者の状態や検査の時期，検査の技術によって結果が異なることも否めない．看護介入は，これらの検査をふまえ，暮

らしのなかでよく観察することが重要である．誤嚥は，呼吸状態，体位や食材，食事形態，口腔内の環境などによっても影響される．

b. 介 入

摂食・嚥下訓練は，摂食・嚥下のメカニズムにおける異常をできるだけ補って正常に近づけるように工夫し，摂食行動の自立を目指すものである．工夫にあたって，医師や他職種の情報，そして，看護場面での多面的な観察情報を利用して，患者の食習慣や環境に統合することが重要である．

(1) 摂食訓練は可及的早期に開始する

摂食訓練は，嚥下筋群の筋力低下や顎関節拘縮がなく，これまでの嚥下運動のイメージが残存する状態で開始するのが望ましい．高齢者が2〜3週間の絶食によって**廃用症候群**を起こす場合をしばしば経験するが，その予防にも早期から行える間接訓練は有意義である．

(2) 摂食訓練開始の条件を確認する

①呼吸状態が良好

呼吸状態がよいのは，唾液を嚥下できている証である．何らかの工夫によって経口摂取は可能であると考えられる．呼吸困難な状態では，喉頭蓋の閉鎖が難しく，嚥下反射のタイミングが合わず誤嚥しやすい．

②全身状態が良好

食べられない人の摂食訓練は，とくにエネルギーが必要である．栄養不良や貧血，脱水状態，あるいは発熱しているなどの場合は，治療が優先される．

③意識状態が良好

先行期の障害は，メカニズムの全過程に影響する．できるだけ身体を起こして覚醒をはかり，五感を刺激し，意識を良好に保つことが重要である．意識状態が悪くて摂食訓練が困難な場合も，きたるべき開始に向けて，嚥下筋群のマッサージや舌の刺激，嚥下反射誘発部位へのアイスマッサージなどを行う．

(3) 障害を摂食・嚥下の過程別にみて介入する

①先行期の障害

食物が認知できない，食べ方がわからない，食事に集中できないなどの場合には，姿勢を整え，声をかけ，開眼を促し，食物を見せたり，嗅がせたり，また，スプーンや器を手にもたせたり，口唇に触れるなどを行う．また，認知症高齢者では騒々しかったり，人の動きが激しい場所では摂食に集中することができないことがある．摂食環境の整備が必要である．

②準備期や口腔期の障害

食物の取り込みや咀嚼運動と食塊の形成および咽頭移送などが障害される．つまり，準備期や口腔期に障害がある場合には，口輪筋や頬筋などの嚥下筋群ならびに舌の動きを引き出すために，マッサージやストレッチを行う．また，口唇閉鎖ができない場合は，介助者の指で鼻の下を伸して口唇を閉じる．口角を引き上げたり，テーピングを行う場合もある（**図IV-3-2**）．また，食物をスプーンで舌へ載せるたびに舌を軽く押さえたり，少量の食物を上唇につけ，舌で拭うように促したりするなどによって咀嚼運動を誘発する．

テーピングを用いる方法　　　　　　　介助者の指を用いる方法

図Ⅳ-3-2　口唇閉鎖の工夫
テーピングまたは介助者の指によって，左右の口角の高さが同じになるように調節する．テーピングの場合，長さ・幅が不足すると，うまく口角が引けず嚥下運動を阻害する．また，鼻の下を伸ばして口唇閉鎖を行うと咀嚼運動が誘発する．

③咽頭期の障害

　嚥下パターンは「口唇を閉じ，舌を口蓋につけて息を止め，笑顔でうなずいて，ごっくん（飲み込む）はあ（息を吐く）」である．これを，「口を開け，舌をつき出し，呼吸をして」では嚥下することはできない．また，口を尖らせていても，頬を膨らめていても嚥下反射は惹起しない．つまり，口角を引き，頬を締める表情である笑顔は，頤（下顎）舌骨筋など嚥下筋群の収縮を促し，これが喉頭を引き上げて（**喉頭挙上**）嚥下反射を惹起させる．次いで食塊は食道へ送り込まれるが，喉まわりの筋力低下により喉頭下垂があると，喉頭挙上に時間がかかるうえに，すぐ下降するので嚥下反射のタイミングが合わず，誤嚥しやすくなる．また，呼吸困難な状態，あるいは鼻咽腔の閉鎖不全がある場合も，口腔内圧は高まらず，十分な嚥下反射が得られない．

④食道期の障害

　食道期にいたる嚥下のメカニズムは随意運動で筋の収縮によるが，食道期は，不随意運動でリラクセーションが求められる．この過程が障害されると，食道の蠕動不全による嘔吐，通過障害が出現する．たとえば，長時間の苦痛な体位を継続するだけでも，筋強剛が起こり，食道の絞扼感が認められることがある．したがって，過緊張を除くリラクセーションが有効であり，呼吸を整えることや安楽な体位，食事形態などの工夫も有効となる．一方，高齢者にみられる食道括約筋の弱さも嘔吐や吃逆の原因となる場合がある．この場合は食後に上半身挙上をとる．

（4）食事介助で工夫する

　誤嚥を防ぐために，障害に合った食事形態や体位の工夫が重要である．一般的に健常者は調理された食物を，噛んだりつぶしたりしながら，口腔内で食べやすい形態に再調理している．ところが，高齢者の場合は，生理的な変化に加え，歯がなかったり，舌の動きが悪かったりするなどによって，うまく食べられないことがある．このような場合は，患者の摂食状況や嚥下直後の口腔内の食塊残留をみながら，食事形態や体位を考慮する必要が

ある．食塊の滑りをよくするために，スプーンや食物をお茶などにくぐらせたり，交互嚥下（食物と少量の液体を交互にとる）をさせたり，食物の重力を利用して送り込みに適した体位をとるなどの工夫を行う．また，梨状窩や喉頭蓋谷に残留物がある場合には，頸部聴診で確認し（p.27，**表Ⅱ-2-5**参照），横向き嚥下（麻痺側をつぶすように首を回旋する）を行うと効果がある．食事介助は，口腔内で食物が広がるのを防ぐため，食物は舌のくぼみに載せ，また，口唇を閉じてからスプーンを抜き取るように行う．ちなみに，刻み食の一部をミキサーにかけドレッシング（ソースとして包み込む）にすると咀嚼運動を誘発し，食物のまとまりやすさ，喉ごしのよさが得られるので，嚥下訓練食として有効である[2]．

　●**リラックス体位の効用**

　鼻咽腔の閉鎖不全があると，常に呼吸気が気道を出入りし，口腔内が乾燥する．このような患者の咽頭には嚥下できない唾液がパック状に付着していることが多い．このパックは嚥下運動を制約し，食事が通過すると湿潤して，喘鳴となる．このような場合はスポンジブラシなどで付着物を除いたり，**リラックス体位**（p.63，**図Ⅲ-3-2**参照）による体位ドレナージが効果的である．

(5) 窒息・誤嚥に対応する

　摂食・嚥下障害がある人は誤嚥や窒息のリスクが大きいので食物のサイズや形態，一口量に配慮が必要である．また，嚥下反射の有無に関係なく，次々と矢継ぎ早に口腔内へ食物を詰め込む患者の場合には，摂食リズムを整えたり，コース料理のように小出しにすることも有効である．窒息や多量の誤嚥をした場合には，即座に応援を求め，同時に坐位前傾姿勢で開口させ，口腔内のものを除き，嘔吐反射を誘発させる．それでも喀出できない場合は，背部叩打法や胸部圧迫，口腔内吸引などを行う．しかし，この操作に時間をかけすぎると呼吸や心停止，ひいては死の転帰をとる場合もある．十分な観察と不安感を抱かせないよう声をかけると同時に，場合によってはICUへの移動や救急車を依頼するなど，しかるべき救急処置の手配をとることが重要である．この場合，同席している他の患者への配慮も忘れてはならない．また，喀出できた場合も，口腔ケアを行い，呼吸を整え，リラックス体位によって残留物のクリアランスをはかる必要がある．

c. 評価の視点

　誤嚥のリスクをクリアできているかどうかに主眼をおき，摂食できる食事形態や摂食量，摂食所要時間，栄養状態，呼吸状態，体重や筋力，生活の質などを評価する．

C. 実践におけるクリティカル・シンキング

演習 3 **多発性脳梗塞で誤嚥を繰り返し，胃瘻造設した男性**

　76歳，男性．多発性脳梗塞の診断を受けた．数ヵ月前から流涎が多く，喘鳴が強かった．食事は食べたいが，咳き込んでうまく嚥下ができない様子であった．また，ときどき微熱があり，医師からびまん性誤嚥性細気管支炎と診断され，胃瘻造設を受けた．

問1▶ 患者にこれまでの経過について質問すると，言葉がはっきりせず，途切れながら，消え入るような小声で話した．また，呼吸は浅く鼻声であった．このような状態は，摂食・嚥下のメカニズムにおけるどの部分が障害されていると考えられるか

問2▶ 摂食場面では口唇から食物をぼろぼろこぼした．また，口を開けると流涎が多かった．どうしてこうなると考えられるか

問3▶ 患者は，ぼろぼろとこぼしながら，また次々と食物を口腔内へ入れようとしたが，ときどきのどを詰まらせるような感じで「おえっ」と咽頭反射を起こす状態になっていた．考えられるリスクと留意点は何か

[解答への視点 ▶ p.472]

練習問題

Q15▶ 高齢者の摂食・嚥下障害で正しいのはどれか．2つ選べ．
1. 加齢による喉頭の位置の下垂は，誤嚥の誘因となる
2. 認知症が摂食・嚥下障害の原因になることはない
3. 誤嚥がある場合には，肺炎予防のため，口腔内の清潔を保持する
4. 咽頭期（嚥下第2相）では，胸やけはないか観察する
5. 食道期（嚥下第3相）では，1口ずつ飲み込みを確実に観察する

[解答と解説 ▶ p.478]

‖ 引用文献 ‖
1) 厚生労働省：令和3年（2021）人口動態統計（確定数）の概況，〔https://www.mhlw.go.jp/toukei/saikin/hw/jinkou/kakutei21/dl/15_all.pdf〕（最終確認：2023年1月26日）
2) 田中靖代，山田正己：摂食・嚥下機能向上に効果的な食形態の工夫―ミキサー食への刻み食添加を試みた10事例の訓練経過．第15回日本摂食・嚥下リハビリテーション学会抄録集，p.425，2009

脱　水

A. 基礎知識

1●定　義

　人間にとって水分は，血液やリンパの循環や体温の維持，消化の促進，老廃物の排泄など，生命維持のための身体機能に欠かせない重要な物質である．

　脱水とは，「全身の体液量が不足している状態」であり，水分喪失と同時に体内のナトリウムなどの電解質のバランスも崩す．このため，**予備力***が低下している高齢者では健康状態の悪化をまねき，ときに死にいたる場合もある．このことから，脱水の予防に努めるとともに，早期発見と適切な対応が必要となる．

2●疫学（有病率）

　米国の疫学研究（Established Populations for Epidemiologic Studies of the Elderly：EPESE）によれば，地域で生活している高齢者の約6割が脱水状態にあったことが明らかになっている[1]．また，同じ米国で，ナーシングホームの入居者の約3割に脱水症状がみられた[2]，救急外来を受診した高齢者の約半数が慢性的な脱水状態にあった[3]という報告もある．

　一方，日本では，地域で生活している高齢者のうち9割を超える人々に，脱水の徴候が認められたというデータがある[4]．このように，高齢者は生活場所や健康レベルを問わず，脱水になりやすいという特徴がある．

3●病態と生理学的特徴

a. 病　態

　脱水は，水分と電解質の喪失バランスの違いによって，**水欠乏性（高張性）脱水，ナトリウム欠乏性（低張性）脱水，混合性（等張性）脱水**に分類される．各々の脱水に共通する症状には，全身倦怠感，脱力，意識障害，口腔粘膜や舌の乾燥，皮膚（とくに腋窩）の乾燥，皮膚のツルゴールの低下などがある．加えて，血圧や尿量の低下，体重減少，ヘマトクリット値（Ht）や血清尿素窒素（BUN）の上昇など，数量的データも変化する．

（1）水欠乏性（高張性）脱水

　電解質よりも主に水分が不足した状態であり，細胞内の水分が細胞外に移動して循環血液量を維持しようとする作用から生じる脱水である．水分摂取不足や嘔吐，下痢，大量の発汗などが誘因となる．血圧低下などの循環不全のサインを認めることは少ないが，細胞

---

* 予備力：その人のもつ最大の身体機能（能力）と，ふだん生活をするうえで使用する身体機能（能力）との差．余力．

内液量の減少が著しいことから，口渇や意識障害が強く現れやすい．また，症状には，興奮・傾眠といった精神症状や，痙攣を伴う場合もある．

(2) ナトリウム欠乏性（低張性）脱水

水分よりも主に電解質が不足した状態で，細胞外液量が著しく減少することから生じる脱水である．嘔吐や下痢，大量の発汗に加え，利尿薬の長期服用などが誘因となる．症状には，頭痛，痙攣，めまいを伴う場合もある．

(3) 混合性（等張性）脱水

水分と電解質の双方が失われる状態が混合性脱水である．出血や熱傷，嘔吐，下痢などによって急激に体液が失われることが原因となる．症状には，立ちくらみやめまいが加わる場合もある．

(4) 慢性的な脱水

高齢者に特有な病態に，「慢性的な脱水」がある．不十分な水分摂取や利尿薬の継続服用などにより，**水分出納**が長期にわたって崩れることで，細胞内液量が恒常的に減少している状態である．この状態にある高齢者は，嘔吐や下痢，出血などで水分が失われたり，食欲不振などにより水分摂取量が減ると，容易に脱水になるだけでなく，尿路感染などの疾患も合併しやすくなるため注意が必要である．

b. 発生要因

脱水にはさまざまな発生要因があるが，それらが複雑に絡み合っているのが高齢者の特徴である．以下に，それぞれの発生要因について説明する．

(1) 体内総水分量の低下（図Ⅳ-4-1）

高齢者では，細胞外液量は若年者と変わらないが，細胞内液量は減少する．細胞内液は，水分保持における予備力ということができ，これが少ない高齢者は脱水になりやすい．

(2) 腎の濃縮力とナトリウム保持能力の低下

高齢者は，抗利尿ホルモン（antidiuretic hormone：ADH）に反応しにくくなるため，腎臓の集合管からの水分再吸収が抑制され，尿からの水分喪失も多くなる．また，加齢に伴い，心房性ナトリウム利尿ペプチド（atrial natriuretic polypeptide：ANP）の分泌が亢進することも，脱水や低ナトリウム血症の誘因となる．

(3) 口渇中枢の感度の低下

高齢になると，視床下部にある口渇中枢の感受性が低下する．そのため，若年者に比べ高齢者は口渇感の閾値が高く，口渇の自覚のないままに脱水を生じている危険性が高い．

(4) 適切な水分摂取が難しい

脳血管障害や重度認知症などにより摂食・嚥下障害のある高齢者は，水分摂取量が不十分になりやすい．また，片麻痺や骨折などによる運動機能の低下や，認知症や抑うつ状態による認知機能低下があると，飲水行動を起こしにくくなる．一方で，水分摂取に必要な能力が十分あっても，排尿回数を減らしたり，尿失禁を避けるために水分を制限してしまう人も多い．

(5) 疾患などによる水分の喪失

多くの高齢者には基礎疾患があり，薬物や合併症による脱水を起こしやすい．代表的なものに，循環器疾患に対する利尿薬の服用，便秘への緩下薬の多用，高血糖による浸透圧

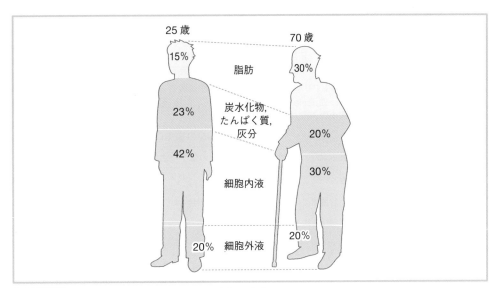

図Ⅳ-4-1　加齢に伴う身体構成成分の分布の変化

[Goldman RJ：Speculations on vascular changes with age. Journal of American Geriatrics society **18**：765, 1970 ／岩本俊彦（編）：老化と病気の理解, 臨牀看護セレクション7, p.11, へるす出版, 1998を参考に作成]

利尿などがある. 加えて, 薬物療法のアドヒアランスが低下している高齢者も少なくないことから, 薬物の過剰服用が脱水の誘因となっている可能性があることにも留意する. また, 高齢者は感染性胃腸炎やインフルエンザなどの感染症に罹患しやすく, それに伴う発熱や消化器症状（嘔吐, 下痢など）によって脱水になることも多い.

(6) 環境変化による影響

高齢者は, ホメオスタシス（身体機能の恒常性）の維持が難しく, 外部環境の影響を受けやすい. 皮膚血流増加による放熱機能や, 発汗による体温調節能力が低下しており, 温度や湿度の変化への順応も遅くなる. とくに夏季は, これらの特徴に脱水が相まって**熱中症**となり, ときに死にいたる場合も少なくないので[*1], 脱水予防は高齢者にとって重要な課題といえる.

4 ● 主な症状と生活への影響

脱水の主な徴候は**表Ⅳ-4-1**のとおりだが, 高齢者は症状の現れ方がさまざまであることに注意する. たとえば, **認知症の行動・心理症状**（behavioral and psychological symptoms of dementia：BPSD）[*2]の悪化や転倒・転落, 食欲低下, 活気のなさなど, ふだんの様子との違いが, 脱水のサインとなっていることも多い. 加えて, 口渇などの自覚症状の乏しさ, 失語や認知症などによるコミュニケーション障害などから, 発見が遅れやすいという特徴もある.

このように, 脱水の徴候は高齢者の生活上の変化として現れやすいため, 日ごろの生活

[*1] 熱中症による救急搬送のおよそ半数が高齢者で[5], 熱中症総数に占める65歳以上の死亡者は, 約8割である[6].

[*2] 行動・心理症状：かつては「周辺症状」といわれた症状で, 幻覚・妄想, 不安・焦燥感, 暴言・暴力, 不眠などがある. 認知症に必ず出現する治癒不可能な「中核症状」と異なり, ケアによって改善可能な症状である.

表Ⅳ-4-1　脱水に生じやすい心身の徴候

身体症状	口渇，口腔粘膜や舌の乾燥，皮膚（とくに腋窩）の乾燥，皮膚ツルゴールの低下，大量の発汗，発熱，頻脈，血圧低下，頭痛，めまい，痙攣，全身倦怠感，脱力，立ちくらみ，歩行時のふらつき，体重減少，尿量低下
検査データ	ヘマトクリット値（Ht）の上昇，血清尿素窒素（BUN）の上昇，血清総蛋白（TP）の上昇，血清Naの上昇あるいは低下*，血漿浸透圧の変化**，尿比重の上昇あるいは低下*，尿中電解質の異常
心理・精神症状	意識混濁（せん妄を含む），認知症のBPSDの悪化（徘徊，落ち着きのなさ，興奮など）
生活面の変化	食欲低下，転倒・転落，活動量の低下，活気のなさ，傾眠

*血清Naと尿比重は，水欠乏性脱水では高くなり，ナトリウム欠乏性脱水では低下する．混合性脱水はどちらの場合もある．
**血漿浸透圧は，水欠乏性脱水では上昇，ナトリウム欠乏性脱水では低下，混合性脱水では正常となる．

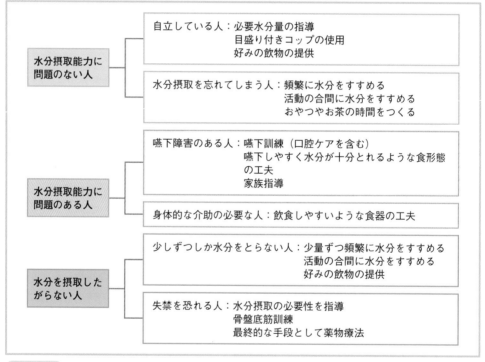

図Ⅳ-4-2　水分摂取パターンと対応

[Mentes JM：A typology of oral hydration, problems exhibited by frail nursing home residents. Journal of Gerontological Nursing 32（1）：16, 2006を参考に作成]

状況や健康状態をよく観察し，「その人にとって」の正常と異常を把握しておくことが，脱水の早期発見と対応に大きく役立つ．

5 ● 対処の方法（セルフケアの視点から）

　前述のように，高齢者は脱水の要因を複数抱えているうえに，セルフケア能力も低下しやすいため，脱水のリスクが高い．とくに「慢性的な脱水」は，多くの高齢者に潜在する問題であり，積極的な水分摂取を促すことが重要である．図Ⅳ-4-2に示すように，水分

表Ⅳ-4-2　脱水のリスク評価チェックリスト（Dehydration Risk Appraisal Checklist：DRAC）

【属　性】	【薬物療法】
□ 85歳以上	□ 下剤
□ 女性	□ 精神科用薬（抗精神病薬、抗うつ薬など）
	□ 利尿薬
【身体状態】	
□ 尿失禁がある	**【摂食行動】**
□ BMI<21または>27	□ 飲水行動は自立していても，飲むこと自体を忘れる
□ ADL が半介助である	□ 嚥下困難
□ 脱水の既往がある	□ 飲水に援助が必要
□ 感染症に繰り返し罹患している	□ 食事量が少ない
【精神状態】	
□ 認知症と診断されている	
□ MMSE<24点	
□ GDS≧6点	

［Mentes JC, Wang J：Measuring risk for dehydration in nursing home residents：evaluation of the dehydration risk appraisal checklist. Research in Gerontological Nursing 4(2)：153, 2011 を参考に作成］

摂取が不十分な理由を見極め，それぞれのタイプに適した対応をする必要がある．

B.　看護実践の展開—予防と治療

　　脱水は，高齢者の生命の危機に直結する病態であり，予防と早期対応が重要である．そのためには，身体的側面だけでなく，心理社会的側面も含む多角的なアセスメントとケアが必要となる．

1 ● 脱水を予防する

a. アセスメント

　　高齢者は脱水の自覚症状が乏しいうえに，症状が非定型なことから，本人だけでなく家族や介護職などからの情報収集を必ず行い，脱水の徴候（**表Ⅳ-4-1**）の早期発見に努める．しかし，単独の検査や症状から脱水と判断することは難しく，複数の検査や症状から総合的にアセスメントすることが望ましい．

　　またそのさいには，居室から台所やトイレまでの距離，冷暖房の設置と使用状況などの生活環境のアセスメントに加え，家族や同居人の有無などの介護力，光熱費の支払いや水分購入に充てる金銭的余裕の有無といった経済状況などの社会的側面をアセスメントすることも重要である．

　　表Ⅳ-4-2 に脱水の危険因子を挙げるが，該当するものが多くなるほど脱水のリスクが高くなる[7]．

b. 介　入

（1）水分摂取量と排泄量を観察する

　　1日の必要水分量は，体重1kg あたり 30 mL であるが，高齢者は食事以外に 1,000～1,500 mL をめどに飲水するとよい．しかし，循環器疾患や腎疾患などのために水分制限

が必要な場合は，医師と相談してその人に合った水分摂取量を決定する．

嘔吐，下痢，出血のある場合は，排出された実測値分の水分を補給する．また，体温37〜38℃では300 mL，体温38.1℃以上または軽度発汗がある場合では400〜900 mLを目安に水分を追加するとよい[8]．

(2) 水分摂取の機会をつくる

高齢者は一度にまとめて水分がとれない人も多いので，食事に加えておやつやレクリエーションなどを活用し，こまめに水分摂取できるような機会をつくることが必要である．また，入浴や運動といった発汗時はもちろんだが，夜間睡眠中も約500 mLの発汗があることから，就寝前や起床時にも積極的に水分摂取をすすめる[9]．

さらに，いつでも水分をとれるように，身近なところに水分を準備しておくことが必要である．臥床状態の人であれば，ベッドまわりの手の届く位置に，吸い飲みやストロー付きコップなどの本人が飲みやすい容器に水分を入れておいておく．離床できる人に対しては，好きなときに水分がとれるように，居室やラウンジにお茶セットを準備しておくとよい．

(3) その人に合った水分を提供する

その人の嗜好や嚥下機能に合ったものを提供する．甘いもの，少し塩気のあるもの，さっぱりしたもの，温かいもの，冷たいもの，あるいはゼリーのような半固形の食品やジュースなどの液体など，味や温度，テクスチャーにバラエティをつけた水分を提供し，水分摂取が苦痛にならないように工夫する．

嚥下障害がある場合は，市販の増粘剤を用いて水分にとろみをつけることが多いが，使いすぎや食材との組み合わせによっては，味が落ちることがあるので注意する．

(4) 水分摂取の必要性について教育する

高齢者は，失禁や頻尿を避けるために水分摂取を控えることが多い．とくに，排泄援助が必要な人は，看護職や介護職あるいは家族などへの遠慮や羞恥心から，水分を控える傾向にある．また，排泄介助の負担の大きさから，家族がやむにやまれず高齢者への水分提供を控えてしまうケースもある．高齢者と家族のこのような思いを受け止めたうえで，水分摂取の必要性を本人とケア提供者に理解してもらうよう働きかけることが重要である．

(5) 環境調整を行う

近年では，夏季の気温上昇が著しく，室内にいても容易に脱水や熱中症を引き起こす．湿球黒球温度（wet-bulb globe temperature：WBGT）で厳重警戒以上の温度水準域（WBGT 28℃以上）となると，すべての生活活動で熱中症となる危険がある[10]．冷房を嫌ったり，夏でも“冷え”を感じて重ね着をする高齢者も多いが，適切な室温や服装になるように調整する．

一方，冬季では湿度が低いところに暖房器具を使用するので不感蒸泄が増加しているうえに，寒い廊下やトイレに行くのが嫌で水分を控える高齢者も多い．水分摂取に加えて加湿器などで湿度を十分に保つこと，また部屋ごとの温度の差が大きくならないよう室温調節をするなど，脱水を生じさせないための環境調整が重要である．

(6) 脱水の誘因となる疾患を管理する

高齢者が罹患しやすい感染症は，脱水の誘因になることが多いため，感染管理が重要である．とくに，病院や介護施設などでは集団感染のリスクが高いので，日ごろから**標準予**

防策（スタンダードプリコーション）[*1]（p.337 参照）を確実に実施し，必要なときには感染経路別予防策[*2] も重ねて実施する．

また，高齢者は複数の疾患に罹患しているため，多くの薬物を併用していることが多い．多剤併用は，薬物のアドヒアランスを低下させたり，相互作用を起こしやすいので，薬物に起因する水・電解質の異常を起こしやすい．このため，高齢者の脱水では常に薬物による影響を考慮する．

(7) 多職種での連携と職員への教育を深める

在宅や高齢者施設で介護サービスを受けている要介護高齢者（以下，利用者）は，脱水とそれに起因する有害事象（転倒，骨折，せん妄，便秘，腎不全，創傷治癒過程の遅延など）のリスクが非常に高い．このため，ケアに携わる多職種で，利用者の抱えるリスクを共通理解し，ケアプランを立案・提供していくことが重要である．

また，利用者に直接ケアする機会が多い介護職には，脱水予防のための十分な知識と技術が必要なことから学習の機会を設けることも，看護職の役割の1つである．

c. 評価の視点

バイタルサインや水分出納，あるいは検査データなどの数値だけでなく，自覚症状や生活の様子などを総合して評価する．また，日々の経口摂取量にばらつきがある高齢者では，水分出納を1日単位ではなく，2〜3日単位で評価するというように，それぞれの高齢者に適した評価方法や評価基準を考慮する．

2 ● 脱水を改善する

a. アセスメント

前述の「脱水を予防する」の「アセスメント」（p.195 参照）に準ずるが，脱水が高度になると死にいたることがあるので，早期発見と対応が重要である．また，脱水の治療過程での高齢者の様子の変化を観察することも必要である．

b. 介　入

(1) 水分と電解質を補給する

①経口補給

前述の「脱水を予防する」の「介入」（p.195 参照）に準ずるが，脱水状態にある人は，意識混濁や倦怠感のために誤嚥しやすいので，経口摂取が難しい場合も少なくない．しかし，高齢者は長期絶食によって，嚥下機能や消化吸収能力の低下を起こしやすいため，可能な限り経口からの水分摂取をすすめることが重要である．

近年，水分とともに電解質を補充する方法として，経口補水液（oral rehydration solution：ORS）が注目されている．経口補水液とは電解質と糖質を含んだ水分で，スポーツドリンクよりナトリウム濃度が高くなっている．もともとは小児の急性胃腸炎による軽度〜中等度の脱水の治療法として導入されたが[11]，高齢者の脱水対策としても活用されている．

[*1] 標準予防策：患者およびヘルスケア従事者の間で病原体の伝播を防ぐための基本的な感染対策をいう．具体的行為には，手洗いや個人防護具の使用，環境対策などが含まれる．

[*2] 感染経路別予防策：病原体の感染経路遮断のために，標準予防策に加えて実施する感染予防策をいう．接触感染予防策，飛沫感染予防策，空気感染予防策が含まれる．

②輸液による補給

　経口摂取が困難な場合は，輸液が必要となる．医師の指示のもとで実施するが，高齢者は急激な輸液によって心不全や肺水腫などを起こしやすいため，輸液量と速度に注意する．同時に，バイタルサイン，呼吸状態，水分出納，検査データの把握とともに，脱水の徴候の変化を観察する．

　高齢者の輸液におけるもう1つの問題として，血管の脆弱さによる輸液の血管外漏出や，せん妄やBPSDの悪化による輸液ラインの自己抜去が起こりやすく（p.305参照），血管確保が難しい点が挙げられる．この解決策として，持続皮下注射が用いられる場合もある[12]．

(2) 脱水の原疾患を治療する

　脱水は，肺炎，胃腸炎のような炎症性疾患，消化管出血などの合併症として起こることも多く，脱水の治療に加えて，医師と協力して原疾患の治療を行うことも重要である．

(3) 二次障害を予防する

①粘膜や皮膚の保護

　脱水により高齢者のドライスキンは悪化するため，瘙痒感が生じやすく，搔破による損傷や炎症を起こしやすい．また，全身倦怠感のために臥床時間が長くなれば，褥瘡発生リスクも高くなる．清潔と保湿によって皮膚のバリア機能を保つとともに，爪を短く切るなどして皮膚の損傷を防ぐようにする．

　また，舌や口腔粘膜の乾燥によって自浄作用が低下するため，口内炎，誤嚥性肺炎を起こしやすくなる．十分に口腔ケアを行い，口腔内の清潔と湿潤を保つことが重要である．

②事故防止

　脱水になると，脱力感，ふらつきなどによって転倒・転落しやすくなる．転倒・転落によって骨折や慢性硬膜下血腫といった二次障害が起こりやすいため，転倒防止対策を十分に行う．また，輸液が必要なレベルの脱水になるとせん妄を併発することも多く，チューブ類の自己抜去の危険性も高くなる．輸液実施時間を可能な限り短くする，チューブ類を目に入らない所あるいは手の届かない所に伝わせるなどの工夫が必要である．

c. 評価の視点

　「脱水を予防する」の「評価の視点」（p.197参照）に準ずる．

C. 実践におけるクリティカル・シンキング

演習④ 食事や水分を摂りたがらない女性

　88歳，女性．84歳の妹と2人暮らし．心不全と軽度アルツハイマー型認知症（いずれも薬物療法を受けている）があり，要介護1と認定され，訪問介護とデイサービスを利用している．ある夏の日，デイサービスに来所するが本人の活気がない．食事や水分をすすめても摂ろうとせず，排尿も来所してから午後のお茶の時間まで一度もない．帰宅間際になって発熱もみられたため，病院受診をすすめたところ，脱水と診断され入院となった．

問1▶ 自宅での生活状況を把握するため，同居している妹や訪問介護員から情報収集することにした．どのような情報を集めたらよいか

問2▶ 3日後に自宅に退院した．しかし，アセスメントした結果から，脱水の再発リスクが非常に高いと考えられた．脱水予防のために，どのようなケアを提供したらよいか

[解答への視点 ▶ p.472]

練習問題

Q16▶ 高齢者の脱水で正しいのはどれか．2つ選べ．

1. 高齢者は成人より細胞外液量が減少するため，脱水になりやすい
2. 加齢に伴い，口渇中枢の感受性が低下するため，口渇を感じにくい
3. 高齢者の脱水のアセスメントでは，必ず薬物の影響を考慮する
4. 脱水時は誤嚥防止のために常に絶食とし，輸液による水分補給を行う
5. 高齢者の苦痛になるので，脱水時の口腔ケアは控えたほうがよい

[解答と解説 ▶ p.478]

引用文献

1) Stookey JD, Pieper CF, Cohen HJ：Is the prevalence of dehydration among community-dwelling older adults really low? Informing current debate over the fluid recommendation for adults aged 70 + years. Public Health Nutrition **8**（8）：1275-1285, 2005
2) Mentes JC：A typology of oral hydration, problems exhibited by frail nursing home residents. Journal of Gerontological Nursing **32**（1）：13-19, 2006
3) Bennett JA, Thomas V, Riegel B：Unrecognized chronic dehydration in older adults examining prevalence rate and risk factors. Journal of Gerontological Nursing **30**（11）：22-28, 2004
4) Tanaka S, Fujishiro M, Watanabe K, et al：Seasonal variation in hydration status among community-dwelling eldery in Japan, Geriatrics & Gerontology International **20**（10）：904-910, 2020
5) 総務省消防庁サイト：令和4年（5月から9月）の熱中症による救急搬送状況，2022年10月28日，〔https://www.fdma.go.jp/disaster/heatstroke/items/r4/heatstroke_geppou_202205-09.pdf〕（最終確認：2023年1月26日）
6) 厚生労働省サイト：年齢（5歳階級）別にみた熱中症による死亡数の年次推移（平成7年〜令和3年）〜人口動態統計（確定数）より，〔https://www.mhlw.go.jp/toukei/saikin/hw/jinkou/tokusyu/necchushou21/dl/nenrei.pdf〕（最終確認：2023年1月26日）
7) Mentes JC, Wang J：Measuring risk for dehydration in nursing home residents：evaluation of the dehydration risk appraisal checklist. Research in Gerontological Nursing **4**（2）：148-156, 201
8) 中橋 毅，森本茂人，松本正幸：高齢者の代謝異常 脱水．綜合臨牀 **52**（7）：2164-2169, 2003
9) 岡山寧子，小松光代，木村みさか：様々な環境下における高齢者の水分出納と飲水行動─根拠に基づく脱水予防ケアに向けて．京都府立医科大学 **113**（6）：337-344, 2004
10) 日本生気象学会：日常生活における熱中症予防指針Ver. 4, 2022年5月23日，〔https://seikishou.jp/cms/wp-content/uploads/20220523-v4.pdf〕（最終確認：2023年1月26日）
11) 戎 五郎：高齢者の脱水と経口補水療法．Geriatric Medicine **46**（6）：577-581, 2008
12) 下芝英明：高齢者を診る─今日の診療にすぐに役立つtips─高齢者の脱水にご用心．レジデントノート**7**（6）：813-819, 2005

5 低栄養

A. 基礎知識

1 ● 定　義

　現在，**低栄養**の定義について統一されたものはなく，判定方法や基準値などもさまざまである．そのことを前提に，この項では，「人が生きていくうえで必要とされる栄養の摂取量（**必要栄養量**）と，実際に摂取している栄養の量（**栄養摂取量**）のバランスが崩れ，栄養摂取量が少ないときや必要栄養量が多いときなどにより生じる病的状態」を低栄養ということとする（**図Ⅳ-5-1a**）．なお，栄養摂取量と必要栄養量のバランスが保たれている状態を通常（**図Ⅳ5-1-b**）と考え，何らかの影響で栄養摂取量が多く必要栄養量が少ない状態を**過栄養**（**図Ⅳ-5-1c**）という．

　低栄養状態の指標として，① BMI が 18.5 未満，② 6ヵ月間に 2〜3 kg の体重減少，③ 血清アルブミン値が 3.5 g/dL 以下，④食事摂取量の減少（通常の 75％以下），が挙げられる[1, 2]．

　低栄養は，たんぱく質・エネルギーともに不足した**栄養障害**（protein-energy malnutrition：PEM）ともいい，マラスムス型，クワシオルコル型，また 2 つが混在するマラスムス・クワシオルコル混合型の 3 つのタイプがある．

　マラスムス型は，臨床的には慢性の低栄養状態であり，高齢者，消化器疾患，神経疾患，各疾患の終末期に起こる低栄養状態である．成長停止，筋萎縮，貧血，体重の減少が著しくみられるが，内臓蛋白量が比較的保たれるため浮腫や低蛋白血症は認められない．

　これに対し，**クワシオルコル型**は，臨床的には重篤な感染症や敗血症，外傷，手術などのストレスで起こる低栄養状態である．蛋白質合成の抑制と異化亢進による内臓蛋白量の低下が著しいため，**低蛋白血症**をきたす．浮腫，腹水，やせた四肢，脂肪肝により膨隆した腹部が認められる．

　高齢者の栄養障害では，この 2 つが混在する**マラスムス・クワシオルコル混合型**があり，

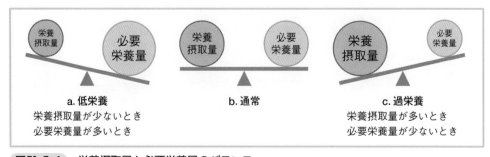

図Ⅳ-5-1　栄養摂取量と必要栄養量のバランス

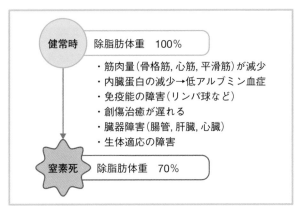

図Ⅳ-5-2　除脂肪体重の減少と窒素死
[日本静脈経腸栄養学会:コメディカルのための静脈・経腸栄養ガイドライン, p.5, 南江堂, 2000を参考に作成]

慢性的なエネルギーとたんぱく質の摂取不足, 疾患の侵襲による基礎代謝亢進, により引き起こされる. その結果, 全身状態が悪くなり他の疾患を併発することが多い.

2● 疫学 (有病率)

　厚生労働省が2019年に調査した国民健康・栄養調査結果の報告[3] において, 65歳以上の低栄養傾向の者 (BMI $\leqq 20\,kg/m^2$) の割合は, 16.8％である. 目標とするBMIの範囲内にある70歳以上の者の割合は, 男性が43.4％であり, 女性が36.8％であった.

3● 病態と生理学的特徴

a. 病　態

　低栄養時の体組織の変化として, 体蛋白質量の減少と相対的細胞外液量の増加がみられるので, 体重変化よりも**除脂肪体重** (lean body mass:LBM) の変化をみていくほうが筋蛋白質の減少を正確に把握することができる. 健常時の除脂肪体重を100％とした場合に, 除脂肪体重が70％になると, **窒素死** (nitrogen death) といわれる生命の維持ができなくなる状態になり死にいたる. この経過のなかにおいて, 生体機能は筋肉量の減少, 内臓蛋白質の減少, 免疫能の障害, 創傷治癒の遅延, 生命維持に必要な臓器の機能低下をまねき, 最終的には生体適応の障害となり, 死にいたることになる (**図Ⅳ-5-2**).

　低栄養のマラスムス型, クワシオルコル型については, 以下のような発生機序が考えられている (**表Ⅳ-5-1**).

(1) マラスムス型低栄養 (主にエネルギー不足)

　マラスムス型では, たんぱく質, エネルギーの摂取量が身体の要求量に対して不十分となり, 身体は自らの蓄えから不足分を引き出すことになる. 臨床的には慢性の低栄養状態であり, 高齢者や消化器疾患, 神経系疾患, 終末期に起こる低栄養状態である. 特徴として, 脂肪の分解が亢進し, 体蛋白質の異化が亢進により体脂肪量, 体蛋白質量が低下する. そして, 体重・筋肉量が著しく低下する. 飢餓状態ではあるが, 内臓蛋白質量は比較的良好に保たれるため, 低蛋白血症による浮腫はみられない. 代謝が低下しているので蛋白質の合成・分解は緩やかで, 血清アルブミン値はほぼ正常であることが多い.

表Ⅳ-5-1　栄養障害（PEM）の特徴

	マラスムス型	クワシオルコル型
栄養素の不足	エネルギー，たんぱく質	主にたんぱく質
所見	やせ，頰こけ	浮腫，腹水
体重	減少	軽微な減少
脂肪分解	亢進	低下
筋蛋白質分解	亢進	低下
内臓蛋白質	保持	低下
血清アルブミン	ほぼ正常	低下

［東口髙志：NST完全ガイド—栄養療法の基礎と実践，p.291，照林社，2005より引用］

(2) クワシオルコル型低栄養（主にたんぱく質不足）

　クワシオルコル型は，摂取エネルギー量は確保できているが，たんぱく質が極度に欠乏したために生じる低栄養状態である．たんぱく質摂取量低下の原因としては，食事によるたんぱく質摂取が不十分であること，また質のよくないたんぱく質の摂取，あるいは疾患による必要たんぱく質量の増加，蛋白質の喪失などが挙げられる．

　臨床的には，敗血症，手術，外傷，熱傷，重篤な感染症，などのストレスのもとで，肝臓での血清蛋白（アルブミンなど）の産生量が減少し，低アルブミン血症となる．低アルブミン血症は結果的に細胞外液の増加をもたらし，浮腫を引き起こす．そのため体重減少は軽度であり，一見は異常がないようにみえるが，実際には内臓蛋白量の減少や免疫能の低下が顕著である．

b. 発生要因

　人は一般的に，加齢に伴い徐々に食事摂取量が減ってくる．高齢者では，身体活動の低下，安静時基礎代謝量の低下，除脂肪体重の低下があり，これにより高齢者の必要摂取熱量も低下する．そのため，若年時と比べて高齢者は食事摂取量が減ってくるが，必ずしも低栄養になるとは限らない．

　高齢者の食生活を規制し，また低栄養の原因となるものには，①加齢に伴う生理的変化，②生活環境の変化，③疾病による影響が挙げられるが，これらはそれぞれ単独で低栄養の原因となるのではなく，通常3つが複合的に高齢者の栄養状態に影響する．

(1) 加齢に伴う生理的要因

　加齢に伴う生理的要因として，①歯の脱落，咀嚼力の低下，嚥下機能の低下，唾液分泌量の低下などによる摂食・嚥下機能障害，②消化・吸収率の低下，③感覚機能（味覚）低下による食欲の減退，④認知機能低下による食欲の減退，⑤日常生活動作（運動量）の低下による食事摂取量の減少，などが挙げられる．

(2) 生活環境要因

　生活環境要因として，①独居高齢者や老夫婦のみの生活による介護不足，②社会とのつながりが減少し，ふだんの生活において無刺激となることによる食べる意欲の減退，会食の機会の減少，③収入の減少による経済的な問題，④栄養に関する知識不足，などが挙げられる．

(3) 疾病的要因

疾病の要因として，①うつ病，②認知症，③悪性腫瘍，④炎症性疾患，⑤臓器の障害，⑥疼痛，などに加え，⑦もともと罹患している基礎疾患などの治療のために内服している薬剤の影響が挙げられる．

4 ● 主な症状と生活への影響

低栄養に起因する主な生理機能障害として，①免疫能低下，②創傷治癒能低下，③腸管壁透過性の亢進（感染リスクの増大），などが挙げられる．

a. 主な生理機能障害

(1) 免疫能低下

低栄養状態では，体力の著しい消耗や免疫細胞の活性低下により，免疫能が低下する．免疫能低下を改善するためには，適切な栄養管理で一定の効果が得られるが，敗血症や多臓器不全などの重症病態下では改善が困難である．そのため，重篤な病態に陥る前に，栄養不良を発見し，早期に適切な栄養管理による栄養状態の維持・改善に心がける必要がある．

(2) 創傷治癒能低下

低栄養状態では，生体の蛋白合成能が低下する．とくにコラーゲン，プロテオグルカン合成能が低下し，線維芽細胞の代謝回転が衰退するため，内皮や上皮細胞遊走能が低下し，創傷治癒能力が低下する．

(3) 腸管透過性の亢進（感染リスクの増大）

腸管粘膜細胞は，グルタミンをエネルギーの源として利用している．そのため低栄養状態，とくにたんぱく質摂取量が不足すると，腸管粘膜細胞が萎縮し腸管壁透過性が亢進するため，細菌や他の蛋白質に対するバリアとしての機能が低下する．

(4) その他の生理機能障害

低栄養状態に対応するために，代謝を調整する甲状腺機能が早期より反応する．基本的な内分泌能は窒素死近くまで比較的保たれる．心筋が減少するので心拍出量などの機能が低下する．また，アミノ酸供給のため骨格筋量が減少し，なかでも呼吸筋への影響が強いため，呼吸筋が疲労し，咳嗽力（がいそう）が低下し，喀痰喀出障害（かくたん）を生じ，その結果，肺炎などが合併しやすい．

(5) フレイル・サルコペニア・ロコモティブシンドローム

近年，高齢者では低栄養が原因となり，体重減少，疲労感，活動量の低下などがみられるフレイル（虚弱）という概念が注目されるようになってきた．さらに，フレイル状態からサルコペニア（筋肉量の低下），筋肉の障害によりロコモティブシンドローム（日常生活に支障をきたす）につながり寝たきりになるといわれている．フレイルの状態に介入をすることで回復の可能性があるともいわれている．

b. 生活への影響

低栄養状態になると，生活の質（QOL）が低下し，また骨折などの原因にもなる．また低栄養を由来とするさまざまな要因により，諸疾患の改善が遅れ，入院期間が延長する，あるいは死期を早めることもある．その他，低栄養が高齢者の生活に及ぼす影響を以下に挙げる．

①筋肉や骨の減少に伴い，体重が減少する（疲れやすくなる）
②筋肉や骨の減少に伴い，運動機能が低下する
③たんぱく質不足により皮膚の異常がみられる（浮腫，褥瘡）
④免疫力の低下により感染症にかかりやすい（日和見感染）
⑤体力低下の悪循環により疾病が悪化する
⑥生活自立度の低下に伴い，介護の必要度が増加する

5 ● 対処の方法（セルフケアの視点から）

　　低栄養を予防するためには，バランスのとれた食事の摂取を心がけ，同時に適度な運動を行うようにする．また，高齢者の場合，低栄養は気づかないうちに進行することが多いので，深刻な状態になる前に早期発見することが重要である．

B. 看護実践の展開―予防と治療

　　看護実践するうえで，栄養状態をアセスメントする意義としては，①低栄養の予防につながり，また同時に，②栄養障害の有無とその程度，栄養療法の適応か否かの判定，③栄養管理法の選択，④栄養療法の効果判定，⑤定期的または反復的に行うことによる栄養管理の修正，⑥手術の予後の推測，に寄与することなどが挙げられる．

　　高齢者の栄養管理をしていくさいは，身体所見や検査データによるアセスメントだけに注目するのではなく，疾患による後遺症の有無や障害の程度，心理社会面も併せて考慮しながら，過栄養・低栄養とならないように対象者1人ひとりに合わせた栄養管理を行う必要がある．また，高齢者が終末期にある場合は，その高齢者が食事について何を望んでいるのかを重視しながら，低栄養に対する栄養管理を行う必要がある．

1 ● 低栄養を予防する

a. アセスメント

　　栄養障害を予防するためには，まずは栄養状態を把握することが重要である．一般に栄養状態を把握することを**栄養アセスメント**とよぶ．

（1）栄養アセスメントを行う

　　アセスメント方法には，身体計測，臨床検査，臨床診査，食事調査などがある．また，栄養アセスメントは，①静的栄養アセスメント，②動的栄養アセスメント，③総合的栄養アセスメント（評価）の3つに分けられる．

①静的栄養アセスメント

　　静的栄養アセスメントは，短期的な変化ではなく，比較的長期間のなかで徐々に形成された基本的な栄養状態あるいは栄養障害を把握するためのアセスメントである．

　　静的栄養アセスメントによって，現時点での基礎となる栄養状態を判断することができるが，一方で，重症感染症や身体に生じた侵襲など，急激な病態の変化に伴う短期間での栄養状態の変化を評価することは困難である．

　静的栄養アセスメントでは，生体内のエネルギー源（主に脂肪）および蛋白源の貯蔵量（身体構成成分）を測定する．身体の一部を測定することにより，全体量を推定し，必要な情報を得ようとする簡便な身体計測方法が用いられる．

　身体計測に関しては，①身長・体重，②上腕三頭筋皮下脂肪厚，③上腕筋囲・上腕筋面積，などを測定し．また，血液・生化学的検査に関しては，血清総蛋白，アルブミン，コレステロール，尿中クレアチニン，血中ビタミン微量元素，末梢血中総リンパ球数などを測定する．これらの測定項目は，測定値の変動が急激でなく，急性の侵襲があっても比較的値が安定しているため，静的栄養アセスメントに向いている．

②動的栄養アセスメント

　動的栄養アセスメントは，短期的な栄養状態あるいは栄養障害の変化を把握するためのアセスメントである．重症感染症や外科的侵襲などの病態下で変化する代謝動態をリアルタイムで把握することができる．

　血液・生化学的検査に関しては，①半減期が短く，合成・代謝速度がともに速いRTP（レチノール結合蛋白，トランスフェリン，プレアルブミン），あるいは②蛋白代謝動態（窒素平衡など）を測定する．また，間接的に栄養素の代謝状況を知るために，①安静時エネルギー消費量，②呼吸商，③糖利用率を測定する．これらによって測定時における比較的短期間の栄養状態の変化をアセスメントすることが可能である．

　ただし，RTPは敏感に栄養状態に反応するものの，その一方で，肝機能や腎機能，感染症などの因子の影響も受けやすいため，その点もふまえて判断することが必要である．

③総合的栄養評価

　総合的栄養評価は，たとえば手術患者を対象に栄養状態により患者の手術後などの予後を測定することを目的にした栄養評価法である．栄養評価法には多くの指標があるが，実際に複数の指標を用いると，同一の対象であるにもかかわらず，指標によっては正常を示したり，異常を示したりと評価が定まらないことがある．これらの指標は特定の疾患，あるいは特定の機能障害に対して有効であり，すべての患者に適用できる指標ではないことが欠点である．そこで総合的に栄養状態を判断する指標として，総合的栄養評価が重要となる．1980年にバズビー（Buzby GP）らによって提唱された，総合的に全身栄養状態を評価する指標PNI（prognostic nutritional index）の計算式を示す[4]．

全身栄養状態を評価する指標PNI

計算式：$PNI = 158 - (16.6 \times Alb) - (0.78 \times TSF) - (0.22 \times Tf) - 5.8 \times DH$

　　Alb：血清アルブミン（g/dL），TSF：上腕三頭筋皮下脂肪厚（mm），Tf：トランスフェリン（mg/dL），

　　DH：遅延型皮膚過敏反応（無反応：0，＜5mmの硬結：1，≧5mmの硬結：2）

判定：PNI≧50：高度リスク，50＞PNI≧40：中等度リスク，40＞PNI：低度リスク

(2) 栄養障害をスクリーニングする（アセスメントの実際）

　栄養に関するデータ収集を行い，栄養障害の疑いのある高齢者をスクリーニングし，抽出する．スクリーニング項目は，体重，発熱の有無，嘔吐や下痢の有無，経口摂取の可否，リスク疾患（褥瘡，熱傷，COPDなど）の有無などである．

　さらに，抽出された高齢者に対しては以下に挙げるアセスメント方法を用いて，栄養状

態を把握し，必要栄養量を算出する．データ収集を行う方法はさまざまであるが，近年，**主観的包括的アセスメント**（subjective global assessment：**SGA**）*が普及してきている．

主観的包括的アセスメント（SGA）の方法

1．収集する情報

[問診・病歴]

①年齢，性別，②身長，体重，体重変化，③食物摂取状況の変化，④消化器症状，

⑤日常生活動作（ADL），⑥疾患と必要栄養量との関係など

[理学的所見]

⑦皮下脂肪の損失状態（上腕三頭筋皮下脂肪厚），⑧筋肉の損失状態（上腕筋囲），

⑨浮腫（くるぶし，仙骨部），⑩腹水，⑪毛髪の状態など

2．収集した情報からわかること

①肥満の判定に用いられる体格指数（body mass index：BMI）

　BMI＝体重（kg）／身長（m）^{2}

　BMI＝22が標準とされている（世界保健機構［WHO］，日本肥満学会など）．また，栄養障害のリスク判定の基準は，20超で低度，18.5～20は中等度，18.5未満は高度である．また，30超は過栄養により栄養管理が必要になる．

②基礎エネルギー消費量（basal energy expenditure：BEE）（kcal/日）

　男性　BEE＝66.5＋（13.8×体重kg）＋（5.0×身長cm）−（6.8×年齢）

　女性　BEE＝655.1＋（9.6×体重kg）＋（1.8×身長cm）−（4.7×年齢）

③必要エネルギー量と必要水分量

　必要エネルギー量（kcal/日）＝BEE×活動因子×傷害因子

　"活動因子"は，歩行程度の活動の場合は1.2，労働作業程度の活動の場合は運動の活発さの程度によって1.3～1.8を当てはめる．また，"傷害因子"は，術後（合併症なし）は1.0，がんや腹膜炎や敗血症は1.1～1.3，重症感染症や多発外傷や多臓器不全は1.2～1.4，熱傷は1.2～2.0を当てはめる．

　必要水分量＝35（mL/kg）×現在の体重（kg）（成人の場合）

　ただし，必要水分量に関しては，疾患に配慮して制限することも，または発熱による脱水症状に配慮して増加させることもあるため，それらの状況をふまえて必要量を判断する．

b．介　入

　高齢者にとっても「食べること」は，毎日の営みであって，低栄養状態の予防，および改善に努めることは，高齢者が望む生活を実現するために欠かせないことの1つである．そして，何らかの障害により「食べること」が困難となった場合は，体内に必要な栄養を摂取するために，その人にあった栄養摂取方法，栄養摂取量に配慮し，栄養状態を良好に維持していくことが求められる．

　近年，多職種による**栄養サポートチーム**（nutrition support team：**NST**）を編成し，チー

---

* 主観的包括的アセスメント（SGA）：外来診察で入手可能な簡単な情報のみで判断するアセスメントをいい，栄養障害や創傷の治癒遅延や感染症などのリスクのある患者を正確に予測できるといわれている．

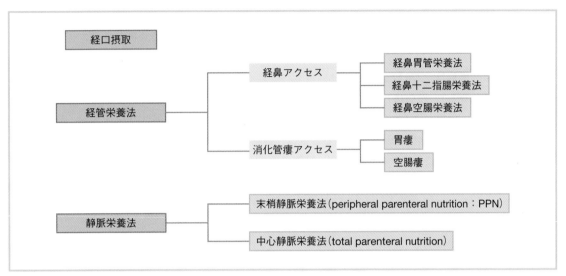

図Ⅳ-5-3　栄養投与経路
[日本臨床栄養代謝学会（編）：日本臨床栄養代謝学会JSPENテキストブック, p.200, 南江堂, 2021より許諾を得て転載]

ムの協働により栄養管理をする施設が増えている. 栄養サポートチームとは, 医師, 看護師, 管理栄養士, 薬剤師, 理学療法士, 作業療法士などの多職種で構成され, 各職種の専門知識をもちより, 個々の患者に合わせた最善の栄養管理を行うためのチームである. チームの具体的な活動は, 全入院患者を対象に, 適正な栄養管理がなされているか否かを判断するために定期的にスクリーニングを行い, その結果, 栄養管理が不十分な患者には詳細な栄養アセスメントを行い, 栄養管理に関する具体的な情報を主治医や担当する看護師に提供することである.

(1) 栄養管理プランニングを行う

①栄養投与経路の選択

　図Ⅳ-5-3に栄養投与経路を示したが, まず, 経口摂取, 経管栄養法, 静脈栄養法（末梢静脈栄養法, 中心静脈栄養法）のどれが適切であるかを決める. 高齢者の状態によって, 栄養投与経路は1つとは限らず, 必要に応じて複数の経路から同時に栄養を投与することもある. そして, 少しでも口から食べることができる状態に近づけ, 高齢者の「食べる」楽しみをふまえた栄養管理プランを提供することが大事である.

②提供する栄養内容（投与量）の決定

　栄養内容（投与量）を決めていくときは, はじめに総エネルギー投与量を計算する. その方法には, ①ハリス－ベネディクト（Harris-Benedict）計算式から基礎エネルギー消費量を計算する方法や, ②簡易にエネルギー投与量を体重あたり25〜30 kcal / kg / 日（例：体重60 kgの場合は, 60×30＝1,800 kcalの投与量が必要となる）として計算する方法がある.

　次に, たんぱく質, 脂肪, 糖の投与量を算出する. 高齢者にとって, たんぱく質の量を保つことは重要である. 2020年の『日本人の食事摂取基準』の改定で, たんぱく質の目標量が変更となった. ほかのエネルギー源となる栄養素である炭水化物や脂質とのバラン

スを取り，1日のエネルギー量に対しての割合で示され，65歳以上では15〜20%が目標量とされた[5]（例：必要エネルギーが1,800 kcalの場合，たんぱく質の目標エネルギー量は1,800 kcal × 15% = 270 kcalになる．たんぱく質1g当たり4kcalのため，たんぱく質の必要量は，270 kcal ÷ 4 kcal/g = 67.5gとなり，1日67.5gのたんぱく質の摂取が目標量となる）．脂肪は，一般的に推奨されている摂取量は1g/kg/日である．脂肪はエネルギー効率がよく，生体調節機能に欠かすことができない栄養素である．なお，高齢者の場合，とくに末梢静脈に投与するときは，静脈炎などにより血管確保が困難となりやすく，投与速度などを工夫して投与し，管理する必要がある．また，病態によっても投与量は変わってくるため注意する．

　たんぱく質，脂肪，糖の投与量を決定したのちに，水分，電解質，ビタミン，微量元素の投与量を決定する．

　高齢者の場合，必要栄養量を算出して栄養内容を検討していくことも大切であるが，とくに口から食物が食べられる場合，食べたい物を食べたいときに楽しく食べられるような工夫を忘れてはならない．そのために，高齢者の嗜好を取り入れたメニューを考え，本来温かい食べ物は温かく，冷たい食べ物は冷たく提供できるようにする．さらに，高齢者は一度に食べられる量が減ってくるため，3回の食事で無理に必要な栄養を摂取させようとせず，1回量を少量にし，不足分を間食などで補う配慮も必要である．

(2) 栄養管理を実施する

　栄養管理の要点は，以下のとおりである．

①経腸栄養・経静脈栄養のルート管理をする
②各栄養剤の衛生管理を行い，適正に投与する
③栄養療法に関する合併症の有無を観察し，その予防とともに発生時の対応を考える
④可能な限り経口栄養への移行を推進（摂食・嚥下障害へのケアを提供）する
⑤食事動作の自立のために，高齢者の好みを取り入れた環境や食器などに配慮する

　その他，食欲不振などがある場合には，その原因（疾患による影響，薬物の影響，口腔内のトラブル，便秘の有無，精神的ストレスなど）は何であるのか話し合い，原因を取り除き，改善するための看護を提供する．また，消化・吸収機能を促進するために適度な運動を行うように指導する．

　このような流れで栄養管理を行い，継続して栄養管理のモニタリング，再プランニングを行い低栄養の予防・改善に努めていく．

c. 評価の視点

　低栄養の評価の視点は，高齢者が低栄養になっているか，その可能性が高いかどうかではあるが，高齢者は栄養摂取量が少なくなる傾向にあり，その一方で代謝量も減少しているため，評価が難しい．

2● 低栄養を改善する

　高齢者は，低栄養の発生要因で示したように加齢に伴う生理的変化（味覚，嗅覚など），嗜好の偏りや薬剤投与の副作用による食欲低下，疾患による食事摂取量の低下などにより

低栄養を引き起こす．そのため，気づかないうちに低栄養をきたす可能性がある．実際に低栄養になった場合においても，前述のように栄養状態をアセスメントし，栄養管理のモニタリング，再プランニングを継続して行っていくことがその治療につながる．

C. 実践におけるクリティカル・シンキング

演習⑤ 慢性閉塞性肺疾患（COPD）の憎悪により食欲が低下した男性

86歳，男性．入院前より，動くと呼吸が苦しくなり臥床しがちであった．妻が食事を用意しても「食べると，苦しくなるからいらない」と訴え，ほとんど食事をしなくなった．病院を受診すると，COPDと診断され，入院することとなった．

問1 患者は入院前より食事を摂らなくなり，トイレ以外は布団の中にいるようになった．この患者の栄養管理を行ううえで必要な情報はどのようなことが考えられるか

問2 COPDのような肺疾患の患者は，活動量が少なくても，呼吸をするだけで多くのエネルギーを消費する．栄養管理をするために，どのようなことが必要か

[解答への視点 ▶ p.473]

練習問題

Q17 高齢者が低栄養になる原因として正しいのはどれか．2つ選べ．
1. 咀嚼力・嚥下機能の低下や唾液分泌量の減少などの加齢による変化
2. 認知症や老人性うつなどは，低栄養の要因とはならない
3. 高齢者は活動量が低下するため，エネルギー消費が増大することはない
4. 1人暮らしや老夫婦世帯の生活は，低栄養の生活環境要因となる
5. 高齢者は食事摂取量が低下するため，低栄養になる

[解答と解説 ▶ p.478]

引用文献
1) 介護予防マニュアル改訂委員会：介護予防マニュアル（改訂版：平成24年3月），p.71，2012，〔https://www.mhlw.go.jp/topics/2009/05/tp0501-1.html〕（最終確認：2023年1月26日）
2) 「介護予防マニュアル」分担研究班：栄養改善マニュアル（改訂版：平成21年3月），p.12-13，2009，〔https://www.mhlw.go.jp/topics/2009/05/dl/tp0501-1e_0001.pdf〕（最終確認：2023年1月26日）
3) 厚生労働省：令和元年 国民健康・栄養調査報告，p.119-120，〔https://www.mhlw.go.jp/content/000710991.pdf〕（最終確認：2023年1月26日）
4) Buzby GP, Mullen JL, Matthews DC, et al：Prognostic nutritional index in gastrointestinal surgery. American Journal of Surgery **139**：160-167，1980
5) 「日本人の食事摂取基準」策定検討会：日本人の食事摂取基準（2020年版）「日本人の食事摂取基準」策定検討会報告書，p.126〔https://www.mhlw.go.jp/content/10904750/000586553.pdf〕（最終確認：2023年1月26日）

6 皮膚瘙痒感

A. 基礎知識

1 ● 定　義

　①掻破によって二次的に生じた紫斑や掻破痕が認められる場合，また，②かゆみの原因となる発疹がないのに皮膚にかゆみがある場合を**皮膚瘙痒症**という（**図Ⅳ-6-1**）．全身にかゆみが生じる「汎発性」と体表面の限られた部位にだけ認められる「限局性」とに大別される．

皮膚瘙痒症の分類と原因（基礎疾患）

1. 汎発性瘙痒症
- 老人性
- 腎疾患（慢性腎不全，透析）
- 肝・胆道疾患（閉塞性胆汁うっ滞，肝硬変，慢性肝炎）
- 内分泌・代謝疾患（甲状腺機能亢進症／低下症，糖尿病，痛風，副甲状腺機能亢進症／低下症）
- 血液疾患（真性赤血球増多症，鉄欠乏性貧血，ヘモクロマトーシス）
- 悪性腫瘍（悪性リンパ腫，白血病，内臓悪性腫瘍，多発性骨髄腫）
- 神経疾患（多発性硬化症，脳血管障害，脳腫瘍，進行麻痺）
- 精神障害・心因性（ストレス，神経症，寄生虫妄想）
- 薬剤性（コカイン，モルヒネ，薬剤過敏症など）
- 食物（魚介類，そば，野菜類［キノコ，タケノコ］，アルコール類，チョコレートなど）
- 妊娠，閉経後

2. 限局性瘙痒症
- 外陰部瘙痒症
  男性：尿道狭窄，前立腺肥大症，前立腺がん
  女性：腟カンジダ症，腟トリコモナス症，卵巣機能低下，尿道炎，膀胱炎
- 肛囲瘙痒症
  便秘，下痢，痔，脱肛，蟯虫症

2 ● 疫学（有病率）

　皮膚瘙痒症は，皮膚科外来患者の 1.1～2.3％にみられる．皮膚瘙痒症の多くは**乾皮症**を原因とした**老人性皮膚瘙痒症**であり（**図Ⅳ-6-1b**），高齢者の割合が多い．75歳以上の高

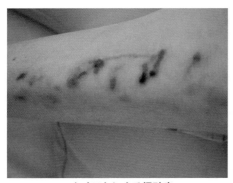

a. かくことによる掻破痕

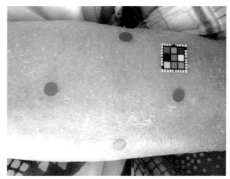

b. 皮膚の乾燥による老人性皮膚瘙痒症（乾皮症）

図Ⅳ-6-1　皮膚瘙痒症

齢者の場合，その29～50％に皮膚瘙痒症があるといわれている．好発部位は四肢伸側，側腹部，腰部である．

3 ● 病態と生理学的機序

a. 発生機序

かゆみの発生機序は以下の2つに分けられる（**図Ⅳ-6-2**）．

(1) 末梢性のかゆみ

表皮と真皮接合部にC線維神経終末（かゆみ受容体）が分布し，そこに刺激が作用することでかゆみが生じる．末梢性のかゆみの伝達経路には，以下の3通りがある．

①物理的刺激（電気的・機械的・温熱刺激）が作用すると，**求心性C線維**により，脊髄に伝達され，脊髄視床路，視床を経由して大脳皮質の感覚野に達し，"かゆみ"として認識される（**図Ⅳ-6-2 緑矢印**）．

②化学的刺激（ヒスタミン遊離物質，IgE，補体，サイトカイン）によってマスト細胞が活性化しヒスタミンが放出し，C線維神経終末に作用する．そして，求心性C線維により脊髄に伝達され，脊髄視床路，視床を経由して大脳皮質の感覚野に達して"かゆみ"として認識される（**図Ⅳ-6-2 赤矢印**）．

③物理的刺激を受けた求心性C線維より神経ペプチドが放出され，マスト細胞が活性化しヒスタミンが放出され，求心性C線維により脊髄に伝達され，脊髄視床路，視床を経由して大脳皮質の感覚野に達して"かゆみ"として認識される（**図Ⅳ-6-2 青矢印**）．

(2) 中枢性のかゆみ

内臓病変などに伴って認められることが多いかゆみは，**オピオイドペプチド**（内因性モルヒネ様物質）が脳や脊髄の神経組織に存在するモルヒネ受容体に作用することにより発現すると考えられている．たとえば慢性腎不全（透析）や黄疸のある患者の場合，血液中のオピオイドペプチドが増加し，モルヒネ受容体に結合しかゆみを発生させる．鎮痛薬として使用されるモルヒネは痛みを止めるが，かゆみを助長する物質でもある．モルヒネを投与することよって，モルヒネが直接モルヒネ受容体を刺激してかゆみを発生させる（**図Ⅳ-6-2 黄矢印**）．

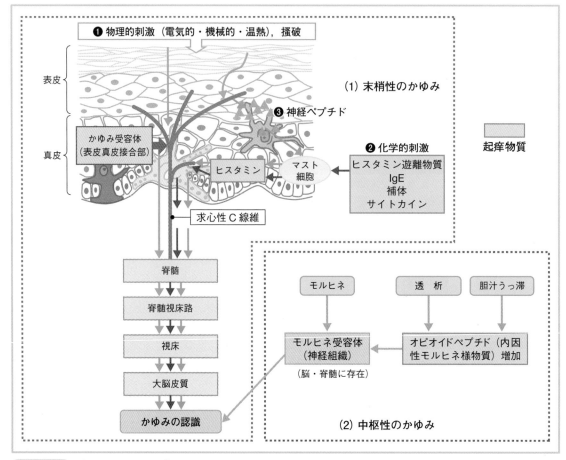

図Ⅳ-6-2　かゆみのメカニズム

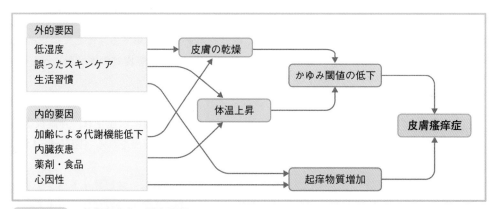

図Ⅳ-6-3　皮膚瘙痒症の発生要因

b. 発生要因

　皮膚瘙痒症は，①かゆみ閾値の低下，②起痒物質の増加，により発生すると考えられている（**図Ⅳ-6-3**）．以下，それぞれの要因を詳細に説明する．

(1) かゆみ閾値の低下

皮膚が病的な状態では，C線維が表皮内まで侵入しており，かゆみの閾値を低下させているといわれている．そのため，i）皮膚が乾燥すると，ヒスタミンなどを介さずに直接，求心性C線維に作用してかゆみを生じる．また，ii）血管拡張により体温が上昇するとかゆみ閾値を低下させるともいわれている．

皮膚の乾燥，体温上昇につながる原因に以下が考えられる．

i）皮膚の乾燥の原因

①低湿度環境：冷房，暖房，こたつ，電気毛布などの使用で低湿度となる

②誤ったスキンケア：頻回の入浴，刺激の強い石けんの使用や石けんによる頻回の洗浄，ナイロンタオルやボディブラシの使用，硫黄入り入浴剤の使用など．これらは皮脂の分泌を抑制する

③加齢による代謝機能の低下：皮脂分泌機能の低下，角質の水分保持機能の減退により，水分が蒸発しやすくなり皮膚の保湿性が低下する

④内臓疾患：透析患者では，皮膚の角層の水分が著しく減少する

ii）体温上昇の原因

①誤ったスキンケア：高い湯温での入浴により血管が拡張し，体温が上昇する

②内臓疾患：甲状腺機能亢進症の代謝亢進により血管が拡張し，体温が上昇する

(2) 起痒物質の増加

起痒物質の増加には以下の要因が関与している．

起痒物質の増加に関与する要因

①生活習慣：肌着などの繊維やタグ，ゴムなどの締めつけによる刺激

②内臓疾患：慢性腎不全（尿毒症物質の蓄積，血清カルシウムやリン高値，透析膜による補体やサイトカインの活性化），甲状腺機能亢進症（代謝亢進によるキニンの活性化），真性赤血球増加症（マスト細胞の増加），胆汁うっ滞（胆汁酸の合成・蓄積する中間代謝物やマスト細胞の活性化）

③薬剤・食品：起痒物質を含んでいる薬剤や食品の摂取によって，起痒物質がマスト細胞に結合し，ヒスタミンを活性化

④心因性：ストレスによるIgE抗体産生の増加，神経ペプチドの放出によりマスト細胞を活性化

4 ● 主な症状と生活への影響

a. かゆみ

持続性のかゆみと，発作性に出現するかゆみがある．その程度は，ムズムズするような弱いかゆみ，チクチクした感じ，灼熱感のある強いかゆみがみられる．かゆみのために，皮膚を掻くことでよりかゆみが増強し，掻き傷をつくらないと治まらないこともある．夜間になるとかゆみが強くなり，睡眠不足や情緒不安定になることもある．

5 ● 対処の方法（セルフケアの視点から）

　かゆみの要因となる外的要因，内的要因を見直し，生活環境を改善することが重要となる．皮膚に極力刺激を与えないような衣服（主に下着）を着用する．皮膚の乾燥を予防するために，冷暖房使用による室内の温湿度調整やスキンケアによる保湿を行うこと，かゆみを起こす薬剤や食べ物の摂取を控え，精神的にリラックスできる環境をつくることも，かゆみを予防することにつながる．内臓疾患をもつ場合は，定期的に受診を行い，病状の安定をはかることが重要である．

B. 看護実践の展開─予防と治療

1 ● 皮膚瘙痒症を予防する

a. アセスメント

　皮膚瘙痒症の多くは，**皮膚の乾燥**が強く関連している．全身の皮膚の状態を観察し，皮膚の乾燥の有無と部位を確認することが重要となる．高齢者では，下肢や体幹部に乾燥が起こりやすいため，好発部位の皮膚の観察を念入りに行う．

b. 介　入

　皮膚の乾燥を予防するために，生活環境を調整し適切なスキンケアを行う．また，起痒物質の増加を予防するため，刺激となるものを避けることが必要である．

（1）皮膚の乾燥を予防する

①生活環境の調整

　暖房やこたつの使用により皮膚が乾燥しやすくなる．暖房器使用時には加湿器も併用し，湿度が40％以下にならないよう調整する．

　電気毛布は，乾燥を助長するため可能な限り使用せず，あらかじめ温めておき，就寝時にスイッチを切るなどの工夫をするとよい．夏場もエアコンの送風が直接当たらないようにすることや，湿度調整に努めるなど，適切な温度湿度の管理が大切である．

　肌着はナイロンを避け，ゆったりとした木綿などの柔らかい素材のものを着用する．

②スキンケア

　角質への損傷を予防し，皮膚のバリア機能を維持するために，こすらずに洗浄剤を用いて，泡で包み込むように愛護的に洗う．ナイロンタオルやボディブラシでごしごしこすってはいけない．また，洗浄剤も皮脂を取りすぎないものを選ぶとよい．洗浄剤は脱脂力が低い弱酸性洗浄剤を使用するとよい．拭き取りは，やわらかい天然素材のタオルを使用し，押さえるように行う．入浴については，熱い湯は皮脂が取れすぎて乾燥しやすくなるため，熱すぎない湯（38〜39℃程度）にゆったりとつかるようにすすめる．硫黄入りの入浴剤は皮膚の乾燥を助長するため，使用を避ける．

　高齢者は，皮脂分泌減少によって，角層が不規則になり，また細胞自体が変化し，すき間が生じて水分が蒸発しやすい．乾燥しやすい部位には，人工的に皮脂膜をつくり，水分の蒸散を防ぐ必要がある．入浴により皮脂が失われるため，入浴後は保湿クリームや保湿剤を塗布する．また，皮膚より吸収された水分を維持するためにも，それらが蒸発しないうちに早めに塗布することが効果的である．保湿剤の硬度によっては塗布する際に，摩

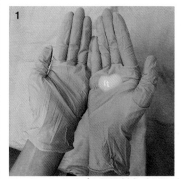
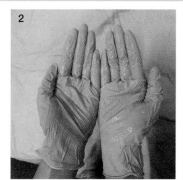

ローションタイプの保湿剤を手に取り広げる

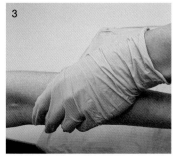
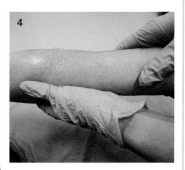

毛の流れに沿って押さえるように塗布する

図Ⅳ-6-4　保湿剤の塗布

擦・ずれが加わるため，低刺激性で硬度の低いローションタイプ（乳液タイプ）の伸びの
よいものを選択する．保湿剤を1日2回，あるいは状態によってそれ以上塗布するとよい．
皮膚に摩擦が起こらないように毛の流れに沿って押さえるように塗布する（**図Ⅳ-6-4**）.

(2) 刺激物を除去する（起痒物質の増加を避ける）

①生活習慣

化学繊維や毛（ウール）などのチクチクする肌着は皮膚への刺激があるため，木綿など
の柔らかいものを着用する．また，きつめの下着や靴下，靴なども圧迫が刺激となりかゆ
みをもたらすために注意する．

②内臓疾患をもつ場合

定期的に受診し，症状の悪化を予防する．

③薬剤，食品

起痒物質を含む薬剤を常用している場合，かゆみの発生に注意する．医師と相談し休薬
したり内服変更することも必要である．起痒物質を含む食品類の過度の摂取を控える．ア
ルコールは体温を上昇させ，香辛料は起痒物質を増加させ，かゆみを発生させるため，控
えめにするとよい．

④心因性

ストレスや緊張感を緩和させるよう，リラックスできる環境にする．深呼吸を促すこと

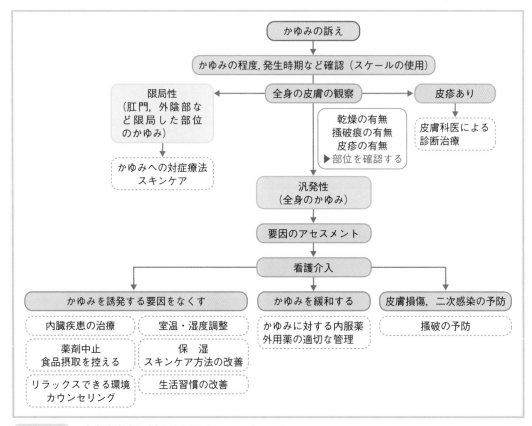

図Ⅳ-6-5　皮膚瘙痒症に対するケアのフローチャート

もよい.

c. 評価の視点

　予防での評価の視点は，かゆみがあるかないかである．また，掻破行動の有無を確認することも必要である.

2 ● 皮膚瘙痒症を治す

a. アセスメント

　かゆみを訴えている場合，かゆみの程度と発生時期を聞きとり，かゆみの要因は何かをアセスメントしていくことが必要である．かゆみは，個人的経験に基づく主観的感覚であるため，客観的な評価は困難である．認知機能障害などでかゆみを訴えることができない場合は，掻破の状況を把握し適切にケア介入を行う（**図Ⅳ-6-5**）.

（1）かゆみの程度を確認する

　主観的評価法である，**VDS**（Verbel Descriptor Scale）や**NRS**（Numerical Rating Scale），**VAS**（Visual Analogue Scale）などを用いてかゆみの程度をアセスメントする（**図Ⅳ-6-6**）.

　かゆみが訴えられない場合は，掻破痕の有無と状態，掻破行動の観察，精神状態（イライラ感など），睡眠状況や食欲などを観察する．これには，**瘙痒感の程度の判定基準**（川

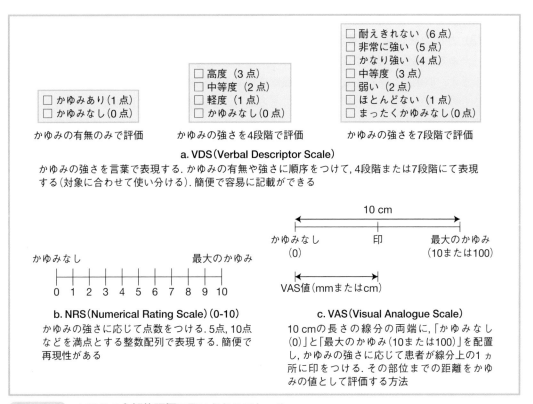

図IV-6-6　かゆみの主観的評価に用いられるスケール

表IV-6-1　瘙痒感の程度の判定基準

スコア	日中の症状	夜間の症状
4点	いてもたってもいられないかゆみ	かゆくてほとんど眠れない
3点	かなりかゆくて, 人前でもかく	かゆくて目が覚める
2点	時に手がゆき, かるくかく	かけば眠れる
1点	時にむずむずするが, かくほどでない	かかなくても眠れる
0点	ほとんどかゆみを感じない	ほとんどかゆみを感じない

かゆみが日常生活に及ぼす影響に焦点を当てて評価する方法である.
患者のかゆみを具体的に知るうえで参考となる.
[川島 眞, 原田昭太郎, 丹後俊郎:瘙痒の程度の新しい判定基準を用いた患者日誌の使用経験. 臨床皮膚科 56(9):692–697, 2002 より引用]

島らの評価方法, **表IV-6-1**）や腕時計型の加速センサーを用いて掻破行動を評価し, かゆみの程度をアセスメントする. 掻破行動は, 爪をみて評価することもできる. 爪を立てずに指背で掻破することもあり, その場合には**爪に光沢**がある（pearly nails）ことが多く, その状態によって評価することも可能である.

(2) 皮膚の状態を観察する

　全身の皮膚を観察し, 皮疹の有無を観察する. 皮疹がある場合は皮膚科専門医の診断が必要である. 皮疹がない場合, かゆみのある部位や掻くことによる**掻破痕**がないかについ

ても観察する．皮膚の乾燥とかゆみの部位が一致した部位であるかを確認する．

(3) かゆみを誘発する要因をアセスメントする

かゆみの部位，程度が確認できたら，かゆみを誘発している要因をアセスメントする．

まず，原疾患，薬剤や食品による瘙痒感であるかを確認する．原疾患，薬剤や食品によるものでない場合は，心因性なものであるか否かを確認する．次に加齢，生活習慣，低湿度環境，誤ったスキンケアの有無についてアセスメントする．加齢で，内臓疾患や薬剤などの要因が関係していない場合にみられるものを老人性皮膚瘙痒症とよぶ．

(4) 生活への影響をアセスメントする

皮膚瘙痒症のかゆみは，夜間になると強くなりやすい．そのため，睡眠障害や精神的に不安定になりやすい．よって，夜間の睡眠状況をアセスメントする．また，日中も落ち着きのない行動をとっていないかなど精神状態をアセスメントする．

b. 介　入

アセスメントにて要因を明確にし，①かゆみをもたらす要因をなくす，②かゆみを緩和する，③皮膚損傷・二次感染を予防する，ケア介入が重要である．

(1) かゆみを誘発する要因をなくす

まず内臓疾患が明確になれば，その治療を優先することが重要となる．また，薬剤や食品が関与している場合は摂取を控えるか，中止する．心因性では，リラックスできる環境や心理学的療法（カウンセリング）を行う．かゆみを緩和するには，内服薬や外用薬が用いられるが，適切な方法で投与されるよう介助することが大切である．また，皮膚の乾燥に対する温湿度調整，保湿などのスキンケアを行うこと，生活習慣の改善では，刺激となるものを除去することが重要となる．基本的には，前述の「皮膚瘙痒症を予防する」(p.214参照) に準じてケアを行うが，スキンケア，生活習慣へ介入する．

①スキンケア

予防でも述べたスキンケア方法（洗浄方法，保湿方法など）と同様にケアを提供していく．洗浄剤では，セラミド入り皮膚洗浄剤を使用することで皮膚の汚れを取り，セラミドによって保湿効果を得ることができるので，皮膚の乾燥によい．ほかにも低刺激の洗浄剤を選択し，優しくこすらずに洗うことが重要である．

②生活習慣

かゆみを増強する因子をみつけ，是正することが重要となる．アルコール類，香辛料は血管を拡張させかゆみを増強するため避ける．そのほか，予防と同様に看護介入する．

(2) かゆみを緩和する

①外用薬による治療

皮膚の乾燥では保湿剤を使用する．湿疹化している場合は，ステロイド外用薬が処方される．入浴後の使用が効果的である．

皮膚に伴うかゆみの乾燥に対して：尿素軟膏，ヘパリン類似物質軟膏，白色ワセリンなど保湿効果のあるものを使用する（**表Ⅳ-6-2**）．鎮痒性外用薬として，クロタミトン含有製剤，ジフェンヒドラミン含有製剤を使用する．

搔破による二次的な湿疹性の病変が認められる場合：ステロイド外用薬が処方される．これは炎症を抑えることでかゆみを抑えるためである．高齢者では，強いステロイド外用薬

表Ⅳ-6-2　主な保湿剤の種類と特徴

保湿剤	特　徴
白色ワセリン	皮膚表面に油脂膜をつくり，水分の蒸散を防ぎ，角質層水分量を維持する役割を果たす．塗布後は皮膚面に水分はないが，時間とともに角質層水分量が上昇し，しだいに柔軟性を帯びてくる
尿素軟膏	角質層の保湿能力を高め，皮膚に粘滑性を与えるが，高浸透圧のため，水分を尿素が吸収し角質細胞の水分が減り，ひりひり感などの症状が生じることがある
ヘパリン類似物質軟膏	ムコ多糖の多硫酸化エステルで多くの親水基をもち，角質水分を増強する作用をもつ．ほかに抗炎症作用，血行促進作用があり，皮膚の再生も促進する

の使用は，皮膚の萎縮などの副作用を認める場合もあるため，中等度以下のステロイド外用薬が処方される．また，長期の使用により，皮膚萎縮や毛細血管の拡張・紫斑などの局所の副作用や，真菌症（カンジダ，白癬）を併発しやすい．そのため塗りすぎに注意し，部位に応じて適切な量を塗布する．外用薬の使用について自分で行える場合は，使用量，使用時間，塗布の方法を説明したうえで，自身で実施してもらう．自分で行えない場合は，使用量，使用時間を守り，看護師が塗布する．入浴や清拭後に入念に塗布し，さらに夜間にかゆみが強くなるため，就寝前にも塗布する．使用効果について，かゆみの評価や掻破の状況，皮膚の乾燥状態をみて判断し，医師に相談しながら，かゆみへの対処方法を必要に応じて変更していく．ステロイド外用薬の中止後も，保湿剤は継続し使用するとよい．

②内服療法

第一選択として，**抗ヒスタミン薬**，**抗アレルギー薬**が処方される．かゆみは，夕方から夜間にかけて，高齢者では就寝してからとくにかゆみが強くなるため，この時間帯に合わせて服用する．内服薬が確実に投与されるために，お薬カレンダーを使用する．自分で内服を管理できない場合は，介助して内服投与を行う．内服の効果や副作用を皮膚の状態，かゆみの程度や掻破状況などから評価し，医師に相談する．医師の指示により，減量や変更，中止など適切に管理する．

(3) 皮膚損傷・二次感染を予防する（掻破予防）

掻破は，末梢神経の損傷によりかゆみが増強する悪循環をまねく．また，皮膚のバリアの破綻によって，二次感染を起こす可能性がある．爪は短くし，やすりで整えておくこと，または綿の手袋をして皮膚の損傷を防ぐことが重要である．

(4) かゆみを最小限にする

かゆみによって入眠が困難なときに，かゆい部分に冷やしたタオルや保冷剤を当てたり，冷たい水でパッティングを行うとよい．皮膚温上昇でかゆみを誘発し不眠になるため，布団などのかけ物で寝床内の温度を調整し，また室内の温度も低めに設定して入眠しやすい環境に整える．寝衣の素材によって刺激にもなるため，毛布や寝衣の素材は刺激の少ない綿製のものなどを着用するとよい．夜間のかゆみによる睡眠障害に，鎮静効果のあるマイナートランキライザーが処方されることもある．これは，ふらつきなどの副作用を生じやすいため，高齢者では転倒・転落に注意して使用すべきである．

c. 評価の視点

　評価は，VDS，NRS，VAS などを用いてかゆみが軽減したか，消失したかを確認する．自分でかゆみを訴えられない場合，搔破痕や夜間の搔破行動を観察し評価する．また，かゆみによる不眠，食欲低下，イライラ感などの精神的な状態を観察することも重要である．かゆみに変化が認められない場合は，ケア方法や日常生活を見直すことが必要となる．

C. 実践におけるクリティカル・シンキング

演習⑥ 夜間の覚醒が継続していた男性

　85歳，男性，軽度の認知機能障害があり，介護老人保健施設に入所中である．夜間になると全身の瘙痒感が強く覚醒状態が続き，日中は傾眠状態であった．入浴時に全身の皮膚を観察すると，皮疹はみられないが，腹部と下腿に搔破の痕が認められた．

問1 全身の瘙痒感が強く中途覚醒が多くなっている要因には何が考えられるか
問2 この患者の皮膚瘙痒症に対して適切な処置としてどのような方法が考えられるか

[解答への視点 ▶ p.473]

練習問題

Q18 老人性皮膚瘙痒症の病態について正しいものはどれか．2つ選べ．
1. 皮脂が過剰に分泌しているため，かゆみが起こる
2. 皮膚の角質層内の水分量が低下し，かゆみが起こる
3. かゆみの好発部位は下腿部である
4. 皮膚のかゆみの閾値は，皮膚の乾燥時に上昇する

[解答と解説 ▶ p.478]

7 痛 み

A. 基礎知識

1 ● 痛みの定義と看護の考え方

　体の痛みとは，人間が生きていくうえでの重要な警告信号の1つである．それにより痛みを避けて活動するなどの怪我を予防する行動や病気の発見等につながる．しかし，警告信号の役割を終えても引き続き起こる痛みや激しい痛みは高齢者へ悪影響を及ぼす可能性がある．そのため，看護師には痛みに関する十分な知識を持ち看護することが重要である．

　まず，痛みとはどのように定義されているだろうか．2020年に改訂された国際疼痛学会（International Association for the Study of Pain：IASP）[1]の定義を以下に示す．

　• 実際の組織損傷もしくは組織損傷が起こりうる状態に付随する，あるいはそれに似た，感覚かつ情動の不快な体験

　すなわち痛みとは，実際の組織損傷つまり痛みの原因となる怪我や病気がわかっている状態またはそれが起こる可能性がある状態，そしてそのような原因がわからない状況であっても起こる，感覚と感情（気持ち）を伴う不快な経験であると定義されている．また，この定義には，さまざまな要因によって痛みが影響され，また痛みによって健康に悪影響を及ぼす可能性があること，痛いと訴えている人の訴えを重んじること，「痛い」という言葉での訴えがなかったとしても痛みがある可能性があることが加えられている．

　上記の定義を踏まえ，痛みのある高齢者への看護としては，以下のようなことを意識することが必要である．

①高齢者の場合，**今，痛いという経験**はそれまで歩んできた長い人生経験によって影響を受ける．たとえば，痛みがあったときには病院に行けば治してもらえたという経験や痛みを我慢することが美徳であるという考え方などは，今ある痛みのとらえ方にも影響を与える．痛いという経験は多様であるといえる．

②痛みは見えない症状であるため，高齢者が「痛い」と訴えたならば痛みがあると考えて看護することが重要である．なぜなら痛みは他者に見えない症状であり，そのことを知るのはその者のみであるからである．

③痛みの経験はさまざまなことに影響を受け，さまざまなことに影響する．侵害受容器への刺激だけが痛みに影響するわけではない．つまり痛みは，怪我や病気によって影響を受けるだけではなく，そのときの気持ちや家族関係，社会活動などによって影響を受ける．たとえば，痛みがあるときに，不安であり孤独であると思った場合，痛みを強く感じることが起こることもある．そして，痛みは，身体面にのみに

影響を与えるのではなく，気持ちや社会活動にも影響を与える．看護師はこのような痛みの多面性を理解することが重要である．

④高齢者の「痛い」という訴えは痛みの存在を示す１つの方法でしかない．痛みを訴えないからといって痛みがないわけではない．高齢者は痛みの訴えを差し控えたり，認知機能の低下により，痛みを看護師に伝えることができない場合もあるということを理解することが必要である．

2●疫学（有症率）

高齢者においては痛みの有症率が比較的高い．在宅高齢者において１ヵ月以上続く体の痛みがある人の有症率は，73.1%[2]であると報告されている．介護施設入所中の高齢者において動作時に体の痛みのあるものは約半数であった[3]．高齢者では変形性関節症や拘縮や変形などの加齢に伴って起こりやすい病態や疾患の罹患率が高く，これらは体の痛みの原因となりやすいためである．痛みは，高齢者の ADL 低下，抑うつ傾向，不安，睡眠障害，転倒などへの悪影響を引き起こす可能性がある．また，家族関係や社会生活へ影響することもある．

3●病態と生理学的特徴

a. 分 類

（1）経過での分類と特徴

痛みに対する看護を考える際，痛みの経過での分類である急性疼痛と慢性疼痛の特徴（表Ⅳ-7-1）を理解することが必要である．この２つの痛みへの対応は一部異なる．

①急性疼痛

急性疼痛とは，疾患や外傷に伴って急激に起こる痛みであり，原因となる疾患等が明らかである場合が多く，原因の除去つまり治療により痛みが軽減し，おおよそ１ヵ月程度で消失する痛みである．この痛みには，積極的に原因となる疾患への治療や薬物療法が行われる場合が多い．認知機能低下のある高齢者の場合，看護師が痛みの早期発見に努め，原因となる疾患の治療が受けられるように支援することが必要となる．

②慢性疼痛

慢性疼痛とは，おおよそ３ヵ月以上続く痛みであり，通常の治癒期間を超えて持続する痛みである[4]．痛みの原因が不明な場合や有効な治療方法のない場合が多い．慢性疼痛は，通常よく行われる検査（Ｘ線検査等）では診断が難しい．持続した痛みにより，身体，心理社会的な影響を受けていることが多い．たとえば睡眠障害，食欲不振，便秘，生活動作の抑制などの随伴症状や抑うつ，不安，破局的思考*などの心理症状を引き起こすことがある．持続する痛みの場合，長期にわたる薬物療法により高齢者に副作用を及ぼす危険がある．また，治療での治癒がむずかしいため，手術や薬物療法により痛みの消失を目標とするのではなく，ADL や QOL の向上を目標とすべきであると言われている[5]．これに

---

*破局的思考とは，痛みを否定的にとらえるゆがんだ認知のこと．痛みの反芻（痛みのことが頭から離れないなど）や拡大視（痛みの脅威を拡大評価すること），無力感などが含まれる[6,7]．

表Ⅳ-7-1　急性疼痛と慢性疼痛の特徴

急性疼痛	慢性疼痛
• 急激に起こることが多い • 1ヵ月程度で消失する • 原因が明らかである場合が多い • 原因の除去（治療）によって痛みが軽減する場合が多い	• おおよそ3ヵ月以上続く • 通常の治癒期間を超えて持続する • 原因が不明である場合が多い • 有効な治療方法のない場合が多い • 身体的影響，心理・社会的影響を伴うことが多い

は，リハビリテーションや認知行動療法などの身体・心理社会的な支援も含まれる.

(2) 要因別分類と特徴

痛みの要因別の分類は，**侵害受容性疼痛**，**神経障害性疼痛**，**痛覚変調性疼痛**などがある. 痛みが慢性化すると痛みの要因はどれか1つに起因することは少なく，いろいろな要因が複雑に絡んだ**混合性疼痛**になっていることが多い[8].

①侵害受容性疼痛（nociceptive pain）

侵害刺激が末梢組織に分布する末梢神経終末に与えられた際に起こる神経興奮が末梢神経を経て脊髄から大脳へと伝達されて認知される痛みを侵害受容性疼痛とよぶ. たとえば外傷（骨折等）や炎症（変形性関節症など）などによって起こる痛みである[9]. 比較的，NSAIDsやオピオイドが効きやすい. 原因の除去や治癒によって痛みが治まる場合が多い.

②神経障害性疼痛（neuropathic pain）

神経障害性疼痛とは神経系の損傷，あるいは機能的異常により起こる痛み. たとえば，糖尿病性神経障害，帯状疱疹後神経痛，幻肢痛などである. 灼けるような痛みとしびれに加えてアロディニア*と感覚低下もしくは感覚過敏が存在する場合は，神経障害性疼痛が疑われる[10]. 「ヒリヒリした灼けるような」「ピリピリした」「チクチクした」「電気ショックのような」痛みなどと表現される[11]. NSAIDsが効きにくく，薬物治療の際は神経障害性疼痛薬物療法アルゴリズムに沿って治療することが推奨されている（詳しくは神経障害性疼痛薬物療法ガイドライン参照）

③痛覚変調性疼痛（nociplastic pain）

痛覚変調性疼痛[12]とは，侵害障害性疼痛を惹起する組織損傷も，神経障害性疼痛を引き起こす末梢・中枢神経の損傷もないにもかかわらず生じる痛みである[13]. これは第三の痛みとして2017年に国際疼痛学会に採用された新たな痛みである. 侵害受容性疼痛とも同時に発症しうる痛みであるといわれている[14].

4 ● 主な症状と生活への影響

a. 主な症状

痛みは疾患により特徴的な症状を呈することがある. **変形性関節症**による痛みは，動作開始時に生じやすく，動作を持続することにより徐々に軽減することが多い[15]. **関節リウマチ**による痛みは左右対称性で，四肢の痛み（自発痛，運動時痛），多関節のこわばり

---

* 通常ならば痛みを引き起こさない程度の軽い刺激で痛みを感じる状態をアロディニアといい，これは神経障害性疼痛に特徴的な現象である.

があり，熱感，発赤，腫脹を伴う．午前中，とくに朝に症状の増悪を認められる[16]．**腰部脊柱管狭窄症**では，歩き出してしばらくするとしびれや痛みが強くなり歩きづらくなるが，前かがみで少し休めば楽になりまた歩けるようになる[17]．

b. 痛みによる影響

慢性疼痛患者にみられる痛みによる影響は以下のような例が挙げられる[18]．

①認知・感情的要因

抑うつ，不安，欲求不満，怒り，破局的思考，恐怖

②身体的要因

睡眠障害，ADL低下（不動化や廃用）

③社会的要因

社会活動性の低下（休職・休学・失職），家族関係の変化，経済的ストレス

④スピリチュアルな要因

自己価値観の低下，自己効力感の低下

⑤その他の要因

訴訟，医療機関への過度な期待，治療（薬物）への依存

5● 対処の方法（セルフケアの視点から）

高齢者の慢性疼痛は，長期にわたり症状が続く可能性が高く，薬物療法だけに頼るのではなく，高齢者個々が，自分の体の痛みと上手に付き合っていけるように支援すること，つまりセルフケアの獲得への支援が重要である．自分自身の痛みを一番よく理解しているのは，高齢者自身である．痛みに多様性があるように，セルフケアにも多様性がある．高齢者がよりよいセルフケアを用いて痛みと共存していけるような支援が重要である．セルフケアの例としては，なるべく動くようにする，安静にする，温める/冷やす，リラックスする，楽しいことに目を向ける，運動するなどがある．

B. 看護実践の展開

1● 痛みを予防する

痛みを予防することが痛みへの第一の防衛策となる．たとえば，高齢者へ生活の援助をする際に注意を払うことにより，骨折，褥瘡，表皮剥離などの痛みが起こりやすい状態の発生を防止できる．また，高齢者とともに1日の活動のペース配分を見直し，活動しなさすぎでもしすぎでもないようなその高齢者にあった活動量となるよう調整（ペーシング）する．

2● 痛みを緩和する

a. アセスメント

（1）情報収集内容とその際の注意点

情報収集の内容としては，以下のような項目が挙げられる．

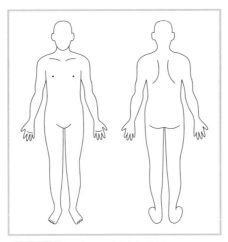

図Ⅳ-7-1　痛みの部位を確認するための
人体図

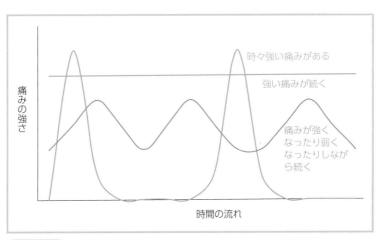

図Ⅳ-7-2　痛みのパターン

・痛みの強度，タイプ，部位（**図Ⅳ-7-1**に示すような図を用いて確認する），性質，痛みのパターン（**図Ⅳ-7-2**，**表Ⅳ-7-2**に示すような評価スケールを用いる）
・痛みによる日常生活（睡眠，食事，排泄，運動，1日の過ごし方等）や気分への支障・影響
・痛みの増強・軽減要因
・痛みのとらえ方（認知や知識）
・原因疾患や原因として考えられること
・治療歴
・薬物療法の効果・副作用，それへのとらえ方
・痛みへの自己対処（セルフケア）の方法とその効果
・痛みに対する信念・文化・経験（痛みの既往歴）

> **表Ⅳ-7-2**　口頭式評価尺度（Verbal Descriptor Scale: VDS）
>
> 以下からもっとも当てはまるものを選んでもらう.
>
> ・痛みなし
> ・かすかな痛み
> ・軽い痛み
> ・中くらいの痛み
> ・強い痛み
> ・非常に強い痛み
> ・想像できるもっとも強い痛み

　情報収集においては以下のことに留意する.

・高齢者の認知・身体機能や心理状態に合わせた情報収集方法を用いる.
・高齢者の言葉からの情報収集と同時に，表情や態度，声の様子などにも注意を向ける（高齢者は痛みの訴えることを差し控えることもあるため）.
・対象者に直接聞くことができない場合は，家族，介護者からも情報収集する.
・過去の記録（診療録・ケア記録など）がある場合は，それらを念入りに調べる（既往歴や転倒，事故などの過去の出来事等）.

　認知機能低下により記憶障害，言語障害，注意障害，実行機能障害などが起こり疼痛認知やセルフレポートが困難になってしまうことがある. たとえば，質問の意味がわからない，痛かったことを忘れてしまうなどである. 認知機能が低下したからといって痛みがなくなるわけではない. 痛みを訴えることができない高齢者の痛みがBPSDやせん妄につながることもあり，認知機能低下のある高齢者の痛みをどのようにアセスメントするかが課題となる. そのようなときに利用できるのが**疼痛行動観察尺度**である. 対象者の行動などを得点化し痛みの有無や程度をアセスメントとするための尺度である. 日本でも複数の尺度が開発されており，そのうちの1つが日本語版アビー痛みスケール（APS-J）[19]である.（p.469, **付録12**参照）看護師や介護職者が認知機能低下のある高齢者の動作時に尺度項目の程度を得点化し合計点を算出することで痛みの有無や程度をアセスメントすることができる.

(2) 痛みの発見（痛みの有無を知る）

　まずは痛みの有無を見つけ出すことが必要である. 高齢者は，「痛みは我慢すべきもの」「痛い痛いと言ったら迷惑がかかる」「歳だからしょうがない」などさまざまな理由で痛みを訴えなかったり，認知機能の低下により痛みを訴えることのできない場合もある（**表Ⅳ-7-3**）. そのため，看護師が，今，高齢者に体の痛みがあるかもしれないと考え情報収集することが必要である.「痛みを訴えないから痛くはないだろう」「検査をしても異常がない」等の医療者の誤認も痛みの発見をしにくくする要因となることに注意する必要がある.

　高齢者に痛みがあるかどうかを見つけるためには，**①高齢者の痛みの訴えを聴く**，**②痛みのサインを観察する**の2つのアプローチが必要である.「痛みのサイン」とは，たとえば，顔をしかめる，引きこもる，かばう，さする，足を引きずる，姿勢を変える，怒る，興奮しやすい，抑うつ状態，声を上げる，泣くなどがある. さらに，その人に通常の行動とは違う行動がないかどうかも観察する.

表IV-7-3　痛みの訴え方に影響する高齢者自身の要因

要因	例
痛みの強さや性質	激しい痛み　ズキズキとした痛み　焼けつくような痛み
認知機能	記憶障害，言語障害，注意障害，実行機能障害
身体機能	麻痺によりナースコールが押せない．言語障害により訴えることができない．聴覚に異常があり看護師の質問が聞こえない
心理的状態	「自分は，何も価値のない人間だ」「誰も，信じてくれない」「痛いといったところで何もしてもらえないだろう」等の思い
信念や文化	「痛いなんていったら，周りがいやな思いをするだろう」「迷惑をかけたくない」「弱音を吐きたくない」「専門家なのだから痛いと言わなくてもわかるだろう」等の思い
過去の経験	「今回も，医者が直してくれるだろう」「痛いと言っても何もしてくれない」等の思い
知識・教育内容	痛みの原因となる疾患や治療に関する知識

　認知機能低下があっても，今，痛みがあるかどうかは回答可能な場合もある．そのため，まずは本人に痛みがあるかどうかを直接聞いてみることが大切である．

b. 介　入

(1) 日々のケア

　痛みへのケアを考える際には，痛みの経験は人それぞれ違うことへ理解を示し，高齢者の持っている力（強みや外的資源等）を発見し，十分に活用することが重要である．

　慢性的な痛みがある場合の第一の目標は，できる限り痛みを緩和するのと同時に，機能面での向上（ADL 面での自立，いろいろな活動への参加等）についても考えることが求められる．動作時に痛みが起こる場合は，痛みが最小限になるように工夫して介助することや杖等の補助具の利用がよい．安静にしたり体の一部を使わないようにすることは，関節の拘縮を招く可能性があり，一般的な慢性疼痛ケアとして推奨できない．安静が続くことにより，元々あった身体機能への回復が妨げられ，さらなる障害を招く可能性があるからである．そのため高齢者へは，痛みへの不安を軽減し，体を動かすことの重要性を理解できるよう支援することが求められる．

(2) 心理的支援

　慢性疼痛のある高齢者は，痛みに苛まれながら生活していることにより，つらさや孤独感を抱えていることが多い．看護師は，高齢者が思いや感情を話しやすいように傾聴したり，共感的な姿勢を示すことが重要である．

(3) 教育的支援

　痛みの原因や，治療方法や目標，鎮痛剤の用い方，自分ではどのように対処したらよいか，社会資源などを説明する．痛みを伴う治療や処置，ケアを行う前には高齢者に合わせた方法で説明してから行うことが求められる．高齢者には，痛みの状態や変化，鎮痛薬の副作用などについて職員に伝えることが大切であることを説明する．

(4) 薬物療法への看護

　慢性疼痛への薬物療法の目標は，ADL や QOL の向上とし，痛みの消失としない．以下は薬物療法の際の注意点である．

・副作用を早期に発見する．

- 複数科受診や多剤併用状況を把握し，過量服薬や薬物間の交互作用に注意する．
- 加齢による生理的変化や認知機能の低下に注意する（例：吸収速度の低下，代謝機能の低下，排泄機能の低下，飲み間違い）．
- 良好な服薬アドヒアランス（患者自身が治療について理解，納得し，自らも参加して決定した服薬管理を行うこと[20]）には，高齢者にとって実行可能な治療か，服薬を妨げる要因は何か，問題を解決するには何が必要かなど，高齢者と看護師が信頼関係を築きながらともに考え，決定していくことが必要である．
- その人の痛みのタイプや性状，活動状況に合った鎮痛剤の用い方を検討する（例：薬剤の投与経路，効果が出るまでの時間や作用期間）．

(5) 非薬物療法の検討

薬物療法以外のケアとしては以下のような例が挙げられる．高齢者の好みや効果を検討し選択する必要がある．

- 痛みの原因を除去する（例：治療やポジショニング）．
- やりたいことを探し，できるように支援する．
- 音楽を聴く，マッサージをする，温めるなどリラックスするための活動をする．
- 家族と過ごす時間をつくる．
- 痛みの閾値を上げるようなかかわりをする（例：不安の軽減，他者とのふれあい，レクリエーション）．
- 日中の覚醒を促し，夜間の睡眠時間の確保に努める．日中，適度な運動や活動ができるように支援する．

(6) 家族への支援

慢性疼痛のある高齢者の家族への教育や支援が必要である．慢性的に体を訴えることに対しどのような対応をすればよいか迷う家族もいる．そのため，たとえば，観察の仕方（痛みのサイン，行動の変化等），痛みによる悪影響，鎮痛薬の必要性や副作用についての指導をする．また痛みが続くことにより高齢者に身体機能の低下や介護が必要となった場合，社会資源（訪問リハビリテーションやヘルパー等）を活用できるように情報を提供する．

(7) 多職種連携

痛みという現象は，いろいろな要因を含んでいるため，さまざまな分野の専門家が，それぞれの専門分野の意見をだしチーム医療の方針を立て，患者の疼痛への治療・ケアを行う必要がある．多職種専門家によるチームは，高齢者，その家族，看護師，介護職者，相談員・ケアマネジャー，医師，理学療法士，作業療法士，薬剤師，栄養士やそのほかの専門家によって構成される．看護師の役割として，チームのメンバーに高齢者の日常生活の様子の情報提供をし，治療やケアについて話し合うことなどが求められる．高齢者の痛みが軽減しないときにはその者に代わって治療やケアの変更を求めていく．

痛みのある高齢者へは，適切な専門家を紹介し効果的な治療が受けられるように調整する必要がある．たとえば，薬物療法について否定的にとらえたり，疑問がある場合には，必要に応じて医師や薬剤師などに連絡をとることが必要となる．

c. 評価の視点

ケアの前後には，評価することが重要である．痛みの程度を訴えることのできる高齢者

の場合は，**図Ⅳ-7-2，表Ⅳ-7-2，付録9〜11**（p.469 参照）にあるような尺度を用い，痛みの程度を答えられない場合には，**付録12**（p.469 参照）にあるような尺度を用い，痛みがどのように変化したかを測定し，看護過程に活かすことが重要である．そのほかに，痛みによってできなかったことが痛みへのケアによってできるようになった等の変化を高齢者と共有するために ADL の評価も行うとよい．

コラム

テーラード・ケア

テーラード・ケア（tailored care）とは，仕立屋さんが一人ひとりの体の寸法を丁寧に測り，その人にぴったりの服を仕立てるように，一人ひとりの対象者に合ったケアを十分な情報収集とアセスメントのもとで提供することである．これは痛みのケアにおいて重要な考え方である．このtailoredの一文字ごとに痛みの情報収集とアセスメントの際に必要な知識をまとめたので参考にしてほしい．

表　高齢者の痛みのアセスメントのポイント：テーラード・ケア

	キーワード	ポイント
T	Type（タイプ）	痛みのタイプをアセスメントしましょう．痛みのタイプによっては痛みへのアプローチが違ってきます．
A	Ask（尋ねる）	痛みについて直接尋ねましょう．高齢者は訴えてこない場合もあります．
I	Intensity（強さ）	痛みの強さのアセスメント尺度（例えば数字評価尺度やフェイススケール）は，その人の身体・認知機能に合ったものを使いましょう．そしてその方法を統一して使いましょう．
L	Location（場所）	痛みのある場所は伝えにくかったり，複数である場合もあります．そのため体の図を使って指し示してもらうと良いでしょう．
O	Observation（観察）	痛みがあるかどうかよく観察しましょう．特に認知機能の低下のある高齢者においては，普段とくらべ行動に変化がないかよく観察しましょう．
R	Relieving & aggravating factors（やわらげたり悪化させたりする要因）	どのようなことがその人の痛みを軽くしたり，増悪させたりするでしょうか．その情報は痛みの緩和のための支援につながる可能性があります．
E	Emotion（感情）	看護職者自身が，痛みは痛みのある人の感情（気持ち）や捉え方(考え方)に影響をうけやすいということを理解しましょう．悲しかったり不安がある時には痛みを強く感じるものです．
D	Distress（苦悩，つらさ）	生活をする上での痛みによるつらさを理解しましょう．

［高井ゆかり：教育講演「慢性的な体の痛みのある高齢者への看護」．老年看護学26（2）：22-26, 2022 より許諾を得て転載］

C. 実践におけるクリティカル・シンキング

演習 ⑦ 腰痛のある入院中の高齢者

　80歳代の女性．肺炎のため入院となった．点滴をしており看護師の見守りがあればトイレへ歩行することができる．60歳代から腰痛があるが入院前の日常生活は自立していた．入院後は腰痛のためトイレ歩行以外は臥床して過ごすことが多い．息子は患者を我慢強い性格だと話した．

問1 ▶ この患者の腰痛をアセスメントする際の注意点は何か
問2 ▶ この患者の腰痛に対してどのような看護が必要か

[解答への視点 ▶ p.473]

練習問題

Q19 ▶ 高齢者の痛みについて，以下から正しいものを1つ選べ.
1. 高齢者においては痛みの有症率が比較的低い
2. 感覚低下もしくは感覚過敏が存在する場合は，侵害受容性疼痛が疑われる
3. 高齢者の慢性疼痛への薬物療法は，まず第1に痛みの消失を目標とする
4. 高齢者の痛みに対しては，多職種がそれぞれの意見を出しチーム医療の方針を立ててケアを行うことが求められる

[解答と解説 ▶ p.478]

‖ 引用文献 ‖

1) International Association for the Study of Pain（2020）／日本疼痛学会理事会（2020）：改定版「痛みの定義：IASP」の意義とその日本語訳について，〔http://www.jaspain.umin.ne.jp/pdf/notice_20200818.pdf〕（最終確認：2023年1月26日）
2) 古田良江，鈴木みずえ，高井ゆかり：在宅虚弱高齢者である二次予防事業参加者の疼痛有症率と疼痛の状況が健康関連QOLに及ぼす影響．老年看護学 18（2），48-57，2014
3) Takai Y, Yamamoto-Mitani N, Ko A：Prevalence of and factors related to pain among elderly Japanese residents in long-term healthcare facilities. Geriatrics & Gerontology International 14（2）：481-489，2009
4) 慢性疼痛診療ガイドライン作成ワーキンググループ，慢性疼痛診療ガイドライン，p.22，真興交易（株）医書出版部，2021
5) 前掲4），p.26
6) 水野泰行：慢性疼痛と破局化．心身医学 50（12）：1133-1137，2010
7) 慢性疼痛治療ガイドライン作成ワーキンググループ，慢性疼痛治療ガイドライン，p.19，興交易（株）医書出版部，2018
8) 前掲4），p.22
9) 日本疼痛学会痛みの教育コアカリキュラム編集委員会：痛みの集学的診療：痛みの教育コアカリキュラム，p.182，真興交易（株）医書出版部，2016
10) 日本ペインクリニック学会神経障害性疼痛薬物療法ガイドライン改訂版作成ワーキング編：神経障害性疼痛薬物療法ガイドライン改訂第2版，p.40，真興交易医書出版部，2016
11) 前掲9），p.185
12) 日本痛み関連学会連合用語委員会：Nociplastic pain の日本語訳に関する用語委員会提案【要約版】，2021年9月12日，〔https://upra-jpn.org/wp-content/uploads/2021/10/Nociplastic-pain-の日本語訳に関する提案.pdf〕（最終確認：2023年1月26日）
13) 田口敏彦，飯田宏樹，牛田享宏：疼痛医学，p.9，医学書院，2020
14) 前掲12）p.1
15) 前掲9）p.175
16) 前掲9），p.176 - 177

17）前掲13），p.237
18）前掲7），p.19
19）Takai Y, Yamamoto-Mitani N, Chiba Y et al: Abbey Pain Scale: Development and validation of the Japanese version, Geriatrics & Gerontology International **10**（2）: 145-153, 2010
20）山本知世，百田武司：在宅高齢脳卒中患者の服薬アドヒアランスと高齢者総合的機能評価との関連．日本看護研究学会雑誌**41**（4）: 741-751, 2018

8　褥瘡

A. 基礎知識

1●定　義

　褥瘡は，一般的に「床ずれ」とよばれているもので，主に臥床しているさいに接触している身体部分の血流が途絶えることで生じる皮膚・皮下組織の阻血性障害である．

　褥瘡は日本褥瘡学会により次のように定義されている．

褥瘡とは

　「身体に加わった外力は骨と皮膚表層の間の軟部組織の血流を低下，あるいは停止させる．この状況が一定時間持続されると組織は不可逆的な阻血性障害に陥り，褥瘡となる」[1]

2●疫学（有病率）

　日本の褥瘡の有病率は，2016 年時点において，病院で 1.32〜2.48％，保健福祉施設で 0.72〜1.07％，訪問看護ステーションでは 1.68％であり[2]，褥瘡を取り巻く医療環境の整備により，有病率は低水準といえる．しかし，今後のさらなる高齢化による褥瘡発生リスクが高い者の増加を鑑みると，高齢者やその家族にとって，褥瘡の適切な予防・管理は引き続き重要な課題であるといえる．

　褥瘡好発部位は，外力の集中しやすい場所である**骨突出部位**，とくに，仙骨部，尾骨部，踵骨部，大転子部などである（**図Ⅳ-8-1**）．また，踵骨部などの末梢の骨突出部位ついては，下肢動脈の血流が低下している高齢者に褥瘡発生が多い．

3●病態と生理学的特徴

a. 発生機序

　皮膚に毛細血管圧以上の圧力が加わると，毛細血管がつぶれて細かい血栓を生じ，酸素不足が生じる．通常，細胞は解糖系によってグルコースを分解してエネルギーであるアデノシン三リン酸（adenosine triphosphate：ATP）を産生し，代謝産物としてピルビン酸を産生しているが，酸欠状態では嫌気性代謝によってピルビン酸はさらに乳酸へ分解され，これにより組織 pH を酸性に傾かせる．また，血流遮断によるグルコースの供給不足も生じている．これら組織の酸性化およびグルコースの供給不足が細胞死を引き起こすことにより，褥瘡が発生すると考えられている．その他，外力による細胞変形や虚血再灌流障害による組織障害が褥瘡の原因であるという説も報告されているが，明確な褥瘡発生メカニズムの解明には，今後の研究が待たれるところである．

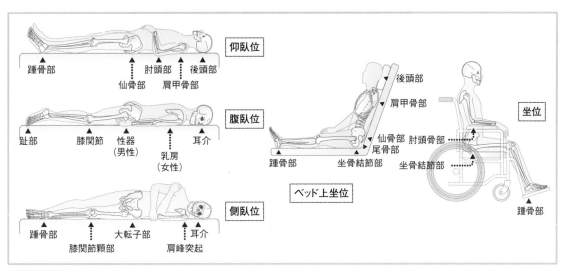

図Ⅳ-8-1　褥瘡の好発部位

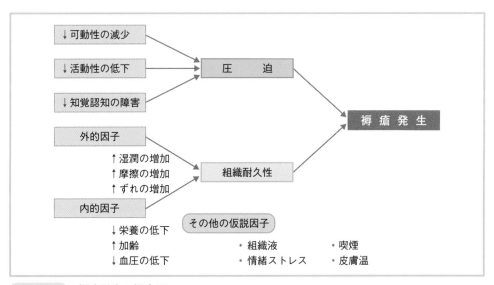

図Ⅳ-8-2　褥瘡発生の概念図

[Braden BJ, Bergstrom N：A conceptual schema for the study of the etiology of pressure sores. Rehabilitation Nursing **12**(1)：8-12, 1987 より筆者らが翻訳して引用]

b. 発生要因

　ブレーデン（Braden）らは褥瘡発生要因を調査し，褥瘡発生の概念図を提唱した（**図Ⅳ-8-2**）．褥瘡の発生要因を**圧迫**と**組織耐久性**という2つに大別し，それぞれに含まれる発生要因を用いて，褥瘡発生スキームを作成した．

(1) 圧　迫

　下記の点が障害されると同一体位となり，また持続する圧迫からの回避行動がとれないため，圧迫が加わりやすい状況となる．

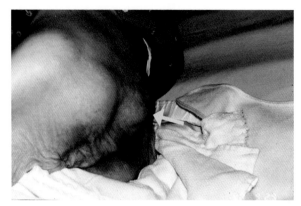

図Ⅳ-8-3　骨突出の写真
大殿筋の萎縮により骨が突出し，褥瘡発生の危険が高まる．

- 可動性：体位を変えたり整えたりできる能力
- 活動性：患者自身の行動の範囲
- 知覚の認知：圧迫による不快感に対して適切に対応できる能力

(2) 組織耐久性

　下記の点はいずれも，皮膚の耐久性を著しく低下させるため，圧迫への耐性を損ない，褥瘡発生の素地となる．

- 湿潤：皮膚が湿潤にさらされる程度
- 摩擦とずれ：皮膚がすれたりよれたりする程度
- 栄養状態：ふだんの食事摂取状況

(3) 日本人特有の発生要因

　さらに，日本人高齢者では，褥瘡発生の重要な要因として，過度な骨突出に注目する必要がある（**図Ⅳ-8-3**）．①過度な骨突出は**低栄養**によるやせ，②不動による**大殿筋の廃用性萎縮**，③脳血管障害などに関連する**関節拘縮**，によって生じ，一度形成されると改善が困難である．

4 ● 主な症状と生活への影響
(1) 疼　痛

　もっとも重要な影響として，褥瘡によって引き起こされる**疼痛**が挙げられる．とくに，真皮までの損傷は，神経終末の露出につながるため多大な疼痛をもたらす．さらに，臥床による圧迫や，頻繁に**ドレッシング材**を交換することによる機械的刺激が疼痛を増強させることになる．褥瘡は感覚を訴えられない人に発生することが多く，一見，疼痛の訴えがないことから，疼痛管理に関心が向けられず，おろそかにされる傾向がある．しかし，疼痛は生活に及ぼす影響が大きく，もっとも重要視すべき問題といえる．

(2) 感　染

　褥瘡は一度形成されると，常に外界からのさまざまな刺激にさらされている状態となる．そのなかでとくに問題となるのは細菌による**感染**である．褥瘡がいったん細菌感染に陥ると治療が困難となり，抗菌薬の全身投与や創の清浄化など重点的な管理が必要とされる．入院を余儀なくされる場合が多いため，患者，家族ともに大きな負担となる．

5● 対処の方法（セルフケアの視点から）

　褥瘡を予防するためには，まず褥瘡発生の素地となるような身体状態に陥らないことが重要である．つまり，褥瘡の要因はもとをたどれば長期臥床による全身の**廃用症候群**であるため，日ごろのリハビリテーションによる関節可動域の維持，筋力維持や，栄養補給による栄養状態の維持がもっとも有効な褥瘡予防行動といえる．また，自身と要介護者が常に褥瘡発生リスクをアセスメントし，褥瘡をつくらないように意識しながら療養行動をとることが重要である．

B.　看護実践の展開—予防と治療

　看護師は，褥瘡発生リスクの高い患者を発見し，褥瘡を予防し，また発生した場合は治癒へと導く必要がある．ここではアセスメント方法から実際の介入，評価の視点について概説する．

　その前提として，次のことに十分留意する必要がある．褥瘡は最近まで，死の徴候としてとらえられていた．褥瘡ができるような患者は，非常に全身状態が悪く，さらに一度できた褥瘡は治ることなく，そのまま死を迎えるのが常であったからである．この考えは高齢者のなかでいまだ強い意識として残っている．現在では，褥瘡は，発生予測・予防が可能であり，また発生してしまった場合でも治癒させることが十分可能である．すでに治る病になった褥瘡であるが，看護師は褥瘡を有する患者やその家族のとらえ方を十分に考慮し，そのうえで，適切な褥瘡部アセスメント，全身アセスメントを行い，必要な看護援助を提供すべきである．

1● 褥瘡を予防する

a. アセスメント

(1) 皮膚を観察する

　清拭やシャワー浴・入浴介助のさいに全身の皮膚を観察し，褥瘡が発生しているかどうかを確認することが重要である．

　単なる発赤と褥瘡を鑑別するため，発赤部を軽く押すことにより赤みが消褪するかどうかを観察する（**図Ⅳ-8-4**）．毛細血管が破綻して赤血球が生じている場合に褥瘡と判断され，その場合はガラス板で圧迫しても赤みは消褪しない．ただしこのさい，たとえ発赤が消褪しても，その発赤が褥瘡に進展する可能性が高いことに留意する．皮膚が赤くなっていたら褥瘡発生リスクが高いと考え，適切な予防ケアを実施したほうがよい．

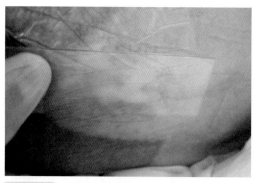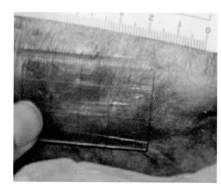

図Ⅳ-8-4　ガラス板を用いた褥瘡の鑑別
左：消褪する発赤（褥瘡の前段階）．右：消褪しない発赤（褥瘡）.

(2) リスクアセスメントスケールを使用する

　褥瘡発生リスクの定量的アセスメントには，先述のブレーデンらが提唱した褥瘡発生概念図に基づいてスケール化されたブレーデンスケールを用いることがすすめられる（**図Ⅳ-8-5**）．知覚の認知，湿潤，活動性，可動性，栄養状態，摩擦とずれの6項目を点数化したものであり，それぞれの得点を足して褥瘡発生リスクをアセスメントする．ブレーデンスケールは6〜23点を採り，得点が低いほど褥瘡発生リスクが高い．日本においては，16点を目安に褥瘡発生リスクの有無が分かれると考えられることが多い.

　また，日本人特有の発生要因である骨突出などを含めたアセスメントスケールとして，K式スケールがある（**図Ⅳ-8-6**）．各項目に沿ってアセスメントすることで，効果的な褥瘡発生予測ならびに予防が可能となる有用なスケールといえる.

(3) 体圧を測る

　褥瘡発生は圧力が身体にかかることで生じるため，身体にかかる圧力（**体圧**）を測定することで褥瘡発生リスクをアセスメントできる．臨床で使用されている圧力測定装置はエアバッグタイプのものが主流である（**図Ⅳ-8-7**）．エアバッグに加わった圧力が内部の空気に同一の圧力を発生させ，その空気圧力を本体内蔵の圧力センサーで検出，デジタル変換することで圧力を測定している．この圧力測定装置を用いた場合，約45 mmHg の体圧を目安に，褥瘡を生じるリスクの有無を判断すると，発赤をもっともよく予測できる．測定誤差も考慮して，40 mmHg 以下の体圧に下げることを目標にして**体圧分散ケア**を行うとよい.

b. 介　入

　上記アセスメント結果に基づき，適切な予防ケアを提供する．予防介入の原則は，外力を低減し，リハビリテーションやスキンケアを適切に行い，栄養管理によって皮膚の耐久性を維持することである.

(1) 圧迫・ずれを低減する

　褥瘡は，外力の持続時間と強度によって発生するかどうかが左右されるため，外力のコントロールがもっとも重要な点となる．なお，外力のうち，**圧力**とは身体に加わる垂直の力であり，**ずれ力**とは身体に水平に加わる力である.

患者氏名：	評価者氏名：	評価年月日：		
知覚の認知 圧迫による不快感に対して適切に対応できる能力	1. 全く知覚なし 痛みに対する反応（うめく、避ける、つかむ等）なし。この反応は、意識レベルの低下や鎮静による。あるいは体のおおよそ全体にわたり痛覚の障害がある。	2. 重度の障害あり 痛みのみに反応する。不快感を伝える時には、うめくことや身の置き場なく動くことしかできない。あるいは、知覚障害があり、体の1/2以上にわたり痛みや不快感の感じ方が完全ではない。	3. 軽度の障害あり 呼びかけに反応する。しかし、不快感や体位変換のニードを伝えることが、いつもできるとは限らない。あるいは、いくぶん知覚障害があり、四肢の1、2本において痛みや不快感の感じ方が完全でない部位がある。	4. 障害なし 呼びかけに反応する。知覚欠損はなく、痛みや不快感を訴えることができる。	
湿潤 皮膚が湿潤にさらされる程度	1. 常に湿っている 皮膚は汗や尿などのために、ほとんどいつも湿っている。患者を移動したり、体位変換するごとに湿気が認められる。	2. たいてい湿っている 皮膚はいつもではないが、しばしば湿っている。各勤務時間中に少なくとも1回は寝衣寝具を交換しなければならない。	3. 時々湿っている 皮膚は時々湿っている。定期的な交換以外に、1日1回程度、寝衣寝具を追加して交換する必要がある。	4. めったに湿っていない 皮膚は通常乾燥している。定期的に寝衣寝具を交換すればよい。	
活動性 行動の範囲	1. 臥床 寝たきりの状態である。	2. 坐位可能 ほとんど、または全く歩けない。自力で体重を支えられなかったり、椅子や車椅子に座るときは、介助が必要であったりする。	3. 時々歩行可能 介助の有無にかかわらず、日中時々歩くが、非常に短い距離に限られる。各勤務時間中にほとんどの時間を床上で過ごす。	4. 歩行可能 起きている間は少なくとも1日2回は部屋の外を歩く。そして少なくとも2時間に1回は室内を歩く。	
可動性 体位を変えたり整えたりできる能力	1. 全く体動なし 介助なしでは、体幹または四肢を少しも動かさない。	2. 非常に限られる 時々体幹または四肢を少し動かす。しかし、しばしば自力で動かしたり、または有効な（圧迫を除去するような）体動はしない	3. やや限られる 少しの動きではあるが、しばしば自力で体幹または四肢を動かす。	4. 自由に体動する 介助なしで頻回にかつ適切な（体位を変えるような）体動をする。	
栄養状態 ふだんの食事摂取状況	1. 不良 決して全量摂取しない。めったに出された食事の1/3以上を食べない。タンパク質・乳製品は1日2皿（カップ）分以下の摂取である。水分摂取が不足している。消化態栄養剤（半消化態、経腸栄養剤）の補充はない。あるいは、絶食であったり、透明な流動食（お茶、ジュース等）なら摂取したりする。または、末梢点滴を5日間以上続けている。	2. やや不良 めったに全量摂取しない。ふだんは出された食事の約1/2しか食べない。タンパク質・乳製品は1日3皿（カップ）分の摂取である。時々消化態栄養剤（半消化態、経腸栄養剤）を摂取することもある。あるいは、流動食や経管栄養を受けているが、その量は1日必要摂取量以下である。	3. 良好 たいていは1日3回以上食事をし、1食につき半分以上は食べる。タンパク質・乳製品を1日4皿（カップ）分摂取する。時々食事を拒否することもあるが、すすめれば通常補食する。あるいは、栄養的におおよそ整った経管栄養や高カロリー輸液を受けている。	4. 非常に良好 毎食おおよそ食べる。通常はタンパク質・乳製品を1日4皿（カップ）分以上摂取する。時々間食（おやつ）を食べる。補食する必要はない。	
摩擦とずれ	1. 問題あり 移動のためには、中等度から最大限の介助を要する。シーツでこすれずに体を移動することは不可能である。しばしば床上や椅子の上でずり落ち、全面介助で何度も元の位置に戻すことが必要となる。痙攣、拘縮、振戦は持続的に摩擦を引き起こす。	2. 潜在的に問題あり 弱々しく動く、または最小限の介助が必要である。移動時皮膚は、ある程度シーツや椅子、抑制帯、補助具などにこすれている可能性がある。たいがいの時間は、椅子や床上で比較的よい体位を保つことができる。	3. 問題なし 自力で椅子や床上を動き、移動中十分に体を支える筋力を備えている。いつでも、椅子や床上でよい体位を保つことができる		
Copyright：Barbara Braden and Nancy Bergstrom. 1998 訳：真田弘美（金沢大学医療技術短期大学部）／大岡みち子（North West Community Hospital, IL., U.S.A.）			Total	

図IV-8-5　ブレーデンスケール

［真田弘美，金川克子，稲垣美智子ほか：日本語版Braden Scale（褥瘡発生予測尺度）の信頼性と妥当性の検討．金沢大学医療技術短期大学部紀要 15：102, 1991 より許諾を得て転載］

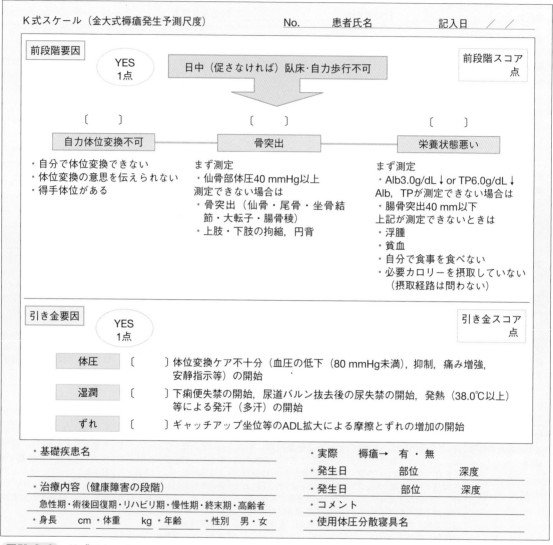

図Ⅳ-8-6　K式スケール

[大桑麻由美, 真田弘美, 須釜淳子ほか：K式スケール（金沢大学式褥瘡発生予測スケール）の信頼性と妥当性の検討―高齢者を対象にして. 日本褥瘡学会誌3（1）：7-13, 2001 より許諾を得て転載]

図Ⅳ-8-7　エアバッグタイプの圧力測定装置
褥瘡の好発部位とマットレスとの間にエアバッグ状のセンサーを差し挟み，身体にかかる圧力を測定することで，褥瘡発生リスクをアセスメントできる.

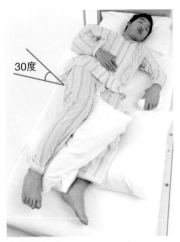

図Ⅳ-8-8　30度側臥位

①体位変換

　体位を自動的または他動的に変えることで，圧迫の加わる部分を変化させ，長時間の阻血を予防することができる．一般的に**体位変換**は2時間に1回の頻度で行われる．また，側臥位が困難な高齢者の場合，30度程度に身体を傾けることで仙骨部にかかる体圧を軽減できることがある（**図Ⅳ-8-8**）．ただし大殿筋の萎縮が高度である場合，30度に傾けることによって大転子部，仙骨部の両方に体圧が加わる可能性もあるため，寝具に触れる部分の体圧を測定し，体位変換の効果を評価する必要がある．

②体圧分散ケア

　体圧を低減させるために，**体圧分散寝具**を用いる．体圧分散寝具とは，体が接触する面積を増加させ体圧を減少させ，または，体圧のかかる部位を一時的に浮かせることで体圧を解除する機能をもつ寝具である．褥瘡発生リスクが高いと思われる高齢者には，体圧分散効果が高い圧切替え型**エアマットレス**を使用することがすすめられる（**図Ⅳ-8-9**）．これは，空気の入った筒（エアセル）を交互に膨張・収縮させることで，一時的に圧迫が加わらない部位をつくり出して褥瘡を予防する仕組みになっている．エアマットレスを使用するさい，エアセルの内圧調整がうまくいかず，**底づき**が生じる場合がある（**図Ⅳ-8-10**）．底づきが起こっていないことを確認するため，マットレスの下に手を入れて骨突出が触れないことを確認したり，体圧を測定したりする必要がある．

　また，拘縮が強いために寝具に身体が密着できない場合，寝具で体圧分散を行うのは難しい．そのさいはポジショニングピロー*を，すき間を埋めるように当てて支持面を広くとることで，体圧分散が可能である．

　なお，従来は，骨突出部位の圧力回避の方法として，円座の使用による褥瘡予防が一般的に行われていた．高齢者が好んで円座を使用することが見受けられるが，円座に触れている皮膚の圧力が高まり，また周囲から引っぱられることで骨突出部位の皮膚毛細血管叢_{そう}

＊ ポジショニングピロー：屈曲拘縮の強い患者の場合，関節が伸びずにすき間ができやすいため，そのすき間を埋めるために用いられるピロー（枕）．

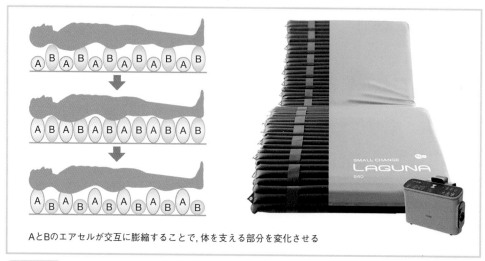

AとBのエアセルが交互に膨縮することで，体を支える部分を変化させる

図Ⅳ-8-9　圧切替え型エアマットレス

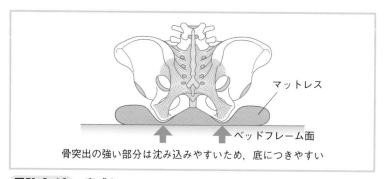

マットレス

ベッドフレーム面

骨突出の強い部分は沈み込みやすいため，底につきやすい

図Ⅳ-8-10　底づき
「底づき」とは，体圧分散寝具上にある骨突出部位が沈み過ぎるために，マットレスの厚みを越えてベッドフレームなどの固い面に接することをいう．

の伸展が起こり，褥瘡発生が誘発されるため，使用は禁忌である．

③ずれの予防

　さらに，皮膚のずれを低減させることも褥瘡予防では重要である．ずれの対策として，①ずれを生じさせない方法と，②生じたずれを解消する方法，の2つが必要となる．

　ずれは，身体と寝具との間の摩擦で生じるため，摩擦抵抗を減らせばよい．その方法として，皮膚にすべり機能つきドレッシング材を貼付したり，オイルを塗布したりするとよい．

　ずれが発生する状況として，ベッドのヘッドアップ時が挙げられる．背中がベッドについた状態でヘッドアップした場合，重力により体が下に落ちるのを皮膚と寝具の間に生じる摩擦力でとどめようとする．そのさいにずれ力が生じる．一度上半身を寝具から離すように抱きかかえて戻す（**背抜き**）と，皮膚と寝具の接触が解除され，そこにかかっているずれ力がなくなる．同様に，ヘッドアップを戻すさいにもずれが生じるため，ベッドが水平になった時点で，一度側臥位をとらせて，接触を解除する必要がある（**図Ⅳ-8-11a**）．

- ヘッドアップ後，一度上半身を寝具から離すように抱きかかえて戻す
- 皮膚と寝具の接触が解除され，そこにかかっているずれ力がなくなる
- なお，ヘッドダウン時にもずれが生じるので，水平になった時点で，一度側臥位をとり，接触を解除する

a. 背抜きを行う

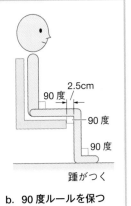

2.5cm

90度

90度

90度

踵がつく

b. 90度ルールを保つ

図Ⅳ-8-11　皮膚のずれを予防し，低減させる方法

④車椅子における圧迫・ずれの低減

車椅子など坐位の場合，臥位よりも強度の圧迫が加わるため，坐位に適した褥瘡予防方法が必要となる．坐位の体圧分散でもっとも重要なのはポジショニングと体圧分散クッションの使用である．

患者が車椅子上でもっとも生理的で，体位を保持できるポジショニングになるのが，**90度ルール**である（**図Ⅳ-8-11b**）．各関節角度を90度に保つと姿勢が適切に保持され，褥瘡予防のみならず経口摂取などにも有効である．体圧分散クッションも多く開発されており，その素材にはウレタンフォームやゲル，エアセルなどが多く使われている．

(2) スキンケアを行う

褥瘡を発生するような高齢者の多くは，尿・便失禁を併発しており，とくに褥瘡好発部位である仙骨部，尾骨部の皮膚は汚染されている．失禁は，皮膚のバリア機能を低下させ，また化学的刺激によりさまざまな皮膚疾患の要因となりやすい．汚染が生じたさいには，十分に清潔にするとともに，二次的な汚染が生じないよう，あらかじめ皮膚保護クリームやスプレーなどを塗布し，皮膚を守ることが重要となる．

なお，褥瘡予防を目的として危険部位をマッサージすることは禁忌である．マッサージによって皮膚が過伸展するため，虚血を促すうえに，機械的刺激による組織損傷が生じると考えられるからである．

(3) 栄養管理を行う

高齢者では，とくに経口摂取が困難となるため，栄養管理が困難となりやすい．高齢者の褥瘡予防では栄養管理を十分に考慮する必要があるといえる．経管栄養を行う場合，逆流防止のためにヘッドアップを行うが，尾骨部にずれが生じて褥瘡が発生することが多いので，背抜きを十分に行い，ずれ予防に努める．

高たんぱく食の経口摂取の介入を行うことで，褥瘡の発生率を低下させることが可能である．褥瘡予防の大きな柱の1つとして，栄養管理に重点をおくことが肝要である．

(4) リハビリテーションを行う

褥瘡は，不動や関節拘縮などによって発生する疾患であるため，それらをリハビリテー

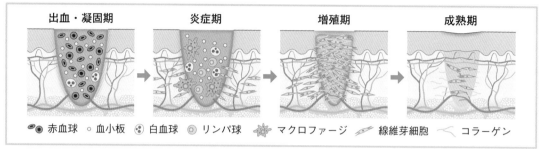

出血・凝固期　　　　炎症期　　　　増殖期　　　　成熟期

●● 赤血球　○ 血小板　⊛ 白血球　◎ リンパ球　※ マクロファージ　⟍ 線維芽細胞　⟋ コラーゲン

図Ⅳ-8-12　創傷治癒過程

ションによって回避することが褥瘡予防につながる．とくに，脳卒中など，褥瘡発生の素地となるような疾患を発症した場合，早期にリハビリテーションを行い，筋萎縮や関節拘縮を予防することが重要となる．

c. 評価の視点

褥瘡予防の評価の視点としては，当然ながら褥瘡ができていないかが重要であるが，短期的な目標として，皮膚に発赤が生じていないかを指標とする．

2 ● 褥瘡を治す

上記のような予防対策を行っても褥瘡が発生してしまう場合がある．その場合は，褥瘡の病態を適切にアセスメントし，適切に看護ケアを提供することが重要である．

a. アセスメント

褥瘡をアセスメントには，創傷治癒過程のどのステージにあるのかを判断することが重要であり，その創傷治癒過程の知識が必要となる．ここではその概要を説明したのち，具体的なアセスメント方法を示す．

(1) 創傷治癒過程（図Ⅳ-8-12）の理解

①出血・凝固期

褥瘡が発症すると，まず**出血・凝固期**という急性反応を呈する．これにより，組織損傷によって生じた出血を止めることで，創傷治癒の次のステージへ進むための非常に重要な初期段階となる．血小板によって止血され，さらに炎症期の軸となる好中球やマクロファージといった白血球の遊走を引き起こす炎症性サイトカインや増殖因子が放出される．

②炎症期

炎症期で主体をなす白血球は，壊死組織や細菌を貪食することによって創面を清浄化し，その次のステージである増殖期のための準備を行う．とくに慢性創傷とよばれる，治癒が進行しない状態の褥瘡では，炎症期が遷延することが問題とされている．

③増殖期

炎症が治まると，線維芽細胞や血管内皮細胞が主体となり，コラーゲンに代表される細胞外マトリックスが合成され，また血管新生が起こることで，肉芽組織とよばれる線維成分に富んだ組織で欠損部が充填される（**増殖期**）．肉芽組織の上に周囲の健常皮膚から表

皮角化細胞が遊走することで上皮化し，治癒にいたる．

④成熟期

閉鎖した創傷は当初非常に脆弱であるが，数ヵ月から数年かけて，細胞外マトリックスがリモデリングを起こし（**成熟期**），徐々に瘢痕とよばれる，外力に対して耐性をもった組織に変換され，創傷治癒が完了する．

(2) DESIGN-R®2020

褥瘡部アセスメントは，**DESIGN-R®2020**を用いて行う．これは，2002年に日本褥瘡学会が開発した日本発の褥瘡評価スケールである DESIGN が 2020 年に改定されたものである[3]．褥瘡の評価に重要と考えられる項目である，Depth（深さ），Exudate（滲出液），Size（大きさ），Inflammation/Infection（炎症/感染），Granulation tissue（肉芽組織），Necrotic tissue（壊死組織）および Rating（評価）の頭文字をとって作成された．このスケールは各項目を点数化することで，褥瘡の重症度および治癒経過を評価するものである．また，重症度の低い項目を小文字で，重症度の高い項目を大文字で表すことにより，褥瘡の状態を簡便に把握することが可能となっている．点数が高ければ高いほど褥瘡の重症度が高いことを示す（**図IV-8-13**）．

2020 年の改定では，褥瘡の創傷治癒を阻害する重要な病態として，**深部損傷褥瘡**（deep tissue injury：**DTI**）と**臨界的定着**の 2 つがそれぞれ D と I 項目に追加された．DTI とは，皮膚表層の所見は軽微であるにもかかわらず，深部組織に強いダメージを受けており，数週間以内に一気に組織破壊が進み深い褥瘡となるものである．臨界的定着とは，肉眼的には感染徴候がないものの，細菌の侵入により感染へと移行しかけた状態を指す．感染に準じた治療を開始する必要があるものの，臨床的に発見することがむずかしかったため見すごされてきた病態であるが，臨床的特徴が明らかになり，可視化技術が開発されてきたため，スケールに組み込まれた．

創傷治癒過程を大まかに理解し，DESIGN-R®2020 を用いて褥瘡部の評価を行ったうえで，褥瘡の創傷治癒過程がどの程度進んでいるのかを把握し，褥瘡を治癒へ導くための看護ケアを提供することが重要となる．DESIGN-R®2020 は週 1 回を目安に採点し，いま行っているケアが適切かどうかを判断する．

(3) 可視化技術を用いたアセスメント

褥瘡の管理において，視診や触診，においの評価など，五感を用いたフィジカルアセスメントが重要であるが，褥瘡の深部の状態や炎症の程度の評価にはこれらの技術だけでは不十分である．とくに，褥瘡管理において重要となる，DTI，臨界的定着の同定のためには，機器を用いたアセスメントを実施することがガイドラインにより推奨されている．

①エコーを用いる

エコー画像は，生体内に超音波を発射して臓器・組織から反射して戻ってくる音響を利用して生成された画像である．たとえば，骨には超音波が通過しないため表面が白く輝いて見え，骨の後方が黒く帯状に見える．筋肉は縞模様として観察され，皮下脂肪と筋肉の間の深筋膜は白線として描出される．血管や尿などの液体は音の反射がないため真っ黒なエコー画像となる．このような超音波の性質を利用して，エコー画像で人体の各部位が観察でき，看護技術としてのアセスメントに活かすことができる．

DESIGN-R®2020　褥瘡経過評価用

カルテ番号（　　　　　　）
患者氏名（　　　　　　）

| | | | | | | 月日 | / | / | / | / | / | / |

Depth*1		深さ　創内の一番深い部分で評価し，改善に伴い創底が浅くなった場合，これと相応の深さとして評価する										
d	0	皮膚損傷・発赤なし	D	3	皮下組織までの損傷							
				4	皮下組織を超える損傷							
	1	持続する発赤		5	関節腔，体腔に至る損傷							
				DTI	深部損傷褥瘡（DTI）疑い*2							
	2	真皮までの損傷		U	壊死組織で覆われ深さの判定が不能							

Exudate　滲出液												
e	0	なし	E	6	多量：1日2回以上のドレッシング交換を要する							
	1	少量：毎日のドレッシング交換を要しない										
	3	中等量：1日1回のドレッシング交換を要する										

Size　大きさ　皮膚損傷範囲を測定：[長径（cm）×短径*3（cm）]*4												
s	0	皮膚損傷なし	S	15	100以上							
	3	4未満										
	6	4以上　16未満										
	8	16以上　36未満										
	9	36以上　64未満										
	12	64以上　100未満										

Inflammation/Infection　炎症/感染												
i	0	局所の炎症徴候なし	I	3C*5	臨界定着疑い（創面にぬめりがあり，滲出液が多い．肉芽があれば，浮腫性で脆弱など）							
	1	局所の炎症徴候あり（創周囲の発赤・腫脹・熱感・疼痛）		3*5	局所の明らかな感染徴候あり（炎症徴候，膿，悪臭など）							
				9	全身的影響あり（発熱など）							

Granulation　肉芽組織												
g	0	創が治癒した場合，創の浅い場合，深部損傷褥瘡（DTI）疑いの場合	G	4	良性肉芽が創面の10％以上50％未満を占める							
	1	良性肉芽が創面の90％以上を占める		5	良性肉芽が創面の10％未満を占める							
	3	良性肉芽が創面の50％以上90％未満を占める		6	良性肉芽が全く形成されていない							

Necrotic tissue　壊死組織　混在している場合は全体的に多い病態をもって評価する												
n	0	壊死組織なし	N	3	柔らかい壊死組織あり							
				6	硬く厚い密着した壊死組織あり							

Pocket　ポケット　毎回同じ体位で，ポケット全周（潰瘍面も含め）[長径（cm）×短径*3（cm）]から潰瘍の大きさを差し引いたもの												
p	0	ポケットなし	P	6	4未満							
				9	4以上16未満							
				12	16以上36未満							
				24	36以上							

部位[仙骨部，坐骨部，大転子部，踵骨部，その他（　　　　　　）]　　合計*1

＊1　深さ（Depth：d/D）の点数は合計には加えない

©日本褥瘡学会
http://www.jspu.org/jpn/member/pdf/design-r2020.pdf

＊2　深部損傷褥瘡（DTI）疑い，視診，触診，補助データ（発生経緯，血液検査，画像診断等）から判断する
＊3　"短径"とは"長径と直交する最大径"である
＊4　持続する発赤の場合も皮膚損傷に準じて評価する
＊5　「3C」あるいは「3」のいずれかを記載する．いずれの場合も点数は3点とする

図Ⅳ-8-13　DESIGN-R®2020褥瘡経過評価用
[日本褥瘡学会（編）：改定DESIGN-R®2020コンセンサス・ドキュメント，p.5，照林社，2020より許諾を得て転載]

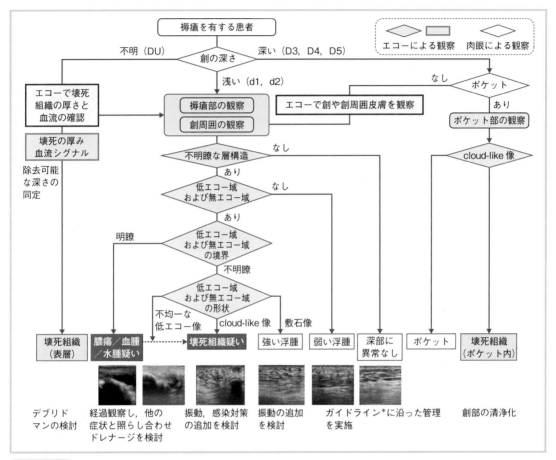

図Ⅳ-8-14　褥瘡エコー所見判定アルゴリズム

注意点：本アルゴリズムは触診と併用して使用する．触診で硬結や泥のような浮遊感がある場合は，とくに異常がみられた箇所を中心にエコーを行う．

*『褥瘡予防・管理ガイドライン（第5版）』（日本褥瘡学会）

［Matsumoto M, Nakagami G, Kitamura A, et al.：Ultrasound assessment of deep tissue on the wound bed and periwound skin；A classification system using ultrasound images. J Tissue Viability **30**（1）：28-35, 2021 を参考に作成］

　　褥瘡のエコー画像では，皮膚表面からは観察困難な皮膚の内部構造を評価することが可能となる．とくにDTIの早期発見には，エコー検査が有用である．エコー所見に基づいて深部の壊死組織がどこまで及んでいるかを誰でも判断できるようにしたアルゴリズムが開発されている [4]．このアルゴリズムでは，最初に創の深さを確認し，浅い場合に深部組織がどのような状態かをアルゴリズムに沿ってエコー所見の判別が可能である．具体的には，層構造が不明瞭であり，低エコーまたは無エコーで描出され，正常部との境界が不明瞭であり，中に雲が浮かんだような所見（cloud-like像）であれば壊死組織であることが強く疑われるため，DTI疑いであると判定できる（**図Ⅳ-8-14**）．

　　また，エコーは褥瘡表面の観察だけでは困難であった皮下ポケットの同定も可能である．ポケットのエコー画像は，境界が明瞭で左右非対称あるいは三角状の形状をした低輝度領域という特徴がある（**図Ⅳ-8-15**）．これらが観察された場合は，ポケットの悪化を最小限にするためのケア，すなわち，体圧分散マットレスの選択やポケットにかかるずれ力を

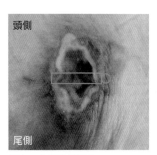

頭側

尾側

褥瘡の肉眼的所見と
プローブの位置

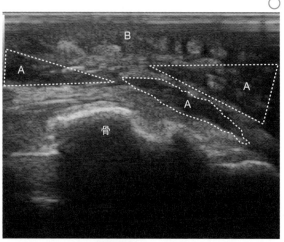

褥瘡部のエコー画像

図Ⅳ-8-15　褥瘡（発生初期）のポケットのエコー画像
Aは限局する低輝度所見で，境界明瞭であり，三角状，左右非対称を呈する．ポケットの存在を示す．B
は限局する低輝度所見で，境界不明瞭であり，Cloud-like像を呈する．壊死組織の存在を示す．肉眼的に
はポケットは確認できないが，エコーを用いることで，深部のポケットの存在が確認できる．今後，褥
瘡が深くなり，拡大することが予測できる．

最小限にするための体位変換などを行う必要があり，患者本人や家族，医療従事者に対し
て褥瘡の経過をあらかじめ説明することが可能となる．
　さらに，壊死組織を除去するデブリドマン*を行う際には，ドプラモードを使用するこ
とで，血管の位置を同定でき，血管の損傷による不要な出血を避けることができる（**図Ⅳ-
8-16**）．
　②サーモグラフィを用いる
　サーモグラフィ画像は，皮膚表面より放射される遠赤外線から全体温度を算出し，その
分布を可視化したものである．癌や炎症部位では高温となるが，閉塞性動脈硬化症やバー
ジャー（Buerger）病などによって血流が低下している部位では低温となる．
　創周囲より創底の温度が高い場合，治癒遅延が起こることが明らかとなっており，肉眼
的に観察されない炎症が起こっている可能性が示唆されている（**図Ⅳ-8-17**）．肉眼的に
炎症徴候が観察されなくても，サーモグラフィでこのような所見が観察された場合，臨界
的定着を疑うことが可能である．
　③バイオフィルムを可視化する
　臨界的定着では，創部の表層に細菌がバイオフィルムというスライム状の物質を形成し
ている．これにより創面にぬめりが生じ，免疫反応により過剰な炎症が持続することで滲
出液が多くなったり，治癒が遅延したりする．サーモグラフィはこの炎症をとらえること
が可能であるが，より直接的に臨界的定着を疑う方法として，バイオフィルム可視化技術
が開発された．従来，バイオフィルムの有無を直接確認するには，電子顕微鏡や免疫染色

---

*　デブリドマン：汚染組織を除去して創を清浄化すること．

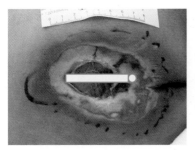

プローブの位置

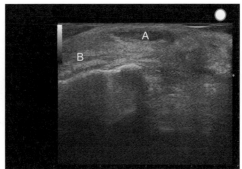

Bモード

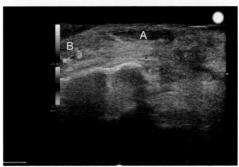

ドプラモード

図Ⅳ-8-16　ドプラモードを使用した褥瘡部の血流の確認
上のBモードではA，Bのいずれも低輝度領域に見える．一方，下のドプラモードでは，Bは血管が描出されていたことがわかる．AはCloud-like像であり，壊死組織であるのでデブリドマンの対象となる．

によって創部組織中のバイオフィルムの構成成分を可視化することが必要であったため，臨床では実施が困難であった．しかし現在，看護研究により，ベッドサイドでバイオフィルム成分を可視化するブロッティング技術が開発され，臨床で利用可能となっている[5]．このバイオフィルム可視化技術は，ブロッティングメンブレンと呼ばれる極性のある（正の電荷を帯びている）濾紙を10秒間創部に押し当て，創面の微量なバイオフィルム成分を採取し，メンブレンを染色することでバイオフィルムを可視化する（p.453，**図Ⅵ-2-1**参照）．染色にはアルシアンブルーという，これは酸性糖蛋白質（酸性ムコ多糖）を特異的に染める色素を用いる．創を洗浄し，生理食塩水で湿らせた滅菌ブロッティングメンブレンを10秒間創面にあて，前処理液（30秒），アルシアンブルー染色液（30秒），脱色液（1分）の順に反応させることで，ベッドサイドでバイオフィルムを可視化することができる．

b. 介　入

　ここでは，アセスメント結果に基づき，褥瘡を治癒へ導く前提としての創傷治癒理論を概観する．

　褥瘡の治療には，①原因の除去，すなわち外力を取り除くことと，②治癒を阻害する要因の除去，すなわち失禁のコントロールと細菌汚染の軽減，が重要である．また，当然，褥瘡発生の引き金となった基礎疾患の治療も並行して行われるべきである．これらが十分に管理されたうえで，はじめて局所治療を論じることができる．

　褥瘡の局所管理では，創底管理（wound bed preparation），創周囲皮膚の清潔（peri-

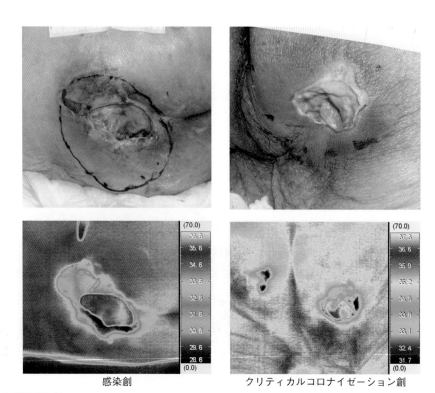

感染創　　　　　　　　　　　　　　　　クリティカルコロナイゼーション創

図Ⅳ-8-17　褥瘡のサーモグラフィ像
感染創では肉眼的に明らかな炎症徴候があり，サーモグラフィでも創底が高温（赤色）を示している．
クリティカルコロナイゼーション創では肉眼的な炎症は認められないが、サーモグラフィ上，創底は高温を
示し，微細な炎症が生じていると判断され，抗菌薬の使用が考慮される．

wound skin cleansing）および湿潤環境下での創傷治癒（moist wound healing）が基本
原則となる．つまり，創部の壊死組織を除去し，周囲皮膚を洗浄することで創の清浄化を
はかり，ドレッシング材を貼付することで湿潤環境を提供することが重要となる．以下に，
具体的な手順を示す．

（1）ドレッシング材の剥離に注意する

　ドレッシング材を剥離するさいは創周囲皮膚を傷つけないよう十分に注意して愛護的に
行う．はがれにくい場合は，**微温湯や剥離剤**を用いて剥離する．

（2）洗浄を行う

　創および創周囲を洗浄することで創の正常化をはかる．褥瘡治療のなかでもっとも重要
なステップである．創部の洗浄は，創表面の異物や壊死組織の**デブリドマン**を目的に行
う．シャワーボトルなどを用いてある程度の圧をかける．創縁にはバイオフィルムが多く
付着している場合が多いので，より強い圧をかけるか，口腔ケア用スポンジなどでバイオ
フィルムを取り除くとよい．創周囲皮膚の洗浄は，創縁から20 cm程度離れたところま
で広範に行う．洗浄には弱酸性の石けんを十分に泡立ててやさしく洗う（**図Ⅳ-8-18**）．
そのさい創部の下に使い捨ての吸水パッドを敷いておくと寝具を濡らさなくてすむ．

（3）ドレッシング材を貼付する

　従来，褥瘡などの創傷は，消毒薬を用いて創面を洗浄し，ガーゼを当てて乾燥させるこ

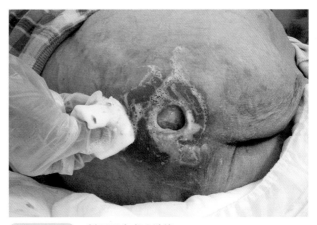

図Ⅳ-8-18　創周囲皮膚の洗浄
よく泡立てた石けんを用いて，創周囲皮膚を洗浄する．微温湯を用いて，
泡が残らないように十分すすぐ．

とが治癒を早めると考えられてきた．しかし現在はそれらが誤りであり，逆に創傷治癒を
遅延させることが明らかとなってきている．消毒薬は細菌を選択的に死滅させることがで
きず，肉芽増生に必要な線維芽細胞や，好中球などの炎症細胞まで死滅させてしまうから
である．創傷治癒過程を正常に進めるには，その主体となる細胞がスムーズに活動できる
場を提供しなければならない．近年では，ドレッシング材を用いて湿潤環境を提供する
moist wound healing（湿潤環境下での創傷治癒）という概念が広く一般に受け入れられ
るようになってきた．明らかな感染が生じている場合においては，一時的に消毒薬を使用
して細菌を死滅させるほうが，細胞毒性よりも利益があると判断されることもある．臨界
的定着が疑われる場合は，抗菌成分入りのドレッシング材の使用を考慮する．
　褥瘡のアセスメントを適切に行い，褥瘡の状態にあったドレッシング材や外用薬を選ぶ
ことが重要である．

c. 評価の視点

　評価は DESIGN-R®2020 を用いて行う．評価の視点として，悪化していないかどうか
に主眼をおき，2 週間以上 DESIGN-R®2020 得点が変化していないときは，改善がみら
れないため，ケア方法の見直しを必要とする．

C. 実践におけるクリティカル・シンキング

演習⑧　長時間臥床していた女性

　87 歳，女性．身長 147 cm，体重 32 kg．軽度の認知障害があるが，1 人暮らしをして
おり，妹家族が近所に住んでいる．高度の脱水のため意識を消失し長時間畳の上で臥床．
連絡がとれない妹が不審に思い尋ねたところ倒れているのを発見し，救急車にて総合病
院へ搬送された．

問1 　入院後，全身の皮膚観察が行われ，右大転子部に褥瘡を認めた．この患者の褥瘡の発生要因として何が考えられるか

問2 　1週間後，褥瘡部にびらんを生じ，真皮層が露出している．褥瘡の適切な処置としてどのような方法が考えられるか

[解答への視点 ▶ p.474]

練習問題

Q20 　褥瘡で正しいのはどれか．2つ選べ．
1. DESIGN-R®2020を用いて褥瘡の発生リスクをアセスメントする
2. 知覚がないことは褥瘡の危険因子の1つである
3. 褥瘡部を除圧するために円座を用いる
4. エアマットレスを使用している場合は底づきがないか観察する
5. 褥瘡を予防するために，好発部位である骨突出部を強くマッサージする

[解答と解説 ▶ p.479]

引用文献

1) 日本褥瘡学会（編）：科学的根拠に基づく褥瘡局所治療ガイドライン，p.112-113，照林社，2005
2) 日本褥瘡学会実態調査委員会：療養場所別自重関連褥瘡有病率，有病者の特徴，褥瘡の部位・重症度およびケアと局所管理．日本褥瘡学会誌 **20**（4）：446-485，2018
3) 日本褥瘡学会編：改定DESIGN-R®2020 コンセンサス・ドキュメント，照林社，2020
4) Matsumoto M, Nakagami G, Kitamura A, et al：Ultrasound assessment of deep tissue on the wound bed and periwound skin；A classification system using ultrasound images. J Tissue Viability **30**（1）：28-35, 2021
5) Nakagami G, Schultz G, Gibson DJ, et al：Biofilm detection by wound blotting can predict slough development in pressure ulcers；A prospective observational study. Wound Repair Regen **25**（1）：131-138, 2017

尿失禁

A. 基礎知識

1●定　義

　尿失禁とは，他覚的に認められる不随意な尿の排出のことで，社会的・衛生的に何らかの問題を引き起こすものと定義され[1]，**下部尿路機能障害**によって現れる**下部尿路症状**（lower urinary tract syndrome：LUTS）[*1]の1つとして位置づけられている．

2●疫学（有病率）

　尿失禁は70歳以上で急増し，65歳以上の高齢者のうち約400万人に尿失禁があると推測されている．地域在住の高齢者では10〜30％に尿失禁があり，施設入所者では半数以上にのぼる．一方で，尿失禁を改善するために専門医を受診した高齢者はごくわずかであると報告されている．

3●病態と生理学的特徴

　尿失禁には，下部尿路機能障害（**神経因性**）とその他の要因（**非神経因性**）が関与しており，高齢者ではこれらが複合的にかかわっていることが多い．

a. 神経因性の病態

（1）排尿筋過活動

　排尿中枢は，前頭葉内側面にある上位中枢によって抑制的に調節を受けている．よって，前頭葉内側面が脳梗塞などによって障害された場合は，神経因性の**排尿筋過活動**[*2]が生じ，**頻尿**[*3]や**尿意切迫感**[*4]とともに尿失禁が起きる．

（2）パーキンソン病

　パーキンソン病は，黒質緻密層や線条体のドパミン系ニューロンや青斑核のノルアドレナリン系ニューロンの変性脱落によって特有の運動障害を呈する神経疾患である．症状として，認知機能障害，うつ状態などの精神症状，自律神経障害などがみられる．自律神経障害には便秘や下部尿路機能障害が含まれ，高頻度で出現する．蓄尿症状が多く，尿意切迫感，頻尿，尿失禁として現れる．

（3）認知症（血管性認知症，アルツハイマー病）

　血管性認知症における排尿障害は，その約半数に，かつ，早期からみられ，なかでも頻

[*1] 下部尿路症状：排尿に関連した一群の愁訴のことを指し，蓄尿症状，排尿症状，排尿後症状の3つに大別される．
[*2] 排尿筋過活動：蓄尿期における膀胱の不随意な収縮のことで，尿意切迫感や頻尿，尿失禁の症状が出現し，尿流動態検査によって膀胱の収縮反応が亢進している様子が観察される．
[*3] 頻尿：排尿回数が増加した状態を指し，昼間頻尿は8回以上，夜間頻尿は2回以上の排尿がある場合をいう．
[*4] 尿意切迫感：突然に生じる，抑えることが困難と思われるような強い尿意をいう．

尿や切迫性尿失禁（p.256，表Ⅳ-9-1 参照）が多い．前頭葉の虚血性病変による排尿筋過活動が原因と考えられている．また，排尿筋の収縮力低下が原因となっていることもある．

　アルツハイマー病の場合は，尿失禁の出現時期が比較的遅く，認知機能が低下し，すべての日常生活動作（ADL）において介助が必要になる段階で尿失禁が現れる．この段階では，脳のかなりの部分に変性や萎縮が生じるため，アルツハイマー病で尿失禁がみられる時期には，併せて，ADL の低下や，前頭葉や大脳基底核の障害による排尿筋過活動が複合的に出現すると考えられる．また，アルツハイマー型認知症治療薬の副作用によって，蓄尿障害や排出障害が生じることもある．

（4）正常圧水頭症

　正常圧水頭症になると，下部尿路機能障害（頻尿，切迫性尿失禁）が現れ，数ヵ月かけてゆっくりと進行する．

（5）脊髄損傷

　脊髄損傷の受傷後 2〜3ヵ月はすべての脊髄反射が減弱し，排尿反射のほとんどが消失して尿閉になる．その後，徐々に排尿機能は回復するが，損傷された脊髄のレベルや受傷の程度，病期によって下部尿路機能は異なってくる．

　仙髄より上位における脊髄の不完全障害（核上型）では，排尿筋過活動による**蓄尿障害**が生じる．排尿反射経路の再構築において C 線維を介した求心性伝達路の興奮性が増大し[*1]，また，膀胱上皮からのアデノシン三リン酸（ATP）放出が増加して膀胱知覚が亢進すると考えられている[*2]．

　一方，仙髄の損傷（核型）では，排尿筋は低活動や無活動になり，排出障害が生じる．また，膀胱壁の伸展性が低下し，低コンプライアンス膀胱[*3]になりやすい．尿意は低下するか，消失し，残尿が多く，膀胱の収縮を伴わない尿もれが生じる（溢流性尿失禁，p.256，表Ⅳ-9-1 参照）．

b. 非神経因性の病態と発生要因

（1）骨盤底の脆弱化

　女性の場合，**骨盤底**を形成する骨盤隔膜（肛門挙筋，尾骨筋）や内骨盤筋膜の脆弱化が尿失禁を引き起こす．通常，腹圧が加わると，圧力は骨盤底の組織を通じて尿道へ伝搬し，腟前壁に向かって尿道を圧迫する．これによって尿道は閉鎖し，尿道内圧が高く保たれて尿もれは回避される．経腟分娩，閉経，骨盤内の手術，外傷，老化などによって尿道や骨盤内組織の統合性が損なわれると，腹圧がかかったときに尿道が動揺して圧の伝搬が不十分になり，尿道閉鎖圧が低下する結果として腹圧性尿失禁（p.256，表Ⅳ-9-1 参照）が生じる．

[*1] 膀胱の知覚神経には有髄神経のAδ線維と無髄神経のC線維があり，通常，膀胱伸展刺激はAδ線維を介した求心路によって伝達され，排尿反射を引き起こす．一方，C線維は痛みなどの強い侵害刺激に反応するが，脊髄損傷でAδ線維による経路が遮断されるとC線維の細胞が肥大するとともに興奮の閾値が低下し，膀胱知覚の亢進が生じるとされる．

[*2] 尿道の上皮細胞にはα_1アドレナリン受容体やイオンチャネルが存在するほか，膀胱の伸展刺激や炎症，虚血などに反応して，ATP，アセチルコリン，一酸化窒素，プロスタグランジンなどの神経伝達物質を放出し，尿意などの知覚にかかわっていると考えられている．

[*3] 通常，膀胱は，尿が充満するに従って平滑筋を拡張させ，低い内圧を保って容量を保つことができる．低コンプライアンス膀胱では，平滑筋の伸展性が低下して尿の充満とともに内圧が上昇し，機能的な膀胱容量が減少する．尿道括約筋の状態によって，尿失禁が起きやすくなったり，上部尿路障害が生じやすくなったりする．

形態機能の視点では，尿道は，恥骨尿道靱帯と恥骨直腸筋によって前方へ固定されており，腹圧下で後方へ動く肛門挙筋と下方へ動く肛門周囲縦走筋によって引っぱられるため，前後の牽引力によって閉鎖される．これらの筋群や支持組織が脆弱化すると，尿道にかかる牽引力が弱まり，尿道の閉鎖が不完全になって腹圧性尿失禁が生じる．

(2) 下部尿路の閉塞

加齢に伴い，男性では**前立腺肥大症**による**下部尿路閉塞**が増加する．前立腺肥大症では，尿路の閉塞による溢流性尿失禁や，過活動膀胱に伴う切迫性尿失禁が生じる．

女性では，加齢に伴う骨盤底の脆弱化により蓄尿障害が生じる．**骨盤臓器脱***による下部尿路閉塞から排出障害を合併することもある．臓器の下垂が軽度の場合は，支持組織の弛緩による尿道過可動が生じ，腹圧性尿失禁になる．臓器の下垂が高度になると，尿道の屈曲や圧迫による閉塞が生じ，尿閉や溢流性尿失禁になる．

(3) 下部尿路の慢性炎症

下部尿路の慢性炎症により，膀胱知覚を伝える C 線維の興奮や膀胱上皮における ATP 放出が増大し，下部尿路の知覚が亢進して膀胱刺激症状（頻尿，排尿時痛，残尿感など）が出現し，切迫性尿失禁を合併する場合がある．

(4) 下部尿路機能の変化

加齢により，膀胱容量の減少や骨盤底の脆弱化が起こり，排尿機能が低下する．

(5) 薬剤の副作用

排尿筋の収縮を亢進する薬剤（コリン作用薬）や，尿道抵抗を減少させる薬剤（α_1遮断薬），血管拡張を促すカルシウム拮抗薬，浸透圧性利尿を生じる利尿薬や一部の糖尿病治療薬は，副作用により尿失禁を生じる可能性がある．

(6) 骨盤内臓器の治療

骨盤内臓器の手術操作による神経の損傷，放射線療法による炎症や膀胱の萎縮，膀胱留置カテーテル操作による尿道の損傷によって，尿失禁を生じることがある．

c. その他の病態

(1) 身体機能・認知機能の低下

衣服の着脱やトイレへの移動などの ADL の低下や，認知機能低下に伴う尿意の知覚の低下，コミュニケーションの障害による排尿に必要な援助の不足から，尿失禁にいたることがある．とくに，身体機能の低下と認知機能の低下は尿失禁のリスク要因である．

(2) 多　尿

老年期には，ホルモンの分泌や循環機能の変化によって夜間多尿になる傾向があり，頻尿や尿失禁の原因になる．抗利尿ホルモンであるバソプレシンの分泌は加齢により日内変動の状況が変化するほか，分泌低下により尿崩症となる．心機能が低下すると日中に下半身に水分が貯留し，夜間臥床時に静脈還流が増加して多尿になる．また，降圧薬であるカルシウム拮抗薬や利尿薬，糖尿病治療薬である SGLT2 阻害薬は多尿の原因になるほか，薬剤副作用による口渇感が原因で水分を過剰に摂取し多尿になることもある．

---

* 骨盤臓器脱：膀胱や腟，子宮，直腸が本来の位置より下垂したり，腟口から体外へ脱出したりするもので，それらの臓器を骨盤壁に接着させている内骨盤筋膜や，骨盤隔膜の脆弱化によって生じる．臓器の種類によって，子宮脱，腟脱，膀胱瘤，膀胱尿道瘤，直腸瘤などがある．

(3) 精神障害

神経症やうつ病などに伴い，尿失禁や尿閉などの心因性排尿障害が生じることがある．

4● 主な症状と生活への影響

尿失禁は，不意に生じる強い尿意，陰部不快感，睡眠中の覚醒などの随伴症状がある．これらの症状は，日常生活に支障をきたすほか，不安や抑うつ，羞恥心，自尊心の低下などの心理的苦痛を生じ，活動性を低下させる．日本の高齢者を対象とした研究では，失禁と生きがいの喪失に関連が見出されており，尿失禁が高齢者の社会生活へ及ぼす影響は甚大である．さらに，尿失禁は，転倒，水分摂取制限による脱水，皮膚ダメージなどの別の障害の要因にもなる．

B. 看護実践の展開

1● 尿失禁を予防する（一過性尿失禁を回避する）

尿失禁には，疾患や薬物，精神状態，生活環境の変化により一過性に生じるものがあり，老年期に高頻度でみられる．尿失禁の効果的な治療には，一過性尿失禁の要因を判断し，除外する必要がある．

2● 尿失禁を改善する

a. アセスメント

尿失禁は，病態，日常生活と社会的サポート状況，生活の質（QOL），の3つのポイントからアセスメントする．

(1) 病態を把握する

尿失禁を訴える高齢者の排出機能と蓄尿機能，それらに影響を及ぼす要因について，問診，質問票，排尿記録，フィジカルアセスメント，残尿測定，尿流測定，尿検査により情報を集め，おおまかな病態を把握する．

①問　診

問診では，尿失禁の発生状況，既往歴，薬物療法の内容，生活習慣などの情報を得る．急に激しい尿意を感じてもれてしまうのか，尿意がよくわからないのか，トイレへ行くまでに時間がかかってもれるのか，便器に座ろうとする途中で不意に尿が出て衣類が濡れるのか，「尿失禁のエピソード」を，下部尿路機能や心身の機能，生活環境と関連づけて聴取する．

質問票では，本人の知覚以外の問題の表面化，重症度の評価，治療効果の評価が可能である尿失禁のアセスメントに使われる質問票には，自覚症状とQOLに関する**ICIQ-SF**（International Consultation on Incontinence Questionnaire-Short Form）[2]（**図 Ⅳ-9-1**）などがある．

排尿記録は，**排尿パターン**を把握し，尿失禁に関連した特徴的な症候や膀胱の機能，生活習慣を評価するものである．排尿時間，排尿量，起床・睡眠時間，水分摂取量，自覚症状などを記入してもらう．排尿記録は，連続した3日間行うことが望ましいが，困難な場

お名前_____

①どれくらいの頻度で尿がもれますか？（ひとつの□をチェック）

なし　□＝0
おおよそ1週間に1回，あるいはそれ以下　□＝1
1週間に2〜3回　□＝2
おおよそ1日に1回　□＝3
1日に数回　□＝4
常に　□＝5

②あなたはどれくらいの量の尿もれがあると思いますか？
（あてものを使う使わずにかかわらず，通常はどれくらいの尿もれがありますか？）

なし　□＝0
少量　□＝2
中等量　□＝4
多量　□＝6

③全体として，あなたの毎日の生活は尿もれのためにどれくらい損なわれていますか？
0（まったくない）から10（非常に）までの間の数字を選んで○をつけてください．

0　1　2　3　4　5　6　7　8　9　10
まったくない　　　　　　　　　　　　　　非常に

①〜③の合計点数_____点

④どんな時に尿がもれますか？
（あなたにあてはまるものすべてをチェックしてください）

なし−尿もれはない　□
トイレにたどりつく前にもれる　□
咳やくしゃみをした時にもれる　□
眠っている間にもれる　□
体を動かしている時や運動している時にもれる　□
排尿を終えて服を着た時にもれる　□
理由がわからずにもれる　□
常にもれている　□

図Ⅳ-9-1　QOL 問診票（ICIQ-SF）
[後藤百万，Donovam J, Corcos Jほか：尿失禁の症状・QOL質問票・スコア化ICIQ-SF（International Consultation on Incontinence Questionnaire-Short Form）．日本神経因性膀胱学会誌 12（2）：227-231, 2001 より許諾を得て転載]

合は1日でもよい．記載項目は，本人や家族の負担を考慮し，問診や質問票の結果から厳選し，記入や尿量の測定方法を説明する．

②フィジカルアセスメント

フィジカルアセスメントでは，陰部の形態的な異常や腹圧をかけたときの変化，知覚神経や骨盤底筋群の機能，残尿量，周辺皮膚の状態を観察する．また，一連の排泄動作の遂行に必要な運動機能や認知機能を判断する．**残尿量**の観察には，携帯型超音波膀胱診断装置が有用である．ADL のアセスメントには**バーセルインデックス**（Barthel Index, p.460, **付録1 参照**）や**カッツインデックス**（Katz Index），認知機能のアセスメントには HDS-R（長谷川式簡易知能評価スケール，p465, **付録7 参照**）や MMSE（簡易精神機能検査）が有用である．

下部尿路機能障害の場合は，専門医によって，膀胱内圧・尿道内圧・漏出時圧の測定や外尿道括約筋筋電図などの排尿機能検査が実施され，蓄尿障害や排出障害の有無が確定さ

表Ⅳ-9-1　尿失禁のタイプ

1. 切迫性尿失禁	強い尿意とともに尿がもれ出てしまうのが切迫性尿失禁である．尿流動態検査において，排尿筋の無抑制収縮がみられる場合が多い．神経系に異常がなければ不安定膀胱，神経系統に異常がある場合は排尿筋過反射という（神経因性膀胱の1つのタイプ）．最近では，これらを総称して過活動膀胱というようになった（**表Ⅳ-9-2**）．仙髄より上位の脊髄疾患では，排尿筋が収縮するとき括約筋も収縮する排尿筋・外尿道括約筋協調不全が生じることがある．この病態では，多量の残尿，膀胱尿管逆流症，尿路感染症が続発し，腎機能に障害を起こす可能性が高い． 高齢者の切迫性尿失禁では，尿流動態検査において蓄尿期の排尿筋過活動と排尿期の排尿筋収縮力減弱の両者がみられることがある．臨床的には，切迫性尿失禁がありながら尿をすべて排出することができない．残尿が多量になると，切迫性尿失禁，腹圧性尿失禁，溢流性尿失禁のすべてがみられることがある．
2. 腹圧性尿失禁	咳やくしゃみ，笑う，運動など腹圧上昇時に，膀胱が収縮しないのにもかかわらず尿がもれ出てしまうのが腹圧性尿失禁である．腹圧性尿失禁の原因は，大きく2つに分けられる．1つは膀胱頸部・尿道過可動性（hypermobility）で，骨盤底弛緩に基づく膀胱頸部下垂により腹圧の尿道への伝達が不良となり，腹圧時に膀胱内圧のみが上昇し尿がもれるものである．他の1つは，内因性括約筋不全（intrinsic sphincter deficiency：ISD）で括約筋機能の低下により，腹圧時に尿がもれるものである．腹圧性尿失禁を有する女性のうち，約30％に切迫性尿失禁が合併する． 男性では基本的にはこのタイプの尿失禁は生じないが，前立腺がんに対する根治的前立腺摘除術や経尿道的前立腺切除術の後に，このタイプの尿失禁が生じることがある．
3. 溢流性尿失禁	膀胱に尿が充満し，尿が尿道からもれ出るのが溢流性尿失禁である．尿の排出障害が原因であり，排尿筋の収縮力減弱か下部尿路閉塞のどちらかあるいは両方による．抗コリン薬や抗ヒスタミン薬などの薬剤，糖尿病による末梢神経障害，骨盤内悪性腫瘍に対する手術による末梢神経損傷は排尿筋の収縮力低下の原因となる．高齢男性では，前立腺肥大症，前立腺がん，尿道狭窄が下部尿路閉塞の原因となる．高度の膀胱瘤，子宮脱といった骨盤内臓器下垂があると，女性でも下部尿路閉塞がありうる．仙髄より上位の脊髄疾患では，排尿筋括約筋協調不全により閉塞が生じることがある．
4. 機能性尿失禁	手足が不自由なためトイレに行ったり，衣服を脱ぐのに時間がかかる，尿器がうまく使えない，認知症があってトイレを認識できないといった理由で，膀胱の機能とは関係なく尿失禁が生じることがある．この状態を，機能性尿失禁とよぶ．高齢者では，他のタイプの尿失禁が合併していることも多い．
5. 反射性尿失禁	下肢の麻痺など明らかな脊髄の神経学的異常のある患者では，何ら徴候も，尿意もなく尿がもれることがある．これを反射性尿失禁という．排尿筋・外尿道括約筋協調不全があることも多く，膀胱内圧の著明な上昇を伴うため，多量の残尿，膀胱尿管逆流症，尿路感染症が続発し，腎機能に障害を起こす可能性が高い．泌尿器科的管理を要する病態であるが，このガイドラインでは触れない．

［岡村菊夫, 後藤百万, 三浦久幸ほか：平成12年度厚生科学研究費補助金（長寿科学総合研究事業）事業, 高齢者尿失禁ガイドライン. 2000, p.6, 7,〔https://www.ncgg.go.jp/hospital/iryokankei/documents/guidelines.pdf〕（最終確認：2023年1月26日）より許諾を得て改変し転載］

れる．また，病因の特定には，尿道膀胱鏡や腟鏡を用いた内診や細胞診，超音波，尿道膀胱造影，パッドテストなどが行われる．

　以上より，尿失禁のタイプ（**過活動膀胱［切迫性尿失禁］，腹圧性尿失禁，溢流性尿失禁，機能性尿失禁，反射性尿失禁，表Ⅳ-9-1**）を明らかにし，尿失禁に関連する個人の状況を見極めることで，必要な看護介入につなげることができる．

（2）尿失禁が生活に及ぼしている影響を観察する

　尿失禁は，原因にかかわらず，尿失禁の存在自体がQOLに大きく影響する．QOLをアセスメントするには，健康状態や社会的活動について問診するほか，I-QOL（quality of life in persons with UI），KHQ（King's Health Questionnaire），IIQ（Incontinence Impact Questionnaire）などの質問票を活用する．

表IV-9-2　過活動膀胱の定義

必須の症状	尿意切迫感
随伴する症状	頻尿，夜間頻尿，切迫性尿失禁
鑑別すべき疾患や病態	膀胱癌，前立腺癌，骨盤内の悪性腫瘍，尿路結石，下部尿路の炎症性疾患，子宮内膜症などの膀胱周囲の異常，多尿，心因性の頻尿，薬剤の副作用

(3) 尿失禁を伴う日常生活と本人の強み，社会的サポートの状況を観察する

　尿失禁の治療を受けている高齢者は少なく，症状に対し，高齢者自らが日常生活において何らか対処をしていることが多い．尿失禁を伴う生活に対し，症状をどのように自覚してどのような工夫を行っているかを観察する．尿失禁の問題は羞恥心を伴い表面化しにくいため，高齢者本人や介護者の尿失禁のとらえ方，対処の動機や具体的な行動の内容，随伴する感情をていねいに聴取することが大切である．症状に対する積極的な取り組みは高齢者本人の強みに通じ，より効果的な対処を考える際に重要である．対処に関連する情報として，尿もれパッド等を含む排泄用品をはじめ，排泄行動に関連する移動用具や寝室からトイレまでの間取り，トイレ内の設備について，本人の排尿状況や身体機能に合致しているかを確認する．社会的サポートでは，介護保険や住宅改修サービス，おむつ代の医療費控除の利用状況，家族介護者のかかわりについて確認する．

b. 介　入

　尿失禁の看護は，尿失禁のタイプや日常生活によって内容が決定され，①原因疾患の治療や検査に伴う支援（膀胱留置カテーテルや間欠導尿の管理），②尿失禁の治療的介入（排尿自覚刺激療法，骨盤底筋群訓練），③保存的介入（排泄用具の選択，スキンケア）がある．

(1) 膀胱留置カテーテルの管理

　膀胱留置カテーテルは，尿閉の急性期や膀胱容量の低下時，局所の安静を要する場合に用いられる．膀胱機能の低下，尿路感染症，尿路結石，尿道の損傷，不快感，自尊感情の低下などの合併症を伴うため，膀胱留置カテーテルは早期に計画的な抜去を行うのが望ましい．高齢者では，運動や認知機能による間欠導尿の不適応，衰弱，介護力の限界，重度の褥瘡管理にも膀胱留置カテーテルが使用され，早期抜去が困難な場合があるため，合併症予防が課題である．

　膀胱留置カテーテルの合併症予防のため，粘膜刺激が小さい素材や抗菌効果のある適切な直径のカテーテルを選択し，挿入時には無菌的操作を行う．管の屈曲や閉塞は，尿の逆流による尿路感染や結石の原因になるため，常に尿が採尿バッグへと一方向に流出する状態であることを確認し，浮遊物の量や性状に注意する．カテーテルのひきつれや屈曲による尿道の損傷を防ぐため，カテーテルの固定位置や体位変換時の取り扱いに注意する．

　膀胱留置カテーテルを抜去して自尿を促す場合には，抜去後の排尿ケアについて本人や介護者とともに計画的に準備する．抜去後は，排尿量，膀胱内蓄尿量，残尿量によって膀胱機能をモニタリングしながら，残尿量が50 mL以下になるまで間欠導尿を適用する．

(2) 間欠導尿

　間欠導尿は，脊髄損傷などの神経因性の障害や尿道の器質的な狭窄によって排出障害があり，膀胱留置カテーテル抜去後の回復期や残尿量の増加（おおむね100 mL以上），尿

閉の場合に適用される．自己間欠導尿では，通常，無菌的操作の必要はなく，手洗いと陰部の清拭，カテーテルの消毒などの清潔操作を行う．自己間欠導尿を指導するさいには，不安や抵抗感に配慮し，知識と手技が段階的に習得できるよう計画し，必要時には介護者の協力を得る．生活パターンに合った導尿サイクルが確立されるまでは，自尿（失禁量），導尿量，膀胱内蓄尿量を排尿日誌に記録し，導尿の知識や手技を定期的に確認する．膀胱内の尿量測定には，携帯型の超音波膀胱診断装置を活用するとよい．自己間欠導尿の合併症には，尿路感染，尿道損傷，ろう孔の形成，水腎症がある．発熱や痛み，カテーテルの挿入困難，災害などの緊急時の連絡や対処の方法を備える．

(3) 排尿自覚刺激療法

排尿自覚刺激療法は，認知機能の低下で尿意の伝達困難となり，機能性尿失禁を呈する場合に適用される行動療法であり，長期高齢者ケア施設などでの効果が示されている．この療法の対象者としては，尿意を自覚し，排尿誘導に応じられることが条件となる．排尿日誌に基づき尿意の確認と排尿誘導を行い，対象者が尿意や失禁を知覚して介助者に伝えられた場合にプラスのフィードバックをする．携帯型の超音波膀胱診断装置による膀胱容量の測定を活用することで，排尿誘導の効率化ができる．この方法により，尿意の知覚，尿意の伝達，支援の獲得，トイレでの排尿，という一連の行動が確立され，尿失禁が減少する．

(4) 骨盤底筋群訓練

骨盤底筋群訓練は，骨盤底筋群をきたえ，尿道を解剖学的に正しい位置に支持して尿道閉鎖圧を高め，腹圧下で括約筋を収縮させることを目的とする運動療法である．これにより，腹圧性尿失禁，切迫性尿失禁（過活動膀胱）の症状が緩和する．効果の発現には3ヵ月から半年の継続が必要であるため，強い動機づけを要する．

　訓練は，すばやい収縮によって尿もれを反射的に防ぐ速筋の運動と，緩徐に収縮して張力を保つ遅筋の運動から構成される．腟や直腸の内診やオックスフォード・スケール（Oxford scale）によって，目的とする筋収縮を評価する．また，収縮の強さ，持続力，反復力を評価し，対象者に応じたメニューを設定する．とくに，高齢者では筋線維の径や密度が小さくなり，疲労によるダメージが大きいため，収縮と収縮の間に十分な弛緩の時間をおく必要がある．日常の訓練では，対象者自身による収縮の確認方法（内診）を指導する．腟圧計を用いて筋の収縮を視覚化し，目的部位の運動を促進するバイオフィードバックも活用されている．

(5) スキンケア

　尿失禁における**スキンケア**の目的は，排泄物の除去，浸軟の予防，皮膚バリア機能の保護によるスキントラブルの回避である．皮膚に付着した排泄物は速やかに除去し，化学的刺激や浸軟を予防する．尿を局所にとどめて逆戻りが少ない尿とりパッドの選択が望ましい．また，高齢者の皮膚は皮脂の分泌が乏しいため，洗浄剤の多用はバリア機能をさらに低下させる．よって，皮膚の洗浄には弱酸性で保湿成分を含む低刺激性の洗浄剤を選ぶ．微温湯で十分に洗い流したのち，水分を押さえ拭きし，撥水性のクリームや非アルコール性の被膜剤を使用して，排泄物の刺激から皮膚を保護する．

c. 評価の視点

　排尿記録に基づき，尿失禁の頻度や失禁量の変化を評価する．尿失禁が生活に与える影響について，QOL尺度を含む質問票を用いて評価する．

C. 実践におけるクリティカル・シンキング

演習⑨ 糖尿病足病変で車椅子を利用している女性

　74歳，女性．糖尿病で右足趾に潰瘍があり，日中のほとんどを車椅子で過ごしている．数歩程度の伝い歩きができ，排泄行為はかろうじて自立している．尿が少量ずつもれるため，尿とりパッドを使用しているが，最近，パッドがうまく自分で装着できず，車椅子まで尿がもれ出していることがある．トイレでの様子を聞くと，中腰でパッドを取り外しするときに不意に尿がもれてしまう，と言う．

問1 ▶ この女性の尿失禁は，何が原因と考えられるか．現時点の情報から，可能性として考えられる原因は何か

問2 ▶ この女性の尿失禁に対して，どのようなアセスメントを行えばよいか，そのアセスメントの視点と具体的な方法は何か

問3 ▶ 血糖測定の記録から，血糖値は良好にコントロールできていることがわかった．一方で，排尿日誌から，トイレでの排尿量にくらべてパッドにもれた尿量のほうが圧倒的に多いこと，また排尿量と飲水量がともに700 mL程度であることがわかった．この女性の尿失禁に対してどのようなアプローチを行えばよいか

[解答への視点 ▶ p.474]

練習問題

Q21 ▶ 高齢者の尿失禁で正しいのはどれか．2つ選べ．
1. 過活動膀胱に伴う尿失禁は，腹圧性尿失禁である
2. 蓄尿時に不随意に膀胱が収縮し，急に尿意が生じて起きる尿もれを反射性尿失禁という
3. 膀胱の機能とは関係なく尿失禁が起きることがある
4. 間欠導尿は，蓄尿障害がある場合に行う
5. 羞恥心のため，尿失禁の問題を自覚していても，相談せずに隠していることがある

[解答と解説 ▶ p.479]

引用文献

1) Bates P, Bradley WE, Glen E, et al：First report on the standardisation of terminology of lower urinary tract function：Urinary incontinence. Procedures related to the evaluation of urine storage－cystometry, urethral closure pressure profile, units of measurement. British Journal of Urology **48**(1)：39-42, 1976
2) 後藤百万，Donovam J, Corcos Jほか：尿失禁の症状・QOL質問票・スコア化ICIQ-SF（International Consultation on Incontinence Questionnaire-Short Form）．日本神経因性膀胱学会誌 **12**(2)：227-231, 2001
3) 藤田晴康：QOL質問票の開発と解析法．Quality of life医療新次元の創造（萬代 隆，日野原重明編），p.61-72，メジカルビュー社，1996
4) 本間之夫，後藤百万，安藤高志ほか：尿失禁QOL質問票の日本語版の作成．日本神経因性膀胱学会誌 **10**(2)：225-236, 1999

10 便秘・下痢

10–1 便　秘

A. 基礎知識

1● 定　義

　便秘とは，その個人のそれまでの排便習慣と照らし合わせ，便が硬い，出にくい，残便感があるなど日常生活に支障をきたしたり，腹部不快があるといった主観が加わった状態をいう．便秘は生理的老化現象の１つとは言いがたいが，食事摂取量や運動量の低下，排泄動作や環境の変化，全身の筋力低下や腸の変化などにより，高齢者はいっそう便秘を引き起こしやすい．

2● 病態と生理学的特徴

　大腸には，腸内容物を攪拌し混ぜ合わせ便を形成する「分節運動」，それらを輸送する「蠕動運動」，直腸内の便を輸送する「集団運動」があり，これらが正常に機能し快便がもたらされる．

　便秘は，大腸の働きに問題がある**機能性便秘**と大腸自体に問題がある**器質性便秘**に分けられ，さらに機能性便秘は，弛緩性便秘，痙攣性便秘，直腸性便秘に分けられる．また全身疾患の二次的な症状として現れるもの（**症候性便秘**），薬物の副作用に伴うもの（**薬剤性便秘**）がある．

a. 病　態

（1）機能性便秘

①弛緩性便秘

　腸管全体の緊張が減り蠕動運動が低下することで，腸内容物が長く腸内にたまり，過剰に水分が吸収され硬便となり，**弛緩性便秘**が起こる．

②痙攣性便秘

　副交感神経の過緊張により，腸管全体が強い収縮運動を起こし，分節運動が亢進することで過剰に水分が吸収され兎糞状の硬便となり，**痙攣性便秘**が起こる．

③直腸性便秘

　習慣性便秘ともよばれる．長い間，習慣的に便意をがまんしたり，下剤や浣腸を乱用することで排便反射が弱くなり，便の排出が起こらず硬便となり，**直腸性便秘**が起こる．

（2）器質性便秘

　大腸がん，クローン病，腸閉塞などの腸管自体の異常により通過障害をまねき，便秘が

起こる.

(3) 症候性便秘

内分泌疾患, 代謝疾患, 膠原病, パーキンソン病といった中枢神経疾患などは, 代謝異常や水分バランスの変調, 便意の消失をまねき便秘が起こる.

(4) 薬剤性便秘

鎮痛薬, 鎮咳薬, 向精神薬, 降圧薬（カルシウム拮抗薬）, パーキンソン病治療薬, 抗悪性腫瘍薬（抗がん薬）, 抗ヒスタミン薬, 抗コリン薬, 利尿薬などは, 副作用により便秘が起こる.

b. 発生要因

①経口摂取量不足

食事内容や摂取量, 水分摂取量は, 排便量や便性状に影響を及ぼす.

②活動不足

臥床時間が長くなると大腸の働きが低下する. また全身の筋力低下をまねき, 排便時に腹圧をかけるための腹筋が低下し, 排便時に影響を及ぼす.

③排便動作障害

脳卒中や認知症があると, 便意の訴え, 排便のための歩行や衣服の着脱, 後始末などに影響を及ぼす.

④環　境

施設などで自分の排便様式に合わない環境, たとえば和洋式, 便座の高さ, 手すりの有無, 段差などは排便動作に, またカーテンだけで仕切られた個室や外で誰かの話し声が聞こえるような個室は, 排便リズムに影響を及ぼす.

⑤生活リズムの乱れ

施設入所などの環境の変化に伴うストレスや睡眠不足, 活動と休息のバランスなど, 生活リズムの乱れは, 排便リズムに影響を及ぼす.

⑥加　齢

加齢による歯牙欠損や嚥下機能低下に伴い, 経口摂取量や咀嚼力が低下し, 消化液の分泌や腸の働きが低下する. また全身の筋力低下により内臓が下がり, 排便量や便性状に影響を及ばす.

3 ● 主な症状と生活への影響

便秘は, 身体症状以外に, 食事や活動, 睡眠など生活全般へ及ぼす影響が大きい. 以下のような症状の有無を確認し, 快便へ導くことが大切である.

①腹部膨満感

便塊が長く腸内に停留すると発酵や腐敗がすすみ, インドールやアンモニア, 硫化水素といった有害物質やガスが発生する. 腹部膨満感は食欲や活動の低下をまねき, 有害物質が血液中に入り中枢神経を刺激すると, 悪心や嘔吐, 頭痛を引き起こす.

②腹　痛

長期にわたり便塊が停留することで, 他臓器を圧迫したり, 伸展した腸粘膜の運動を司る交感神経を刺激したりする. 腹痛は, 食欲や活動の低下をまねき, 不安や恐怖も引き起こす.

③残便感

排泄後にも爽快感が得られず，まだ便意がある．食欲や活動の低下，不快感などの精神症状を伴う．

4 ● 対処の方法（セルフケアの視点から）

便秘を予防するには，自身や介護者が，便秘の発生リスクをアセスメントして規則正しい生活を整え，便秘が慢性化しないようケアしていくことが重要である．排泄という行為は，本来，いちばん他人の手をわずらわせずに行いたい行為である．そのため，可能なかぎり食事に留意し，活動と睡眠のバランスを整え，よい便塊をつくるために腸の健康を維持し，排泄動作に欠かせない関節可動域や筋力の保持をはかっていく必要がある．

B. 看護実践の展開―予防と治療

前項のセルフケアを行ったうえで，看護師は便秘リスクのある高齢者を早期に発見し，予防策を講じていく．またそれでも便秘を起こした高齢者に対しては，治癒を目指し介入を行う．ここではアセスメント方法から実際の介入，評価の視点について概説する．

高齢者の便秘に対するケアにおいては，看護師だけでなく介護職や理学療法士，栄養士など，多職種で協働することが鍵となる．また便秘を起こさないために生活を整えていくことは，高齢者の生活の質（QOL）向上につながるということを忘れてはならない．

1 ● 便秘を予防する

a. アセスメント

①排便リズムを把握する

便の色や性状，量，時間，頻度を把握するため，少なくとも1週間は観察を行う．同時に排便に影響を及ぼす食事内容や摂取量，活動量などの観察も行い，排便リズムを把握する．

②腹部を観察する

視診，聴診，打診，触診の順に行い，日ごろから腹部の状態を観察しておく．また必要時には，本人に説明し肛門部の観察や直腸診も行う．

通常，聴診では軟らかい腸雑音が聞こえ，腹壁はソフトで打診や触診のさいにも痛みを伴うことはない．

③便の性状を確認する

自身の排便量や便性を他者に伝えることは意外と難しく，また観察者のとらえ方にも差が生じることからブリストル便性状スケール（p.80，図Ⅲ-4-12参照）を使用する．ここで正常とされる便性は，「やや軟らかい便」から「やや硬い便」である．また量に関しては，多量や少量といった曖昧な表現ではなく，鶏卵大1個分やバナナ2本分というように，どの観察者も同じとらえ方ができるような表現とする．

④排便に対する満足度を確認する

たとえ排便があっても，本人の爽快感が得られなければ，それは苦痛である．したがって，実際の排便を確認していくだけでなく，必ず本人の満足度を確認する必要がある．

b. 介　入

(1) 食生活を整える

①便量を増やす

1日の活動量から摂取量を決め，3食に加えて補食でそれを摂っていく．また**腸内細菌**を増やし便量を増すため，さまざまな食品をバランスよく摂る．とくに義歯の不具合や咀嚼・嚥下能力の低下から，高齢者は軟らかい食材を選びやすいが，整腸作用があり腸内細菌の栄養源にもなる**食物繊維**を豊富に含む食品（野菜，漬物，海藻類，キノコ類）を摂取する（p.74，82参照）．

②便性をよくする

1日1.5〜2Lの水分摂取が理想であるが，活動量が低下し渇中枢が鈍麻になった高齢者にとって，その水分量は現実的とはいえない．そこで，まずはコップ1杯分の水分を増やす．また自身で水分の調達ができない高齢者に対しては，水分の準備と飲水の介助を行う．

(2) 活動量を上げる

①起きる時間を増やす

腸の働きを高めるため，食事や入浴，レクリエーションなどを取り入れた1日のスケジュールを立て，可能なかぎり身体を起こす．たとえ自力では困難でも，坐位が可能であれば，ベッド上起坐位や車椅子坐位も効果的である．

②排便動作を確立する

排便時，床に足底をつき，前かがみになると腹圧がかけやすい．腹筋強化を目指し，**股関節運動**や**骨盤底筋体操**などを行い，残存機能を活かしながら，便座の高さを調整したり踏み台を使用したりするなどして，この姿勢が確立できるよう援助する（**図IV-10-1**）．また本人と相談のうえ，着脱のしやすい服を選択する．

(3) 気がねのないように配慮する

排泄に介助を要する高齢者にはとくに，「ゆっくりしてもらっていいですからね」「すっきりされたようで，私たちも嬉しいです」と，気がねや遠慮がなくなるように配慮した声かけを行い，排泄物をすばやく片付けることを心がける．

c. 評価の視点

実際，便性のよい排便がみられ，本人の満足感があるかという点が重要となる．

2● 便秘を治す

以上のような予防策を講じても便秘が発生する場合，原因のアセスメントを行い，介入する．しかし高齢者の便秘はさまざまな原因が絡み合うことが多く，多角的に原因をとらえなければならない．また本人の訴えや望みを大切にし，満足感が得られるよう援助する．

a. アセスメント

(1) 腹部を観察する

麻痺性腸閉塞のさいは，腸雑音が5分以上まったく聞こえない状態となる．また便塊があると打診で濁音（物体を叩打したときのような鈍い音）が聞こえ，便塊が触れることもある．ガスが貯溜していると鼓音（太鼓を叩打したときのような軽快な音）が聞こえる．

図Ⅳ-10-1　排便に適した姿勢
足下に台をおいて足をつき，前かがみになると腹圧がかけやすく排便に適した姿勢となる．また，前かがみの姿勢を安定させるためには，クッションなどを抱き，踵を浮かした状態で足をつくとよい．

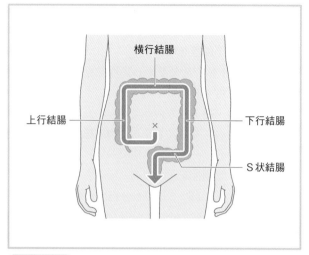

図Ⅳ-10-2　腹部マッサージの方法
皮膚が1〜2cm沈むぐらいの力で，大腸の走行に沿って，時計回りに腹部に「の」の字を書くようにマッサージする．

(2) 生活を見直す

　食事や水分の摂取量，その中身を観察する．たとえば食事摂取量の低下は，嚥下機能の問題や嗜好の問題から発生していることもあり，併せて検討をしていく．

　また食事や入浴，排泄はどこでどのような姿勢で行っているか，他者と交流をはかるといった活動の場があるのかなど，1日の過ごし方を観察する．

b. 介　入

(1) 腹部マッサージをする，温罨法を行う

　腸の働きを高めるため，可能であれば膝を立て，皮膚が1〜2cm沈むような力で，大腸の走行に沿い，時計回りで腹部に「の」の字を書くよう10回ほどマッサージする（**図Ⅳ-10-2**）．また腹部や腰背部を温めることで，骨盤神経を刺激し腸の働きが高まることから，腹部や腰背部に**温罨法**やカイロの貼用を行う．ただし，高齢者は皮膚が脆弱であり，30分以上同一部位を温めることは熱傷をまねくおそれがあるため注意する．

(2) 薬剤を使用する，摘便を行う

　腹部マッサージを行ったうえでも排便がみられない場合，薬剤を使用する（**表Ⅳ-10-1**）．なかでも直腸まで便塊が下りているが排泄できない直腸性便秘には，坐薬投与や浣腸，摘便を実施する．そのさい，医師に実施許可を得るとともに，必ず実施前に全身状態の観察を行い判断する．とくに浣腸や摘便後は，多量の排便によりショック状態をまねくことがあるため注意する．

　①緩下剤を用いる

　必要最低量から始め，下痢にならないよう配慮する．

　②坐薬・浣腸を用いる

　いずれも左側臥位で実施する．浣腸は6cmまでの挿入とし，激しい悪心・嘔吐，腹痛

表IV-10-1　便秘時の主な内服薬一覧

分類	〈種類〉，一般名	特徴，禁忌など
膨張性下剤	カルボキシメチルセルロース，ポリカルボフィルカルシウム　等	生理的排便を促す
浸透圧性下剤	〈塩類下剤〉 酸化マグネシウム，クエン酸マグネシウム，水酸化マグネシウム，硫酸マグネシウム　等	習慣性がないため，下剤の第一選択薬であるが，高齢者では脱水や電解質バランスの崩れに注意 腎機能障害患者は使用不可
	〈糖類下剤〉 ラクツロース，D-ソルビトール，ラクチトール　等	善玉菌のエサとして作用する 高齢者では脱水や電解質バランスの崩れに注意 腎機能障害患者は使用不可
	〈浸潤性下剤〉 ジオクチルソジウムスルホサクシネート	便の表面張力を低下させ，水分を浸潤しやすくして便を軟らかくする
刺激性下剤	〈アントラキノン系〉 センノシド，センナ，アロエ　等	大腸の粘膜に刺激を与えて腸の運動を亢進する 重症化した便秘の解消に用いられる効果の強い下剤である
	〈ジフェニール系〉 ビサコジル，ピコスルファートナトリウム　等	胃や小腸で分解されず，大腸で加水分解される 大腸の粘膜に刺激を与えて腸の運動を亢進するとともに，大腸内の水分を増やして便を軟らかくする
上皮機能変容薬	〈クロライドチャネルアクチベーター〉 ルビプロストン	腸管内の水分分泌を促し，自然な排便を促す
	〈グアニル酸シクラーゼC受容体アゴニスト〉 リナクロチド	腸管内の水分分泌を促し，自然な排便を促す
消化管運動賦活薬	モサプリド	胃や十二指腸に存在するセロトニン5-KT4受容体を刺激し，アセチルコリンを遊離させる そのアセチルコリンの作用により胃腸の動きを活発にする
漢方薬	大黄甘草湯，麻子仁丸，大建中湯　等	作用は穏やか 長期服用は避ける

［日本消化器病学会関連研究会　慢性便秘の診断・治療研究会（編）：慢性便秘症診療ガイドライン2017, p.58, 南江堂, 2017を参考に作成］

や循環動態が安定していない場合は禁忌である．

③摘便を行う

左側臥位とし深呼吸を促してリラックスさせてから，直腸粘膜を傷つけないよう実施する．硬便の場合は指で便塊を壊しながら行い，悪心が強い場合や出血などがみられる場合は無理をせず，数回に分けて行う．

c. 評価の視点

排便がみられたのち，予防的介入を行うことで便秘を繰り返さないかが重要となる．

10-2 下　痢

A. 基礎知識

1●定　義

下痢とは，その個人の今までの便性と照らし合わせ，液状もしくはそれに近い状態に加

え，日常生活に何らかの影響を及ぼしたり，痛みや不快といった主観が加わった状態をいう．下痢は急性に発症することが多く，高齢者ではとくに脱水や電解質バランスの崩れ，細菌毒素による中毒症状などで起こり，生命の危機をまねくこともある．

2 ● 病態と生理学的特徴

a. 発生機序

下痢は，その発生機序により，**浸透圧性下痢**，**滲出性下痢**，**分泌性下痢**，腸管の蠕動運動の異常による下痢に分けられる．

①浸透圧性下痢

暴飲暴食などにより消化吸収できなかった物質が多く腸内に入ると，腸内の浸透圧が増し，腸壁から大量の水分が分泌され下痢が起こる．悪臭が強いという特徴がある．

②滲出性下痢

細菌やウイルス，寄生虫などによる感染性腸炎や炎症性腸疾患などにより，腸粘膜に炎症が生じて透過性が亢進し，滲出液の増加と水分の吸収低下によって下痢が起こる．血液や膿が混じった便がみられる．

③分泌性下痢

コレラや大腸菌などの細菌の毒素，消化管ホルモンの過剰産生などが原因で消化液の分泌が亢進し下痢が起こる．

④腸管の蠕動運動の異常による下痢

新陳代謝を亢進させるような甲状腺の疾患や寒冷刺激，ストレスなどにより，腸管の運動が亢進し下痢が起こる．

b. 発生要因

①過飲食

過飲食は，腸への負担を増し，腸の消化吸収に影響を及ぼす．

②抗菌薬

何らかの炎症を抑えるために抗生物質を使用した場合，その細菌の増殖を抑えるだけでなく，ときに腸内細菌の増殖も抑えることがあり，腸の消化吸収に影響を及ぼす．

③ストレス

ストレスで自律神経が乱れることで，腸の消化吸収に影響を及ぼす．

3 ● 主な症状と生活への影響

下痢は，身体症状以外に，塩基類や消化液，腸内細菌などを多く含む便が排泄されることで肛門部の皮膚を刺激する．これはかゆみや不快感を伴うだけでなく，掻破により感染源ともなるため，継続的な皮膚の観察も大切である．

①腹　痛

腸の働きが亢進することで自律神経が刺激され，痛みが生じる．腹痛は食欲や活動の低下，睡眠障害をまねき，不安感や恐怖感も引き起こす．

②脱　水

塩基類を大量に含む消化液が排泄され，電解質バランスが崩れる．高齢者は渇中枢が鈍

麻し，水分摂取量が減るうえ，体内に水分を貯留させる筋肉量が少なくなり容易に脱水に陥る．積極的に水分摂取でき，必要時には速やかに点滴治療が受けられるようにする．

③肛門部の皮膚障害

刺激の強い便により肛門部の皮膚が曝露される．高齢者はもともと皮膚が脆弱であるため，少しでも刺激が軽減できるよう皮膚を保護し，またふだんから清潔の保持をはかり感染予防に努める必要がある．

4 ● 対処の方法（セルフケアの視点から）

下痢を予防するには自身や介護者が，下痢の発生リスクをアセスメントして規則正しい生活を整え，急な発症に伴う脱水を予防していくことが重要である．

B. 看護実践の展開—予防と治療

看護師は下痢リスクのある高齢者を早期に発見し，予防策を講じていく．それでも下痢を起こした高齢者に対しては，治癒を目指し介入を行う．便秘時と同様，多職種で協働し，脱水や体力の消耗を最小限にとどめる．

1 ● 下痢を予防する

a. アセスメント

①腹部を観察する

前述の「便秘を予防する」（p.262 参照）に準ずる．

②便の性状を確認する

ブリストル便性状スケール（p.80，**図Ⅲ-4-12**参照）を活用する．前述の「便秘を予防する」（p.262 参照）に準ずる．

b. 介　入

①食生活を整える

腸を刺激しないよう過飲食を避け，とくに消化の悪いもの（タコやイカなど）や脂質の多いものを過剰に摂取しないようにする．

②衛生的な環境をつくる

食中毒が流行する梅雨の時期などは，とくに食品の管理方法や手洗いに留意する．

2 ● 下痢を治す

前述のような予防策を講じても，下痢が発生する場合がある．下痢は単に止めればよいというわけではなく，細菌やウイルスが原因の下痢の場合など，体内から原因微生物や毒素を速やかに排出するため便を止めないときもある．そのため下痢の原因が何であるのかをアセスメントし，実際の介入を行っていく必要がある．また高齢者はとくに，下痢をきっかけに脱水に陥らないようにすることも重要である．

表Ⅳ-10-2　下痢時の主な内服薬一覧

分　類	種　類	一般名	特徴，禁忌など
腸運動抑制薬	ロペラミド塩酸塩	ロペミン	オピオイド受容体に作用し，腸管の運動と消化液の分泌を抑制する 細菌性の下痢には用いない
収斂薬	タンニン酸アルブミン	タンニン酸アルブミン	腸内のびらんや潰瘍の鎮静，消炎に作用し，腸運動を抑制する アルカリ剤は鉄剤と一緒には用いない
	ビスマス製剤	次硝酸ビスマス，次没食子酸ビスマス	
吸着薬	天然ケイ酸アルミニウム	アドソルビン	腸内の細菌性毒素やガスを吸着し腸を保護する 腸閉塞患者，透析患者，感染性腸炎患者は使用不可
殺菌薬	ベルベリン塩化物水和物	キョウベリン	腸内の腐敗や発酵を抑制する 腸の運動を抑制する
	ベルベリン塩化物水和物配合	フェロベリン	胆汁分泌作用により腸内病原菌の増殖を抑制する 長期に使用すると腎機能障害もたらす
活性生菌製剤	ラクトミン製剤	ビオフェルミン	腸内で増殖し，乳酸や酢酸を産生して腸内菌叢を正常化する
	ビフィズス菌	ラックビー，ビオフェルミン	腸内で増殖し，乳酸や酢酸を産生して腸内菌叢を正常化する
	ビフィズス菌・ラクトミン配合	ビオスミン，レベニンS	ビフィズス菌が乳酸と酢酸，ラクトミンが乳酸等を産生して，腸内細菌叢を正常化する
	酪酸菌	ミヤBM	宮入菌を含有し，腸管病原菌の発育を抑制する 整腸作用をもたらす
	ガゼイ菌	ビオラクチス	腸内に乳酸菌等を補うことで腸内環境を整える
	酪酸菌配合	ビオスリー	タクトミン，酢酸菌，糖化菌が共生し，腸内細菌叢を正常化する
	耐性乳酸菌	ビオフェルミンR，ラックビーR，エンテロノン-R，レベニン	抗生物質による腸内細菌のバランスの悪化を改善，予防する

[川合眞一ほか（編）：今日の治療薬2023, p.803-806, 南江堂, 2023を参考に作成]

a. アセスメント

①排泄物を観察する

感染が原因の場合，水様性の便だけでなく，色調変化や酸性臭，血液混入がみられる．

②バイタルサインを観察する

感染が原因の下痢は熱発を伴うことが多い．また，血液検査により感染徴候や脱水の有無なども把握していく．

③随伴症状を観察する

下痢は，排泄回数が増し体液を減少させることから，血圧低下や体力の消耗，疲労を伴う．

b. 介　入

（1）薬剤を使用する（表Ⅳ-10-2）

薬剤の使用は，必要最低量から始め，便秘にならないよう配慮する．

(2) 腹部への負担を避ける

①食事を制限する

経口摂取に伴い下痢が悪化する場合には，無理に食事を摂らず点滴を施行する．また軽度の下痢の場合は，腸に負担の少ない粥や重湯を摂り，肉類や冷たい物などを避ける．水分は脱水予防に必要であるが，腸の働きをかえって亢進させる場合は，速やかに点滴に切り換える．

②外的刺激を取り除く

腹部を温め，マッサージや衣服などで腹部を強く締めつけるといった刺激を避ける．

(3) 安全を確保する

血圧低下や疲労状態でトイレに通うことから生じる転倒のリスクを回避する．

(4) 肛門部の清潔を保つ

排便後は肛門部を清潔に保つよう配慮する．また亜鉛化軟膏などを塗布すると，皮膚の蛋白質と結合して皮膜を形成し皮膚の保護となる．

c. 評価の視点

治療的介入を行い「やや軟らかい便」から「やや硬い便」で排泄されることが重要である．

C. 実践におけるクリティカル・シンキング

演習⑩ 術後に便秘となった女性

86歳，女性．大腿骨頸部骨折で入院し，人工骨頭置換術を受け8日目の現在，大部屋である．昨日抜糸が終わり，リハビリテーション室での歩行練習が始まるとともに，ベッド脇のポータブルトイレでの排泄，食堂での食事摂取となっている．

もともと嚥下があまりよくなく，家では軟らかめのご飯と，よく炊いた副菜を摂取しており，入院後は全粥と軟菜を提供している．摂取量は半分程度で，「今は動かないからお腹が空かない」と，飲水も進まない．排泄に関しては，術前に浣腸を行って以後，術後3日目に再び浣腸をし，ブリストル便性状スケール，タイプ3の「やや硬い便」が中等量みられている．腸蠕動は良好であるが，本日も浣腸の予定となっている．

問1　これらの情報から，患者の状態をどのようにアセスメントするか
問2　さらにアセスメントを深めるうえで，足りない情報は何か
問3　今後，どのようなケアを行っていくべきか

[解答への視点 ▶ p.474]

練習問題

Q22 高齢者の便秘で正しいのはどれか. 2つ選べ.
1. 腸管の蠕動運動機能の低下や排便反射の低下などの加齢変化が便秘の要因となる
2. パーキンソン病により器質性便秘にいたる
3. 症候性便秘は腸管の蠕動運動の低下が原因であり, 高齢者に多い
4. 軟らかい食事を好んで摂取する高齢者は便秘になりにくい
5. 悪心が強いときや出血傾向が強いときにおいては, 摘便は回避する

[解答と解説 ▶ p479]

11 不　眠

A. 基礎知識

1 ● 定　義

不眠は，入眠と睡眠維持の障害と定義される[1]．睡眠過少（入眠と睡眠維持の障害），睡眠過多（日中の異常な眠気の障害），睡眠・覚醒サイクルの障害，睡眠に伴う機能障害（睡眠中に起きる異常行動や異常現象，錯眠）に分類される**睡眠障害**の１つである．

2 ● 疫学（有病率）

睡眠障害の有病率は加齢に伴い増加し，高齢者の少なくとも３割は何らかの睡眠障害を有しているといわれている[1,2]．不眠は，高齢者の睡眠障害のなかでもっとも多い．症状は，日中の眠気，入眠困難，夜間の頻回の覚醒である．高齢者を対象とした調査では，70％の回答者が何らかのかたちで不眠症状を感じており，少しの睡眠しかとれていないと感じていると報告している[3]．加齢とともに不眠症状を訴える人は増加し，20〜50歳代では約20％に対し，60歳以上の日本人高齢者の約30％が不眠症状を訴えている[4]．ただし，高齢であれば当然不眠になるわけではないことに注意が必要である．多くの場合，疾病や睡眠時の環境が不眠の原因となる[5]．

3 ● 病態と生理学的特徴

a. 発生機序

高齢者の睡眠障害の多くは，脳の加齢変化と複数の他の原因の組み合わせによって起こるといわれている．不眠の訴えが何に起因しているかによって発生機序は異なるが，**図Ⅳ-11-1**のフローチャートが参考になる．

脳の老化による睡眠・覚醒リズムの**位相の前進**によって，睡眠パターンは起床時刻と就床時刻が早まる．また睡眠は単相ではなく多相性となるため昼寝も多くなる．脳波からみた加齢による高齢者の睡眠の特徴は，成人と比較し，入眠により時間がかかること（**入眠困難**），容易かつ頻回な夜間覚醒（**中途覚醒**），さらに**レム睡眠の短縮化**がみられることである．結果として，眠りが浅くなり，夜中に目が覚めやすくなり熟眠感が得られない，という不眠の症状となる．他の要因による不眠は判別が難しい場合が多いが，脳の老化による不眠は，他の要因による不眠の可能性を除外していくことで見分けることが可能となる．

不眠には，①騒音，光，温度などの環境要因によって発生する不眠，②喘息，狭心症，高血圧，睡眠時呼吸障害などの身体疾患や疼痛など身体的不快感によって発生する不眠，③睡眠薬，降圧薬，利尿薬，ホルモン製剤などの薬物使用や飲酒に伴って発生する不眠，

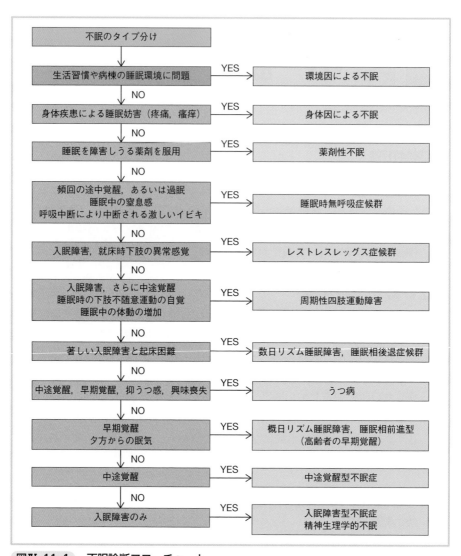

図Ⅳ-11-1　不眠診断フローチャート
[内山　真(編)：睡眠障害の対応と治療ガイドライン，第3版，p.67，じほう，2019より引用]

④うつ病，統合失調症，神経症，心身症など精神科疾患によって発生する不眠，⑤不安，緊張，心理的葛藤などの心理的要因によって発生する不眠がある．

b. 発生要因

　不眠の発生要因は，上記のように脳の老化による睡眠・覚醒リズムの生理的変化に加え，不眠を発生させる身体的生理学的，心理社会的，環境的，生活習慣的要因などがある（p.100，「高齢者の睡眠に影響する要因」参照）．高齢者は，複数の疾患に罹患することが多くなり，それによる身体的不快感や痛み，皮膚のかゆみも不眠の原因となる．**睡眠時無呼吸症候群**，睡眠時周期性四肢運動（periodic limb movement in sleep：**PLMS**［**レストレス・レッグス症候群**］，p.100参照），**高血圧**などによっても睡眠を妨げられ不眠となる．精神的疾患として高齢者に多いのはうつ病と認知症である．**うつ病**では，早朝覚醒や入眠

困難が起こりやすい．**認知症**では，入眠困難，中途覚醒，さらに昼夜逆転などが起こり，夜間の睡眠が障害される．また高齢者は，薬剤の使用による睡眠への影響が大きく，不眠をまねきやすいことに注意を要する．

4 ● 主な症状と生活への影響

　不眠の症状として心理社会的症状と生理学的症状を考える必要がある．不眠によって睡眠の機能である①身体的および精神的休息，②組織の修復と蛋白質合成，③脳内における認知的情報や感情的情報の濾過，体系化，保存，④睡眠に依存する認知機能，とくに長期記憶における，保存された情報を統合し定着する機能や洞察，⑤ストレスに対するコーピング方略が妨げられる．不眠は，疾病やストレスに対する抵抗力を弱めるといえるし，人間の認知機能，とくに記憶や情報の統合能力，感情に影響を及ぼすことが示唆される．

　短期の不眠では，疲労感，混乱，イライラ感，集中力の欠如が現れ，長期的な不眠では，疲労感，見当識障害，イライラ感，注意力の欠如，知覚障害や被害妄想などが現れる[6]．不眠の主観的な主症状である入眠困難感，夜間の頻回の覚醒，熟眠感の欠如なども心配や不安を増すことになる．また上記症状によって，仕事の効率が悪くなり間違いを起こし，また転倒や交通事故などの事故にもつながりかねない．何よりも熟眠感の欠如および日中の疲労感と眠気は，1日の始まりに意欲低下をもたらし，さまざまな活動の遂行や満足感に影響を与え，高齢者の生活の質に強い影響を及ぼすといえよう．

　過去の研究をみてみると，睡眠時間と死亡率の間にはU字型の関係があり，6～7時間の睡眠より長くても短くても死亡率が高くなることが報告されている[7]．また，高齢者においては，不眠によって精神心理的症状が現れやすいといわれている．最近の生理学的研究では，不眠と認知機能低下[8-11]や認知症発症リスクの増加[12]について報告されている．シャイ（Shi）らは，睡眠障害と認知症発症リスクの関係について検討し，睡眠障害があると，ない例に比べてアルツハイマー病発症リスクが1.49倍であることを報告している．不眠が脳内のアミロイドβ（amiloid-beta）蛋白レベルを増加させることを明らかにした研究も報告されてきている[13-15]．アミロイドβ蛋白の蓄積は，アルツハイマー病の病理変化の特徴的なものであることから注目されている．

5 ● 対処の方法（セルフケアの視点から）

　不眠に対しては，日常生活のなかで高齢者自身ができるケア方法として認知的対処方法と行動療法的な対処方法がある．とくに心理的要因や生活習慣的な要因によって発生する不眠に効果が期待できる．そのポイントは，①2, 3日眠れなくてもくよくよ悩まない，②規則的な日常生活を送る，③眠る前には刺激を避ける，ということである．

（1）認知的対処方法

　目的は不眠に対する過度な不安を取り除くことにある．「夜8時間寝なければ身体に悪い」というような睡眠時間帯や総睡眠時間に対する固定的な考え方を変え，眠れない夜があっても気にしない考え方をもつことである．睡眠パターンには個人差が非常に大きいこと，人間が生きるためには睡眠と休息時間の合計が7～8時間あれば十分であると考える．また，無理に眠ろうとせず，不眠には目的があると考えるのもよい方法である．その時間

を意味のあるものにする心構えが大切である [16].

（2）行動療法的対処方法

　ヒルティ（Hilty C）は，その名著『眠られぬ夜のために』のなかで，日常生活のなかでの実際的な不眠に対する対処法について提示している [16]．そのポイントを含め行動療法的対処方法について以下に示す．

不眠に対する行動療法的対処方法

①就床時には，怒りや憎しみ，嫉妬や心配など興奮や不安の種になるような考えごとではなく，静かなよい思想と心の平安をもって休む．安らかな眠りを得るのに最上の方法は，善良な行為，他人との和解，確固たるよい計画，将来の生活のためのよい決意，改心などである．寝る前に緊張をほぐす．個々人の好みにより，リラクセーションの方法を選択するのがよい．軽い仕事をする，よい読書をする，信頼する人と和やかな談話をする，心休まる音楽を聞く，入浴などがよい

②就寝の直前には，多く頭を使わなければならない仕事，とくに計算やそれに類する仕事は行わない

③就寝の直前には，やたらと飲み食いをして，満腹となることを避ける

④就寝前には，社交や観劇など頭を興奮させることは避ける

⑤空腹のために寝つけないときは，明かりをつけしばらく起きて，できれば何か消化しやすい軽い食物を採り，少し落ち着いてから再び就床する

⑥規則的な睡眠習慣を身につける．睡眠不足でも決まった時刻に就床と起床する

⑦自分にとって快適な寝衣と寝具を用意する

B. 看護実践の展開─予防と治療

　不眠の主症状としては，寝つけない，中途覚醒，熟眠感の欠如，睡眠時間の短縮，が挙げられる．不眠を予防し治療することは，高齢者の日常生活の質の維持向上に大きく影響する．ここでは，不眠を予防する看護実践として日常生活における不眠予防のセルフケアの確立を目指した看護活動を述べる．

1 ● 不眠を予防する

a. アセスメント

　高齢者が睡眠に関して問題があることを表出したり，危険因子から不眠が予測されたりする場合は，その程度を査定するために，睡眠習慣，睡眠環境，生活習慣，睡眠リズム，身体疾患，精神疾患，ストレスとその対処法，睡眠についての考え方などについてアセスメントを行う．**睡眠パターン**（総睡眠時間と通常の起床と就床時間）がふつうであるか，異常がみられるかを査定する．以下の手順でアセスメントを行う．

①高齢者に眠りにつくことや睡眠を維持することに何か困難があるかを尋ねる．ある場合は，注意深くそれがどのくらい続いているか，生活習慣，気分，ストレスレベル，いびきの有無と薬の使用の有無について尋ねる．必要であれば夜間の睡眠について観察し記録する

②昼間ひどく眠気があるかを尋ねる．ある場合は，その症状が何時から始まり長さがどのくらいか，何か問題が生じているか，他の症状の有無，いびきの有無，夜間の睡眠の特徴について尋ねる．高齢者の睡眠パターンについて記録する

③高齢者がふつうに睡眠をとっているか，睡眠はふつうだが不適切な時間帯に眠っているかを査定する．夕方，夜またはシフトワークで仕事をしなければならないかを尋ねる．もしそうであれば，どのくらいの期間問題が続いているか，高齢者自身がどのようにその問題を解決しようとしているかについて質問する

④夢遊病，夜驚症（夜泣き），夜尿症，夜間に説明できない動きや音を出すかを尋ねる．もしあれば，それらについての家族歴および痙攣の既往について調べる．高齢者の年齢とストレス源についても記録する

⑤上記アセスメントから異常な睡眠パターンが査定されなければ，さらにアセスメントする必要はない．適切であれば，睡眠障害に対する予防的情報を提供する

b. 介　入

　不眠の問題を解決するための看護実践として，生理学的要因と他の要因から対象者の不眠の原因を探るアセスメント，解決に導く看護ケアアプローチを紹介する．

(1) 教育的看護活動

　不眠を予防するための教育的看護活動を実施する．その内容は，①睡眠についての考え方と不眠時の対処法，②加齢による生理的睡眠パターンの変化，③よい睡眠習慣を身につけることの重要さ，④睡眠と休息を促進する方法，⑤睡眠薬についての正しい情報などである．

(2) 睡眠と休息の促進

　睡眠と休息を促進する方法としては，栄養に関する方策として，①就寝前にとってもよい食物は，温かいミルク，炭水化物であること，②睡眠と休息を促進するビタミンとミネラルは，カルシウム，マグネシウム，亜鉛，マンガン，ビタミンB，ビタミンCであること，③レストレス・レッグス症候群には，ビタミンEと葉酸がよいことが挙げられる[9]．その他の方法としては，運動（最低週3回，30分以上の有酸素運動），アロマセラピー（カモミール，ラベンダー，コリアンダーなど），リラクセーション（入浴，足浴，ヨガ，めい想，深呼吸，メンタルイマージェリー，プログレッシブリラクセーションなど），光療法がある．深呼吸などの実施の方法については後述の**表Ⅳ-11-1**（p.278）を参照するとよい．

(3) 睡眠薬服用時の援助

　睡眠薬については，高齢者は成人と比較してより副作用の影響を受けやすいため，有害反応や飲み方などの情報を伝えることが重要である．睡眠薬の有害反応としては，反跳性不眠，薬物依存，眠気，全身倦怠感，脱力感，頭痛，頭重感，めまい，発疹，悪夢，イラ

イラ感などがある．睡眠薬の服用時の注意点は，以下のとおりである．

睡眠薬服用時の注意点

①睡眠薬と他の薬を一緒に飲むと有害なことが多いので気をつけること

②睡眠薬は耐性が高まるため長期の使用には効果がない．耐性はしばしば服薬開始後１週間以内に形成され，１ヵ月の通常の使用によって不可避的に形成される

③睡眠薬は続けて３日以上使用してはいけない

④ほとんどの睡眠薬はレム睡眠を妨害する

⑤ステロイド，利尿薬，抗痙攣薬，ホルモン製剤，気管支拡張薬などは不眠を起こすことがある

⑥高齢者は睡眠薬に対する耐用性が低いので，体重，症状に応じた用量の調整が必要である．高齢者では増量したのち減量するのが難しい場合が多いので，はじめは消失半減期の短いベンゾジアゼピン系（トリアゾラム），非ベンゾジアゼピン系（ゾルピデム）睡眠薬，さらにリズム異常に対してはメラトニン受容体作動薬（ラメルテオン）が望ましい

c. 評価の視点

高齢者の不眠予防に対するセルフケア確立を目指した看護活動の評価は，以下の項目を評価する．

①睡眠に関して固定した考え方をもたず，眠れなくても過度な不安をもたず眠れないときは対処方法を１つ以上実施できる

②加齢による生理的睡眠パターンの変化について理解し，早寝早起きが加齢変化によって起こることを説明できる

③よい睡眠習慣の重要性を理解し，その確立のための方法を実施できる

④睡眠と休息を促進する方法について理解し１つ以上実施することができる

⑤睡眠薬の作用，副作用について理解する．また高齢者では副作用が生じやすいこと，服薬を中止すると不眠となることがあることを理解する

2 ● 不眠を治す

a. アセスメント

高齢者が不眠を訴えた場合は，不眠の原因とその程度を査定することが重要である．原因は複数で，また複雑である場合が多いので，①はじめて不眠になった時期・年齢，②そのときのストレッサー，③過去および現在のストレッサー，④現時点でのライフイベント，⑤睡眠習慣，⑥睡眠環境，⑦気分，⑧睡眠に対する考えや思い込み，⑨入眠時刻，⑩睡眠時間，⑪夜間の睡眠時間帯，⑫いびきの有無，⑬薬，⑭疾患，⑮不眠に対する認知および対処法，などの情報について詳細にアセスメントする．なお，質問の例は以下のとおりである．

不眠を訴える高齢者への質問

①いつごろ，夜眠れないことに気がつきましたか？

②その時期生活でどんなことが起こっていましたか？

③病気，ストレス，家庭内の問題はありましたか？

④その問題は改善しましたか，悪くなっていますか，それともほとんど同じですか？

⑤眠れないのは毎晩ですか，それともときどきですか？

⑥眠れないときどのようなことをしますか？

⑦眠れないことを気に病みますか？　時計をみたり，起きて何かしたり，睡眠薬を飲みますか？

⑧眠れなかった日の翌日はどのような気分ですか？　起きているのがつらいですか？　昼寝をしますか？

⑨規則的に運動をしますか？　ふつう何時ごろ運動をしますか？

⑩タバコを吸いますか？

⑪寝室はうるさいですか？　暑さや寒さで不快ですか？

⑫一緒に寝ている人はいびきをかきますか？　または睡眠を妨害しますか？

⑬最近の気分はどうですか？

⑭落ち込んでいますか？　ストレスを感じていますか？

⑮睡眠に関して何か他のことで気がかりなことはありますか？

b. 介 入

　看護介入としては，不眠の原因の除去を行う．原因を除くことができないときは睡眠を可能なかぎり促進する介入を行う．不安やストレスの緩和，痛みや身体の不快症状の緩和，睡眠リズムの調整，生活習慣の調整，睡眠環境の調整，身体疾患および精神疾患の治療支援，睡眠薬の情報などが重要である．

(1) 不安やストレスを緩和する

　不安やストレスを緩和する介入として，①入眠への支援と②不安などの表出への支援について紹介する．

①入眠への支援（心身のリラクセーションの促進）

1) 入浴することを支援する：入浴の支援においては入浴時間帯と湯温を調節することが重要である．時間帯は午後少なくとも就寝の2時間ぐらい前には入浴を済ませるとよい．39～41℃程度のぬるめの湯温での入浴は寝つきを促進し，睡眠の質を向上させる．41℃の湯温で午後入浴し，その効果を検討した研究で，夜就寝時の眠気，徐波睡眠，ステージ4のノンレム睡眠量が有意に増加したことが報告されている[9]．就床直前の42℃以上の高温での入浴は，交感神経系活動が促進されるため覚醒作用をもたらすので避けるようにする．

2) 睡眠を促進させる**リラクセーションテクニック**を用いて支援する．さらに高齢者自身がセルフケアできるよう指導する：心を穏やかにするソフトミュージック，背部マッサージ，タッチ，深呼吸，メンタルイマージェリー（mental imagery），プログレッシブリラクセーション（progressive relaxation），リラクセーション・エク

> **表Ⅳ-11-1　睡眠を促進するリラクセーションテクニック**

深呼吸（deep breathing）

1. 注意を自分の呼吸に集中させる
2. 数を数えながら腹式呼吸で深く息を吸い込む
3. そのままで3～4回数を数える
4. ゆっくり完全に息を吐き出す
5. 1～4までを繰り返す．全神経を呼吸に向けることが大切である
6. そのために数を数えたり，息を吸い込むときに「私は眠たい……」など簡単な言葉を言うのもよい

メンタルイマージェリー（mental imagery）

1. リラックスするために深呼吸をする
2. 注意を静かで平和にあふれた景色に集中する．それを頭の中でありありと思い浮かべ，さらに音をイメージする．たとえば新緑の森の中の小鳥の鳴き声，山の頂上で感じるさわやかな風の音，海岸に静かに打ち寄せる波の音，静かに降り積もる真っ白い雪など
3. 自分がその中にいて，リラックスして横になり，その環境を楽しんでいるのを想像する
4. 注意をその場面に集中し続ける
5. 反復的な動き，たとえば小鳥の鳴き声，打ち寄せる波，降り続く雪，を想像する

プログレッシブリラクセーション（progressive relaxation）

1. まず足の指の筋肉に注意を集中させることから始める
2. その筋肉を曲げるか力を入れ，緊張させたのちに力を緩めリラックスさせる
3. これを2, 3回繰り返す
4. 次に，足に注意を集中させる
5. 足の筋肉を曲げるか力を入れ緊張させたのちに，力を緩めリラックスさせる．2, 3回繰り返す
6. このプロセスを異なる筋肉に集中しながら足の先から頭まで連続的に繰り返す

［Miller CA：Nursing Care of Older Adults；Theory and Practice, 3rd Ed, p.414, Lippincott, 1999を参考に作成］

ササイズなどから，ケア対象者にあったものを用いる（**表Ⅳ-11-1**）.

3）興奮や不安の種になるような考えごとではなく，心の平安をもって就寝することを支援する.

4）入眠しやすい習慣を身につけ，毎晩実行することを支援する.

②不眠に対する考えや不安を傾聴し，睡眠の目的や意味について話し合う

不眠に対してどのような考えをもっているか，また不安に感じていること，心配事，喪失感などについてプライバシーに配慮しながら表出する機会をもち，受容的に傾聴し話し合う（信頼関係をもてる看護者がいちばんの適任である）.

(2) 痛みや身体の不快症状の緩和

身体的痛みや瘙痒感，呼吸困難，咳嗽などの症状は不眠をまねく．それぞれの症状に対する援助が必要である．自力で身体を動かせない麻痺のある高齢者や神経難病をもつ高齢者に対しては，睡眠時，とくに良肢位を保つよう，また体圧の調整が適切であるよう援助する．外科手術後の痛みやストレスによる不眠は，高齢者の場合それらに対する耐性が低いので早めに適切に対処する.

(3) 睡眠リズムの調整

睡眠リズムを整えることによって不眠が改善することが多い．介入のポイントは以下のとおりである.

①不眠でもいつもの時間に起床し日中の活動を規則的に行う

②散歩や日光浴，スポーツや庭仕事など外で太陽光に当たる．太陽光は交感神経を刺激し覚醒度を上げる働きがある．太陽光がないくもりのときなどは，高照度光に当たるのも効果がある．太陽光や高照度光は体内時計に昼間であることの情報を伝えメラトニンの分泌を抑える

③運動や身体活動を習慣化する．日中の運動量や活動量が少ないと身体的疲労感もなく不眠になることがある．運動習慣のある高齢者のほうが不眠の訴えが少ないことから，積極的に運動を行い習慣化する支援をする

④昼寝は午後に，1時間以内の短時間にする．長い昼寝や夕方の昼寝は寝つきを悪くすることが予測される

(4) 生活習慣の調整

生活習慣を整えることによって睡眠リズムの調整もスムーズに行われる．また入眠，睡眠の継続を妨げる生活習慣の改善も必要である．介入のポイントは以下のとおりである．

①起床時間，休息時間，就床時間の規則性を保つ

②いつもの起床時間を過ぎて床に入っていることを避ける

③就床時間が一時的に変わってもいつもの起床時間に起きる

④就床してから読書や他の活動をしない

⑤中途覚醒し，30分経過しても寝つけないときは，いったん床から出て刺激的でない活動を寝室以外の部屋でするとよい

⑥ニコチンは刺激物なので，夕方タバコを吸うのを控える

⑦早朝覚醒を引き起こすので，寝る前にアルコールを飲むのを控える

⑧午後1時以降カフェインを含む食物（コーヒー，紅茶，ココア，チョコレートなど）をとるのを避ける

(5) 睡眠環境の調整

睡眠環境の調整はもっとも簡単で効果的な介入となることに留意する．ポイントは以下のとおりである．

①環境音（同室者のいびき，物音，ドアの開閉の音，看護者がケアのさいに出す音），会話など個々の高齢者の眠りを妨げる要因となる音を出さないような配慮をする

②寝室の照明の照度を好みに合わせて調節できるようにする

③患者や利用者の部屋を決めるときは，睡眠の必要度，個々人の相性を考慮に入れる．また必要に応じて部屋割りを変える柔軟性をもつ

④外部からの騒音が不眠の原因となっているが，それを調整できないときは，耳栓を用いたり，静かな音楽を聞いたりしてまぎらわすことも1つの方法であるが，非常時に気づかない可能性があることを考慮に入れておく

⑤寝室の温度は，夜間睡眠時に快適であることが必要である．ふつう昼間の温度より少し低めがよい

⑥清潔で適切な寝衣と寝具を整える．睡眠中にはかなりの量発汗し，熱の放散が行われるので，吸湿性のよいものを選ぶ．室温の変化また身体の状況に応じて寝具の調節が可能なようにする．高齢者は身体疾患，痛み，麻痺などの障害をもつことが多いので，布団は保温性と重たさに配慮する．病院や施設で入眠困難を訴える高齢者には，枕，布団などは可能なかぎり日常使用している寝具に近いものを用意してみるのもよい

(6) 身体疾患や精神疾患の適切な治療を支援する

　不眠の原因が睡眠時無呼吸症候群などの身体疾患やうつ病や認知症などの精神疾患である場合は，看護介入や睡眠薬のみでは治らない．原疾患の治療が適切に受けられるよう支援する．

　また，以上と併せて p.275 〜 276 に示したような睡眠薬の正しい情報を提供することも大切である．

c. 評価の視点

　不眠を軽減する看護活動の評価指標としては，①主観的評価指標と②客観的評価指標を用いる．

①主観的評価指標

　高齢者自身の主観的な睡眠に対する満足度を測定する．

②客観的評価指標

　睡眠時間の延長と睡眠の質の改善がどの程度達成できたかを評価する．具体的な指標は，入眠に要する時間，中途覚醒回数，精神面の変化（感情コントロール，イライラ感，神経過敏，無気力，意欲，注意力・判断力，見当識），行動面の変化（怒りっぽさ，落ち着きのなさ，活動性，不穏）などである．

C. 実践におけるクリティカル・シンキング

演習⑪ 乳がん治療で入院中の女性

　68歳，女性．乳がんの診断を受け手術および治療のため入院した．ステージはⅡAであった．看護師が朝訪室しバイタルを測定しているときに，目が充血し瞼もはれぼったいことに気がついた．

問1▶ 看護師からの声かけとしてどのようなものが適切か
問2▶ 患者は「色々考えてよく眠れなかった」と言っており，睡眠薬の処方を希望した．看護師が行う看護介入はどのようなものが適切か

［解答への視点 ▶ p.474］

演習⑫ アルツハイマー病で入院中の男性

　68歳，男性．アルツハイマー病の中期であり，薬剤の調整のため入院中であるが，夜中に突然起きだし「もう朝だ！起きなければ……」と病室のカーテンを開け，服を着替えようとする行動がみられている．病気になる前は勤勉でまじめな性格であり仕事，趣味などすべて全力で取り組んできた人柄と聞いている．

問1 看護師がかける声かけ，対応としてどのようなものが適切か
問2 昼夜逆転に対応するための看護介入としてどのようなことが考えられるか

[解答への視点 ▶ p.474]

練習問題

Q23 不眠を訴える高齢者に対する介入として適切なものを1つ選べ．
　1．起床時間，休息時間，就床時間の規則性を保つよう支援する
　2．環境音や照明の照度について個人の好みを優先して調整する
　3．運動や身体活動は疲労を考え，できるときに行うようすすめる
　4．昼寝は必要に応じてとるようすすめる
　5．就寝前の入浴は，42度以上の熱めのお湯につかるように支援する

Q24 高齢者の睡眠／不眠について正しいものを1つ選べ．
　1．睡眠時無呼吸症候群，レストレス・レッグス症候群，高血圧などにより不眠となることはほとんどない
　2．高齢者の不眠は脳の老化によって睡眠・覚醒リズムの位相の前進がみられることによってのみ起こる
　3．加齢による高齢者の睡眠の特徴は，入眠困難，中途覚醒，レム睡眠の短縮化である
　4．短期の不眠による心身への影響はほとんどない
　5．睡眠薬の耐性は，服用後1ヵ月以内に形成されることが多い

[解答と解説 ▶ p.479]

■引用文献■
1) 井上雄一：高齢者における睡眠障害．日本老年医学会雑誌 49：541-546, 2012
2) 水木 慧, 小曽根基裕：睡眠障害．臨床と研究 98（4）：57-61, 2021
3) Morton PG：Health Assessment in Nursing. p.115, Springhouse, 1989
4) Friedman LF, Bliwise DL, Tanke ED, et al：A survey of self-reported poor sleep and associated factors in older individuals. Behavior, Health, and Aging 2（1）：13-20, 1991/1992
5) Kim K, Uchiyama M, Okawa M, et al：An epidemiological study of insomnia among the Japanese general population. Sleep 23（1）：41-47, 2000
6) 武山圭吾：不眠．高齢者ケアマニュアル—エキスパートナースMook（福地義之助編）, p.111, 照林社, 2004
7) Morton PG：Health Assessment in Nursing. p.111, Springhouse, 1989
8) Kripke DF, Garfinkel L, Wingard DL, et al: Mortality associated with sleep duration and insomnia. Arch Gen Psychiatry 59：131-136, 2002
9) Blackwell T, Yaffe K, Laffan A, et al: Associations of objectively and subjectively measured sleep quality with subsequent cognitive decline in older community-dwelling men: the MrOS sleep study. Sleep 37：655-663, 2014
10) Lo JC, Groeger JA, Cheng GH, et al: Self-reported sleep duration and cognitive performance in older adults: a systematic review and meta-analysis. Sleep Med 17：87-98, 2016
11) 宮本雅之：睡眠関連疾患と認知機能障害／認知症．Dokkyo Journal of Medical Sciences 47（3）：227-238, 2020
12) Shi L, Chen SJ, Ma MY, et al: Sleep disturbances increase the risk of dementia: A systematic review and meta-

analysis. Sleep Med Rev **40**：4-16, 2017
13）Chen DW, Wang J, Zhang LL, et la: Cerebrospinal fluid Amyloid- β levels are increased in patients with insomnia. J Alzheimers Dis **61**：677-685, 2009
14）Lucey BP, Hicks TJ, McLeland JS, et al: Effect of sleep on overnight cerebrospinal fluid amyloid- β kinetics. Ann Neurol **83**：197-204
15）Ooms S, Overeem S, Besse K, et al: Effect of 1 night of total sleep deprivation on cerebrospinal fluid β -amyloid 42 in healthy middle-aged men: A randomized clinical trial. JAMA Neurol **71**：971-977, 2014
16）ヒルティ C：眠られぬ夜のために 第1部（草間平作，大和邦太郎訳），岩波書店，1985
17）Horne JA, Reid AJ：Night-time sleep EEG changes following body heating in a warm bath. Electroencephalography and Clinical Neurophysiology **60**（2）：154 157, 1985

12 うつ

A. 基礎知識

1●定　義

　うつ病は，国際的な診断基準，すなわち米国精神医学会による **DSM-5**（Diagnostic and Statistical Manual of Mental Disorders-Ⅴ，精神疾患の診断・統計マニュアル第5版）における**双極性障害および関連障害群**と**抑うつ障害群**，もしくは世界保健機構（World Health Organization：WHO）による **ICD-10**（International Statistical Classification of Diseases and Related Health Problems-10，疾病及び関連保健問題の国際統計分類第10版）における**気分（感情）障害**と定義される病態・状態である.

　いずれの診断基準も現に呈している症状，状態，エピソード等に着目して定義している点が共通しているが，DSM-5では，双極性障害（躁うつ病）と抑うつ障害（単極性うつ病）の概念を明確に区別しているところに特徴があり，ICD-10では，主なエピソード（症状が発現している状態）により，躁病エピソード，うつ病エピソード，双極性感情障害などの複数のカテゴリに分類しつつ，それらを「気分障害」という総称的な概念に包括しているところに特徴がある.

・**DSM-5におけるうつ関連障害群および抑うつ障害群**

カテゴリ3．双極性障害および関連障害群
双極Ⅰ型障害
双極Ⅱ型障害
気分循環性障害
物質・医薬品誘発性双極性障害および関連障害
他の医学的疾患による双極性障害および関連障害
他の特定される双極性障害および関連障害
特定不能の双極性障害および関連障害

カテゴリ4．抑うつ障害群
重篤気分調節症
うつ病（DSM-5）／大うつ病性障害
持続性抑うつ障害（気分変調症）
物質・医薬品誘発性抑うつ障害
他の医学的疾患による抑うつ障害
他の特定される抑うつ障害
特定不能の抑うつ障害

・**ICD-10における気分（感情）障害**
F30　躁病エピソード
F31　双極性感情障害
F32　うつ病エピソード
F33　反復性うつ病性障害
F34　持続性気分（感情）障害
F38　その他の気分（感情）障害
F39　詳細不明の気分（感情）障害

2 ● 疫学 (有病率)

　日欧米のうつ病の12ヵ月有病率 (過去12ヵ月に経験した者の割合) は1〜8％, 生涯有病率 (これまでにうつ病を経験した者の割合) は3〜16％である. 日本では12ヵ月有病率が1〜2％, 生涯有病率が3〜7％であり, 欧米に比べると低い[1]. うつの疫学については, 多くの疫学研究や報告があり, 診断基準等により差があるため, 十分注意する必要がある.

　また, うつのスクリーニング尺度 (後述) を用いて各地域在住高齢者を対象に行われた疫学調査によると, 調査時点でうつの状態にあったと思われる者は, 島しょの独居高齢者で18.2％[2], 農村部の独居高齢者で20.8％[3], 政令市の全世帯高齢者で33.6％[4], 特別区の独居高齢者で43.6％[5]となっており, 地域在住高齢者のうつ病の有病率は, 地域特性, 人口規模, 世帯類型などにより異なる可能性が示唆されている.

3 ● 病態と生理学的特徴

a. 発生機序 (病態)

　高齢期におけるうつ病の発生機序については諸説あり, いまだ必ずしも十分確立しているとはいえないが, 脳血管性障害やその危険因子の増大に伴い, 情動を司るニューロンネットワーク回路が障害され, うつ病を発症するという脳血流・代謝機序説[6]や, 性腺ホルモン, 成長ホルモン, 副腎皮質ホルモンなど加齢やストレスに伴うホルモンの変動あるいは抑制が関与して, うつ病を発症するという神経内分泌機序説[7]などが議論されている.

b. 発生要因

　高齢期におけるうつ病の発生要因については, 以下に述べるようないくつかの要因が議論されている. それぞれの要因は, 単独的ではなく複合的に関連しあって, うつ病の発生はもとより, 経過や予後にも影響を及ぼしていると考えられている.

(1) 生理的・身体的要因

　高齢者は他の世代に比して基礎疾患を有していることが多い. そのなかで危険因子となる (うつ病の有病率の高さと関連する) 特定の疾患群があることが知られている. 具体的には, 冠動脈系疾患 (**狭心症, 心筋梗塞**), 消化器系疾患 (**胃潰瘍, 十二指腸潰瘍**), **関節リウマチ, パーキンソン病** (パーキンソン症候群), **悪性新生物, 慢性閉塞性肺疾患** (**COPD**) のほか, 骨折 (**大腿骨頸部骨折**)[8]などである.

　これらの疾患とうつ病の関連については, 理論的には, 疾患によってうつ病が誘発される場合や, 疾患の症状としてうつ病を呈する場合, 疾患に罹患したことに反応してうつ病を呈する場合などに区別される (同時にも起こりうる) が, 実際の臨床症状・状態からこれらの原因を峻別することは技術的に困難であり, また, その臨床的意義は必ずしも高いとはいえない.

　なお, 基礎疾患の治療薬として投与されている薬剤のなかにも, いくつかのものにはうつ状態を副作用にもつものがある. **表Ⅳ-12-1**にうつ状態を惹起する可能性のある薬剤を示す.

　循環器系の薬剤や消化器系の薬剤のほか, パーキンソン病治療薬や脳循環代謝改善薬な

表Ⅳ-12-1　薬剤惹起性うつ病の原因となる（うつ病を惹起する）可能性のある薬剤

・インターフェロン製剤	・カルシウム拮抗薬
・副腎皮質ステロイド薬	・抗ヒスタミン薬
・レセルピン	・経口避妊薬
・β遮断薬	

［厚生労働省：重篤副作用疾患別対応マニュアル，薬剤惹起性うつ病，平成20年6月，〔http://www.mhlw.go.jp/topics/2006/11/dl/tp1122-1j05.pdf〕（最終確認：2023年1月26日）を参考に作成］

どは，高齢者一般に広く，かつ比較的長期間にわたり投与されている確率の高いものであり，その副作用には注意が必要である．

(2) 心理的・社会的要因

成年期のライフイベント（生活上のできごと）は，就職，結婚，出産，昇進など，いわば繁栄や拡大を感じさせるものが多いのに対し，高齢期のそれは，定年，引退，配偶者や身近な人との死別など，いわば衰退や喪失を感じさせるものが多い．このような高齢期特有のライフイベントや，それらによる心理的要因は，高齢者のうつ病に何らかの影響を及ぼしているとみられている．

また，先に述べたように，地域在住高齢者のうつ病の有病率は，地域特性や人口規模，世帯類型などにより異なり，ことに大都市圏の独居高齢者群での高い有病率を示している．このことについては，大都市圏のもつ人間関係（家族関係や近隣との関係）の希薄さや，自然との距離などの社会的要因が，そこに住む高齢者のうつ病に何らかの影響を及ぼしている可能性を示唆している．

4● 主な症状と生活への影響

うつ病の主な症状については，DSM-5ならびにICD-10に準拠すると，重症うつ病といえる**大うつ病性障害**（major depressive disorder），軽症うつ病といえる**小うつ病性障害**（mild depressive disorder），大うつ病性障害および小うつ病性障害には当てはまらないが，さまざまなエピソードが長期間（おおむね2年以上）にわたり反復する**気分変調性障害**（dysthymic disorder），うつ症状に加えて躁状態も認められる**双極性障害**（bipolar disorder）に大きく分けられる．

これらのうち，うつ病の中核ともいえる症状は，大うつ病性障害（**表Ⅳ-12-2**）のエピソードである．

主要な症状は，抑うつ気分，または興味または喜びの感情の喪失であり，気分や感情に一致しない妄想または幻覚による精神症状とは明らかに区別される．

図Ⅳ-12-1は，ゴッホが1890年に描いたOld Man in Sorrow "At Eternity's Gate"（哀しみの老人"永遠の世（死後）の入り口で"［筆者訳］）である．すべての人は不安に耐えながら生きているというメッセージを表現していると同時に，伝えても伝えても伝えきれない強い孤独感や無力感，激しい絶望感にさいなまれる自分自身のうつ状態を表現している自画像としても知られており，見る者の胸に迫る．

以下に，大うつ病性障害のエピソード（DSM-5）以外にみられやすい高齢期のうつ病

表Ⅳ-12-2　DSM-5における大うつ病性障害

A. 以下の症状のうち5つ（またはそれ以上）が同じ2週間の間に存在し，病前の機能からの変化を起こしている．これらの症状のうち少なくとも1つは（1）抑うつ気分，または（2）興味または喜びの喪失である．
注：明らかに他の医学的疾患に起因する症状は含まない．
（1）その人自身の言葉（例：悲しみ，空虚感，または絶望を感じる）か，他者の観察（例：涙を流しているようにみえる）によって示される，ほとんど1日中，ほとんど毎日の抑うつ気分
注：子どもや青年では易怒的な気分もありうる．
（2）ほとんど1日中，ほとんど毎日の，すべて，またはほとんどすべての活動における興味または喜びの著しい減退（その人の説明，または他者の観察によって示される）
（3）食事療法をしていないのに，有意の体重減少，または体重増加（例：1ヵ月で体重の5％以上の変化），またはほとんど毎日の食欲の減退または増加
注：子どもの場合，期待される体重増加がみられないことも考慮せよ．
（4）ほとんど毎日の不眠または過眠
（5）ほとんど毎日の精神運動焦燥または制止（他者によって観察可能で，ただ単に落ち着きがないとか，のろくなったという主観的感覚ではないもの）
（6）ほとんど毎日の疲労感，または気力の減退
（7）ほとんど毎日の無価値観，または過剰であるか不適切な罪責感（妄想的であることもある．単に自分をとがめること，または病気になったことに対する罪悪感ではない）
（8）思考力や集中力の減退，または決断困難がほとんど毎日認められる（その人自身の言明による，または他者によって観察される）
（9）死についての反復思考（死の恐怖だけではない），特別な計画はないが反復的な自殺念慮，または自殺企図，または自殺するためのはっきりとした計画
B. その症状は，臨床的に意味のある苦痛，または社会的，職業的，または他の重要な領域における機能の障害を引き起こしている．
C. そのエピソードは物質の生理学的作用，または他の医学的疾患によるものではない．
注：基準A〜Cにより抑うつエピソードが構成される．
注：重大な喪失（例：親しい者との死別，経済的破綻，災害による損失，重篤な医学的疾患・障害）への反応は，基準Aに記載したような強い悲しみ，喪失の反芻，不眠，食欲不振，体重減少を含むことがあり，抑うつエピソードに類似している場合がある．これらの症状は，喪失に際し生じることは理解可能で，適切なものであるかもしれないが，重大な喪失に対する正常な反応に加えて，抑うつエピソードの存在も入念に検討すべきである．その決定には，喪失についてどのように苦痛を表現するかという点に関して，各個人の生活史や文化的規範に基づいて，臨床的な判断を実行することが不可欠である．
D. 抑うつエピソードは，統合失調感情障害，統合失調症，統合不調症様障害，妄想性障害，または他の特定および特定不能の統合失調症スペクトラム障害および他の精神病性障害群によってはうまく説明されない．
E. 躁病エピソード，または軽躁病エピソードが存在したことがない．
注：躁病様または軽躁病様のエピソードのすべてが物質誘発性のものである場合，または他の医学的疾患の生理学的作用に起因するものである場合は，この除外は適応されない．

の臨床像について補足する．

（1）身体症状

　　自己の身体的不調を主訴とする．その表現は多彩であり，頭痛，肩こり，食欲低下，胃部不快感，めまいやしびれなどのほか，「疲れやすい」「だるい」「さっぱりしない」など必ずしも明確ではない全般的な体調の不具合について訴える．この間，高齢者本人は，適切な診断にいたるまで精神科と他科の間を往復することになりやすい．

（2）不安・焦燥

　　高齢者本人からは不安感があるとか焦燥感があるなどの言葉は必ずしも聞かれない．「何となく落ち着かない」「イライラする」などの言葉が聞かれる．焦燥感が強ければじっと座っていられなくなり，ウロウロと動き回ったり，髪の毛や衣類などを絶えず触っていた

図Ⅳ-12-1　Old Man in Sorrow
　　　　　　　"At Eternity's Gate"
[フィンセント・ファン・ゴッホ, 1882]

りする．周囲には，一見するとうつとはみえないことも多い．

(3) 制止・抑圧

　表情や行動が以前に比して不活発となったり，通常なら簡単にできることが困難になったりする．また日常のささいな意思決定，たとえば入浴をするか，食事にするかといったようなことについての判断や決断が抑制されたりする．動くことがおっくうになりやすく，寝込んだり，横になったりするうちに，いつともなしに寝たきりとなりやすい．

5 ● 対処の方法（セルフケアの視点から）

　うつ病の対処の方法は，日ごろの心と身体の健康づくりを通した一次予防（＝うつ病にならない），うつ病の初期の症状や状態に留意し，そのおそれがあるときにはできるだけ早く治療・療養の動機づけを行う二次予防（＝うつ病で死なない），うつ病発症後も適切なリハビリテーションを通して合併症や重症化の進展を防ぐ三次予防（＝うつ病の合併症で死なない）のための保健行動（受療を含む）ならびに環境調整が重要である．

B. 看護の実践の展開—予防と治療

1 ● うつ病性障害を予防する

a. アセスメント

(1) 一次予防に向けたアセスメント

　うつ病の一次予防に向けたアセスメントの要点は，心と身体の健康づくりに資する事柄，言い換えれば，日ごろの生活全般や生活習慣のありよう，ならびに環境要因に関する事柄を把握することである．

　具体的には，食生活や栄養の過不足，定期的な身体活動の有無，休養や睡眠の質，社会的交流や余暇活動状況などのほか，うつ病の危険因子となる各基礎疾患の予防やコントロールの状況なども含まれる．

　なお，これらの行為や状況の主体は高齢者自身であるので，アセスメントでは，客観的情報をとらえるのみではなく，高齢者自身の主観，すなわち高齢者自身がどのように自己の生活を振り返り，認識しているかについても把握することが必要である．

(2) 二次予防に向けたアセスメント

　うつ病の二次予防に向けたアセスメントの要点は，うつ病のリスクや初期のエピソードを把握することであり，本人や環境に対する全般的な観察と客観的なスケールによるリスクアセスメントを用いた方法が望まれる．

　高齢者の抑うつ状態を評価するスケールとして，自記式評価尺度 GDS-15 ならびに，同尺度の短縮版である GDS-5 がある（p.470，471，**付録 14, 15** 参照）．地域や在宅，外来などの場で簡易的に評価を行いたい場合は短縮版の GDS-5 が用いやすいだろう．

　なお，GDS-5 については，鳥羽らによる日本人高齢者を対象とした研究において GDS-15 との間に高い正の相関が実証されており，また，GDS-15 と同等の感度（86.0％），特異度（87.0％）が報告されている[9]．

b. 介 入

(1) 心と身体の健康づくり

　うつ病における一次予防，二次予防としての介入の要点は，心と身体の健康づくりや健康増進，疾病予防であり，また，早期把握・早期治療への動機づけである．**表Ⅳ-12-3** に，あらゆる高齢者を対象とするうつ病の一次予防，二次予防を意図したポピュレーションアプローチの介入プログラムの一例を示す．

(2) うつ病の正しい知識の普及・啓発

　あらゆる機会を通して高齢期におけるうつ病の正しい知識の普及・啓発活動をはかること，また，心の健康やうつ病についての健康学習の機会を設けること，さらには早期把握につながるスクリーニングおよび受診体制，ならびに関係機関の連携体制の構築をはかることも必要である．

(3) 基礎疾患の予防・管理

　危険因子となる各基礎疾患の予防や管理にかかわる介入も重要である．冠動脈系疾患の基礎となる高血圧症，動脈硬化症，糖尿病は互いに関連が深く，これらを1つでも少なくすることができれば，これらを基礎とする疾患の抑制を通してうつ病の発現を抑制できる可能性がある．

c. 評価の視点

　うつ病における一次予防，二次予防の評価の視点は，うつ病を発症しない健やかな高齢期の生活全般もしくは生活習慣が維持されているか，もしくはうつ病の疑いがあるときや発症後初期には，適切なモニタリングもしくは治療を通したリスクコントロールやエピソードの寛解，もしくは消失がみられているかどうかが重要であろう．

2 うつ病性障害を治す

a. アセスメント

　うつ病の治療におけるアセスメントの要点は，障害の類型，すなわち悲観的な気分，感情，状態を呈するうつ病性障害と，高揚的な気分，感情，状態をも呈する双極性障害いず

表IV-12-3　うつ病に対するポピュレーションアプローチ

スキル1．正しい知識の普及・啓発活動：
　　地域住民に対して，あらゆる機会や方法を通じて，心の健康づくり，ストレスへの対処方法，うつ病とその症状，地域にある心の相談窓口や健診などの内容について，正しい知識の普及・啓発につとめる

例　①パンフレットを作成し，全戸配布する．あるいは回覧板を利用する
　　②自治体発行の広報やホームページに掲載する．できればシリーズで掲載する
　　③地域の住民組織（民生委員，老人クラブなど）の会合や研修会で情報を提供する
　　④地域の健康まつり，文化祭などで「心の健康」や「うつ病」についての講演をする

スキル2．健康教育（健康学習）・教室活動：
　　「心の健康」や「うつ病」について健康教育および教室活動を住民だけでなく，専門職も対象とする．ストレスをコントロールする方法を学習できる機会を設ける，高齢者の生きがいづくりのための活動や，孤立を予防し，人との関係をつなげる機会や場をつくる

例　①「心の健康づくり」や「うつ病」についての健康教室を地域内の各地区で開催する．また，一般住民を対象とした市民講座を開催する
　　②看護職，ホームヘルパーなどの専門職，および保健推進員，民生委員など地域の住民組織のメンバーを対象とした健康教室を開催する
　　③ストレスコントロール教室やリラックス教室など，ストレス対処能力向上を支援するための教室活動を開催する

スキル3．相談，スクリーニングおよび受診体制ならびに住民，行政，専門職の連携体制構築：
　　心の健康に関する相談窓口を設置して，そのフォロー体制（訪問，相談など）を確立するとともに，抑うつ状態をスクリーニングし，受診および治療できる体制をつくる．また，地域全体で心の健康を高める地域づくりのための連絡協議会を設置するなど，地域住民と保健所，市町村，医療機関など関係機関との連携を強め，心の健康づくりに関するネットワークをつくる

例　①心の健康に関する一次予防から三次予防までの心のセーフティネットを整備する
　　②命の尊さを考える住民，行政，専門職合同ワークショップを開催する
　　③地域における心の健康のにない手（住民組織，ボランティア）を育成する

［厚生労働省：うつ対応マニュアル—保健医療従事者のために，2004を参考に作成］

れの場合でも，気分，感情，状態を中心に生活機能全般をとらえ，エピソードの軽重や状況を総合的にアセスメントする．

　アセスメントにさいしては，本人や環境に対する全般的な観察と重症度評価が可能な客観的スケールを用いた方法が望まれる．高齢者への使用が可能なうつ病の重症度評価尺度としては，**日本版 SDS**（Self-rating Depression Scale）[10] が知られている．

b. 介　入

　うつ病におけるキュア（cure）とケア（care）の要点は，①**薬物療法**，②**精神療法**ならびにこれらの効果をより確実なものとするための③**環境調整**の3つに整理される．これらはしばしば併用されるでより治療効果を得る．いずれの療法でも基本的に，看護職には人の話を聴くスキル，すなわち**よき聴き手**（good listener）としてのスキルが求められる．

(1) 薬物療法における介入

　うつ病の**薬物療法**に用いられる主要な薬剤は，抗精神病薬，抗うつ薬，気分安定薬（抗躁薬），睡眠薬などである．また，ビタミン B_{12} は末梢神経細胞の代謝，修復に働く一方，不足するとうつ状態を伴いやすいことが知られており，抗うつ薬の補完として用いられることもある．薬物療法時の看護介入においては，高齢者と処方する医師が十分なコミュニケーションを保てるよう調整しつつ，薬剤を用いる理由や効果，副作用に対する高齢者の

表Ⅳ-12-4　老年期のうつ病に有効あるいは有用であるとされている精神療法とその概要

精神療法	概　要
行動療法	学習理論に基づき，問題となる行動をより適応的な行動に修正する（問題となる行動を減らす，望ましい行動を増やすなど）ことを目標とする
認知（行動）療法	問題の根底にある不合理な考え，推論の誤り，自己に対する否定的な考えを修正することによって症状の改善をはかり，自己コントロールを高めることを目標とする
精神力動的精神療法	葛藤や未解決の問題に焦点を当て，無意識の過程に気づき，患者の洞察を促す
問題解決療法	患者が自身の生活において重大な問題を明確化し，その問題に対する解決方法をリストアップして適切な解決を考え，その解決法を実践しその結果を評価することを援助する
対人関係療法	患者と患者にとって重要な人（家族・恋人・親友など）との現実的な関係に焦点を当てながら，人間関係上の問題を解決することを目標とする．とくに悲哀，対人関係上の役割をめぐる不和，役割の変化，対人関係の欠如は重要な領域である
回想法	人生におけるできごとを回想し，その意味や感情について話す．人生を振り返ることにより人生における葛藤を解決し，自身の人生の成功も失敗も受け入れられるよう援助する

［宮本有紀：うつ．老年症候群別看護ケア関連図＆ケアプロトコル（金川克子監，田髙悦子・河野あゆみ編），p.164，中央法規，2008より引用］

理解を助け，適切にそれらにかかわる症状やエピソードをモニタリングすることが求められる．

（2）精神療法における介入

　精神療法では，多彩なプログラムが用意される．**表Ⅳ-12-4**に，高齢期のうつ病に有効あるいは有用であるとされている精神療法の概要を紹介する．高齢期のうつ病に関与する看護職は，このような治療的プログラムを処方，実践，評価できるようにそのスキルを習得しておくことが望まれる．その一例として，**表Ⅳ-12-5**に認知機能障害高齢者の抑うつの改善に有効性が実証された回想法を取り入れたグループプログラム[11]について示す．グループへの帰属は，地域社会から孤立しがちなうつ病の高齢者にとって重要である．高齢者はグループのなかで共感，慰め，励ましを体験し，対人関係を育むことが期待される．

c. 評価の視点

　うつ病における治療・看護の評価の視点は，うつ病を特徴づけるエピソードの寛解もしくは消失であり，本人や環境に対する全般的な観察と重症度評価が可能な客観的スケールを用いた方法による評価が望まれる．他方，高齢期におけるうつ病は遷延化や難治化することも少なくないため，ひとたび寛解もしくは消失にいたったとしても，再発予防の視点を念頭においた中長期的な評価が必要である．

表Ⅳ-12-5　回想法を取り入れたグループプログラム

趣旨：少人数（5〜6名）の高齢者グループにおいて，共通する過去の時代の思い出や体験，感情をともに振り返り，分かち合う，もしくは再体験する

目標：高齢者の認知機能および生活機能（身体的，心理的，社会的機能）の維持・向上，ならびに生きがいや仲間づくり，Quality momentsの獲得（QOLの最大限の向上）

方法：

　場所　デイケア・デイサービスセンター，ないしは少人数のグループ活動が可能な場

　頻度　1週間に1回程度，1回30分〜60分，8回連続（2ヵ月間）を1単位（目安）

　媒体　回想テーマならびにプロンプト（回想刺激材料）

　組織　ファシリテーター1名，コ・ファシリテーター1名，他スタッフ適宜

プログラム（プロンプト例）：

　第1回　地域のお祭（地域の昔のお祭の光景写真）

　第2回　子供のころの遊び（お手玉・竹とんぼ）

　第3回　子供のころのおやつ（ふかし芋）

　第4回　小学校の思い出（唱歌）

　第5回　仕事（農業）の思い出（昭和初期の農作業耕具）

　第6回　子供のころの食べ物（すいとん汁）

　第7回　お正月の思い出（粟汁粉）

　第8回　子供のころの手伝い（田んぼで子守する昔の子供たちの写真）

　　注1）参加する高齢者の年齢，性別，生活史などの情報をもとにして，グループに共通するような事柄やテーマをあらかじめ吟味，検討する．また，その回想を刺激し，促進する手がかりとなるような適切なプロンプトを用意する

　　注2）ファシリテーター1名，コ・ファシリテーターは，一貫してよい聴き手となり，回想内容に共感的，受容的，支持的姿勢をもって（自然な相づちなどを表明しながら）展開する

評価：

　アウトカム：生活機能（身体的，心理的，社会的機能など），QOL評価など

　プロセス：対人交流，注意力，意欲，言語的・非言語的コミュニケーションなど

[田髙悦子：認知症．老年症候群別看護ケア関連図＆ケアプロトコル（金川克子監，田髙悦子，河野あゆみ編），p.275，中央法規，2008を参考に作成]

C. 実践におけるクリティカル・シンキング

演習⑬ 老人性うつと診断された男性

　72歳，男性，元医師．日常生活は自立，認知機能障害はなし．胃潰瘍の既往があり，H_2受容体拮抗薬を服薬している．68歳時に一人娘が結婚，70歳時に定年となり，以後，妻と2人暮らしをしていたが，71歳時に妻が交通事故で死去して以来，マンションで1人暮らし．近所付き合いはほとんどない．ある日，久しぶりに娘が訪れたところ，表情乏しく，生気のない様子で暗室にたたずんでおり，「何もしたくない」とつぶやいた．専門医を受診させたところ，老人性うつと診断された．

問1 うつの発生要因（危険因子）について何が考えられるか

問2 うつの二次予防上，必要なケアの留意点として何が考えられるか

[解答への視点 ▶ p.474]

練習問題

Q25 うつ状態を惹起する可能性のある薬剤として，正しいものを1つ選べ．

1. 抗真菌薬
2. 高尿酸血症治療薬
3. 脂質異常症治療薬
4. インターフェロン
5. ビタミンB$_{12}$製剤

［解答と解説 ▶ p.479］

引用文献

1) 川上憲人：世界のうつ病，日本のうつ病−疫学研究の現在．医学のあゆみ**219**（13）：925-929，2006
2) 山下一也，小林祥泰，恒松徳五郎：老年期独居生活の抑うつ症状と主観的幸福感について—島根県隠岐島の調査から．日本老年医学会雑誌**29**（3）：179-184，1992
3) 本田亜起子，斉藤恵美子，金川克子ほか：一人暮らし高齢者の自立度とそれに関連する要因の検討．日公衛誌**49**（8）：795-801，2002
4) 小泉弥生，粟田主一，関　徹ほか：都市在住の高齢者におけるソーシャル・サポートと抑うつ症状の関連性．日本老年医学会雑誌**41**（4）：426-433，2004
5) 和久井君江，田高悦子，真田弘美ほか：大都市部独居高齢者の抑うつとその関連要因．日本地域看護学会誌**9**（2）：32-36，2007
6) Alexopoulos GS, Meyers BS, Young RC, et al：'Vascular depression' hypothesis. Archives of General Psychiatry **54**（10）：915-922，1997
7) 日本生物学的精神医学会，野村純一，前田　潔（編）：躁うつ病と神経内分泌—生物学的精神医学vol.3，学会出版センター，1993
8) ボールドウィン RC，チウ E，カトーナ Cほか：高齢者うつ病診療のガイドライン（鈴木映二，藤澤大介，大野裕監訳），南江堂，2003
9) 遠藤英俊：うつの評価．高齢者総合的機能評価ガイドライン（鳥羽研二監），p.112，厚生科学研究所，2003
10) 福田一彦，小林重雄：日本版SDS（Self-rating Depression Scale：Zung法），三京房，1983
11) Tadaka E, Kanagawa K：A randomized clinical trial of reminiscence group care for community-dwelling elderly with dementia. Japan Journal of Nursing Science **1**（1）：19-25，2004

13 寝たきり

A. 基礎知識

1●定　義

　寝たきりとは，学術用語でなく，ふだん臥床した生活を送り日常動作に何らかの介助を要する人を表す一般用語である．1990年に「高齢者保健福祉推進十ヵ年戦略（ゴールドプラン）」において「寝たきり老人ゼロ作戦」が提言され，保健予防活動，脳卒中情報システム，機能訓練サービスなどがすすめられた．1992年に厚生労働省は「おおむね6ヵ月以上臥床状態で過ごす者」を寝たきりとし，個々の能力に応じて自立度を分類する**障害高齢者の日常生活自立度（寝たきり度）判定基準**（p.463，**付録5**参照）を策定し，「寝たきり基準」とした．寝たきりは，障害高齢者自立度のランクB，Cに相当する．2000年に開始された介護保険では，寝たきりは要介護者と位置づけられ，自立度でなく介護の必要度で区分されるようになった．寝たきりは，臥床し介護を要する状態として包括的に理解されている．

2●疫学（有病率）

　寝たきりの指標に，**要介護度**および**要支援度**がある（**表Ⅳ-13-1**）．介護保険事業状況報告[1]によると2020年認定者数は約682万人であり，65歳以上75歳未満が約75万人，75歳以上が約594万人で，65歳以上総人口の約19%である．要介護3以上では，65歳以上75歳未満が約24万人，75歳以上が約204万人である．要介護5は寝たきり，もしくは寝たきりとなる可能性が高いが，65歳以上では約57万人で，約1.6%である．

　2020年の要介護5は，女性が73.7%と男性の26.7%より多い[1]．年齢階級別では65歳以上が97.1%であり，そのうち85歳以上の占める割合が59.6%で，90歳未満では年齢が高くなるほど介助がより必要となっている[1]．

　2019年の要介護5となった原因は，脳血管疾患24.7%，認知症24.0%，衰弱8.9%の順で多く，要介護4の原因は，脳血管疾患23.6%，認知症20.2%に続いて骨折・転倒15.1%である[2]．

　認知症は寝たきりの主な原因の1つであり，厚生労働省では，日常生活に支障をきたすような症状のある，**認知症高齢者の日常生活自立度判定基準**（p.464，**付録6**参照）を示している．認知症高齢者は，2012年に推計462万人とされ，2025年には675万人，2040年には802万人と増加が予測されている[3]．

　高齢者世帯の**老老介護**は，介護力の低下から寝たきり発症を高める要因となる．2019年の要介護3以上のいる高齢者世帯は，全体の22.9%である．また，65歳以上の要介護者などの主な介護者の年齢区分は，60歳代の女性が30.7%ともっとも多いが，60歳代以

表Ⅳ-13-1　要介護度別の心身の状態と活動状態の変化の可能性

要介護度	心身の状態など	活動状態の変化の可能性
非該当（自立）	介護が必要とは認められない	自発的な日常生活活動
要支援1	社会的支援を要する状態 ・排泄や食事はほとんど自分でできるが，身のまわりの世話の一部に介助が必要	
要支援2	社会的支援を要する状態 ・要介護1相当の人のうち，疾病や外傷などにより心身の状態が安定していない状態などに該当しない人	
要介護1	部分的な介護を要する状態 ・身のまわりの世話に介助が必要で，複雑な動作には支えが必要 ・問題行動や理解力の低下がみられることがある	
要介護2	軽度の介護を要する状態 ・身のまわりの世話や複雑な動作および移動のさいには支えが必要 ・問題行動や理解力の低下がみられることがある	
要介護3	中等度の介護を要する状態 ・身のまわりの世話や複雑な動作，排泄が自分1人ではできない ・いくつかの問題行動や理解力の低下がみられることがある	閉じこもりや不活発
要介護4	重度の介護を要する状態 ・身のまわりの世話，複雑な動作，移動することが自分1人ではできず，排泄がほとんどできない ・多くの問題行動や理解力の低下がみられることがある	
要介護5	最重度の介護を要する状態 ・身のまわりの世話や複雑な動作，移動，排泄や食事がほとんどできず，多くの問題行動や理解力の低下がみられることがある	寝たきり（6ヵ月以上の臥床状態）

［厚生統計協会：図説統計でわかる介護保険2009, p.16, 2009より引用］

上を合わせると73.9％と高齢化の傾向がある[2]．高齢者人口の増加に伴い，寝たきりは今後も増加傾向にあると推測される．

3●病態と生理学的特徴

a. 発生機序（病態）

　寝たきりの発生は，自立動作の減少と臥床生活の継続により起こる（**図Ⅳ-13-1**）．心身の機能は，過度の安静や活動しない状態により徐々に低下する．疾患や老衰を契機とした安静や不活発により，筋肉の減少と筋力低下，骨格筋の萎縮，関節拘縮などの身体的な廃用性萎縮が起こる．これらは不活動の1日目から生じ，日数を経るにしたがい不可逆的となる．高齢者は老化による機能低下があり，活動の著しい減少は広範囲の障害につながる．日常生活動作（ADL）の自立が妨げられると，臥床の長期化につながる．また，疾

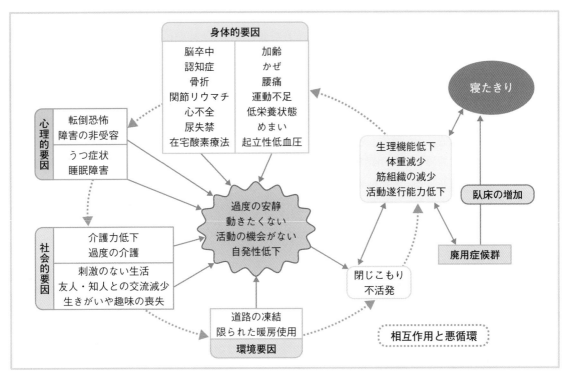

図Ⅳ-13-1　寝たきりにいたるまでの過程

患による部分的な機能障害は，二次的に内臓や全身機能を低下させる．高齢者は，一度障害を生じると活動レベルの回復は容易でなく時間がかかる．

　身体的変化に伴い，心理・情緒機能が影響を受け，精神的活動性が乏しくなる．刺激の少ない生活環境や活動と社会参加の減少は，高齢者の外出を妨げ，閉じこもりのきっかけとなる．閉じこもりが生じると役割や行動目標が失われ，さらに活動水準の低下を引き起こす．

　認知症では，血管性認知症では認知機能障害や麻痺，知覚機能低下，社交性の喪失，無関心などから活動性が低下しやすい．またアルツハイマー型認知症は徐々に進行し，高度の認知症では言語能力の低下や運動機能の障害が生じ，臥床がちになる．また，認知症はコミュニケーションや刺激の減少，活動意欲の消失により出現し，症状が増強する．

　身体的・精神的活動性の減少により社会生活が困難になり，ADL が自立できない状況が継続すると寝たきりとなる．

b. 発生要因（疾患）

　寝たきりの発生には，身体的，心理的，環境，社会的要因が作用する．身体的要因には，疾患や**高次脳機能障害***に伴う症状，加齢による全身もしくは局所の機能低下などがある．また，身体的要因に伴う廃用症候群（生活不活発病），閉じこもり症候群がある．心理的要因は，趣味や仕事，社会的役割の喪失や「動きたくない」「外出する必要がない」

---

* 高次脳機能障害：大脳の皮質機能障害により失語・失行・失認が，思考や判断にかかわる脳の部位の障害により注意・記憶・情動の障害，認知機能低下などの症状が生じる．

といった活動意欲の低下がある．環境要因は，階段や段差のある屋内，こたつの使用，積雪の多い気候の影響などが挙げられ，社会的要因は，人間関係の縮小や刺激のない生活などがある．

(1) 身体的要因

①廃用症候群

廃用症候群は，1964年ヒルシュベルク（Hirschberg）により提唱され，「不活動状態により生じる二次的障害」と定義されている．不活動による発症に伴い，骨格筋萎縮，関節拘縮，代謝障害（**骨粗鬆症，尿路結石**），循環障害（**起立性低血圧，静脈血栓症，褥瘡**），肛門括約筋障害，尿道括約筋障害，心理的荒廃などが生じるとされる．疾病に合併する廃用症候群すなわち二次障害は予防可能である．**生活不活発病**は，一般用語であり，活動動作の制限や日常生活の不活動により心身機能が低下した状態を表す．

②閉じこもり症候群

閉じこもり症候群は，「1日のほとんどを家の中あるいはその周辺で過ごし，日常の生活行動範囲がきわめて縮小した状態」である．発症しても改善が可能で，症状は不可逆的ではない．1996年総務庁の行った「高齢者の日常生活に関する意識調査」では，高齢者の約10％に閉じこもりがみられ，60歳以上の7.5％，85歳以上の25.5％がほとんど外出していない．また，閉じこもり状態の変化30ヵ月の追跡調査から検討した報告では，非閉じこもりから寝たきりになったのは7.4％，閉じこもりから寝たきりになったのは25.0％であった[4]．一方，他の1年間の追跡調査では，閉じこもりから非閉じこもりになったのは16.7％とされる[5]．高齢者の移動能力は変化するため，閉じこもりは改善の可能性がある．

③原因疾患

身体的要因となる疾患は，**脳梗塞，脳出血，大腿骨頸部骨折，関節リウマチ**などがある．脳梗塞発症後，全身の予備力の低下が起こるため，安静臥床で容易に**廃用症候群**を生じやすい．麻痺側以外にも，関節や筋の拘縮など廃用性萎縮が起こる．また，脳卒中後に認知症を発症しやすく，再発では血管性認知症が悪化する．

大腿骨頸部骨折は，発症頻度が高く，歩行できなくなるため生活機能が著しく障害される．女性高齢者の骨折の好発部位は，大腿骨頸部，上腕骨，前腕骨である．高齢者に好発する骨粗鬆症は，骨折や歩行障害，手足の麻痺などの原因となり移動能力を阻害する．

関節リウマチや変形性関節症などの慢性疼痛は，神経痛や持続する痛みが活動意欲を妨げ，廃用症候群を引き起こす．イライラするなど感情が動揺し，自律神経のバランスを崩し，食欲低下や睡眠障害を引き起こす．麻痺や骨折，痛みによる関節の固定や不動は，局所の循環障害を起こし，組織のうっ血や浮腫を生じ，結合組織の増殖が起こり，関節拘縮をきたす[6]．また，うっ血性心不全では，総合的な体力を低下させ，過度の安静による下肢筋肉群の萎縮が起こりやすい．心肺機能の低下から，疲れやすさや意欲低下が生じる．

④日常生活の不活動

重度の身体機能障害をもたない場合でも，身体的要因や日常生活の過ごし方が影響し，廃用症候群や閉じこもり症候群を発症する．かぜや腰痛，運動不足，低栄養状態，めまいなどの軽度の症状や日常生活の変化が廃用症候群のきっかけとなる．過度の安静により極

度に筋力低下が進行し，症状に伴う抑うつや情動ストレスが活動制限を助長し，寝たきりに移行する．また，疾患の二次障害である在宅酸素療法，歩行障害や尿失禁は閉じこもりを引き起こしやすい．活動範囲が自宅に限られ，活動性が減少する悪循環となる．

(2) 心理的要因

心理的要因に転倒経験と障害の受容がある．転倒に関して，65歳以上3人に1人が毎年転倒し，75歳以上になると転倒頻度が増えるとの報告がある[7]．高齢者は転倒経験があると転倒恐怖が増強し，転倒後症候群により活動が減少する．転倒による骨折や硬膜外血腫により，日常生活の自立が妨げられると要介護状態になる．また，高齢者が障害を受容できない場合，人の目を気にして外出を拒み，閉じこもりの原因となる．

(3) 環境・社会的要因

環境・社会的要因に，介護力の不足や不適切な介護，リハビリテーションの中断，住環境の不備がある．身体機能障害を生じた高齢者に医療従事者が適切な治療や指導を行わない場合，残存機能の過度の使用や誤用をまねく．また，家族関係の希薄さはコミュニケーションの減少につながる．さらに，介護者や家族が高齢者や軽度の認知症高齢者の外出を制限し，あるいは隣近所の交流がない場合などは，外出の機会が減少する．

また，災害後の避難所生活や応急仮設住宅での生活は，行動範囲が限られ廃用症候群や不活発の原因となる．

4 ● 主な症状と生活への影響

高齢者の寝たきりでは，ADL維持が阻害され，日常生活が自立せず，生活の質（QOL）が著しく低下する．寝たきりによる要介護状態の継続や重度化が進むと，家族の負担が大きくなるだけでなく，高齢者の全身および心肺機能が低下し，生命の危機状態にいたる．

脳卒中は寝たきりの最大原因であるが，片麻痺患者では心拍数や1回拍出量，エネルギー代謝（基礎代謝の消費エネルギーなど）が低下し，健側の筋力も健常者の70%程度である[8]．脳卒中後は，骨・心肺機能に著しい廃用症候を起こし，健側の上下肢にも廃用症候がみられる．回復期においても運動能力や活動レベルが低いため，廃用症候群の危険がある．抗重力筋の緊張低下と筋肉の不使用により廃用性萎縮が進み，さらに筋肉量の減少が起こり，結果として最大酸素摂取量が1日あたり0.7〜0.8%減少すると考えられている．早期リハビリテーションを実施しても，脳卒中を発症する前の運動量より減少するため，生活の自立度は低下する．

高齢者は加齢による身体機能低下から疾患を発症しやすく，脱水，倦怠感，食欲不振，うつ症状などが日常生活に影響し，心身の自立が損なわれやすい．高齢者の寝たきりは，低栄養状態，便秘，易感染，褥瘡，関節拘縮，筋肉や臓器の萎縮，心肺機能の低下などの身体症状を合併しやすく，長期臥床やコミュニケーション不足により生活リズムの乱れや昼夜逆転，睡眠障害が起こる．

5 ● 対処の方法（セルフケアの視点から）

寝たきりの対処方法は，臥床期間の短縮を目標とし，高齢者の残存能力を引き出し，ADLや移動能力の改善と日常生活の自立度を高めることが重要である．

　　身近な生活行動の自立に洗面，歯磨きなどの清潔保持，更衣や整髪がある．介助の場合でも部分的にできるところを行うようにする．身体機能の維持は，坐位の保持，車椅子への移乗，ベッドから離れることを心がける．たんぱく質やビタミン，鉄分，カルシウムなど栄養摂取を十分にすすめ，筋肉や体格を適正に維持し体力増加に努める．感覚機能や運動機能を刺激するため，家族や周囲の人々にコミュニケーションを通じて働きかけるよう促す．

　　脳卒中などの疾患後のリハビリテーションは，廃用症候群予防のため急性期から開始し，在宅においてもリハビリテーションを継続することが重要である．在宅では上下肢筋力の回復と自己訓練の増加，歩行量の増加を目指す．介助量軽減に向けて自立度を向上させ，介助機器導入や住宅改造など生活環境の調整が有効である．トイレが遠い，手すりがない，起居動作や移動動作が阻害されるなどの住宅構造は，自立の妨げとなる．また，デイケアやショートステイなど地域の機能訓練事業への参加は，閉じこもり予防や生活訓練継続につながり，効果が得られやすい．

　　廃用症候群は，日常生活の自立と外来通院可能なレベルまで移動能力を獲得することが目標となる．具体的な例として，負荷をかけずに1km歩行が可能，階段の昇降ができることが挙げられる[9]．坐位や立位がとりやすいベッド，端坐位でかかとが床につく高さ，手すりの設置，便座を温めるなどの工夫が移動機能の自立を助ける．

　　セルフケアは，残存機能の維持や向上に限らず，日常生活の自立に向けた潜在的な心理を積極的に引き出すような専門職者のかかわりが重要である．さまざまな取り組みを総合的に行うことで寝たきりの減少が可能となる．

B. 看護実践の展開—予防と治療

　　寝たきりは，予防と発症後の回復が可能である．廃用症候群や閉じこもり症候群を防ぎ，自立した日常生活を維持することが重要である．看護師は，適切な疾患管理と療養生活指導を行い，高齢者の心理状況を理解してコミュニケーションをはかり，残存機能を活かす社会生活の継続に向けて取り組む．また，要介護状態の場合には，家族の支援を十分に行う．

1 ● 寝たきりを予防する

a. アセスメント

(1) 自立度の評価

　　寝たきり予防のアセスメントは，高齢者の身体，心理，社会的特徴を的確にとらえ，原因となる疾患や不活動，廃用症候群や閉じこもり症候群の要因を査定し，自立度や生活を維持する社会的支援や環境を理解することが重要である．

　　要介護認定の申請の有無，要介護度が自立度や重症度の目安となる．また，生活活動の程度や強度から活動量や活動範囲を把握する[10]．数値評価と合わせて生活習慣と活動量の変化を継続的にとらえる．ADLは，**基本的日常生活動作**（basic ADL：**BADL**）と**手段的日常生活動作**（instrumental ADL：**IADL**）により生活関連動作を評価する．BADLはバーセルインデックスやカッツインデックスなどを，IADLは手段的日常生活活動尺度や

セルフケア尺度などを用いる ¹⁰⁾（p.461，**付録 2** 参照）.

(2) 身体機能および認知機能評価

　身体機能評価は，身長，体重，BMI，体格の変化や四肢の周囲径を測定する．廃用症候群はその減少の度合いから判断する．筋・骨格系は，関節可動域，角度，上下肢筋力を測定する ⁹⁾．脳卒中や認知症では高次脳機能障害を合併し，また加齢による認知機能の変化が起こるため，理解力の確認を行う.

　転倒のアセスメントは，全身状態や知覚機能，骨粗鬆症の有無，栄養状態などを把握する．また，自宅や周辺の環境に関する転倒の危険性の有無を確認する．**転倒後症候群**は起立と歩行のさいにのみ認められる**転倒恐怖症**であり，閉じこもりの関連要因となる（p.313，「転倒の心理面への影響」参照）.

(3) 心理的評価

　心理的要因では，精神的要素として一般的精神状態，認知症の有無，**うつ病**のスクリーニング，意欲の評価が重要である．廃用症候群や閉じこもりは認知症様の状態や精神活動の低下がみられるため，疾患や状態にかかわらず質問紙表や面接により評価する.

(4) リハビリテーション

　リハビリテーションは，高齢者と家族，専門職者でプログラムを共有し，取り組みの様子や目標を把握する．自宅で継続可能であるか生活環境を検討し，介護保険や地域保健サービスなどを適切に利用する．高齢者の生活自立度を統合的に評価することが重要である.

b. 介　入

　寝たきり予防の介入は，原因疾患や不活動を防ぎ，自立した生活支援に向けた適切な環境調整やサービスの提供が重要である．廃用症候群や閉じこもり症候群の発症後も寝たきりを防ぎ，自立度の向上をはかる.

(1) 身体的支援

　BADL と IADL の維持のため，自立と規則正しい生活の指導を行う．「している ADL」を「できる ADL」*に近づけるよう日常生活のなかに ADL 訓練を取り入れる．全身と心肺機能の廃用，低下を防ぎ，日常生活動作に必要な筋力の獲得を目指す.

　閉じこもり症候群の予防は，**移動能力の向上**と**転倒予防**が重要である．運動器の老化と下肢筋力低下予防のため安全な歩行をすすめる．骨密度が低下しているため，軽度の外傷で骨折する危険性があり，運動時の事故に気をつける．バランスよく栄養を摂取し，栄養状態の改善をはかる．消化器官の吸収能力が低下しているため，カルシウム摂取時は吸収促進のためビタミン D を補充する.

　慢性疾患の悪化を予防し，新たな疾患に罹患しないよう生活習慣を見直す．とくに，脳卒中，認知症やその原因となる高血圧や動脈硬化を予防する．腰部や膝部の関節痛は，適切な治療やリハビリテーションを行い，活動範囲の縮小を避ける.

　脳卒中を発症した場合，誤嚥による肺炎や感染症など合併症予防に留意し，回復の遅延と廃用症候群の進行を防ぐ．褥瘡予防のため**体位変換**を行い，関節拘縮予防には**関節可動**

---

* 「している ADL」（performance ADL）はふだん行っている日常生活動作を指し，「できる ADL」（capability ADL）はふだんの日常生活では行わない動作で，関節可動域測定，筋力測定などの身体機能評価によって確認できる動作能力を指す.

域訓練を早期から部分的でも開始する．排尿・排便コントロールは早期のカテーテル抜去に努め，ポータブルトイレを使用する．肺炎予防は，呼吸機能を補助するポジショニングや深呼吸と腹式呼吸を指導する．栄養面では，体力維持と代謝機能の回復のため早期に経口摂取を開始し，誤嚥に気をつける．保存的治療の長期臥床が他の疾患を併発するため，早期離床，床上動作訓練に向けた**リハビリテーション**を実施する．高齢者が目標をもち，自立して行えるよう支援する．できるだけ日常生活の自立度の高い状態で在宅生活に戻ることが寝たきり予防につながる．脳卒中の再発は日常生活の自立能力を低下させるため，生活改善指導により発症を防ぐ．また，認知症は適切な治療やケアを提供し，症状の進行を予防する．

（2）心理的支援

　心理的要因では，日常生活の目標の喪失や刺激の少ない環境において，精神知的機能が低下する．自立しているADLを自分で行うことが重要である．障害や加齢による社会や家庭内の役割の喪失は，社会復帰や回復への意欲を減退させる．疾患や障害の受容に向け，時間を十分にかけ対話と理解に努める．家族との関係や，活動意欲に影響するため，家庭内の調整や家族の意思を確認する．

　屋外の外出を促進し，気分転換や自立意欲を高めると生活の質が向上する．趣味，他者とのコミュニケーションやレクリエーション，地域の活動やボランティアの参加など目的をもつと継続しやすい．積極的に周囲環境を整え，社会的活動の範囲が拡大するよう高齢者の生活に基づいた支援計画を立てる．

（3）社会的支援

　2000年から始まった介護保険制度では，市町村の在宅高齢者保健福祉推進支援事業の強化と，介護予防・生活支援事業において寝たきり予防対策や高齢者筋力向上トレーニング事業，IADL訓練事業などが実施された．2006年度から地域支援事業が創設され，介護予防事業で生活機能の低下予防や向上の取り組みが行われている．居宅サービスの1つとして位置づけられる**通所介護（デイサービス）**は，施設入所と在宅介護の中間的な施策であり，通所による日常生活動作訓練，生活指導や入浴サービスなどを含む．また，認知症対策には地域支援事業の包括的支援事業や任意事業があり，地域包括支援センターや地域のネットワークにより予防や介護者支援が実施されている．

c．評価の視点

　アセスメントに基づき，生活の自立度とQOLを総合的に判断し評価する．高齢者の日常生活における微小な変化をとらえ，不活発や閉じこもりの要因を把握する．介入後は週，月ごとの定期評価を行い，自立度に合わせて計画を修正する．介護量を軽減させ，臥床状態に移行させないことが重要である．

2●寝たきりを治す

a．アセスメント

　長期臥床では，老化による生理機能の低下に加えて心肺機能の著しい低下が生じる．褥瘡や感染，脱水，低栄養状態を合併しやすく，症状が複合的で状態が悪化しやすい．廃用症候群の進行を防ぎ，生命維持機能に必要な骨格筋の強化と体力回復に向けてリハビリ

テーションを選択する．臥床期間，臥床にいたった経緯，臥床後の経過，生命維持機能の程度，認知機能をアセスメントする．さらに自発的な日常生活活動や自立動作の可能性，専門職者の介入の程度とその評価，家族の様子と介護量，介護負担を把握する．

b. 介　入

日常生活の低活動や低刺激により触角，聴覚，視覚など，感覚・知覚系や筋・骨格系の機能が衰退しているため，体位変換や頭部挙上，坐位保持などポジショニングの調整を行う．感覚器官に働きかけるため，日光などの光刺激や声かけとともに，清潔保持やマッサージなどを実施する．末梢循環を高め，各機能の残存能力を引き出し，生活リズムを維持する．

寝たきり状態の改善は介護負担の軽減につながる．介護の長期化が予想されるため，積極的に適切なサービスを導入し，介護者の健康と介護力に適した支援を行う．

以下に，専門職者の役割の重要性がわかる事例を紹介する．

事例①　継続的な支援による寝たきりの克服

70歳代，女性．2015年に階段から転落し脳挫傷を発症．重度の高次脳機能障害のため発語がなく，左片麻痺を合併，立位不可能となりADL全介助で寝たきりとなった．急性期の治療後，療養型病院で1年間リハビリテーションを受けるが指示に反応がなく，介助による立位も困難であった．2017年に介護老人福祉施設へ転院したところ，ケアに携わった看護師から，専門病院の診察を受けるようすすめられた．検査を受け，脳圧管理の手術療法を行ったのちから，状態が劇的に改善し始めた．2年後，食事をスプーンで摂取し，会話ができ，車椅子を操作しようと右手を少し動かし，リハビリテーションではふんばって立とうとする様子がみられるようになった．肺炎などの合併症はなく，栄養状態も良好である．2年以上の廃用症候群と寝たきりからの回復である．4年半にわたる夫の毎日の声かけが最高のかかわりであるが，家族の存在と専門職者の適切な支援，継続したリハビリテーションが寝たきりの克服につながっている．コミュニケーションの獲得とADLの拡大はQOLを確実に向上させた．夫は「職員の皆さんが妻を前向きな気持ちにさせる．根気強いかかわりに感謝している．真心が大事だ」と述べた．

この事例では，看護師が家族に対し，専門医の受診をすすめたことが寝たきりを克服する契機となっている．看護の役割は，日々の観察やケアを通して，高次脳機能障害の症状やADL，反応をアセスメントし，残存能力や潜在能力を引き出すかかわりを実践することである．また，患者と家族の気持ちや希望を理解し，日常生活援助と心理的支援を行うことが求められる．チーム医療の継続において，看護師は，患者の療養状況や思いを他職種に伝えることも重要である．

c. 評価の視点

自発性を伴う活動の増加や介護負担の軽減を目的とし，寝たきりからの活動の変化を観察する．生命維持機能を高めるリハビリテーションのプログラムを取り入れ，高齢者と介護者の生活について定期的に情報収集し，寝たきりや介護状況に改善を認めれば計画を継続する．心肺機能の低下や合併症を起こさないことも重要である．

C. 実践におけるクリティカル・シンキング

演習⑭ 自宅療養中に転倒し，臥床がちになった女性

　75歳，女性．155 cm，65 kg．うっ血性心不全のため入院し，薬物治療で軽快．退院後は，疲れやすいし外は寒いからと簡単な家事と自宅安静で過ごしていた．1週間後，立ち上がり動作で困難を感じるようになり，膝の痛みが強くなった．夕方，トイレに行こうとしてふらついて転倒，起き上がれないところを家族が見つけた．骨折はなく入院にはいたらなかったが，膝や腰の痛みが続き，ベッド上で臥床がちの生活となった．

問1 ▶ この患者が寝たきりに移行する危険因子には何が考えられるか
問2 ▶ 臥床がちの生活が続くことで，患者の健康状態はどのように変化すると考えられるか

[解答への視点 ▶ p.475]

練習問題

Q26 ▶ 高齢者の寝たきりで正しいのはどれか．2つ選べ．
1. 長期臥床により，昼夜逆転が起こる
2. 寝たきりの最大原因は，転倒である
3. 寝たきりは不可逆性のため，予防が重要である
4. 身体的な廃用性萎縮は，不活動の1日目から生じる
5. 認知症は運動機能の障害が少なく，活動性の維持が可能である

[解答と解説 ▶ p.479]

引用文献

1) 厚生労働省：令和元年度 介護保険事業状況報告（年報），〔https://www.mhlw.go.jp/topics/kaigo/osirase/jigyo/20/dl/r02_gaiyou.pdf〕（最終確認：2023年1月26日）
2) 厚生労働省：2019年 国民生活基礎調査の概況〔https://www.mhlw.go.jp/toukei/saikin/hw/k-tyosa/k-tyosa19/index.html〕（最終確認：2023年1月26日）
3) 厚生労働省老健局：認知症施策の総合的な推進について，令和元年6月20日，〔https://www.mhlw.go.jp/content/12300000/000519620.pdf〕（最終確認：2023年1月26日）
4) 渡辺美鈴，渡辺丈眞，松浦尊麿ほか：自立生活の在宅高齢者の閉じこもりによる要介護の発生状況について．日本老年医学会雑誌 42（1）：99-105，2005
5) 安村誠司：高齢者の寝たきり予防─閉じこもり，転倒・骨折の疫学．日本未病システム学会雑誌 5（1）：40-42，1999
6) 吉田 輝，川平和美，田中信行：寝たきり防止．綜合臨牀 52（7）：2150-2155，2003
7) 大西丈二，井口昭久：閉じこもり症候群と廃用症候群の理解と対処─特集 高齢者診療実践マニュアル．治療 83（9）：2557-2562，2001
8) 梶原敏夫：廃用症候群．医学のあゆみ 163（5）：397-400，1992
9) 中田昌敏：廃用症候群予防の理学療法のための検査・測定のポイントとその実際．理学療法 21（1）：302-307，2004
10) 小澤利男，江藤文夫，高橋龍太郎：高齢者の生活機能評価ガイド，p.12-22，医歯薬出版，1992

14 せん妄

A. 基礎知識

1 ● 定　義

　せん妄は，脳が一時的に機能障害を起こすことにより，興奮したり，言動に混乱がみられたりする症候群である．診断基準として，世界保健機関（WHO）のICD-10（疾病及び関連保健問題の国際統計分類第10版）[1-3]，日本精神神経学会のDSM-5（精神疾患の診断・統計マニュアル第5版）[4] がある．これらによると，せん妄の特徴は，①意識の障害・意識混濁，②注意力の障害，③認知機能障害，④精神運動障害，⑤睡眠と覚醒周期の障害があり，急激に発症し，日内変動がみられる（**表Ⅳ-14-1**）．具体的には，「意識がもうろうとしている」「話のつじつまが合わなくなる」「点滴のルートを自己抜去してしまう」など，強い"寝ぼけ"のような症状であり，入院時や手術直後，ICUへの入室など，環境の変化により起こりやすい．

　せん妄の症状は変動しやすく，夜間に不安定となることが多い．せん妄は，早期発見・早期対応を行うことにより，そのほとんどは完治することができる．しかしながら，判断や治療が遅れると，数週間から数ヵ月間も続くことになり回復に時間がかかることもある．また，せん妄により高齢者がわれを忘れ，自分でもわけのわからない状態に陥ると，自傷行為や他者への暴力などの危険性や，全身の状態が悪化する原因になるため，早期発見し，速やかに対処することが必要である．

2 ● 疫学（有病率）

　せん妄は高齢者に起こりやすい症状・行動障害である．入院中の高齢患者の発生率は

表Ⅳ-14-1　せん妄

せん妄による障害	症状・行動障害（例）
①意識の障害・意識混濁	意識がもうろうとしている 物ごとに対する理解力や思考力が低下する
②注意力の障害	集中力が低下する・維持できない 物事に無関心になる
③認知機能障害	記憶障害（即時記憶や短期記憶が障害される） 見当識障害（時間，場所，人物がわからなくなる）
④精神運動障害	急激に活動性が低下／活動性が亢進している 突然予期しない刺激（大きな物音など）に過度に反応する（驚愕反応の亢進）
⑤睡眠と覚醒周期の障害	不眠，昼夜逆転（昼に睡眠をとり，中途覚醒する） 悪夢をみて混乱する，覚醒後も幻覚や錯乱が続く

[ICD-10[1-3]，DSM-5[4]を参考に作成]

11～14％，認知症56％，ICUでは19～82％と報告されている[5]．また，死亡を含む入院中の合併症を起こす割合がせん妄を起こさなかった入院患者よりも10倍も高くなるといわれている．せん妄を発症したことでさらに入院期間が延長され，退院後の回復にも時間がかかる[6]．

3● 病態と生理学的特徴

a. 発生機序

せん妄は，脳機能の失調であり，その症状も多様であるため，発生機序は明らかではない部分も多い．せん妄は，急性で広範囲な脳の代謝障害や神経伝達物質の障害が関連していると考えられており，脳血管疾患や認知症があるとせん妄が起こりやすくなる．こうした疾患により脳機能が低下すること，全身状態が悪化した結果として意識レベルが低下し，せん妄が起こりやすい．また，せん妄の二次障害として，転倒・転落による骨折（たとえばせん妄により見当識障害が起こり，ベッド柵を乗り越えて転落するなど），嚥下困難による誤嚥性肺炎，失禁で残尿が多くなり，尿路感染などの原因となることなどがある．

b. 発生要因 （図Ⅳ-14-1）

せん妄の発生要因として，原疾患（**脳血管疾患，認知症，うっ血性心不全，感染症，代謝性疾患，アルコール・薬物依存**など），副作用としてせん妄を起こしやすい薬剤（パーキンソン病治療薬，抗精神病薬，睡眠薬など），せん妄の誘因（環境の変化，手術・医療

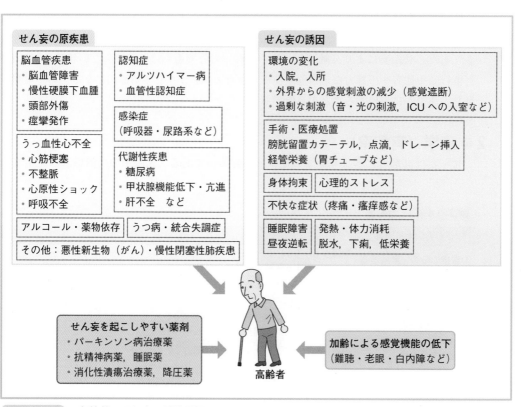

図Ⅳ-14-1　高齢者のせん妄の発生要因

処置，身体拘束，心理的ストレス，不快な症状，睡眠障害，発熱・体力消耗など)がある．

さらに，高齢者の場合，加齢による感覚機能の低下から，難聴や老眼などで音が聞きとりにくくなる，物が見えにくくなるといったように，外界からの刺激が少なくなり，感覚遮断の状態になりやすく，せん妄を引き起こしやすい．

4 ● 主な症状と生活への影響

せん妄の主な症状として，不穏・興奮状態，意識の混濁が挙げられる．

(1) 不穏・興奮状態

ふだんは穏やかな様子であるにもかかわらず，何となく落ち着きがない，視線が定まらず目つきがギラギラした様子である，興奮した様子で叫ぶ，暴言を吐くなどといった多様な症状が起こる．これらは意識の障害が原因であり，そのため事前に必要性を説明・納得していても安静を守ることができなかったり，ベッドから自分で降りようとしたり，また点滴のルートを**自己抜去**したりするなどの行動がみられる場合がある．

そうした行動の原因として，点滴のルートが虫や蛇に見えたり（**事実の誤認**），そこにいないはずの人物や動物が見えることにより恐怖を感じたり（**幻覚**または**幻視**），**見当識障害**で居場所がわからなくなり混乱したりする場合がある．その結果として，高齢者本人は自覚のないまま自己を傷つける行動になり，**転倒・転落**による骨折などの二次障害が起こり，さらに入院期間が延長したり，寝たきり状態から廃用症候群になったりする危険性が大きい．また，家族にとっては突然高齢者が叫びだす，周囲に暴力を振るうなど，激しい行動障害で何が起こっているのか理解できず，ショックを受けたり，認知症になったのではないかと今後の不安を感じてしまうことがある．

(2) 意識の混濁

せん妄は**夜間**に起こりやすく，日中は**傾眠状態**で，声かけなどの刺激で覚醒を促してもすぐに入眠してしまうのに対して，夜間は覚醒して急激に不穏・興奮の状態になりやすい（**図Ⅳ-14-2**）．「日中活動し，夜間は睡眠をとる」という1日の生活リズムが崩れている

昼夜逆転の状態になると，日中は傾眠傾向，夜間は不穏（せん妄）が起こりやすい．

図Ⅳ-14-2　せん妄の症状

ことが多く，活動と睡眠を含む休息のバランスをとるために，生活を調整することが課題となる．

5 ● 対処の方法（セルフケアの視点から）

　高齢者の寝たきり状態など，廃用症候群を予防することと併せて，せん妄の誘因になるものはないかアセスメントし，早期発見・早期対応することが必要となる．せん妄の徴候となる症状がないかを確認し，薬剤の副作用などは医療スタッフ間の情報交換を行い，予防のための手段として活動と休息のバランスをとることができるよう日中の活動性を高め，夜間に十分睡眠がとれるよう環境を整える．また，「せん妄」という言葉は高齢者・家族にとってはなじみのない専門用語であることを考慮し，入院・入所時に一時的に起こりやすい症状であること，せん妄の症状・誘因について伝え，何かおかしいと感じたら看護師に相談するように促す．

B. 看護実践の展開―予防と治療

1 ● せん妄を予防する

　せん妄の症状は一過性で，全身状態の回復により消失するという特徴がある．しかし，症状は多彩であり，変動しやすく，時として判断が困難になることがある．経験を積んだ看護師の直感として，患者の様子が「いつもと違う」「何かおかしい」と気づくことにより，早期発見できる場合もある．

a. アセスメント

(1) 入院前の高齢者の状況から，せん妄の誘因がないか情報を得る

　高齢者は複数の基礎疾患をもっていることが多く，それに伴い病気の治療のための薬物療法も行っているので，多剤併用していることが原因でせん妄を引き起こす危険性があることを考慮し，入院時や家族の面会があるときに，事前に既往歴・内服薬などの情報を得る．

　認知症はせん妄のリスクを高める．事前に，**HDS-R**（改訂長谷川式簡易知能評価スケール，p.465，**付録7** 参照），**MMSE**（簡易精神機能検査）などによって評価し，認知症の疑いがあればせん妄の危険性があると考える．認知症の確定診断がない場合でも，家族が以前から高齢者に物忘れの徴候があったなど気づいていることもあるので，家族が気がかりに感じていたことがあれば確認しておく．

(2) 睡眠と覚醒の状態を観察する

　治療の必要から安静を促されたり，とくに何もすることがなかったりといった理由で活動性が低下すると，日中にうとうとと居眠りをする状態になる一方で，夜間眠れなくなるという**昼夜逆転**の現象が起こりやすい．睡眠と覚醒の状態を確認するためにも，1日の活動状況，睡眠時間，熟睡しているかどうか，睡眠薬の内服の有無，日中の疲労感の有無についてアセスメントし，また，入院前の生活リズムや，以前から不眠を訴えていなかったかを確認する．

(3) 入院・入所による混乱，見当識障害はないか観察する

　入院・入所したことを納得していない状態で，混乱がみられないか，スタッフの対応を

拒否したり，不満を訴えていないか，周囲になじんだ家族がいないことで孤独を感じていないか観察する．

b. 介　入

せん妄の予防のために，引き金となる誘因を除去・緩和することが必要である．

(1) 全身状態を良好に保ち，活動と休息のバランスをとる

治療のための安静が必要である場合には，その都度，繰り返し説明を行う．睡眠と覚醒のバランスが崩れることによりせん妄が起こりやすくなるので，安静度に応じて日中の活動性を維持・増進し覚醒を促すこと，夜間熟睡できるように環境を整えることが必要となる．

(2) 高齢者の不安の軽減をはかる

高齢者の場合，老眼や白内障などで見えにくい，難聴のために相手の言葉が聞きとりにくいなど，感覚器の衰えで外界からの刺激が少ない状態（感覚遮断）となっている場合がある．眼鏡や補聴器の使用を促し，合わない補助具を使用している場合は補正する．心理的ストレスはせん妄の誘因になるので，居室などの環境整備が高齢者にとって安心できる環境になっているか確認する．また，なじみの人間関係を築くために，スタッフは患者にかかわるごとに自分の名前や役割などを説明し，高齢者が安心できるように配慮する．

(3) 事故防止のための環境整備を行う

せん妄のリスクが高いと予測される高齢者の場合，入院・入所時にベッドの高さを低くしたり，ナースステーションに近い居室にするなど，事故を未然に防ぐことが必要となる．

c. 評価の視点

評価の視点として，①せん妄の症状がみられないこと，②せん妄の誘発因子が緩和されていることを指標とする．身体的苦痛がなく，精神状態が安定している状態が保たれていることが望ましい．

2● せん妄を治す

せん妄は，急激に発症し，興奮状態になるなどの激しい症状が出現するが，ほとんどの場合，高齢者の身体的な状態が良好になることにより症状がなくなり，治癒する．

せん妄の疑いがある場合，不穏状態からくる転倒・転落や，点滴のルート・ドレーンなどの自己抜去などの事故を防止し，安全を確保することが優先される．そのうえで，急激に起こる症状の経過観察，せん妄の原因となる身体状況（基礎疾患の悪化，脱水，発熱，薬剤の副作用）への対処，昼夜逆転した生活リズムを改善するといった対応が求められる．

a. アセスメント

せん妄の初期症状として，不安，落ち着きのなさ，注意力散漫，睡眠障害がある．言動に現れる症状の経過から意識状態・全身状態を観察する．

①バイタルサインの観察：感染症の徴候（発熱など），興奮による血圧上昇の有無，呼吸状態

②意識レベルの観察：ジャパン・コーマ・スケール（Japan Coma Scale，3-3-9度方式，☞p.470，**付録13**参照）による意識障害の程度分類など

③せん妄の症状観察：症状がいつごろから始まったか，持続時間，高齢者の言動など

　　④歩行状態：ふらつきなど転倒の危険性がないか

　　⑤脱水・浮腫・栄養状態

　　⑥薬剤の副作用の有無：内服薬の内容，内服薬の変更後にせん妄が起きていないか

b. 介　入

(1) 安全の確保のための環境整備を行う

　せん妄発症時のケアとして，高齢者および周囲の安全の確保が優先される．

　せん妄による興奮を沈静できない状態が続くと，転倒・転落による骨折や，点滴・ドレーン類の自己抜去による出血・裂傷が起こり，また興奮して他者に対して手で払いのけるなどの暴力行為を行ってしまうなど，自他への危険な行動をとることが少なくない．

　転倒・転落などの事故防止のため，頻繁に訪室する必要がある．抑うつ，危害を及ぼす行動，幻覚または幻視，妄想，興奮，不安，睡眠障害などで，自他に傷害を及ぼす危険性のある場合は，可能であれば個室管理が望ましい．万一，転落しても被害を最小限にするために，ベッドの高さをもっとも低くし，ベッド柵を設置する．自分でベッドから降りられないようにベッド柵で囲むことは身体拘束にあたるため，事前の説明と了承を得たうえで行う必要がある．また，興奮状態で暴れてベッド柵などに上下肢をぶつけるなど皮膚損傷の危険性がある場合は，柵と身体の間にクッションなどの保護材をおき，柵にあたっても負傷しないように工夫する．

　点滴などのルートやカテーテル類を自己抜去する危険性がある場合は，点滴ボトルを患者から見えない位置におき，またルートが視野に入らないようにして，長さにも適度の余裕をもたせる．身体拘束は一般的に，その利点よりも身体的・心理的・社会的弊害のほうが大きいため，原則行わない方針となっている．

　身体拘束は，介護保険の基準では原則禁止であり，「当該入所者（利用者）又は他の入所者（利用者）等の生命又は身体を保護するため緊急やむを得ない場合」のみ行われる．3要件として，①切迫性，②非代替性，③一時性，のすべてが満たされる場合にのみ行われる[7]．

(2) せん妄の薬物療法によるモニタリングを行う

　せん妄の治療として，鎮静を目的に，抗精神病薬，睡眠薬などが使用される場合がある．これらの薬剤の副作用によりせん妄が悪化したり，過度に鎮静されるとこれを契機に寝たきり状態や廃用症候群になる危険性もあるので，とくに高齢者には慎重に処方される必要がある．実際に薬物療法を行うさいは薬剤の副作用に注意し，医師に患者の状態を正確に伝え，薬物療法によりせん妄が出現したり，悪化していないか情報交換を行う．

(3) 全身状態を良好にするケアを行う

　せん妄を起こしやすい脳血管疾患やうっ血性心不全などに加えて，高齢者は，感染症，脱水，栄養不良などで虚弱な状態であることが少なくない．そのため意識状態・全身状態をアセスメントする必要がある．

(4) 生活を整える

　安静の必要性が高く，活動性が低下すると，日中に熟睡し，夜間に覚醒するといったように，1日の生活リズムが変調をきたすことにより，せん妄が増悪する危険性がある．そのため，高齢者にとって適度に活動し，休息・睡眠をとることができるように，1日の生

活リズムをアセスメントし，昼夜逆転を防ぐよう調整することが必要となる．高齢者の安静度や意欲に応じて，気分転換の散歩を行い，また楽しみながら運動ができるようにレクリエーションを取り入れる．

(5) 高齢者・家族の不安を除去する

病院のスタッフや家族は，できるだけ患者を安心させて，自身のおかれている時間や場所の感覚が戻る手助けをし，治療の内容とその進め方を説明する．また，できるだけ落ち着けるように静かな環境を保つ．「同じ質問を何度もする」「繰り返し不安を訴える」「妄想のような発言をする」といった症状に対しては，安心感を得られるように本人の訴えを聞く．また，不安を少なく，できるだけ安心感を与えるために誰か（可能であれば家族，なじみのスタッフなど）がそばについていることも有効である．さらに，コミュニケーションの工夫として，明確で簡潔な言葉ではっきりと低い声で話しかける．せん妄による混乱を少なくし，できるだけ安心感を与えるために，その都度現状について説明する．そのさい，何度も同じ質問を繰り返すといらだち，興奮することもあるので注意する．

夜間の照明を工夫し（暗闇で恐怖を感じる場合がある．適度にヘッドランプ，足元灯などの活用），妄想や不安の原因となる物品（医療器具など）があれば，できるだけ視界に入らないような場所に移動する．

(6) 家族への教育と支援

家族がせん妄そのものを病気と考え，入院したことで認知症が進行したのではないか，このままずっと治らないのではないかなどと心配することも多い．そうした過度の不安を避けるために，せん妄について家族に説明し，協力を得ることが必要となる．

せん妄は一時的な症状であり，「病気や入院による環境の変化などで脳がうまく働かなくなり，興奮して，話す言葉やふるまいに一時的に混乱がみられる状態です．人の区別がつかなかったり，ないものが見えたり，ない音が聞こえることがあります．また，ぼんやりしているかと思うと，急に感情を高ぶらせることもあります」[8] などわかりやすい言葉で説明する．また，①せん妄が起こると転倒・転落などの危険な行動が起こりやすいので，事故の危険性に注意する必要があること，②日中睡眠をとり夜間せん妄が起こりやすい状況（昼夜逆転）とならないように，日中の意識レベルが低下していても患者に話しかける必要があること，③日中の活動性を高め，生活リズムを整える必要があることを説明する．

c. 評価の視点

評価の視点として，①せん妄の症状が軽減・消失すること，②高齢者の精神状態が安定しており穏やかであること，③家族の不安が軽減されること，④高齢者の活動と休息のバランスが保持されており，1日の生活リズムが整っていることなどが挙げられる．

C. 実践におけるクリティカル・シンキング

演習 15 夜間にせん妄を起こした高齢者

85歳，男性．脳梗塞を発症し入院，右片麻痺がある．自分で寝返りが打てないためエアマットを使用し，2時間おきの体位変換が行われ，転落防止のためにベッド柵をしている．

午前10〜11時の1時間程度，リハビリテーション室に車椅子で出棟し，ROM訓練を受ける以外は，1日のほとんどを個室で臥床している．嚥下障害のため，1日3回経管栄養を行っており，鼻腔から胃チューブを挿入．排泄は尿・便失禁がみられるのでオムツを使用．日中は常に閉眼しており，看護師が名前を呼ぶと「はい」と即座に返答があるが，そのまま入眠してしまうので会話にならない．反対に，夜間は病棟に響き渡るほどの大声で「おーい，おーい」と叫んだり，左上下肢（健側）の運動が活発であることから柵を何度も叩いたり，柵の上に左下肢をかけてその反動でベッドからずれ落ちているところを看護師が発見したことがあった．現在，胃チューブやオムツを自分で外そうとするため，左上肢と腰部に身体拘束が行われている．

問1 夜間にせん妄を起こしていると考えられる．せん妄の誘発因子は何か

問2 せん妄が続くと，健康状態にどのような影響を及ぼすと考えられるか．またせん妄を改善するための適切な対応としてどのような方法が考えられるか

［解答への視点 ▶ p.475］

練習問題

Q27 高齢者のせん妄で正しいのはどれか．2つ選べ．

1. 長期間出現し，症状の日内変動はない
2. 進行は緩徐である
3. 疾患やストレスに対する抵抗力の低下は要因の1つである
4. 活動が過剰な場合は，外傷に留意する
5. 記憶障害はない

［解答と解説 ▶ p.479］

引用文献

1) 融 道男，中根充文，小宮山 実ほか（監訳）：ICD-10 精神および行動の障害―臨床記述と診断ガイドライン，新訂版，p.69-70，医学書院，2005
2) 中根充文，山内敏雄（監）：ICD-10精神科診断ガイドブック，p.86-96，中山書店，2013
3) 中根充文，岡崎祐士，藤原妙子ほか（訳）：ICD-10精神および行動の障害―DCR研究用診断基準，改訂版，p.48，医学書院，2008
4) 日本精神神経学会（監）：DSM-5精神疾患の分類と診断の手引（高橋三郎，大野 裕監訳），p.276-282，医学書院，2014
5) Inoue SK, Westendorp RGJ, Saczynski JS：Delirium in elderly pelple. Lancet **383**：911-922，2014
6) 一瀬邦弘，中村 満，内山 眞：せん妄の理解．精神看護エクスペール―救急・急性期Ⅱ 気分障害・神経症性障害・PTSD・せん妄（坂田三允編），p.128-129，中山書店，2005
7) 日本看護協会（編）：身体拘束廃止取り組み事例集―私たちのゼロ作戦，p.48-55，日本看護協会出版会，2003
8) 国立国語研究所「病院の言葉」委員会：「病院の言葉」を分かりやすくする提案（平成21年3月），せん妄，p.28-29，国立国語研究所，2009，〔https://www2.ninjal.ac.jp/byoin/pdf/byoin_teian200903.pdf〕（最終確認：2023年1月26日）

15 転 倒

A. 基礎知識

1●定 義

　転倒（fall）とは「自分の意思からではなく身体の足底以外の部分が床についた状態」であり，統一された定義はないが，「意図せずに地面，床，その他の低い位置に倒れることである（WHO）[1]」，「倒れた際に高低差の移動が生じなかったもの（東京消防庁）」などと定義されている．

2●疫学（発生率）

　高齢者の転倒の発生率について，世界的には約30％が1年間に1回以上転倒し，地域在住高齢者と比べて施設高齢者の転倒頻度が高いといわれている[2]．日本の病院における転倒の発生率について，急性期病棟では1.4〜4.1/1,000人・日，リハビリテーション病棟では4.6〜13.9/1,000人・日，慢性期型医療施設では4.67/1,000人・日との報告がある[3]．

　高齢者は立位，歩行，階段昇降，立ち上がり，方向転換など，日常生活動作の中で，つまずく，滑る，ふらつく，足がもつれる，踏み外す等の理由で容易に転倒する．転倒発生場所について，日常生活が自立した高齢者では，屋外，玄関や階段など明らかな段差のある場所での転倒が多く，フレイルや要介護状態にある高齢者では屋内の目立った段差のない同一平面上での転倒が多い．具体的には，寝室，居室，廊下，トイレ，浴室等であり，とくに歩行能力の低下した高齢者ではベッドサイドでの転倒が多い．急性期病院におけるインシデント11,000事例の調査（川村，2003）[4]によると，転倒は自発的・自力行動（44％），目的不詳（27％），看護者の介入が関与（23％）に大別され，自発的・自力行動の主なものは排泄行動である．

　さらに，転倒は死亡や介護が必要となる一因である．65歳以上の不慮の事故死のうち，転倒・転落による死亡数は8,851人であり，とくに80歳以上では「スリップ，つまずき，よろめきによる同一平面上の転倒」が多数を占めている[5]．年次推移をみると，転倒・転落死者数はほぼ横ばいであり，減少傾向にある交通事故死者数の約4倍となっている．また，高齢者の介護が必要となった主な原因の4位は骨折・転倒であり，13％を占めている[6]．

3●病態と生理学的特徴

a. 発生機序

　加齢に伴い運動機能（筋力，関節可動域，バランス，歩行能力），および感覚機能（視覚，

表Ⅳ-15-1　転倒の内的要因

加齢変化

- 運動機能（筋力，関節可動域，バランス，歩行能力）の低下，足部・足爪の変形
- 感覚機能（視聴覚，固有感覚，平衡機能）の低下
- 認知機能の低下

疾患・症状

- 神経疾患：パーキンソン病，脳卒中，等）
- 認知症（理解・判断力の低下，中枢性の運動障害，BPSD），せん妄
- 糖尿病（低血糖・高血糖，末梢神経障害，視力障害，起立性低血圧）
- 排尿障害：尿失禁，夜間頻尿，過活動膀胱，前立腺疾患に伴う症状
- サルコペニア，フレイル，ロコモティブシンドローム
- 特発性正常圧水頭症

薬剤

- 多剤併用：5種類以上
- 睡眠薬（バルビツール酸系睡眠薬，ベンゾジアゼピン系睡眠薬，非ベンゾジアゼピン系睡眠薬）
- 抗うつ薬，抗精神病薬，降圧薬，利尿薬，鎮痛薬

転倒経験

- とくに過去1年間に複数回転倒

日々変化する体調・精神状態

- せん妄，疼痛，発熱，疲労，うつ症状，便秘，脱水
- 薬剤の変更，手術・化学療法など侵襲の大きい治療，脳卒中・骨折などの回復期
- 面会・行事

聴覚，固有間隔，平衡感覚）が低下する．また，加齢とともに運動不足，有病率の増加，多剤併用（ポリファーマシー，p.436参照）も運動機能の低下に影響する．結果として，立位姿勢や歩行動作の安定性を保持する力や重心移動に対して瞬時に姿勢を整える力が低下する．そこで，日常生活における立位姿勢保持，立ち上がりや移乗，歩行時に，容易にバランスを崩して倒れやすくなる．

b. 発生要因

　転倒は単一の原因で生じることは少なく，多くは複数の要因が関与して発生する．転倒要因は転倒者側の要因である内的要因（**表Ⅳ-15-1**）と環境要因である外的要因（**表Ⅳ-15-2**）に大別される．高齢になるほど1人で多くの内的要因を併せ持つことが多く，とくに筋力・バランス・歩行能力の低下と転倒との関係が指摘されており，転倒リスク指標が開発されている（**表Ⅳ-15-3**）[7]．

4 ● 転倒に伴って生じる身体的損傷と心理面および生活への影響

a. 転倒に伴って生じる身体的損傷

　安静が必要となり，転倒前の移動能力に回復するまでに長期間を要したり，寝たきり状態に移行する場合もある．転倒による重度の損傷として頭部外傷と骨折が挙げられる．

(1) 頭部外傷

　頭蓋骨骨折，外傷性頭蓋内出血（急性硬膜下血腫，脳挫傷，外傷性くも膜下出血），頭部挫創，頭皮下の血腫，慢性硬膜下血腫が挙げられる．頭蓋内出血では意識障害や麻痺な

表Ⅳ-15-2　転倒の外的要因

物理的環境

- 照明：暗い照明（とくに夜間），不適切な照明・採光（明暗の差，眩しさ）
- 床面.地面：濡れている，滑りやすい，平坦でない
- 段差：低い段差，敷居，玄関，階段，布団・敷物（じゅうたん等）の端
- 不安定な家具，坐位時に足底のつかないベッド，不適切な手摺（高さ・位置）
- 整理整頓の不備：コード類，紙類やビニル，荷物
- 不適切な転倒防止設備：抑制
- 不慣れな場所，人混み

歩行補助具（杖・歩行器・車椅子）

- サイズ・高さ等の不適合，不適切な操作（ブレーキのかけ忘れ等），点検・整備の不備

ライン類・履物・衣類

- ライン類：点滴，等
- 履物：滑りやすい，脱げやすい，履きにくい，サイズが合わない
- 衣類：裾の長い着物・ズボン

表Ⅳ-15-3　Fall Risk Index（FRI）

項　目		点　数
過去1年間に転んだことがありますか	はい	5
歩き速度が遅くなったと思いますか	はい	2
杖を使っていますか	はい	2
背中が丸くなってきましたか	はい	2
毎日お薬を5種類以上飲んでいますか	はい	2

カットオフ値：該当する項目の合計点6点.
6点を超える場合，転倒のリスクが高くなる（オッズ比3.9）.
[Okochi J, Toba K, Takahashi T, et al：Simple screening test for risk of falls in the elderly. Geriatrics & Gerontology International **6**（4）：223-227, 2006 より筆者が翻訳して引用]

ど神経症状が出現し，生命にかかわる場合がある．また，慢性硬膜下血腫は転倒後2週間〜3ヵ月後に発症し，頭痛，片側の手足が動かしづらい，物忘れが目立つなどの症状が出現する．

（2）骨　折

高齢者は骨粗鬆症を有する者が多く，転倒時に生じた外力の影響が軽微であっても骨折しやすい．転倒による骨折の好発部位は，大腿骨近位部骨折，脊椎骨折，橈骨遠位端骨折，上腕骨外科頸部骨折である．大腿骨近位部骨折では回復に時間を要し，寝たきりなどQOLが著しく低下する場合がある．

b.　転倒の心理面への影響

転倒による外傷の有無にかかわらず転倒を経験した高齢者の中には，再び転倒するのではないかという不安や恐怖感をもち，遂行可能な日常生活動作を避けてしまうなど，生活行動や活動の制限に影響を与えることがある．これを**転倒恐怖感**（fear of falling）といい，「日常生活動作を行う能力がありながらもそれを避けてしまうような転倒に関する不安」と定義されている[8]．転倒恐怖感をもつ高齢者の割合は70〜90%という報告もある[9,10]．

とくに強い再転倒への恐怖を感じた者では，歩行能力があるにもかかわらず活動を自粛することによって歩行障害を生じる場合がある．これを転倒後症候群（post-fall syndrome）といい，転倒要因の1つとされている．転倒経験は，身体機能に対する自信を喪失させ，廃用症候群を引き起こし，歩行能力は低下し，再転倒にいたる悪循環を起こしやすい．

　以上，転倒は，身体機能の低下および転倒恐怖感など心身両面から生活・行動範囲の狭小化を招き，QOLに重大な影響を及ぼす．さらに，治療費の増大や介護問題等社会的な影響も大きい．

5 ● 対処の方法（セルフケアの視点から）

　高齢者自身が転倒に関する知識をもち，自分の転倒リスクを自覚して，転倒することなく安全に行動するために必要な対策をとることが重要となる．具体的な転倒予防策として，生活環境の整備と適切な運動・栄養摂取・睡眠による身体機能の維持・向上が挙げられる．また，転倒要因とされる疾患のコントロールや，転倒による骨折予防の視点から骨粗鬆症の予防も重要である．なお，高齢者は，加齢に伴う視力障害，記名力低下，歩行能力低下等を有する者が多い．また，認知症や脳卒中後遺症として麻痺等を有する者も多い．そこで，高齢者個々のセルフケア能力について，身体機能および認知面から適切な評価を行い，もてる力を活用しつつ，不足部分の援助や社会資源の活用，家族のサポートの調整を行う必要がある．

B. 看護実践の展開—予防と治療

1 ● 病院・施設高齢者の転倒予防に対する看護

　高齢者は転倒しやすく，転倒は日常生活動作時に複数の要因が関与して発生することが多いため，病院・施設における転倒予防は安全管理上の重要課題である．高齢者個々の転倒リスク（表Ⅳ-15-1，Ⅳ-15-2参照）を適切に把握し，多職種で協働しながらリスクに応じた予防策についてPDCAサイクルを循環させることが重要である．万一転倒が発生した場合は，損傷の早期発見と適切な対処，および再転倒予防に向けたケアプランの見直しが求められる．

a. アセスメント

　高齢者一人ひとりの転倒リスクおよび転倒による骨折など損傷のリスクを適切に予測する．

　多くの病院・施設では，環境の変化が大きく，転倒発生頻度の高い入院・入所時に，転倒予測アセスメントツールなど統一した指標を活用してスクリーニングし，転倒リスクを精査し，対策を立案している．ツールは，チームメンバー間の共通理解に役立ち，統一したケアプランの基盤となるものである．ただし，主な内的要因に限定した一時点のスクリーニング指標である．そこで，日々の看護実践において環境要因や日々変化する個々の詳細な内的要因について統合的にアセスメントする必要がある．つまり，高齢者と昼夜の行動をともにし，身体機能と生活環境のアセスメントを継続することが大切である．

　転倒が発生した場合は，再転倒予防に向けて，発生した転倒原因を究明し，転倒予防策

を修正する．転倒発生後できるだけ早い時期に，転倒に遭遇した者（遭遇者がいない場合は転倒の報告を受けた者）が，転倒発生時の状況や周囲の環境について詳細に記録し，総合的に転倒原因を検討する．記録時には絵や図を加えると理解しやすい．

転倒発生時の情報収集項目

- 転倒発生時の状況：転倒発生時間・場所，転倒者の意図・動作，転倒時の精神状態・意識レベル・履物・服装，当日の出来事・体調・薬剤の影響等
- 転倒発生時の周囲の環境：照明，床の状態，段差，手すり・周囲の家具・カーテン等の状況，当日の転倒予防に関する援助計画と実施状況，マンパワー等
- 転倒発生前の状況：出来事，心身の状態

ⓒⓞⓛⓤⓜ

ロコモティブシンドローム（運動器症候群）

　日本整形外科学会が2007年に提唱した概念[i]であり，主に加齢による運動器の障害のために日常生活の自立度が低下し，要介護となるリスクの高い状態を表す．運動器とは，骨，関節，筋肉などの総称であり，それぞれが連携して身体を支え，動かす役割を有している．高齢者は，加齢に伴う運動機能低下に加えて，変形性関節症，脊柱管狭窄症，骨粗鬆症，骨折など運動器の疾患を有する者が多い．そこで運動器に注目することは，高齢者の転倒予防に重要と考えられる．

　ロコモティブシンドロームの徴候を知る簡便な方法として，以下の7項目からなる「ロコチェック」が提案されている．いずれも，運動器が衰えているサインであり，1つでも当てはまればリスクとなる．

　①片脚立ちで靴下がはけない．
　②家の中でつまずいたりすべったりする．
　③階段を上がるのに手すりが必要である．
　④家のやや重い仕事が困難である（掃除機の使用，布団の上げ下ろしなど）．
　⑤2kg程度の買い物をして持ち帰るのが困難である（1Lの牛乳パック2個程度）．
　⑥15分くらい続けて歩くことができない．
　⑦横断歩道を青信号で渡りきれない．

　さらに，ロコモティブシンドローム対策としてロコトレ（ロコモーショントレーニング）を推奨している．これは，バランス能力をつける片脚立ち（1日の目安：左右1分間ずつ，1日3回）と，下肢筋力をつけるスクワット（1日の目安：深呼吸するペースで5～6回繰り返す，1日3回）からなっており，個人の体力に合わせた安全な方法で継続することが重要である．あわせて，肥満や低栄養に注意したバランスのよい食事，骨と筋肉を強化するための食事の重要性を挙げている．

引用文献
ⅰ）日本整形外科学会：ロコモティブシンドローム（ロコモ）とは，〔https://www.joa.or.jp/public/locomo/index.html〕（最終確認：2023年1月26日）

---

b. 介　入

　介入前に高齢者とその家族に転倒・骨折のリスクおよび予防援助内容を説明し，同意を得る．高齢者とその家族は転倒のリスクを自覚し，転倒予防に対するセルフケア行動の向上が期待される．また，多職種間で統一した介入を提供することが重要である．

(1) 環境の整備

　ベッドサイド，廊下，トイレ，浴室などで24時間安全に行動できるように，転倒の外

的要因（**表Ⅳ-15-2**）である照明，段差，床面，手すり，障害物などの環境を整える．個々の高齢者の移動能力と行動範囲により環境のリスクは変化することに留意する．

　とくにベッドサイドは，入院・入所高齢者の生活の拠点であり，転倒発生頻度の高い場所である．安全・安楽に移動・移乗できるようにベッドの高さ（**図Ⅳ-15-1a**）や手すり（**図Ⅳ-15-1b**）を調整する．コード類，荷物，点滴ライン類などは常に整理整頓する．オーバーテーブルやカーテンなど固定されていないものにつかまることがないように位置を調整し，適宜固定する．

　夜間は睡眠薬の使用や排尿に関連した転倒が発生しやすいため，適切な照明を検討する．ポータブルトイレ使用時は，設置場所や向きが少し変わっても転倒リスクとなる場合があるため，床にテープを貼って目印にするなど，定位置がずれない工夫をする．

(2) 安定した移動と移動補助具の適切な使用

　高齢者の歩行（**図Ⅳ-15-2a**）は，成人と比べて，すり足，歩幅の短縮，前傾姿勢となり，つまずきやすく，方向転換など重心移動時にバランスを崩しやすい．適宜，見守りや，正しい歩行（**図Ⅳ-15-2b**）や手すりの活用について声かけをする．履物や衣類の裾の長さにも注意する．

　杖や歩行器は，移動レベルや身長に応じたものを選定し，滑り止めの磨耗などの点検・整備を行う．また，適宜使用方法の説明，声かけ，見守りを行う．

　車椅子は体格に応じたものを選定し，タイヤやブレーキの点検・整備を行う．とくに移乗時の転倒に注意が必要であり，車椅子の位置，フットレストやブレーキの操作，移乗動作について，介助，声かけ，見守りを行う．

　病院・施設高齢者は，加齢に加えてパーキンソン病，脳卒中後遺症，骨折後の回復期，廃用性症候群などにより移動能力は多様であり，かつ変化する．個々の安全な移動を支援するために，医師，理学療法士，作業療法士との連携が求められる．

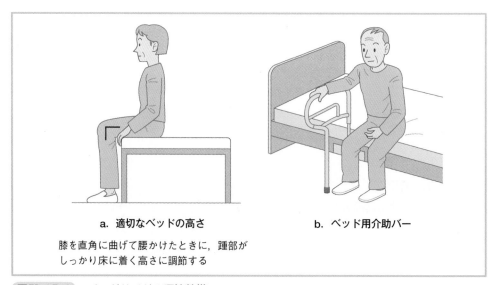

a. 適切なベッドの高さ　　　　　　　　b. ベッド用介助バー

膝を直角に曲げて腰かけたときに，踵部が
しっかり床に着く高さに調節する

図Ⅳ-15-1　ベッドサイドの環境整備

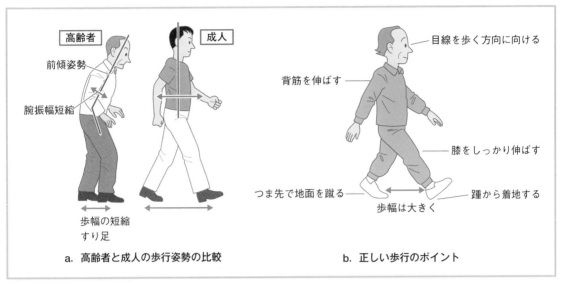

a. 高齢者と成人の歩行姿勢の比較

- 高齢者
- 前傾姿勢
- 腕振幅短縮
- 成人
- 歩幅の短縮　すり足

b. 正しい歩行のポイント

- 目線を歩く方向に向ける
- 背筋を伸ばす
- 膝をしっかり伸ばす
- つま先で地面を蹴る
- 踵から着地する
- 歩幅は大きく

図Ⅳ-15-2　高齢者の歩行の特徴と正しい歩行のポイント

図Ⅳ-15-3　離床センサーの一例
（マットタイプ）

（3）動きたいときに安全に動ける支援

　転倒予防介入で重要なことは，行動制限によるリスク回避ではなく，高齢者の意思を尊重し，動きたいときに安全に動ける支援である．移乗・移動に介助を要する高齢者に対して，排泄など行動パターンを把握し，早めの声かけや援助を行う．また，高齢者がニーズを伝えやすいよう，日頃から人間関係の構築に努めることも重要である．さらに，ナースコールや離床センサー（**図Ⅳ-15-3**）の適切な活用（**表Ⅳ-15-4**）が挙げられる．

（4）転倒による損傷の予防

　せん妄，BPSD，意識障害がある場合，転倒のリスクは高まる．せん妄・BPSDの予防と早期発見，見守りの強化や症状改善に向けた援助を行う．一過性に転倒による損傷リスクが高まり身体拘束以外の予防策がない場合は，統一した基準に沿って医師を含む複数人

表Ⅳ-15-4　効果的な活用のための援助

ナースコール	離床センサー
・コールする場面とその理由について、高齢者と家族に説明し、同意を得る ・操作できない場合は説明・練習する ・位置・長さを調節して定位置を決める ・ナースコールに迅速に対応する	・使用目的を高齢者と家族説明し、同意を得る ・高齢者の動作の特徴に応じて適切なタイプを選択する ・離床センサーに迅速に対応する ・高齢者が監視されていると感じていないか、離床センサーは必要か、離床センサーの種類は適切ななどについて評価し、適宜変更する

図Ⅳ-15-4　大腿骨近位部骨折を防ぐ
ヒッププロテクター

で慎重に判断し、書面で高齢者と家族の同意を得る必要がある。さらに、身体拘束開始時より、早期解除に向けた対策を多職種で連携して検討する。なお、身体拘束にいたる判断、身体拘束後の状況、身体拘束解除に向けた検討は、すべて記録に残す。

　骨粗鬆症や骨折の既往がある場合、転倒による骨折を回避するために、高齢者自身が骨折のリスクを自覚して転倒に注意するように説明し、見守りや声かけを継続する。転倒のハイリスク者の骨折予防について、ヒッププロテクター（**図Ⅳ-15-4**）の衝撃減弱能力は保障されており、大腿骨近位部骨折発生率の抑制に有効であるが、着用継続率の低さが課題となっている[11]。ヒッププロテクターの効果を得るためには転倒時に着用していることが条件であり、必要性を納得して常時着用できる支援が求められる。

　抗凝固薬を服用している場合、転倒による損傷が重症化する可能性があるため、高齢者とその家族に、抗凝固薬と転倒について説明する。

(5) 日常生活の調整

①身体症状の緩和と薬剤の管理

　薬剤について、5種類以上の多剤併用と転倒の関係が報告されている[12]。睡眠薬（バルビツール酸類、ベンゾジアゼピン系催眠薬、非ベンゾジアゼピン系催眠薬）、抗うつ薬、抗精神病薬、降圧薬、利尿薬、鎮痛薬などには、ふらつきなど副作用があり観察が必要である。薬剤の量や種類の変更時には見守りを強化し、適宜生活動作の援助を行う。また、安易な睡眠薬の服用を避け、睡眠環境の調整、日中の活動量を増やす工夫、夜間頻尿対策

などを行う.

②適切な運動による身体機能の維持・向上

運動単独の転倒予防効果について，入院・入所高齢者では明らかにされていない．ただし，歩行能力の低下は主要な転倒要因であり，医師，理学療法士，作業療法士と連携し，リハビリテーションを継続することは重要である．運動時には，服装・履物，水分補給等安全への配慮と日々の体調に合わせて調節する．さらに，身体機能の向上により，転倒のリスクが増加する可能性を考慮する.

以下は，ベッド上またはベッドサイドで安全・簡単に実施できる運動である.

- 大腿四頭筋を鍛える：大腿四頭筋セッティング運動，下肢伸展挙上運動（SLR運動），椅子を使ったスクワット（ゆっくり椅子に座る・立つ）
- 下腿三頭筋を鍛える：ヒールレイズ（踵をゆっくり上げ下げする）
- 前脛骨筋を鍛える：足関節の背屈運動
- バランス能力を鍛える：片足立ち，足趾の運動（足趾ジャンケン，など）

③栄養状態を整える

低栄養とフレイル，サルコペニアとの関連が着目されており，低栄養および血清25（OH）D濃度＊の低下は転倒との関係が報告されている[13].

摂食・嚥下状態，食事摂取量，体重の変化，BMI，総蛋白，血清アルブミン値から栄養状態を把握し，適宜，医師，栄養士，言語聴覚士，歯科医師，栄養サポートチームと連携して栄養状態の改善を目指す．とくに，たんぱく質の摂取が重要であり，肉・魚・卵・大豆食品・乳製品，および栄養補助食品からたんぱく質を 1.0 g/kg 体重/日以上摂取することを目指す．また，血清25（OH）D濃度を保つためには，ビタミンDを含む食物摂取と十分な日光浴が必要である.

c. 評価の視点

転倒発生率および損傷発生率を1ヵ月毎に算出し，転倒，および損傷を伴う転倒を予防できたか，発生率は低下したかを評価する．発生率はより低い値が望ましい．また，間接的な評価として，個々の転倒及び転倒による損傷リスクに応じた転倒予防援助計画が立案されているか，転倒予防援助計画に従って，統一した援助が実施・評価・修正されているか，高齢者と家族は転倒予防援助に同意しているか，について評価する.

日本病院会による転倒発生率と損傷発生率の算出方法を以下に，損傷レベルを**表Ⅳ-15-5**に示す.

＊ 血清25（OH）D濃度：血清25-水酸化ビタミンD濃度．骨やミネラルの代謝に不可欠なビタミンDの，体内における充足度の評価指標となる.

表Ⅳ-15-5　損傷レベル

1	なし	患者に損傷はなかった
2	軽度	包帯，氷，創傷洗浄，四肢の挙上，局所薬が必要となった，あざ・擦り傷を招いた
3	中等度	縫合，ステリー・皮膚接着剤，副子が必要となった，または筋肉・関節の挫傷を招いた
4	重度	手術，ギプス，牽引，骨折を招いた・必要となった，または神経損傷・身体内部の損傷のため診察が必要となった
5	死亡	転倒による損傷の結果，患者が死亡した
6	UTD	記録からは判定不可

〔日本病院会：2020年度QIプロジェクト結果報告，p.22-23，〔http://www.hospital.or.jp/pdf/06_20211202_01.pdf〕（最終確認：2023年1月26日）より許諾を得て転載〕
※この損傷レベルは，日本病院会QIプロジェクトで用いている定義である．

- 転倒発生率（‰*，1,000人/日）
  ＝転倒件数/入院延べ患者数
- 65歳以上の転倒発生率（‰，1,000人/日）
  ＝65歳以上の入院中の患者に発生した転倒件数/65歳以上の入院延べ患者数
- 損傷発生率（‰，1,000人/日）
  ＝転倒件数のうち損傷レベル2以上，もしくは，4以上の転倒件数/入院延べ患者数

*‰（パーミル）：千分率．1‰＝1/1,000．

ⒸⓄⓁⓊⓂ

介護施設内での転倒に関するステートメント

　2021年6月，日本老年医学会と全国老人保健施設協会は合同で，介護施設の医療介護従事者・管理者と関係する行政を対象とした「介護施設内での転倒に関するステートメント」を公表した[i]．併せて，広く国民の理解を求めるために「介護施設内での転倒を知っていただくために～国民の皆様へのメッセージ」が発表された．

　このステートメントは日本老年医学会の「老年症候群の観点から見た転倒予防とその限界に関する検討ワーキンググループ」における約2年間の検討を踏まえたものである．

介護施設内での転倒に関する4つのステートメント
- ステートメント1：転倒全てが過失による事故ではない
- ステートメント2：ケアやリハビリテーションは原則として継続する
- ステートメント3：転倒についてあらかじめ入所者・家族の理解を得る
- ステートメント4：転倒予防策と発生時対策を講じ，その定期的な見直しをはかる

　高齢者の転倒予防はみなの願いであるが，転倒をゼロにすることは困難である．そこで，最新のエビデンスを探求しつつ，現時点では最善の注意義務を果たしても避けられない転倒があることを認めたうえで，予防可能な転倒と転倒による障害の最小化を目指すことを呼びかけたものである．

引用文献
i）日本老年医学会：介護施設内での転倒に関するステートメント，2023年1月26日，〔https://www.jpn-geriat-soc.or.jp/info/important_info/20210611_01.html〕（最終確認：2022年3月24日）

　日本病院会の 2020 年度 QI（Quality Indicator）結果報告 [14] によると，1 年間の転倒転落発生率は平均 2.82‰であり，測定を開始した 2010 年度以降微増傾向にある．損傷発生率については，損傷レベル 2 以上が平均 0.77‰，損傷レベル 4 以上が平均 0.06‰である．また，2019 年度からは 65 歳以上の転倒転落発生率が採用され，2020 年度は平均 3.20‰である．

2 ● 転倒発生時の看護

　転倒が発生した場合，転倒直後の身体的問題のアセスメントと適切な処置が最優先される．

a. アセスメント

　転倒時に床面に接触した部位を確認するとともに，全身を観察し，外傷，打撲および疼痛の有無・部位・程度，バイタルサイン・意識レベルを把握する．

　骨折している場合は，疼痛，腫脹，可動性の障害等がみられる．頭部外傷では，切創や頭皮下血腫が多いが，硬膜下血腫や脳挫傷を合併して意識障害等が出現する場合がある．慢性硬膜下血腫のように 1 ～ 3 ヵ月後に意識障害等が現れる場合があるため，継続した観察が必要である．

b. 介　入

　アセスメントの結果に応じて，速やかに処置や医師への報告を行う．とくに意識状態の低下やショック症状の出現，頭部を打撲，骨折が疑われる場合は，緊急の対応が必要である．また，転倒直後は身体的損傷の有無にかかわらず動揺していることがあるため，精神面の援助も大切である．長期的には，転倒恐怖感の把握が必要である．

c. 評価の視点

　転倒による損傷の回復状況，廃用症候群，日常生活動作能力について評価する望ましいゴールは，転倒前の日常生活動作能力に戻ることである．

C. 実践におけるクリティカル・シンキング

演習 ⑯ 心不全治療で入院中に転倒した女性

　82 歳，女性，身長 143 cm，体重 36 kg．息子夫婦と同居していた．心不全の悪化で入院となり，症状安静で薬物療法が開始された．排泄は膀胱留置カテーテル管理となる．入院前の生活について，認知機能に問題はなく，日常生活は自立していた．夜間の排尿回数は 2 ～ 3 回であった．最近，家の中でつまずいて転倒したことがあった．

問1 ▶ この患者の転倒リスクとケアのポイントは何か
問2 ▶ 1 週間後，安静度が拡大し，バルーンカテーテル抜去，ポータブルトイレでの排泄となった．このときの，転倒リスクとして何が考えられるか

［解答への視点 ▶ p.475］

練習問題

Q28▶ 高齢者の転倒で正しいのはどれか．2つ選べ．
1. 転倒に対する恐怖や心配からADL低下をきたすことがある
2. せん妄で活発に歩行することは，幻覚によるものであり，転倒の危険因子にはならない
3. 脳梗塞のリハビリテーション期では認知機能の障害がないため，転倒の危険性はない
4. 転倒予防のため，ベッドの高さはマットレスの縁に膝を曲げて腰かけたときに両足が浮くくらいがよい
5. 転倒予防のために電気コードやマットなどの足元の整理整頓を行う

〔解答と解説　▶p.479〕

引用文献

1) 鈴木みずえ他監訳：WHO グローバルレポート　高齢者の転倒予防，p.1，クオリティケア，2010
2) 鈴木みずえ他監訳：WHO グローバルレポート　高齢者の転倒予防，p.1-2，クオリティケア，2010
3) 日本転倒予防学会監修：転倒予防白書2019，p.90，日本医事新報社，2019
4) 川村治子：ヒヤリ・ハット11,000事例によるエラーマップ完全本，p.67-83，医学書院，2003
5) 消費者庁：高齢者の事故を防ぐために；転倒「参考資料：毎日が＃転倒予防の日～できることから転倒予防の取り組みを行いましょう～」，〔https://www.caa.go.jp/policies/policy/consumer_safety/caution/caution_055/assets/consumer_safety_cms205_211005_02.pdf〕（最終確認：2023年1月26日）
6) 厚生労働省：令和元年国民生活基礎調査
7) 鳥羽研二，大河内二郎，高橋　泰ほか：転倒リスク予測のための「転倒 スコア」の開発と妥当性の検証．日本老年医学会雑誌42（3）：346-352，2005
8) Tinetti ME,Richman D,Powell L:Falls efficacy as a Measure of fear of falling, Journals of Gerontology 45（6）：239-243,1990
9) 村上泰子，柴　喜崇，渡辺修一郎ほか：地域在住高齢者のおける転倒恐怖感に関連する因子．理学療法科学23（3）：413-418，2008
10) 古田良江，鈴木みずえ：地域高齢者の転倒・疼痛と健康関連QOLとの関連．日本転倒予防会誌2（3）：41-48，2016
11) 小池達也：ヒッププロテクターは大腿骨近位部骨折予防に有用か，Journal of Clinical Rehabilitation 27（11）：1082-1085,2018
12) Kojima T, Akishita M, Nakamura T, et al：Polypharmacy as a risk for fall occurrence in geriatric outpatients. Geriatr Gerontol Int 12：425-430,2012
13) Shimizu Y, Kim H, Yoshida H, et al：Serum 25-hydroxyvitamin D level and risuku of falls in Japanese community-dwelling elderly women: a 1-year follow-up study. Osteoporosis Int 26：2185-2192, 2015
14) 日本病院会：2020年度QIプロジェクト結果報告，〔http://www.hospital.or.jp/pdf/06_20211202_01.pdf〕（最終確認：2023年1月26日）

16 骨 折

A. 基礎知識

1 ● 定 義

骨折（fracture）とは，骨が解剖学的な連続性を絶たれた状態をいう[1]．骨折の発生原因により，外傷性骨折と脆弱性骨折に分けられる．外傷性骨折とは，骨組織に異常はなく，組織の抵抗力以上の外力による骨折をいう．**脆弱性骨折**とは，軽微な外力によって発生した非外傷性骨折である．軽微な外力とは，立った姿勢からの転倒か，それ以下の外力をさす[2]．

2 ● 疫学（発生率）

高齢者の骨折の多くは脆弱性骨折であり，加齢とともに増加し，女性に多い．さらに，一度骨折すると二次骨折のリスクを高め，次の骨折が発生する骨折の連鎖を生じやすい．主な発生部位は，脊椎椎体，大腿骨近位部，上腕骨近位部，橈骨遠位端である（**図Ⅳ-16-1**）．

発生頻度のもっとも高い骨折は**脊椎椎体骨折**（**脊椎圧迫骨折**）であり，好発部位は胸腰椎移行部である．症状の有無にかかわらず X 線写真で椎体の変形を認める骨折は 70 歳代から指数関数的に増加し，女性は男性の約 2 倍である．女性の年間人口 10 万人あたりの発生率は，70 歳代約 3,000，80 歳代約 8,000 である[3]．**大腿骨近位部骨折**も 70 歳代から指

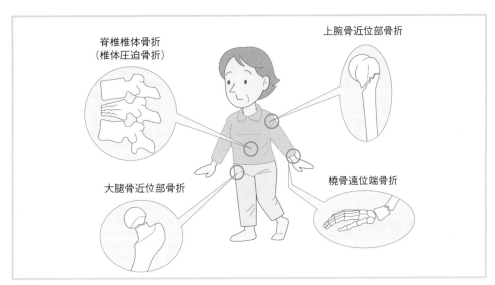

図Ⅳ-16-1　脆弱性骨折の主な発生部位

数関数的に増加し，性別では女性が約80％を占める．推計発生数は，1987年53,200件，2012年175,000件であり[4]，将来人口推計に基づく新規患者数は2020年に24万人，2030年に29万人，2040年に32万人に達すると推計されている[5]．

脆弱性骨折の主な要因とされる骨粗鬆症の患者数は，男性300万人，女性980万人と推計されている[6]．

3● 病態と生理学的特徴

a. 発生機序

脆弱性骨折は，立った姿勢からの転倒か，それ以下の軽微な外力によって発生する．

脊椎椎体骨折（脊椎圧迫骨折）は，尻もち，重いものを持つなど日常生活動作のほか，咳やくしゃみでも発生する場合があり，椎体高の全体的な減少（扁平椎）や，凹型，楔型など，**椎体変形**を生じる．

大腿骨近位部，上腕骨近位部，橈骨遠位端の骨折の主な原因は**転倒**である．骨量の低下が著しい場合は，おむつ交換や自力での体位交換などで大腿骨近位部骨折を受傷する場合もある．大腿骨近位部骨折については，第V章「2．リハビリテーション看護（大腿骨頸部骨折）」（p.359）を参照されたい．

b. 発生要因

脆弱性骨折の主な要因は**骨粗鬆症**である．骨粗鬆症は，2000年に米国国立衛生研究所（National Institutes of Health：NIH）で開催されたコンセンサス会議において，「骨強度の低下を特徴とし，骨折のリスクが増大した骨格疾患」と定義されている[7]（p.362，**コラム**参照）．骨強度とは，**骨密度**と**骨質**の2要素から成り，骨強度を規定する比率は，骨密度7：骨質3といわれている．骨密度とは単位面積あたりのカルシウム，マグネシウム，リンなどのミネラル成分の量，つまり**骨量**である．破骨細胞による骨吸収が骨芽細胞による骨形成を上回ると骨量は低下する．骨質とはコラーゲンを主成分とした骨梁構造の質であり，骨モデリングのバランスの乱れ，酸化・糖化の影響，ビタミンDやビタミンK不足などにより変化する．

骨粗鬆症は原発性骨粗鬆症と続発性骨粗鬆症に分類される．原発性骨粗鬆症が約90％を占め，**加齢**，**エストロゲンの欠乏**（**閉経**），**生活習慣**（運動不足，低栄養，過度の飲酒，喫煙），**遺伝的素因**（家族の骨折歴・骨粗鬆症の既往）の影響を受ける複合的な疾患である．骨量の加齢変化（**図IV-16-2**）について，20歳前後まで増加を続けて最大骨量に達し，50歳頃まで比較的安定して最大骨量を維持し，その後減少に転じる．女性の場合，一般に男性と比べて最大骨量は低く，さらに，50歳前後でエストロゲンが減少し，閉経後10年程で骨量が著しく減少する．続発性骨粗鬆症は原因が特定される骨粗鬆症であり，糖尿病など生活習慣病，ステロイド薬の長期服用など多岐にわたる（**表IV-16-1**）．

4● 主な症状と生活への影響

a. 主な症状

(1) 大腿近位部骨折の症状（p.360, 361，**図V-2-1**，**V-2-2**参照）

骨折時の主な症状は股関節部の**疼痛**と起立不能・**歩行困難**であるが，骨折部の転位がな

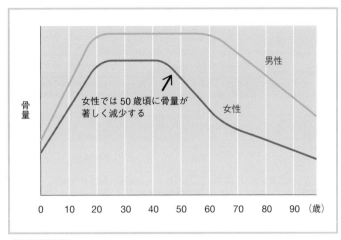

図Ⅳ-16-2　骨量の年齢変化の推移

［長寿科学振興財団：健康長寿ネット，ロコモティブシンドロームの原因，2016年7月25日，〔https://www.tyojyu.or.jp/net/byouki/locomotive-syndrome/genin.html〕（最終確認：2023年1月26日）を参考に作成〕

表Ⅳ-16-1　続発性骨粗鬆症の原因

内分泌性	甲状腺機能亢進症，性腺機能不全など
栄養性	慢性的な栄養失調または吸収不良（胃切除後など）
薬物	ステロイド薬など
不動性	廃用症候群など
先天性	骨形成不全症など
その他	関節リウマチ，糖尿病，慢性腎臓病，慢性閉塞性肺疾患，慢性肝疾患，アルコール依存症など

い場合などには歩行できる場合がある．他の症状として，内出血による腫脹や熱感，下肢の可動性の異常などが挙げられる．関節包内骨折である大腿骨頸部骨折は，血流量が少ないため骨癒合が得られにくく，まれに偽関節や骨頭壊死を生じる．関節包外骨折である大腿骨転子部骨折は，周囲の血流が豊富であり骨癒合は得やすいが，出血量が多く，全身状態に影響を及ぼしやすい．抗凝固薬服用や貧血の強い高齢者では急性心不全や呼吸困難を生じることもある．

(2) 脊椎椎体骨折（脊椎圧迫骨折）の症状

　骨折時の主な症状は，骨折部の激痛（**腰痛，背部痛**）であり，体動時だけでなく安静時にも痛みが生じ，起き上がれない場合もある．一方，2/3 は無症候性のため，骨折が見過ごされる場合もある．長期的には，骨折部位の変形の進行や多発性の骨折により，不可逆性の**姿勢異常**（円背・後弯変形），慢性的な腰痛・背部痛，遅発性神経麻痺が生じる場合がある．

b. 生活への影響

　脆弱性骨折は健康寿命を短縮させ，**QOL の著しい低下**を招く．厚生労働省 令和元年国民生活基礎調査[8]（**図Ⅳ-16-3**）によると，介護が必要となった原因の 13 ％が骨折・

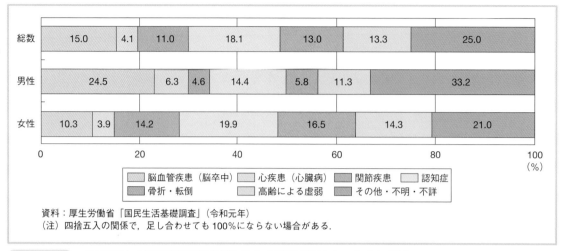

	脳血管疾患（脳卒中）	心疾患（心臓病）	関節疾患	認知症	骨折・転倒	高齢による虚弱	その他・不明・不詳
総数	15.0	4.1	11.0	18.1	13.0	13.3	25.0
男性	24.5	6.3	4.6	14.4	5.8	11.3	33.2
女性	10.3	3.9	14.2	19.9	16.5	14.3	21.0

資料：厚生労働省「国民生活基礎調査」（令和元年）
（注）四捨五入の関係で，足し合わせても100％にならない場合がある．

図Ⅳ-16-3　65歳以上の要介護者等の性別にみた介護が必要となった主な原因
［内閣府：令和4年版高齢社会白書，p.29, 2022より引用］

転倒であり，とくに女性では16.5％を占めている．ADL自立の割合について，大腿骨近位部骨折受傷前の87％から，骨折後1年では50％に低下したという報告がある[9]．また，高齢，リハビリテーション開始の遅れ，認知症は，大腿骨近位部骨折の歩行再獲得率低下の要因となる．脊椎椎体骨折（脊椎圧迫骨折）では，姿勢異常の結果として，歩行障害，バランス機能低下による転倒リスクの上昇，胸腔可動域制限に伴う呼吸機能の低下，消化器症状（胃部圧迫による食欲不振，逆流性食道炎の発症）など日常生活に支障が生じやすい．また，ボディイメージの変化，慢性痛，麻痺により生活範囲の狭小化の可能性がある．

　生命予後について，大腿骨近位部骨折受傷後1年以内の死亡率は約10％である[9]．骨粗鬆症患者の死亡リスクについて，脆弱性骨折を受傷すると相対リスクは2.0，大腿骨近位部骨折に限ると6.7，脊椎椎体骨折（脊椎圧迫骨折）では8.6に増大するとの報告がある[10]．骨粗鬆症未治療の脆弱性骨折者が多く，骨粗鬆症の治療による死亡率の低下が期待されている．

5●対処の方法（セルフケアの視点から）

　高齢者の脆弱性骨折を予防するためには，20歳までは過度なダイエットを避けて最大骨量を高めること，50歳頃までは適切な生活習慣を継続して骨強度の維持に努めること，50歳以降は骨粗鬆症および転倒予防と骨強度に応じた生活が重要である．生涯にわたり脆弱性骨折や骨粗鬆症に関心を寄せて正しい知識をもち，自身の骨折リスクを知り，骨強度に応じた生活（食事と運動）を継続することが基本となる．骨粗鬆症と診断された場合は，適切な食事と運動に加えて，薬物療法の継続，原因疾患となる糖尿病などのコントロール，転倒予防を実践する．脆弱性骨折受傷後は健康寿命や生命予後を短縮させないために二次骨折予防がきわめて重要となる．また，腰背部の慢性疼痛のコントロールや，骨折後のADLに応じた生活の再構築も重要である．なお，高齢者の認知機能やADL状況などに応じて，家族および多職種が連携して骨折予防に取り組むことが求められる．

B. 看護実践の展開：予防と治療

1 ● 脆弱性骨折を予防する

a. アセスメント

高齢者に特徴的な脆弱性骨折は，骨強度の低下により生じる．骨強度は，加齢，エストロゲンの欠乏，遺伝的要因，生活習慣の影響を強く受ける．また，20歳前後で獲得した最大骨量は個人差が大きい．高齢者個々の多様な骨折リスクを，多職種間で経時的に把握し，骨折のハイリスクを明らかにすることが重要である．

脆弱性骨折に関するアセスメント項目

- 年齢，性（女性の場合は閉経時期，出産経験）
- 脆弱性骨折の既往，身長の変化，姿勢異常（円背・後弯変形），腰背部痛，
- X線写真による椎体骨折の評価，骨量，骨代謝マーカー値
- 骨粗鬆症の診断と治療歴（使用薬物・継続状況）
- 糖尿病，関節リウマチなど続発性骨粗鬆症の原因疾患（表Ⅳ-16-1）
- ステロイド薬の服用（現在の服用または3ヵ月以上の服用歴）
- 運動（ADL自立度，日常生活の活動量，運動習慣）
- 栄養（たんぱく質・カルシウム・ビタミンD・ビタミンKの摂取量，
  スナック菓子・インスタント食品・カフェインを多く含む食品の過剰摂取，
  TP，アルブミン値，BMI，体重の変化，思春期の極端なダイエット経験の有無）
- 現在の喫煙，アルコールの過剰摂取
- 家族歴（骨粗鬆症，脆弱性骨折の既往）
- 脆弱性骨折に関する関心，知識，実施している骨折予防行動

b. 介 入

(1) 食 事

カルシウム，ビタミンD，ビタミンKの摂取の必要性や必要量（表Ⅳ-16-2）の理解を深め，嗜好なども考慮して，望ましい食習慣を継続できるよう，教育および援助を行う．

骨の材料となる**カルシウム**は，骨粗鬆症の予防および治療に不可欠な栄養素である．カ

表Ⅳ-16-2 　骨粗鬆症の予防と治療に必要な栄養素の推奨摂取量

栄養素	摂取量
カルシウム	食品から700〜800 mg/日（サプリメント，カルシウム剤を使用する場合には，心血管疾患へのリスクが高まる可能性があるため注意が必要である）
ビタミンD	600〜800 IU（15〜20μg）
ビタミンK	250〜300μg

推奨の強さは，いずれも4段階中の2番目であり，行うようすすめられる．
[骨粗鬆症の予防と治療ガイドライン作成委員会（編）：骨粗鬆症の予防と治療ガイドライン2015年度版，p.79，ライフサイエンス出版，2015を参考に作成]

ルシウムを多く含む食品として，牛乳・乳製品，大豆・大豆製品，小魚，緑黄色野菜がある．カルシウムの腸管からの吸収率を高める**ビタミンD**は魚やキノコに多く含まれるが，日光浴によって皮膚でコレステロールからも合成されるため，散歩やガラス越しの**日光浴**を習慣化する．**ビタミンK**は納豆や緑黄色野菜に多く含まれ，カルシウムの骨沈着に必要である．また，高齢者は低栄養の者が多く，BMI低値が骨折のリスクを高めることを理解し，良質な**たんぱく質**（牛乳・乳製品，肉，魚，卵，豆類）の適量摂取，および適正体重の維持が重要である．その他，リンを多く含む食品（加工食品，清涼飲料水，など），食塩，カフェインを多く含む食品（コーヒー，紅茶，など），アルコールは，過剰摂取に注意する．

(2) 運　動

運動と骨密度に関するメタアナリシス[11]では，下肢の**筋力訓練**および荷重運動により骨密度は上昇すると報告されている．また，**バランス訓練**と筋力訓練の転倒予防効果が報告されている．具体的な運動として，スクワット，開眼片脚立ち，踵の上げ下げ，ウォーキングなどが推奨されている．運動の選択時には，骨粗鬆症の程度（脆弱性骨折の既往など）や転倒リスクなどを十分に考慮する．また，習慣とするには，楽しみながらできることや，日々の体調に応じて実施することが重要である．

日常生活においては，移動能力に応じた活動的な生活を心がける．慢性的な腰背部痛は行動範囲の狭小化を招くため，**疼痛緩和**は重要である．

(3) 骨粗鬆症の薬物療法および関連疾患のコントロール

骨粗鬆症の治療薬は多岐にわたる．ビスホスホネート薬，SERM（選択的エストロゲン受容体モジュレーター），デノスマブ，カルシトニン薬は骨吸収を抑制し，副甲状腺ホルモン薬は骨形成を促進する．ビタミンK₂薬，活性型ビタミンD₃薬は両方の作用を有す．他に，カルシウム薬，女性ホルモン薬がある．薬物療法の目的（骨折発生の予防し，QOL低下を防ぐ）を理解し，処方された薬剤について，作用，副作用，服用方法などの知識をもち，正確に服用または自己注射を継続できるよう援助する．治療は長期間にわたること，自覚症状がない場合があることなどから，自己判断による中断や飲み忘れなどに注意する．とくに**二次骨折予防**に対しては，多職種と連携して骨粗鬆症の評価，薬物療法の開始と継続の支援が求められている．

糖尿病，慢性腎臓病，慢性閉塞性肺疾患など，骨強度の低下に影響する疾患のコントロールも重要である．

c. 評価の視点

脆弱性骨折予防の直接的な評価は骨折発生の有無であり，間接的に骨折リスクを評価する．

骨折リスクの評価について，食事では，骨粗鬆症の予防および治療に必要な**栄養素の推奨摂取量**（表Ⅳ-16-2）を満たしていることを把握する．また，栄養状態，たんぱく質摂取量，体重，飲酒・喫煙状況を評価する．運動は，実施状況，骨密度の強化や転倒発生率の減少などで評価する．薬物療法の評価は，新たな脆弱性骨折の有無（背部痛，身長の低下，姿勢異常の進行，など），骨密度の変化，服薬状況，副作用の有無などを詳細に把握する．いずれも，医師，薬剤師，理学療法士，栄養士など，多職種との連携で行う．

2 ● 骨折を治す

a. アセスメント

　骨折が発生した場合，早期発見，早期治療がきわめて重要である．大腿骨近位部骨折では，転倒後に股関節周囲の疼痛，起立不能・歩行困難を認めた場合は骨折を疑う．転位の増悪や出血量に伴う全身状態の影響を生じる可能性もあるため，速やかに受診する．認知機能が低下した高齢者では適切に症状を訴えない，または看護師が訴えを把握できない場合がある．さらに，骨強度の低下した高齢者では転倒することなく骨折する場合がある．そこで，おむつ交換や入浴時などに腫脹や関節可動域の変化がないか，また痛みなどの訴えや苦痛表情がないかなど，日頃から小さな変化を的確にアセスメントすることが求められる．

b. 介　入

　骨折の治療は，骨折部位，骨折の状況などにより保存的治療と手術的治療が選択される．大腿骨近位部骨折の95％は手術が行われ，術後は多職種連携による合併症の予防と歩行の再獲得または移動手段の再構築に向けた早期からの**リハビリテーション**が必要となる．高齢者家族が望む退院後の生活を把握し，多職種でリハビリテーションゴールを共有する．看護師は機能訓練に向けて栄養や睡眠を整え，意欲的に取り組めるように声かけや訓練後の疲労回復をはかる．また，回復に応じて安全に日常生活が拡大するよう支援する．さらに，**二次骨折予防**に向けて，ADLや骨粗鬆症の状態，骨折前の生活，退院後のサポート状況などを総合的にアセスメントし，高齢者と家族に教育支援を行う．なお，大腿骨近位部骨折に対しては，2006年度以降地域連携パスが導入され，退院後の維持期の管理を含めて多職種連携による介入システムが整っている．

　高齢者にとって，骨折や手術による身体的侵襲は大きく，また，突然の入院や安静保持により，不安や混乱が生じ，**せん妄**の出現や認知症の悪化，転倒などをまねいて回復過程を遅らせるリスクが高い．そこで，身体状態の観察のみでなく，精神面の安定をはかり，安全安楽に療養生活が送れる援助が必要である．

c. 評価の視点

　歩行およびADLの再獲得状況，術後合併症の有無，二次骨折の有無などによって評価する．

コラム

骨粗鬆症リエゾンサービス（osteoporosis liaison service：OLS）

　リエゾンサービスとはコーディネーターが中心となって実施する多職種連携である．骨粗鬆症の予防と改善および骨折予防を目的としたOLSは，1990年代後半に英国に始まり，欧米諸国では骨折発生率の低下や医療費削減効果が報告されている．日本では，日本骨粗鬆症学会が，骨粗鬆症に関する知識を有するメディカルスタッフを専門スタッフとして認定する骨粗鬆症マネージャー制度を設け，2014年度から資格認定を行っている．なお，メディカルスタッフとは，保健師，助産師，看護師，診療放射線技師，臨床検査技師，理学療法士，作業療法士，臨床工学技士，言語聴覚士，薬剤師，管理栄養士，社会福祉士，介護福祉士をさす．OLSの活動により，地域医療連携の強化をはかり，骨粗鬆症の啓発活動や二次骨折予防の推進が期待されている．

C. 実践におけるクリティカル・シンキング

演習⑰ 人工股関節置換術を受けてリハビリテーション中の女性

　73歳，女性，身長151cm，体重40kg．大腿骨頸部骨折により整形外科病棟に入院し，人工股関節置換術を受けた．現在，回復期リハビリテーション病棟へ転棟となり，自宅退院に向けてリハビリテーションを受けている．入院前の生活は独居であり，日常生活は自立していた．買い物や近所の友人を訪ねるなど毎日外出はしていたが，運動習慣はない．食事は自分で作っているが，乳製品は嫌いでほとんど摂取していない．姿勢異常はないが，「最近身長が低くなった」と話している．

問1▶ この患者の骨折の危険因子として何が考えられるか
問2▶ この患者の再骨折予防のために，必要な患者教育のポイントは何か

[解答への視点 ▶ p.475]

練習問題

Q29▶ 高齢者に特徴的な骨折に関して正しいのはどれか．2つ選べ．
1. 立った姿勢からの転倒など軽微な外力による脆弱性骨折が多い
2. 骨折の主要な原因は転倒である
3. 骨折の好発部位は，椎体，大腿骨近位部，上腕骨近位部，橈骨遠位端である
4. 大腿骨近位部骨折の主な治療は保存療法であり，ギプス固定が行われる
5. 骨折予防について，75歳以上の場合はADL以外の運動を控えることが推奨される

[解答と解説 ▶ p.479]

引用文献

1) 和田　攻，南　裕子，小峰光博：看護大辞典，p.1006，医学書院，2002
2) 日本骨代謝学会，日本骨粗鬆症学会合同原発性骨粗鬆症診断基準改定検討委員会：原発性骨粗鬆症の診断基準（2012年度改訂版）．Osteoporosis Japan **21**（1）：11, 2013
3) Tsukutani Y, Hagino H, Ito Y, et al：Epidemiology of fragility fractures in Sakaiminato, Japan: incidence, secular trends, and prognosis. Osteoporos International **26**：2249-2255, 2015
4) Orimo H, Yaegashi Y, Hosoi T, et al：Hip fracture incidence in Japan: Estimates of new patients in 2012 and 25-year trends. Osteoporosis International **27**：1777-1784, 2016
5) 日本整形外科学会，日本骨折治療学会：大腿骨頚部/転子部骨折診療ガイドライン2021，第3版，p.22，南江堂，2021
6) 骨粗鬆症の予防と治療ガイドライン作成委員会：骨粗鬆症の予防と治療ガイドライン2015年版，p.4，ライフサイエンス出版，2015
7) 前掲6），p.12
8) 内閣府：令和3年度版高齢社会白書，p.32, 2021
9) Sakamoto K, Nakamura T, Hagino H, et al：Report on the Japanese Orthopaedic Associations 3-year project observing hip fractures at fixed-point hospitals. J Orthop Sci **11**：127-134, 2006
10) Cauley JA, Thompson DE, Ensrud KC, et al：Risk of mortality following clinical fractures. Osteoporos International **11**（7）：556-561, 2000
11) Polidoulis I, Beyene J, Cheung AM：The effect of exercisa on pQCT paramenters of bone structure and strength in postmenopausal women – a systematic review and metaanalysis of randomized controlled trials. Osteoporos International **23**：39-51, 2012

17 感染症

A. 基礎知識

1 ● 定　義

　感染症は，病原微生物が体内に侵入し定着・増殖することで引き起こされる症候および疾患の総称である．感染症を発症したものを**感染**とし，発症していない**定着**または**保菌**と区別される．

　ナイチンゲールは，「病気とは，毒されたり衰えたりする過程を癒そうとする自然の努力の現れ」[1)] と表現し，人の自然治癒力を重要視した．また，「真の看護が感染を問題にするとすれば，それはただ感染を予防するということにおいてだけである」[2)] と述べているように，加齢や慢性疾患などにより予備力や生体防御機構の低下した高齢者において，日常生活のしかたや生理機能を整えることによって回復を促進し，感染を予防する看護の役割はますます高まっている．

2 ● 疫学（有病率）

　高齢者の長期療養施設においては，尿路感染，呼吸器感染，皮膚・軟部組織感染などの感染症がしばしば発生する．しかし，日本におけるこうした高齢者の感染症発生率を大規模に調査した疫学研究は見当たらない．海外の報告によると，長期療養施設における医療関連感染率は，ノルウェー[3)] では，尿路感染，下部呼吸器感染，皮膚感染，胃腸炎の順に多く，ドイツ[4)] では，下部呼吸器感染，胃腸炎，皮膚・軟部組織感染，尿路感染の順に多く発生している．2016 ～ 2017 年の欧州 30 ヵ国，3,858 の長期療養施設を対象とした調査においても，尿路感染，下部呼吸器感染，皮膚・軟部組織感染の順に多く発生している[5)]．

　また感染症は高齢者の死亡にも影響している．日本における主な感染症に関連した高齢者の死亡率を表Ⅳ-17-1 に示す．年齢が上がるほど死亡率も上昇し，なかでも肺炎は，高齢者の死因の上位を占める（表Ⅳ-17-2）．

3 ● 病態と生理学的特徴

a. 発生機序

（1）微生物と感染経路

　細菌，真菌，ウイルス，原虫などの微生物は自然界に広く分布する．気道，消化管，生殖器や創部などに外部から病原微生物が侵入して感染を引き起こす**外因性感染**と正常細菌叢による**内因性感染**に分けられる．内因性感染は正常細菌叢の抑制（菌交代現象），常在菌の異所への侵入（異所性感染），生体防御機構の低下（日和見感染）などによって引き

表Ⅳ-17-1　感染症に関連した死亡率（人口 10 万対，2021 年）

	65 歳以上	75 歳以上	80 歳以上	85 歳以上
腸管感染症	5.2	8.9	12.2	18.0
結　核	5.0	8.9	12.5	18.7
肺　炎	198.9	354.4	497.4	763.5
誤嚥性肺炎	135.8	247.0	350.8	528.3
敗血症	25.8	42.5	55.9	75.8

〔厚生労働省：人口動態調査, 2021 年人口動態統計（上巻第5-16表）,〔https://www.e-stat.go.jp/stat-search/files?page = 1&layout = datalist&toukei = 00450011&kikan = 00450&tstat = 000001028897&cycle = 7&year = 20210&month = 0&tclass1 = 000001053058&tclass2 = 000001053061&tclass3 = 000001053065&result_back = 1&result_page = 1&tclass4val = 0〕（最終確認：2023年1月26日）より引用〕

表Ⅳ-17-2　死因順位（2021 年）

	1 位	2 位	3 位	4 位	5 位
65 歳以上	悪性新生物	心疾患	老衰	脳血管疾患	肺炎

〔厚生労働省：人口動態調査, 2021 年人口動態統計（上巻第5-17表）,〔https://www.e-stat.go.jp/stat-search/files?page = 1&layout = datalist&toukei = 00450011&kikan = 00450&tstat = 000001028897&cycle = 7&year = 20210&month = 0&tclass1 = 000001053058&tclass2 = 000001053061&tclass3 = 000001053065&result_back = 1&result_page = 1&tclass4val = 0〕（最終確認：2023年1月26日）より引用〕

起こされる.

（2）感染症の成立

　感染症が成立するためには**感染源**（病原微生物の存在），**感染経路**，**感受性宿主***の3要素（**図Ⅳ-17-1**）が必要となる.

コラム

医療関連感染から，医療・介護関連感染へ

　これまで，医療機関での感染を「病院感染」，地域在宅での感染を「市中感染」と区別してきた．しかし，入院期間の短縮化などの影響で，医療機関でしか提供されなかった治療が外来，長期療養施設，在宅にまで拡大されるようになった結果，医療に伴う感染成立の地理的場所を確定することが困難になり，「医療関連感染」[i]という用語が使われるようになった.

　さらに，介護保険制度のあるわが国において高齢者の肺炎治療の新たな視点を示した『医療・介護関連肺炎診療ガイドライン』[ii]も策定されている.

引用文献

i）Centers for Disease Control and Prevention：Guideline for isolation precautions：preventing transmission of infectious agents in healthcare settings, 2007,〔https://www.cdc.gov/infectioncontrol/pdf/guidelines/isolation-guidelines-H.pdf〕（最終確認：2023年1月26日）

ii）日本呼吸器学会医療・介護関連肺炎（NHCAP）診療ガイドライン作成委員会（編）：医療・介護関連肺炎（NHCAP）診療ガイドライン, 日本呼吸器学会, 2011,〔https://minds.jcqhc.or.jp/docs/minds/NHCAP/CPGs2011_NHCAP.pdf〕（最終確認：2023年1月26日）

* 感受性：感染しやすさを指す．宿主の免疫機能や栄養状態が低下していると，病原体への感受性は高くなり，感染症を起こすリスクを高める．逆に，正常な免疫機能であれば，病原体に対する感受性が低下する．血管内留置カテーテルなど医療器具の使用は感受性を高める.

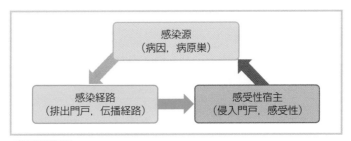

図Ⅳ-17-1　感染症成立の3要素

感染者・保菌者の血液・体液のほか，使用器具，飲食物，汚水，動物や昆虫などの生物に含まれる病原微生物が感染源となる．これらの病原微生物に曝露した経路が感染経路であり，接触感染，飛沫感染，空気感染，一般担体感染，病原微生物媒介生物による感染に分類される．たとえ病原微生物が侵入しても，感染症を引き起こすためには宿主の免疫機能を上回る病原性が必要となる．したがって微生物の病原性・菌量と宿主の免疫機能との相対的なバランスが感染症成立に影響する．

b. 発生要因

(1) 微生物の病原性

感染症の発生の原因として，まず**微生物の病原性**が挙げられる．微生物の病原性は，付着因子，侵入因子，増殖因子，毒素などが関与している．

付着には細菌の持つ線毛やそれ以外の菌体表層成分が関与しており，宿主細胞表面の糖たんぱく質や糖脂質からなる特定のレセプター（受容体）に結合する[6]．細胞外に分泌される粘液などに付着する場合もある．付着した細菌は増殖を開始し，組織内に侵入するか，その場で増殖し続け定着する[6]．細菌が周囲に分泌する粘液多糖で覆われたバイオフィルムを形成することもある[6]．これは生体防御機構を回避する隠れ家となり，抗菌薬の通過も妨げるため感染症治療に難渋し[6]，耐性菌の温床になる．

定着した細菌は粘膜表面あるいは細胞間結合を破壊し細胞間をすり抜け，またある種のものは宿主細胞に自分を取り込ませて，粘膜内または粘膜下に侵入する[6]．ウイルスでは細胞への吸着，ウイルスレセプターへの結合・侵入，ウイルスゲノムの複製とウイルス粒子の組み立て・放出が関与している．

毒素は菌体外に分泌される外毒素[*]とグラム陰性菌外膜に存在するリポ多糖である内毒素（エンドトキシン）に分けられる．感染症によって，全身で大量のサイトカインが放出されることで**全身性炎症反応症候群**（systemic inflammatory response syndrome：SIRS）が起こり，臓器障害をきたすことを敗血症という[7]．さらに急激な血圧低下が起きることを**敗血症性ショック**といい，とくにリポ多糖が原因物質となるものを従来からエンドトキシンショックと呼んでいる[7]．敗血症による臓器障害の例として，呼吸促拍症候群，**播種性血管内凝固**（DIC），多臓器不全がある[7]．細菌から産生される毒素は，単独

---

[*] 外毒素：外毒素の中には菌体外に分泌されないものも存在するため，外毒素か内毒素かという分類ではなく分子性状によってリポ多糖，非蛋白質毒素，蛋白質毒素の3種に分類される[8]．

表Ⅳ-17-3　感染経路別微生物

伝播様式	感染媒体	主な疾患，病原体
血液・体液	血液・体液	HIV, HCV, HBVなど
接触感染	直接的，または間接的接触	MRSA，ノロウイルス，クロストリディオイデス・ディフィシル，赤痢菌，HAV，疥癬虫など
飛沫感染	咳やくしゃみで発生した飛沫	ウイルス感染症（インフルエンザ，アデノウイルス感染症，ムンプス，風疹，新型コロナウイルス感染症など），インフルエンザ菌・髄膜炎菌感染症，ジフテリア，百日咳，マイコプラズマ肺炎など
空気感染	小粒子や飛沫核（5μm以下）	結核，麻疹，水痘など 環境小粒子（アスペルギルス属やレジオネラ属）
一般担体感染	汚染された飲食物，水，薬剤，器具など	食中毒（大腸菌，サルモネラ菌，腸炎ビブリオ，黄色ブドウ球菌など） セラチア，緑膿菌，セレウス菌など
病原微生物媒介生物による感染	蚊，ダニ，ハエ，ネズミなど	マラリア，チフス，デング熱など

でも食中毒などを引き起こす（ボツリヌス菌の神経毒，腸炎ビブリオや黄色ブドウ球菌の腸管毒など）．

(2) 高齢者の免疫機能

　高齢者の免疫機能の低下も感染症発生の原因となる．ただし，高齢者といっても一概に免疫機能が低下するとはいえず，それまでの生活過程，日常生活のしかた，健康障害の種類や段階，治療・医療への依存度による個人差が大きいものと考えられる．

　生体防御機構は，皮膚や粘膜による物理的・化学的バリア，正常細菌叢による生物学的バリア，食細胞（好中球・マクロファージ）やNK細胞による非特異的免疫（**自然免疫**），B細胞・T細胞による特異的免疫（**獲得免疫**）が感染制御に寄与している[9]．

　加齢に伴う免疫機能の低下，寝たきり，失禁，嚥下障害，慢性の基礎疾患，機能低下状態，皮膚の変化は，尿路感染，呼吸器感染，皮膚感染，軟部組織感染への感受性を増加させ，栄養失調は創傷治癒過程を障害する[10]．

(3) 伝播様式

　伝播様式は，微生物の種類により異なる（**表Ⅳ-17-3**）．職員だけでなく，新規患者・入所者，面会者，ボランティア，実習生なども病原体を施設の外部から持ち込まない，持ち出さない，拡げないこと[11]が，伝播経路遮断の基本方針となる．医療器具や処置に関連する感染症としては膀胱留置カテーテル，血管内カテーテル，栄養チューブなど侵襲的医療器具の留置が宿主の感受性を高めるとともに，処置を行う医療従事者の手指が感染経路となる危険性がある．また，不適切な抗菌薬治療は**薬剤耐性菌**＊の出現に影響する．長期療養施設と医療施設間の入退院は薬剤耐性菌など病原微生物の移動も伴うことになり，しばしば問題になる．

＊ 薬剤耐性菌：抗菌薬への感受性がない（抗菌薬に対して耐性をもつ，つまり抗菌薬が効かない）細菌をいう．不適切な抗菌薬治療を繰り返すことで，場合によっては複数の薬剤に耐性をもつ可能性がある（多剤耐性菌）．

4 ● 主な症状と心身および社会生活への影響

感染症に伴う症状は，予備力の低下した高齢者の生命力を消耗させ，重症化へと移行させる危険性を含んでいる．とくに脱水や低栄養，廃用症候群による身体機能の低下，せん妄や認知機能の低下には注意を要する．また，感染症治療に伴う入院や感染拡大防止のための個室隔離は，住み慣れた環境からの離脱，家族・友人との関係性の縮小を余儀なくし，高齢者の活動を著しく制限する．したがって，心理社会的活動の維持と感染制御とのバランスも考慮する必要がある．

a. 発　熱

感染により種々の発熱物質が産生され，悪寒・戦慄とともに**発熱**が惹起される．発熱物質には，免疫応答による内因性発熱物質と微生物が産生する毒素による外因性発熱物質がある[12]．発熱による酸素消費量の増加，発汗・不感蒸泄による脱水は，高齢者の生命力を消耗させ，活動性を著しく低下させる．稽留熱[*1]，間欠熱[*2]，弛張熱[*3]，回帰熱[*4]など典型的な熱型が感染症の鑑別に有用であるが，高齢者では非定型的な経過をたどる場合も少なくない．また平熱が35℃台の高齢者では，36℃後半から37℃台でも発熱といえる可能性があり，平熱との差を把握する必要がある．

b. 疼　痛

尿路感染における排尿痛，褥瘡・蜂窩織炎による局所疼痛，帯状疱疹による神経痛，胆嚢胆管炎・腹膜炎による腹痛などの**疼痛**は，感染症の重要な手がかりとなる．しかし，疼痛は日常生活の活動を大きく制限するため，感染症の治療とともに鎮痛が必要となる．

c. 咳嗽・くしゃみなど呼吸器症状

咳嗽は呼吸器感染の重要な症状であり，発熱を伴う場合はインフルエンザや肺炎などの可能性もある．とくに持続する咳嗽は結核の疑いもあり，迅速に精査する必要がある．呼吸器症状は咳エチケット[10]を含む飛沫予防策が必要となり，空気予防策では個室隔離など生活空間が制限される．

d. 下痢・嘔吐など消化器症状

下痢や**嘔吐**は，ノロウイルス，大腸菌，赤痢菌，クロストリディオイデス・ディフィシルなど腸管病原微生物による感染が疑われる．とくに排泄介助を必要する高齢者の利用する介護施設などにおいては蔓延しやすく，標準予防策および接触予防策を遵守する必要がある．下痢や嘔吐は脱水と電解質の不均衡をもたらし，体力や意識を低下させる．

e. 瘙痒感・発疹など皮膚症状

老人性皮膚乾燥や湿疹などに伴う**瘙痒感**は掻き傷の原因となり，二次感染の危険性を高める．また，瘙痒感は不快，不眠，集中力を欠くなど日常生活に影響する．夜間強まるかゆみは**疥癬**の可能性もあり，疥癬トンネル，紅斑性丘疹，結節など皮膚の観察が重要となる．**角化型（痂皮型）疥癬**では瘙痒感に乏しく，肥厚した角質層と鱗屑などの特徴がみられる．角化型疥癬は感染力が高いため接触予防策が適用され，個室隔離など生活空間が制限される．

[*1] 稽留熱：24時間の体温差（日内変動）が1℃以内で発熱が持続する．
[*2] 間欠熱：日内変動が1℃以上あり，発熱と平熱が交互に現れる．
[*2] 弛張熱：日内変動が1℃以上あり，発熱が持続する．
[*4] 回帰熱：発熱と平熱の状態がそれぞれ数日間，反復して起こる．

頭頸部や胸部など，一定の神経支配領域（正中線を越えない）に出現する痛みを伴う発疹・小水疱は帯状疱疹の可能性が高い．抗ウイルス薬による治療や疼痛緩和とともに，びらん化した皮膚への二次感染防止が必要となる．

5 ● 対処の方法（セルフケアの視点から）

日和見感染を含む感染予防のためには，基礎体力と予備力の増加に努め，免疫機能の維持をはかる必要がある．平常時からの十分な栄養・水分の摂取，手洗いの励行，身体・住環境の衛生保持，日中の活動性向上などが必要であるが，単独では遂行しにくいため，介護保険制度などを活用してセルフケアできる状況を整えることが重要である．高齢者のインフルエンザと肺炎球菌感染症は予防接種法のB類疾患（努力義務及び接種勧奨なし）としてワクチン定期接種の対象となっている．2020年に行われた予防接種法改正では，新型コロナウイルス感染症に係るワクチン接種について，特例的取り扱いをするものであった[13].

高齢者の感染症は，発熱など典型的な経過をたどらず，認知症や失語などにより症状を適切に訴えられない傾向にあり，また知覚麻痺・鈍麻により自覚症状に乏しいため，慢性的な症状（慢性呼吸器疾患による咳や痰，老人性皮膚乾燥による瘙痒感，便秘や下剤使用に伴う腹痛・下痢など）から感染症への移行に気づきにくいという特徴がある．したがって表情や食欲などいつもの様子との微細な変化に気づき，フィジカルアセスメントに基づく感染徴候の早期発見に努め，感染症が疑われる場合には，迅速な医学的診断・治療が受けられるようにする必要がある．

また，経過観察中や医学的診断を待つ間にも，**標準予防策**に加えて臨床症状に対する**感染経路別予防策**を遵守する必要がある．たとえば下痢や膿性分泌物に対しては，手袋・ガウン装着など接触予防策を，咳に対してはマスク着用など飛沫予防策を講じる．同時に食欲不振や脱水に対する食形態・水分摂取方法の変更，発熱・疼痛に対する冷罨法，排膿創・汚染部の洗浄保清など，症状緩和と重症化防止への対処をする必要がある．

コラム

サーベイランスとは

サーベイランスとは，感染管理の手段の1つで，データを集める過程で医師や看護師の感染管理に対する意識を高め，協力を得られるような関係をつくり，感染率を下げるのに有効なデータを提供することである[i].　サーベイランスでは，医療関連感染の発生率（アウトカム）と，これを防ぐために行うさまざまな対策の実施率（プロセス）を評価する[ii].　感染部位別感染（手術部位感染や人工呼吸器，尿道カテーテル，中心静脈カテーテルなど医療器具使用による呼吸器・尿路・血流感染）や耐性菌などの病原微生物別感染のサーベイランスが実施される．日常的な感染の発生率（標準感染率）を把握することで，集団感染の発生や感染対策の介入効果を標準感染率と比較して評価することができる．

引用文献
ⅰ）牧本清子：アウトブレイクの調査事例. 事例de学ぶ医療関連感染サーベランス―EBMに基づく感染管理のために（牧本清子編），p.142-161，メディカ出版，2007
ⅱ）坂本史衣：基礎から学ぶ医療関連感染対策，第3版，p.165-176，南江堂，2019

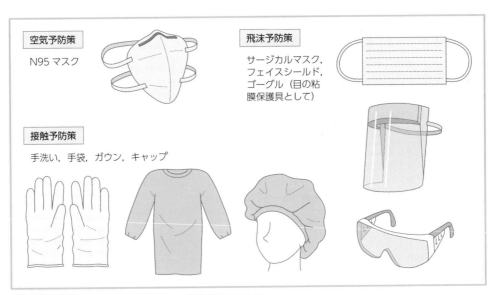

図Ⅳ-17-2　感染経路に対応した個人防護具の例

B. 看護実践の展開—予防と治療

　高齢者がいったん感染症を発症すれば，重症化することも少なくなく，入院治療など長期に及ぶ可能性が高い．したがって，感染症を発症しないように予防することが重要である．わが国においても**米国疾病対策センター**（Centers for Disease Control and Prevention：**CDC**）の**ガイドライン**が普及し，日本看護協会資格認定制度における感染症看護専門看護師および感染管理認定看護師の活躍により，急性期医療施設中心に感染予防看護の実践や**サーベイランス**が展開されている．また，国立感染症研究所では，感染症法に基づくサーベイランス情報が公開されている．しかし，地域・在宅，介護保険施設・サービスにおいては，まだ十分な環境が整っているとはいえない．

a. 感染予防の原則

　感染源，感染経路，感受性宿主の感染成立3要素のうちもっとも効率的な感染予防策は，感染経路の遮断である．“血液，汗を除く体液・分泌物・排泄物，創傷皮膚，粘膜等は病原微生物を含む可能性のある感染源である”とする**標準予防策（スタンダードプリコーション）**は，すべての対象者に適用される．加えて病原微生物の感染経路に対応した予防策も必要となる（**図Ⅳ-17-2**）．**手指衛生**はもっとも重要な予防策であるが，感染源への曝露の機会やケア内容によって，手袋，ガウン，マスク，フェイスシールドなど**個人防護具**を選択して感染経路の遮断に努める必要がある．2007年のCDCガイドライン[10]では，咳嗽・くしゃみ時にティッシュなどを用いて鼻や口をおおい，飛沫の飛散を防ぐ咳エチケットなどの項目が加えられた．

b. 高齢者で問題になる集団感染

　長期療養施設では，インフルエンザウイルス，ライノウイルス，アデノウイルス，ノロウイルス，A群連鎖球菌，百日咳菌，肺炎球菌，多剤耐性菌，クロストリディオイデス・

表Ⅳ-17-4　感染症法における感染症類型

1 類感染症	エボラ出血熱, クリミア・コンゴ出血熱, 痘そう, 南米出血熱, ペスト, マールブルグ病, ラッサ熱
2 類感染症	急性灰白髄炎, 結核, ジフテリア, 重症急性呼吸器症候群 (SARS), 中東呼吸器症候群 (MERS), 鳥インフルエンザ (H5N1 及び H7N9)
3 類感染症	コレラ, 細菌性赤痢, 腸管出血性大腸菌感染症, 腸チフス, パラチフス
4 類感染症 (一部)	E型肝炎, A型肝炎, 黄熱, Q熱, 狂犬病, 炭疽, 鳥インフルエンザ (H5N1 及び H7N9 を除く), ボツリヌス症, マラリア, 野兎病, その他の感染症 (政令で規定)
5 類感染症 (一部)	インフルエンザ (鳥インフルエンザおよび新型インフルエンザ等感染症を除く) ウイルス性肝炎 (A型およびE型を除く), クリプトスポリジウム症, 後天性免疫不全症候群, 性器クラミジア感染症, 梅毒, 麻しん, メチシリン耐性黄色ブドウ球菌感染症, その他の感染症 (省令で規定)
新型インフルエンザ等感染症	新型インフルエンザ, 新型コロナウイルス感染症など
指定感染症	
新感染症	

(2021年3月現在)

ディフィシルなどによって集団感染が引き起こされる[10]. 国内ではインフルエンザウイルス[14,15] や急性胃腸炎[14] の集団感染がしばしば報告される.

　また新型コロナウイルスの一県下の高齢者施設における 2020 年 7 月 14 日～ 2021 年 10 月 31 日の感染者の状況について[16], 利用者・職員を含めて感染者が発生した1,286 施設・事業所のうち, 242 施設で 2 ～ 9 人の感染者, 75 施設で 10 人以上の感染者が発生したと報告している. 日本における高齢者の集団感染の疫学的検証は十分なされておらず, 今後地域・在宅, 介護保険施設・サービスなどにおけるサーベイランスの実施が必要とされる.

c. 届出義務

　1999 年に施行された「感染症の予防及び感染症の患者に対する医療に関する法律(感染症法)」は, 結核, SARS, バイオテロ, 鳥インフルエンザへの対応から統合・改正が重ねられ, 2008 年には新型インフルエンザ・新感染症対策を含めて改正された. 2020 年には新型コロナウイルス感染症が指定感染症となったが, 2021 年には新型インフルエンザ等感染症に位置づけられた (**表Ⅳ-17-4**). 感染症法の感染症類型に基づき 1～4 類, 一部の 5 類および新型インフルエンザ等感染症を診断した医師はただちに最寄りの保健所長を経由して都道府県知事に届出を行わなくてはならない[13].

　本項では, 高齢者によくみられる感染症として, 肺炎, 尿路感染, 疥癬, 感染性胃腸炎を挙げる.

1 ● 肺　炎

a. アセスメント

　肺炎は, 発熱, 悪寒・戦慄, 咳の増加や膿性痰などの症状が観察され, 経皮的動脈血酸素飽和度の低下もみられる. また, 断続性副雑音等が異常呼吸音として聴取され, 重症に

a. 体位ドレナージ

下になる腸骨棘と上腕骨大結節・肩峰で体重を支える．上になる上肢は上方に挙げ胸郭を広げる．
胸腹部の呼吸を抑制しないように過屈曲にした下肢で骨盤角度を調整し，クッションなどは入れない

b. スクイージング

c. 胸郭ストレッチ

d. 肩甲骨周囲のストレッチ

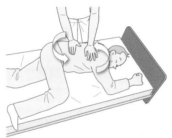

呼気に合わせて胸郭を矢印の方向に
引き，呼気をしぼり出す．吸気開始
のタイミングに合わせていっきに手
を離し胸郭を開放すると吸気流入が
促進される

胸郭を矢印の方向に交互にひねる
ように胸郭の柔軟性を高める．ま
た，肋間に指を添わせ，細かく振
動させることで肺下葉のドレナー
ジをはかる

上肢を支え胸郭を広げながら円を
描くように肩甲骨を動かす

図Ⅳ-17-3　**肺炎予防のためのケア**

なれば呼吸不全，チアノーゼがみられる．診断には，胸部 X 線写真，喀痰のグラム染色
や培養により原因菌を推定し[17]，適切な抗菌薬治療が行われる．

　高齢者は，不顕性を含む**誤嚥性肺炎**の危険性も高いことから，摂食・嚥下機能，口腔機
能や口腔環境，咳嗽反射や喀痰喀出力，慢性呼吸器疾患や酸素療法の有無，気管カニュー
レや人工呼吸器の使用など肺炎リスクについてアセスメントする．呼吸音や呼吸状態，酸
素飽和度など平常時の状態を把握していることは異常の早期発見につながる．

b. 介　入

　肺炎の急性期には抗菌薬による治療が行われ，標準予防策と飛沫予防策が適用される．
肺炎を予防するためには，食後だけではなく食前や経口摂取していない場合にも**口腔ケア**
を継続し，リラックス体位[18] における**体位ドレナージ**（p.63，**図Ⅲ-3-2 参照**），**スクイー
ジング**，胸郭・肩甲骨など**呼吸筋のストレッチ**，発声などによって口腔機能や呼吸状態の
維持向上をはかる（**図Ⅳ-17-3**）．

c. 評価の視点

　呼吸数・深さ・リズム，肺呼吸音，酸素飽和度，咳嗽，排痰量・性状などから呼吸状態

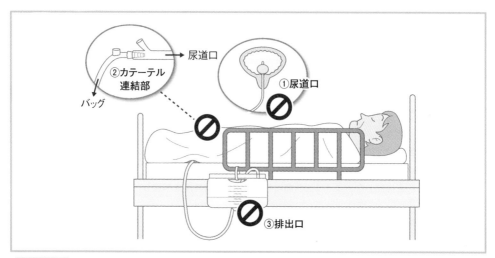

図Ⅳ-17-4　膀胱留置カテーテル留置中の微生物侵入経路

の変化について評価する．また，摂食・嚥下機能や口腔機能，栄養状態の改善をはかり，活動性を高めていくことも肺炎防止の重要な視点となる．

2 ● 尿路感染

a. アセスメント

　尿路感染の症状は，発熱，排尿痛，排尿困難，頻尿，尿意切迫感，恥骨上圧痛などが知られており，高齢者ではせん妄[19]がみられることもある．残尿[20]，尿失禁[3]，膀胱留置カテーテルの留置[3,6]，膀胱留置カテーテル留置中の便失禁[21]は，尿路感染の危険性を高める．細菌尿や尿中白血球・亜硝酸塩の存在は，尿路感染の重要な手がかりとなるため，尿路感染症状と合わせてアセスメントを行う．また，**排尿パターン**（排尿回数，排尿量・残尿量，尿失禁の種類，排泄用具・場所），水分出納，排便状況や便失禁，陰部の保清方法など排泄状況を含めて尿路感染のリスクについてアセスメントする．

b. 介　入

　米国感染症学会[22]は，高齢者では発熱など症状のない無症候性細菌尿はスクリーニングも治療も推奨しないと勧告している．しかし，発熱や自覚症状の乏しい高齢者では腎炎，腎盂腎炎，菌血症などへ移行する危険性があり，泌尿器症状や全身症状などの観察が必要になると考えられる．

　尿路感染の主な起炎菌として**腸内細菌**が知られていることから，十分な飲水をすすめ，排尿による洗い流し効果を期待するとともに，排泄パターンを整え，陰部の保清に努める必要がある．また不必要な**膀胱留置カテーテル**留置を避け，留置の必要性がある場合は毎日の尿道口の洗浄（**図Ⅳ-17-4①**），カテーテル・集尿バッグ回路の閉鎖性維持（**図Ⅳ-17-4②**），排出口の衛生的取扱い（**図Ⅳ-17-4③**）および集尿容器の個別化をはかる．標準予防策を基本とするが，原因微生物によっては接触予防策も適用される．

c. 評価の視点

　細菌尿と尿路感染症状の変化を評価するが，尿培養ができない場合は，尿試験紙による

尿中白血球・亜硝酸塩の推移を参考にする．尿検査ができない在宅や介護保険施設・サービスなどにおいては，発熱や排尿痛・尿意切迫感などの尿路感染症状，尿性状・尿臭などの変化についても評価する．水分出納，排泄パターンや残尿量の変化，陰部の保清状況，尿道カテーテル管理方法について把握することも重要である．

3●疥　癬

a. アセスメント

疥癬は，ヒゼンダニの皮膚角質層への寄生により発症する．虫体やその排泄物によるアレルギー反応による皮膚病変と瘙痒感が主要症状である．通常，疥癬は感染から1〜2ヵ月の無症状の潜伏期間ののちに，①疥癬トンネル（わずかに隆起した浮腫性または紅斑性の線状疹で小水疱を伴う．手掌・手首屈側・指・肘・アキレス腱部に好発），②とくに夜間に激しい瘙痒を伴う紅斑性丘疹（臍を中心とした腹部，胸部，大腿内側，腋窩，上腕屈側に散在），③小豆大赤褐色の結節（主に外陰部）などの臨床症状がみられる[23,24]．ただし，高齢者では潜伏期間が数ヵ月に及び，疥癬トンネルの瘙痒感を欠く場合がある．**老人性湿疹**との鑑別がつきにくく注意を要する．

角化型（痂皮型）疥癬は全身衰弱者や重篤な基礎疾患を有する人，ステロイド使用により免疫能の低下した人などに発症する[23]．潜伏期間3〜5日で，灰色から黄白色でざらざらと厚く肥厚した角質増殖が，手足，殿部，肘頭部，膝蓋部のほか，頭頸部，耳介部，爪甲を含む全身に生じる[23,24]．瘙痒は一定せず，まったくない場合もある[23]．家族の発症や他の施設・サービスなど周辺の流行情況の把握も重要である．

b. 介　入

疥癬が疑われる場合は，専門医による早期診断・治療，サーベイランスの実施など迅速な対応を必要とする．とくに角化型疥癬は蔓延しやすく，感染者の個室隔離とともに直接接触やリネン類・環境などへの接触予防策を遵守する．また接触者への予防的治療も考慮する．感染者が使用した居室の清掃・殺虫剤散布，リネンなどに付着した落屑物の拡散防止（ピレスロイド系殺虫剤を散布・密閉して運搬）と，50℃で10分間熱水処理したのちの洗濯（または洗濯後の乾燥機使用）を必要とする[23,24]．通常疥癬では特別な対応を必要とせず，標準予防策の遵守と日常的な居室・寝具の清掃や乾燥・換気などの衛生管理を行う．

c. 評価の視点

疥癬の適切な治療後にも，死んだ虫体や排泄物による瘙痒感や発疹が2〜3週間持続することがある（**疥癬後瘙痒症**）[24]．疥癬トンネルが残存していないことを確認しながら，瘙痒感に対する適切な内服治療を継続する．転院や転所に伴う疥癬の持ち込みや再発の可能性は常にあることから，早期発見と早期治療に努めることがもっとも重要である．集団発生時（2ヵ月以内の同一病棟・ユニットにおける2人以上の感染者発生[23]）は潜伏期間を考慮して最終感染者発生後3〜6ヵ月程度サーベイランスを行う必要がある．

4 ● 感染性胃腸炎

a. アセスメント

　感染性胃腸炎では，発熱，下痢，腹痛，嘔吐などの症状がみられ，便の性状（水様便，血便，緑色・白色便など）や熱型，飲食歴・海外渡航歴などのアセスメントが必要とされる．血便は，腸管出血性大腸菌，腸炎ビブリオ，赤痢などでみられ，水様便は，ノロウイルス，毒素原性大腸菌，コレラ菌，サルモネラなどでみられる[25]．抗菌薬使用による菌交代現象で偽膜性大腸炎を引き起こすクロストリディオイデス・ディフィシル[10, 25] も注意が必要である．糞便検査や毒素の迅速診断法[25] などにより病原微生物を特定する．

b. 介 入

　輸液などにより脱水を防止し，微生物の体外への排出をはかる．症状が重篤な場合や菌血症が疑われる場合には抗菌薬治療が行われる．感染性胃腸炎は，集団感染を引き起こすため，流水石けん手洗いの遵守と手袋・ガウン・マスクなどの曝露予防策を徹底し，接触感染防止のためトイレやリネンなど汚染された環境・器具を次亜塩素酸ナトリウムでただちに消毒することが必要である．ノロウイルス，アデノウイルス，ライノウイルスといったノンエンベロープウイルスや，クロストリディオイデス・ディフィシルのように芽胞とよばれる構造をもつ細菌にはアルコール消毒は効果不十分であり，次亜塩素酸ナトリウムが有効となる．

　感染性胃腸炎の蔓延防止のためには，下痢や嘔吐患者の把握，トイレや排泄介助ののちの流水石けん手洗いの遵守，ビニール袋などでの汚染物の密閉処理，食品の十分な加熱などが重要である．集団発生時には入退院停止，訪問客制限，罹患スタッフの就業制限指導[26] などの対策を行い，その終結まで清掃スタッフや給食スタッフも含めたサーベイランスを実施して実態把握と迅速な対応に努める．

c. 評価の視点

　下痢や嘔吐の終息を確認し，脱水徴候の改善を評価する．ノロウイルスでは症状がおさまってからも最大4週間程度は排便内に多くのウイルスが見つかることがある[11] ことから流行時期の排泄介助や糞便の取り扱いには注意を要する．

C. 実践におけるクリティカル・シンキング

> ### 演習⑱ 誤嚥性肺炎の既往歴をもつ男性
>
> 　88歳，男性．高齢者施設を利用している．多発脳梗塞，誤嚥性肺炎の既往があり，お茶でむせることがある．最近，時折微熱があり，元気がないこともあると介護職員から報告があった．
>
> 問1▶ 看護師としてどのような情報を収集する必要があるか
> 問2▶ 肺炎が疑われる場合どのような対応が必要であるか
> 問3▶ 誤嚥性肺炎を予防するために必要なケアは何か

［解答への視点 ▶ p.476］

練習問題

Q30 感染性胃腸炎（ノロウイルス）と対策の組み合わせで正しいのはどれか.
1. 汚染された環境の消毒—エタノールで拭き取る
2. 吐物—乾燥してから処理する
3. 経路別対策—接触予防策
4. 予防対策—ワクチン接種

［解答と解説 ▶ p.480］

引用文献

1) ナイチンゲール F：序章. 看護覚え書, 第5版（湯槇ます, 薄井坦子, 小玉香津子ほか訳）, p.1-8, 現代社, 1993
2) 前掲1), p.31-51
3) Eriksen HM, Koch AM, Elstrøm P, et al：Healthcare-associated infection among residents of long-term care facilities-a cohort and nested case-control study. Journal of Hospital Infection **65**（4）：334-340, 2007
4) Engelhart ST, Hanses-Derendorf L, Exner M et al：Prospective surveillance for healthcare-associated infections in German nursing home residents. Journal of Hospital Infection **60**（1）：46-50, 2005
5) Suetens C, Latour K, Kärki T, et al：Prevalence of healthcare-associated infections, estimated incidence and composite antimicrobial resistance index in acute care hospitals and long-term care facilities: results from two European point prevalence surveys, 2016 to 2017. Eurosurveillance **23**（46）：1-18, 2018
6) 長谷川忠男：細菌の病原因子. 標準微生物学, 第14版（神谷 茂 監）, p.66-70, 医学書院, 2021
7) 横田伸一：エンドトキシン（リポ多糖）. 標準微生物学, 第14版（神谷茂 監）, p.78-81, 医学書院, 2021
8) 堀口安彦：細菌毒素. 標準微生物学, 第14版（神谷 茂 監）, p.70-78, 医学書院, 2021
9) 増田道明：感染防御機構. 看護のための最新医学講座—微生物と感染症, 第2版（日野原重明, 井村裕夫 監）, p.25-37, 中山書店, 2009
10) Centers for Disease Control and Prevention：Guideline for isolation precautions：preventing transmission of infectious agents in healthcare settings, 2007,〔https://www.cdc.gov/infectioncontrol/pdf/guidelines/isolation-guidelines-H.pdf〕（最終確認：2023年1月26日）
11) 平成30年度厚生労働省 老人保健事業推進費等補助金（老人保健健康増進等事業分）高齢者施設等における感染症対策に関する調査研究事業：高齢者介護施設における感染対策マニュアル改訂版, 2019年3月,〔https://www.mhlw.go.jp/content/000500646.pdf〕（最終確認：2023年1月26日）
12) 前掲7), 中村哲也：感染症の臨床診断—どんな症状がなぜ現れるか. p.38-44
13) 厚生統計協会（編）：国民衛生の動向2021/2022, p.135-148, 2021
14) Kariya N, Sakon N, Komano J, et al：Current prevention and control of health care-associated infections in long-term care facilities for the elderly in Japan. J Infect Chemother **24**（5）：347-352, 2018
15) 下田貴博, 津久井智, 高橋 篤：社会福祉施設の季節性インフルエンザアウトブレイクの特徴とその長期化及び拡大に及ぼす因子の疫学研究. 感染症学雑誌 **90**（2）：99-104, 2016
16) 愛知県新型コロナウイルス感染症対策サイト：高齢者施設における新型コロナウイルス感染者の状況について（2020.7.14～2022.1.31）,〔https://www.pref.aichi.jp/uploaded/attachment/406261.pdf〕（最終確認：2022年2月4日）
17) 前掲9), 東山康人, 河野 茂：呼吸器感染症. p.130-143
18) 田中靖代：摂食・嚥下障害の直接訓練（摂食訓練）—リハビリの技術を生かす看護の実際. 食べるって楽しい！看護・介護のための摂食・嚥下リハビリ（田中靖代編）, 日本看護協会出版会, p.111-137, 2001
19) Gau JT, Shibeshi MR, Lu IJ, et al：Interzpert agreement on diagnosis of bacteriuria and urinary tract infection in hospitalized older adults. Journal of the American Osteopathic Association **109**（4）：220-226, 2009
20) 野尻佳克：尿検査と残尿測定. 排泄リハビリテーション—理論と臨床（穴澤貞夫, 後藤百万, 高尾良彦ほか編）, p.218-220, 中山書店, 2009
21) Bouza E, Juan RS, Munoz P, et al：A European perspective on nosocomial urinary tract infections II—Report on incidence, clinical characteristics and outcome（European Study Group on Nosocomial Infection；ESGNI-004 study）. Clinical Microbiology and Infection **7**（10）：532-542, 2001
22) Nicolle LE, Gupta K, Bradley SF, et al：Clinical Practice Guideline for the Management of Asymptomatic Bacteriuria：2019 Update by the Infectious Diseases Society of America. Clinical Infectious Diseases **68**（10）：e83-e110, 2019
23) 日本皮膚科学会疥癬診療ガイドライン策定委員会：疥癬診療ガイドライン（第3版）. 日本皮膚科学会雑誌 **125**（11）：2023-2048, 2015
24) 林 正行：疥癬はどのような病気か？ 疥癬対策パーフェクトガイド（南光弘子編）, p.42-63, 秀潤社, 2008
25) 前掲9), 相楽裕子：消化管感染症（下痢症）. p.157-165
26) 牧本清子：医療関連感染サーベイランスの定義, 目的, 方法. 事例de学ぶ医療関連感染サーベイランス—EBMに基づく感染管理のために（牧本清子 編）, p.2-16, メディカ出版, 2007

第 V 章

高齢者に特徴的な
疾患と看護
—事例による展開

学習目標

1. 各事例を通して，高齢者に特徴的な疾患の病態生理について理解する
2. 1. をふまえ，高齢者に特徴的な疾患の看護について理解する

1 急性期の看護（胃がん）

事例① Aさん（80歳，男性）：胃がん，高血圧

　妻と2人暮らし．娘夫婦と孫3人とは別居．退職以来，健康診断などは行っていなかった．喫煙歴があり（1日30本×55年），このことは健康を考えるうえで気になっていた．この数ヵ月間，胃部不快感を自覚していたものの放置していたところ，心窩部痛が強くなったため近くの病院で受診した．内視鏡検査により，胃体下部大彎から前壁にかけて潰瘍があることがわかり，生検の結果「グループ5（悪性）」と診断され，胃がんの精密検査と加療目的で大学病院に入院した．

　消化管の検査が続くことにより，禁食が続き，疲労感があり，臥床がちであった．検査結果は手術適応で，医師よりインフォームド・コンセントが行われた．インフォームド・コンセントは，家族（妻・娘夫婦）とともに応対した．インフォームド・コンセント後，口数が少なくなり，面会に来る妻に「この年になって大きな手術は体がもつか心配だ．検査ばかりで食事も減り，やせたような気がする．今さら手術をして長生きもないが，みんなが手術したほうがよいというなら，しかたがない」ともらしていた．手術の意思決定は周囲に後押しされてであった．「手術のあとは食べたり飲んだりできないと聞いた．こんなにつらいことはない」とも話していた．

　幽門側胃切除（4/5切除）とD2郭清（定型手術）を行い，胆嚢を摘出したうえで，胃と十二指腸を吻合した．全身麻酔に硬膜外麻酔を併用し，麻酔時間は9時間であった．硬膜外麻酔は術後も継続使用しており，自己調整鎮痛法（PCA）ポンプを用いて鎮痛薬を注入していた．術中出血量は450mLあり，腹腔内ドレーンを留置した．また，胃管チューブ，膀胱留置カテーテル，動脈ライン，末梢点滴ラインを留置した．術中より深部静脈血栓予防のためフットポンプを使用し，術後も継続して使用した．術後は術後回復室（HCU）にて治療を受け，患者監視装置（モニター類）による観察や輸液ポンプの使用，照度の高い環境で療養していた．

　術後の尿量は，1時間あたり体重分は確保されていた．腹腔内ドレーンからの排液の性状は暗赤色で260mL/日であった．

　術後酸素療法を継続しているが，経皮的酸素飽和度（SpO$_2$）が93〜95％，両下肺野の呼吸音が減弱していた．黄色の粘稠な痰をときどき喀出しているが，上腹部正中切開創の疼痛が強いためか，咳嗽ができないという．

　経鼻胃管チューブを自己抜去し，動脈ラインや末梢点滴ラインを固定している絆創膏をよく触っていた．「虫が天井からたくさんわいてくる……．見えないか？」と払いのけるようなしぐさがあった．意思疎通は可能であったが，疼痛について具体的に言語で表現することができず，視覚アナログ尺度（VAS）により答えてもらっていた．10（最大の痛み）を指すときは，循環動態を確認しながらPCAから鎮痛薬を追加投与し，3までにコントロールできた．

A. 胃がんとは

1●疫　学

　2020 年の部位別のがん死亡率（人口 10 万人あたり死亡した症例数）は，男性では肺がん（88.7）に次いで第 2 位胃がん（46.3），女性では大腸がん（38.0），肺がん（35.2），膵臓がん（29.7），乳房（23.1）に次いで第 5 位胃がん（22.9）であった．また，2019 年のがんの罹患率（人口 10 万人あたりの新たに診断された症例数）は全部位でみると男性 922.4，女性 668.1 であり，そのうち部位別では，男性は前立腺がん（154.3），大腸がん（143.1）に次いで第 3 位胃がん（138.9），女性では乳がん（150.0），大腸がん（104.6），肺がん（65.2）に次いで第 4 位胃がん（60.2）であった．胃がんの 5 年相対生存率*は，男性 67.5％，女性 64.6％であった．

2●病態・生理

a. 解剖生理 （図V-1-1）

　胃は，第 11 胸椎の左前方部において食道からつながり，また第 1 腰椎の前方部で十二指腸へとつながっている臓器である．食道との接続部で，胃の入り口を噴門とよび，また十二指腸との接続部で，胃の出口を幽門とよぶ．胃の容積は，成人で約 1,200～1,500 mL であり，食物の貯留と消化機能の一部を担っている．

　胃は 3 層構造をなしている．一番内側から粘膜層，筋層，そして漿膜である．粘膜層は腺構造が発達し，胃液を分泌する．筋層は蠕動運動を担い，噴門，幽門部には括約筋が発達し，逆流を防ぐ．一番外側は結合組織からなる漿膜でおおわれる．この 3 層をさらに詳細にみると，内膜から粘膜（mucosa：M），粘膜筋板（muscularis mucosae：MM），粘

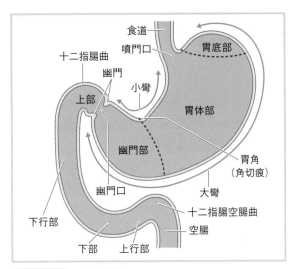

図V-1-1　胃の構造

---

* 5年相対生存率：がんと診断されてから，治療でどのくらい生命を救えるかを示す指標で，5年後に生存している人の割合が，日本人全体で5年後に生存している人の割合と比べてどのくらい低いかで示すもの．100％に近いほど治療で生命を救えるがんであるといえる．

膜下組織（submucosa：SM），固有筋層（muscularis propria：MP），漿膜下組織（subserosa：SS），漿膜表面（surface of visceral peritoneum：s）となる．

　胃粘膜の腺領域は，噴門腺，胃底腺，胃体腺，幽門腺からなり，胃液が分泌される．

b. 病　態

　胃がんは，胃粘膜上皮から発生する悪性腫瘍である．腫瘍が胃壁に深く進行し，突き抜けると周辺臓器に浸潤し，転移する．転移は，①リンパ行性転移（リンパ節転移），②血行性転移（肝転移），③腹膜播種性転移がある．

3●危険因子

　胃がん発生に影響を及ぼすと考えられる危険因子としては，①胃内ヘリコバクターピロリ感染，②高齢，③男性，④繊維質の少ない食事，⑤塩分の多い食事，⑥胃がんの家族歴，⑦喫煙，などが挙げられる．

4●臨床症状

　早期胃がんは無症状に近い．進行胃がんでは，①心窩部の不快感や悪心や痛み，②食欲低下，③体重減少，④貧血症状，⑤黒色便や吐血などが挙げられるが，これは胃がん特有の症状ではなく，胃周辺臓器の障害あるいは他の消化器がんの症状としても観察される．

5●診　断

a. 胃の内部の病巣についての検査

（1）胃内視鏡検査・胃超音波内視鏡検査

　胃内視鏡検査により胃の内部を直接見て，がんが疑われる病巣の広がりや深さを調べる．組織の一部を採取し，がん細胞の有無・組織型を調べるために病理検査を行う．さらにくわしく調べるために**超音波内視鏡検査**を追加する場合がある．これにより胃病変の粘膜下の状態，また胃壁そのものや胃壁の外の構造などを観察する．胃がんの深達度，胃の外側にあるリンパ節の腫脹（リンパ節転移の有無）などの状態について確認することができる．

（2）胃X線検査

　硫酸バリウムを飲んで，X線写真で胃内の形態的変化を観察する．バリウムにより硬便となるため下剤の内服と十分な水分摂取が必要となる．

b. がんの広がりを確認する検査

　画像診断により，がんの広がり（転移や周辺臓器への浸潤など）を確認する．胸腹部CTおよび胸部X線写真により異常の有無を確認する．注腸検査では，肛門から注腸用カテーテルを挿入し，バリウムと空気を注入し，大腸の形をX線写真で確認する．大腸へのがん浸潤の有無，腹膜転移の有無を確認する．いずれも治療前検査として必要である．

c. 診　断

　肉眼型分類はがんの浸潤が粘膜下層までにとどまる場合に多くみられる肉眼形態を**表在型**とし，固有筋層より深く及ぶ場合に多く見られる肉眼形態を**進行型**とする．胃がんを粘膜面からみてその形態を0〜5型に分類し（**表Ⅴ-1-1**），さらに0型は早期胃がんの肉眼型分類を準用して亜分類している（**表Ⅴ-1-2**）．進行度はTNM分類を基にⅠA，ⅠB，

表V-1-1　胃がんの肉眼型分類（基本分類）

分　類	特　徴	模式図
0型（表在型）	がんが粘膜下組織までにとどまる場合に多くみられる肉眼形態	（表V-1-2参照）
1型（腫瘤型）	明らかに隆起した形態を示し，周囲粘膜との境界が明瞭なもの	粘膜／粘膜筋板／粘膜下組織／固有筋層／漿膜下組織／漿膜表面
2型（潰瘍限局型）	潰瘍を形成し，潰瘍をとりまく胃壁が肥厚し周囲粘膜との境界が比較的明瞭な周堤を形成する	
3型（潰瘍浸潤型）	潰瘍を形成し，潰瘍をとりまく胃壁が肥厚し周囲粘膜との境界が不明瞭な周堤を形成する	
4型（びまん浸潤型）	著明な潰瘍形成も周堤もなく，胃壁の肥厚・硬化を特徴とし，病巣と周囲粘膜との境界が不明瞭なもの	
5型（分類不能）	上記0〜4型のいずれにも分類しがたいもの	―

[日本胃癌学会（編）：胃癌取扱い規約，第15版，p10-11，金原出版，2017より許諾を得て改変し転載]

表V-1-2　胃がんの0型（表在型）の亜分類

分　類		特　徴	模式図
0-I型（隆起型）		明らかな腫瘤状の隆起が認められるもの	粘膜／粘膜筋板／粘膜下組織／固有筋層／漿膜下組織／漿膜表面
0-II型（表面型）		隆起や陥凹が軽微なもの，あるいはほとんど認められないもの	
	0IIa（表面隆起型）	表面型であるが，低い隆起が認められるもの	
	0IIb（表面平坦型）	正常粘膜にみられる凹凸を超えるほどの隆起・陥凹が認められないもの	
	0IIc（表面陥凹型）	わずかなびらん，または粘膜の浅い陥凹が認められるもの	
0-III型（陥凹型）		明らかに深い陥凹が認められるもの	

[日本胃癌学会（編）：胃癌取扱い規約，第15版，p10-11，金原出版，2017より許諾を得て改変し転載]

表Ⅴ-1-3　胃がんの進行度分類（臨床分類）

壁深達度 ＼ リンパ節転移	N0	N1, N2, N3
T1, T2	Ⅰ	ⅡA
T3, T4a	ⅡB	Ⅲ
T4b	ⅣA	
T/NにかかわらずM1	ⅣB	

接頭語cをつける

[日本胃癌学会（編）：胃癌取扱い規約，第15版，p.26，金原出版，2017より許諾を得て改変し転載]

ⅡA，ⅡB，ⅢA，ⅢB，ⅢC，Ⅳの順に定められ，Ⅳがもっとも進行した状態である（**表Ⅴ-1-3**）．Tは壁深達度，Nは胃の領域リンパ節転移の程度，Mは領域リンパ節以外の転移の有無と部位を表す．

6 ● 治　療

治療は内視鏡的切除，手術療法，化学療法が中心となり，その適応は病期に基づく．リンパ節転移の有無にかかわらず，T1腫瘍（がんの深さが粘膜および粘膜下層にとどまるもの）を早期胃がんという．

a. 内視鏡的切除

内視鏡的切除には，内視鏡的粘膜切除術（endoscopic mucosal resection：EMR）や内視鏡的粘膜下層剥離術（endoscopic submucosal dissection：ESD）がある．がんが粘膜層にとどまっており，原則リンパ節転移の可能性がごく低く，一度に切除できると考えられる場合に行われることがある．

b. 手　術

治癒手術として定型手術と非定型手術があり，標準的に施行されてきた胃切除術法を定型手術といい，胃の2/3以上切除とD2リンパ節郭清を行う．進行度に応じて切除範囲やリンパ節郭清範囲を変えて行う非定型手術には，縮小手術と拡大手術がある．

胃がんにおける手術は，切除範囲の大きい順に以下のようなものがある．

①胃全摘術（total gastrectomy：TG）．
②幽門側胃切除術（distal gastrectomy：DG）．
③幽門保存胃切除術（pylorus-preserving gastrectomy：PPG）．
④噴門側胃切除術（proximal gastrectomy：PG）．
⑤胃分節切除術（segmental gastrectomy：SG）．
⑥胃局所切除術（local resection：LR）．
⑦非切除手術（吻合術，胃瘻・腸瘻造設術）．

胃がんの病態関連図を**図Ⅴ-1-2**に示す．

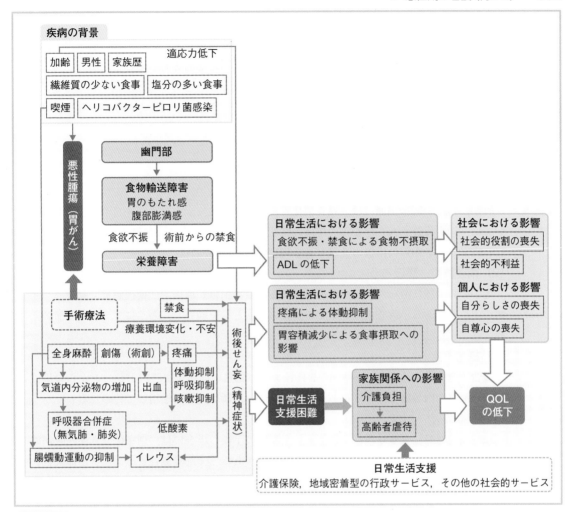

図V-1-2　胃がんの病態関連図

B. 胃がん術後 (周手術期) の急性期の看護

1 ● 胃がんの高齢者への理解

a. 胃がんで手術を受けることへの理解 (術前の不安)

　術前の不安は，年齢や男女を問わず手術を受けるすべての人が有するものである．まず，がんという疾病，手術などの漠然とした不安を抱えており，さらには術前には慣れない入院生活や検査があり，適応力が低下している高齢者にはとくに身体的・精神的な負担が大きい．

　高齢者の場合，退職などで社会的役割が喪失または減少し，死別を含む親しい者との別離など人間関係が縮小し，また経済力が低下する傾向にある．そのような状況が重なると，高齢者は心理的な危機状態に陥りやすい．手術後の体力の衰えに予期的不安を感じ，また夫婦のみの生活にも不安を感じ，手術に対して消極的になることがある．

　このような状況において，患者自身が医療従事者に相談することは少なく，1人で不安を抱え込む可能性がある．そこで医療従事者としては，家族の面会時などの様子も把握し，

医療者には話さずに家族には話していることなどを，必要に応じて家族から聞き出す必要がある．不安などの現れはバイタルサインの変化としてとらえられることがあり，血圧上昇や頻脈・動悸などがみられ，また頻尿，不眠，疲労感などの身体的症状を訴えることがある．これらの不安症状を把握したならば，できるかぎり声かけなどのかかわりを多くもつようにし，不安の軽減に努める必要がある．不安が高じた状態で手術に臨むと，術後の精神症状（せん妄など）を呈することが多い．

b. 胃がん術後に合併しやすい身体症状

(1) 術後出血

胃がん術後の**術後出血**には，残胃消化管出血と腹腔内出血がある．残胃消化管出血については，経鼻胃管チューブからの排液の性状と量を観察する．また腹腔内出血については，腹腔内ドレーンからの排液の性状と量を観察する．

(2) 術後膵炎，膵液ろう

術中の脾動脈に沿ったリンパ節郭清による膵臓の損傷が原因で，**術後膵炎**や**膵液ろう**が起こることがある．腹腔内ドレーンの排液の性状と量を観察し，とくにアミラーゼ値の上昇に注意する．

(3) 縫合不全

縫合不全を発症すると，術後4〜7日目より，発熱，疼痛，腹腔内ドレーンからの排液増加（消化管内容物の漏出）などが観察される．診断は造影剤を用いて行われる．

(4) 無気肺

長時間の麻酔による呼吸抑制に加え，上腹部の手術の場合には，創痛により深呼吸が妨げられるため，十分な呼吸運動ができないことがある．また経鼻胃管チューブが挿入されることにより口呼吸となることから，口腔内が乾燥し，痰の喀出が妨げられることがある．**無気肺**が疑われる場合，呼吸音の減弱や副雑音が確認されるほか，酸素化が不十分となり SpO_2 が低下する．診断は胸部 X 線写真により行われる．

(5) イレウス

通常では術後1〜2日で排ガスが認められるが，腸蠕動音の聴取の有無，経鼻胃管チューブからの排液の量を観察し，4〜5日経過しても腸蠕動音が聴取できず，経鼻胃管チューブからの排液の量が増加する場合は**機能性イレウス（腸管麻痺）**を疑う．診断は，立位腹部単純 X 線写真により行う．

(6) 疼　痛

術後痛（術後疼痛）とは，創部とその他の要因によって起こる複合痛であるが，創傷治癒にしたがって軽快する急性疼痛である．つまり創部の皮膚切開の痛みは，麻酔覚醒から24時間以内がもっとも強く，その後軽減するものであるが，咳嗽や体動によって増強する．また疼痛は個人的な体験であることから，個人差が大きい．過去の経験，性別，年齢という一般的な共通の要因と，呼吸運動の影響を受けやすい胸部，上腹部の手術は術創が呼吸・咳嗽によって伸展し，創部疼痛が強いとされており，局所的な要因も挙げられる．さらに疼痛の表現はさまざまであるが，高齢者においては，男女ともに生来からの躾（男性の場合，痛みなどの弱みは見せない，口にしないなど）の影響を受け，痛みをそのまま表現することは少なく，控えめになっていると考えられる．

(7) 術後せん妄

　術後せん妄は，術後一過性に発症する可逆性の認知能力低下を特徴とする意識障害である．要因として，高齢，不眠，疼痛，基礎疾患，使用薬剤，環境の変化などが挙げられ，開腹術（消化管術後）では，絶食がある．麻酔覚醒後から発症し徐々に回復するタイプと，術後数日間意識清明期を経てから発症する間欠型のタイプがあり，症状は多様であるが，過活動型と低活動型，昼夜逆転などにみられる混合型がある．昼夜逆転では，夜間に問題行動が起こることが多い．錯覚，幻覚，あるいは妄想を伴う．この間の記憶は健忘することが多い．過活動型では，チューブ・ドレーン類の自己抜去や，思いがけず身体を動かすなどの安静度拡大があり，術後管理において生命の維持に対しても問題となる行動がみられる．

c. 胃がん術後急性期における日常生活への影響

(1) 疼　痛

　術後痛のコントロールは早期離床や術後合併症予防のための重要なケアであり，術後回復を左右する．疼痛時の医師の指示を確認し，鎮痛薬の効果・副作用について確認する．

　疼痛の訴えはさまざまである．呼吸運動・咳嗽に伴う疼痛の増強やドレーン挿入部の疼痛などがある．術中体位による筋肉痛様の疼痛の訴えや身体の下にあるカテーテル類の違和感もあるため，どこの疼痛であるかは確認する必要がある．また時間帯によって程度は異なる．一般的に昼間より夜間のほうが，疼痛が強くなる傾向にあり，疼痛のために不眠をまねき，日中の療養行動に影響を及ぼす．

(2) 術後せん妄

　術後せん妄の初期症状は落ち着きのなさ，絆創膏や酸素マスクなど身体に装着されているものを絶えず触る，目つきの変化などである．術後は身体状況が大きく変化し，酸素マスクといった治療上必要な医療器具の装着や声のかすれなどの患者側の要因と，さらに術後の療養環境変化，術前かかわりのない（少ない）医療従事者とでは，コミュニケーションがうまくはかれないことがある．その結果「身体がつらいのに，理解してもらえない」などの行き違いが生じ，不安感や孤独感が増し，症状が悪化することがある．

　高齢者の場合，患者の術前の状況を理解するため，術前療養している病棟との情報共有を行い，患者家族からの協力も得て，患者に安心感を与えるようにする．またせん妄の発症は夜間が多く，医療従事者の対応人数が少ないため，時間に配慮した観察など工夫が必要である．

(3) ダンピング症候群

　術後食事開始は，医師の指示により始まり，おおむね第1病日に水分摂取から始まる．その後段階的に3分粥，5分粥とステップアップするが，1回の食事の摂取量は術前の1/4（ハーフ食）となる．

　幽門側胃切除では，**ダンピング症候群**などの消化器症状が出現することがある．これは幽門輪の切除により食物が胃に貯留せず，急速に小腸に流れ込むために起こる症状である．ダンピング症候群は，食事中から30分程度で起こる早期ダンピングと，2〜3時間後に起こる晩期ダンピングがあり，それぞれに対処できるように説明する必要がある．とくに晩期ダンピング症候群では，低血糖症状が出現するため早急な対応が必要である．この

ような症状は食事の楽しみを減少させ，また食事摂取に対して恐怖感を覚えることがある．「よく噛む」「ゆっくり時間をかけて食べる」「満腹にしない」「安静」「低血糖時の糖分補給（飴など）」を説明するなどの食事指導が必要である．高齢者では炭水化物に偏らないように，「高たんぱく質」「低脂肪」の食事メニューを家族にも説明する必要がある．

2 ● 看護の目標

術後急性期における看護の目標は，手術侵襲からの速やかな回復であり，以下が挙げられる．

①生命維持に必要な諸機能の維持と術後合併症の予防を行う．
②創痛をはじめとする苦痛を緩和する．
③手術侵襲によるさまざまな制限下での生理的ニーズを充足させる．

3 ● アセスメントの視点（Aさんの場合）

急性期は，生命維持に重点がおかれるため，異常の早期発見がもっとも重要となる．一方で，正常範囲を逸脱していないかどうかをアセスメントするさいは，生理的反応を理解し，高齢者の特性（既往歴など）を理解する．そして**マズロー**（Maslow AH）の**欲求階層説**を参考にし，個々の状況に応じた療養環境を提供することを念頭におきながらアセスメントする必要がある．

a. 術後合併症をみる（表Ⅴ-1-4）

（1）術後出血をみる

消化管出血と腹腔内出血の有無についてのアセスメントを，バイタルサイン，フィジカルアセスメント，ドレーンからの排液の性状と量から行う．術後の状態からは，ドレーンの排液の性状からも出血が持続しているとはいえず，循環動態は保たれていると考えられる．しかし，Aさんの場合高血圧の既往もあり，引き続き血圧低下・ショックに陥る可能性がある．収縮期血圧が100 mmHg以下で注意が必要であり，綿密な観察が必要である．

（2）無気肺をみる

呼吸の数，型を観察し，呼吸音を聴取する．無気肺の危険因子としては高齢，喫煙歴，肥満，長時間の麻酔ガス吸入がある．Aさんは喫煙歴があり，麻酔時間9時間は長く，気管分泌物の貯留が考えられる．喫煙の影響は線毛運動が妨げられていることで，気管分泌物の排出を妨げることである．また上腹部創は呼吸運動により創部の安静が保たれないことから疼痛が強い．Aさんは疼痛をまねく深呼吸はできず，浅い，速い呼吸となっていたと考えられる．さらにAさんは経鼻胃管チューブ挿入中であり口呼吸となりやすく，常に咽頭に違和感があり，不必要に咳嗽が誘発され疼痛の原因となっていたと考えられる．以上のことから，喀痰が妨げられ，深呼吸も妨げられることから，酸素化が不十分となったと考えられる．

表Ⅴ-1-4　胃がん術後観察項目

	観察項目	所　見	留意点
出　血	①経鼻胃管チューブ ②腹腔内ドレーン ③創部 ④皮膚・粘膜 ⑤血圧・脈拍 ⑥尿量 ⑦呼吸状態 ⑧意識レベル ⑨Ht，Hb	①②正常では，血性（暗赤色）⇒淡血性⇒淡々血性と徐々に濃い血性から薄い血性に変化する．また排出量は時間とともに減少する（経鼻胃管チューブからは，腸蠕動の回復に応じて減少する） 動脈性の出血（鮮紅色，拍動に合わせた流出）に注意し，100 mL/時以上で2時間以上持続する場合は危険 ③ドレーンからの排出がなくても，腹腔内に貯留する場合がある．創部からの観察をし，血腫や圧痛をみる場合がある．また腹部膨満や創部からの出血が観察される ④蒼白，乾燥した皮膚，チアノーゼ，冷感がある ⑤頻脈（120回/分以上），血圧低下（80 mmHg/収縮）を呈する． ⑥時間尿量が低下（体重1 kgあたり0.5 mL/時未満）する ⑦呼吸促迫になる ⑧不穏症状，指示不応 ⑨Ht 30％以下，Hb 10 g/dL以下に注意する	▶チューブ・ドレーン類は屈曲や閉塞がないかを確認する ▶バイタルサインは，高齢者では高血圧や不整脈の既往を把握し，術前の一般状態と比較する必要がある ▶疼痛もバイタルサインに影響を及ぼす ▶Ht，Hbは術中出血量や輸血の有無などを確認し，術後からの値の変化に注意する．また脱水も考慮に入れる
無気肺	①呼吸数，型 ②呼吸音 ③痰の性状，喀出状況 ④SpO_2 ⑤血液ガス分析 ⑥胸部X線	①正常では15〜20回/分，仰臥位〜セミファウラー位での呼吸となるため横隔膜運動が制限され浅い呼吸となる ②気管支に痰などの異物がある場合，乾性ラ音を聴取する．咳嗽で消失することが多い ③気管挿管，吸入麻酔ガスの刺激により気道内分泌物が増加する．透明〜白色の痰が喀出される．血痰，黄色（黄緑色）の膿性痰に注意する	▶疼痛時も呼吸促迫となり有効な換気ができず，SpO_2が低下することがある ▶SpO_2が低下しても，深呼吸などを促し回復するかを確認する ▶血痰（血液混入）は，気管挿管時の気道損傷が原因の場合がある．咽頭の違和感とともに観察し，徐々に減っていくことを観察する

b. 術後痛をみる

　術後痛管理のため，硬膜外麻酔のためのカテーテルが継続留置されていた．自己調節鎮痛法（PCA，詳細は後述）を用いた鎮痛薬の持続注入が行われるのが一般的である．患者の疼痛増強に応じて，鎮痛薬を追加注入することが可能であるが，Aさんの場合，自分で追加注入を実施することは困難で，また前述のように，経鼻胃管チューブの違和感が咳嗽を誘発し，創痛を増したと考えられ，経鼻胃管チューブ自己抜去にいたっている．せん妄症状とも考えられるが，疼痛の要因となっているものに対して対処したとも考えられる．高齢者の場合疼痛や苦痛の表現は過少となっている可能性がある．Aさんは術前から，妻には苦痛の声をもらしていたが，医療従事者に訴えることはなかったことを考えると，疼痛に関しても医療従事者からの積極的なアプローチが必要である．

c. 療養環境をみる

　術後の療養環境は，一般病棟ではなく，HCU（high care unit）という術後経過観察室であった．術前に慣れていた療養環境とは病室の状況，ケア提供をする看護師がまったく

異なっていた．HCU では，A さんに装着されているモニター類のアラーム音だけでなく，周囲のアラームなども容易に耳に入る状態である．加えて夜間照明が明るいなど，安静と活動のバランスが確保されていない環境である．このような特殊環境で，A さんらしい療養環境を提供するのは困難である．しかし，A さんの術前からの不安な状況が反映し，せん妄症状が現れていることが考えられる．現在の状況を説明し，医療従事者が近くにおり安心できる環境にあること，家族とは離れていても，いつでも面会できることなどを伝えていくことが重要である．

4 ● 看護問題の明確化

アセスメントの結果，A さんの状況は以下のように要約される．

①胃切除術後，今のところ循環動態は安定しているが，高血圧の既往もあり，血圧低下・ショックに陥る可能性がある．
②上腹部創痛による咳嗽・呼吸抑制が生じ，喀痰困難があり，加えて浅く速い呼吸となっており，酸素化が不良である．無気肺を起こしている可能性がある．
③上腹部創の疼痛があり，とくに咳嗽時・体動時に強い．
④術前からの不安，術後療養環境の変化や疼痛により，術後せん妄を起こしている．
　急性期においては1つの合併症や症状を契機として，次々と別の合併症を引き起こし，負の連鎖に陥る可能性がある．

ここでは術後痛が呼吸器合併症（無気肺）や術後せん妄の引き金になっている可能性があり，術後痛に関連した問題を中心に，看護目標と看護計画を決定した．

A さんの看護目標と看護計画

看護目標	看護計画
A さんの術後痛が軽減（緩和）され，早期離床が進む	①言語的・非言語的な疼痛の訴えを観察し，状態を確認する ②バイタルサインを確認し，硬膜外 PCA から鎮痛薬を追加投与する．追加投与後の疼痛を観察し，効果の有無を確認する ③硬膜外 PCA による副作用の出現に留意する

5 ● 看護介入の技術

a. 硬膜外 PCA

PCA（patient controlled analgesia，自己調節鎮痛法）とは，患者が疼痛を感じたときに，患者自身が鎮痛薬投与について操作を行う方法である．硬膜外 PCA と静脈内 PCA の方法がある．安静時の疼痛は，静脈内投与で十分可能であるが，体動時の疼痛に対しては硬膜外 PCA のほうが優れているとされている．また少ない薬剤量で効果の発現が得られる．使用される薬剤は主に，局所麻酔薬とオピオイドである．

注入機器は，電動式注入器または非電動式バルーン式注入器（ディスポーザブル）のいずれかが用いられる．PCA 注入器は，ボーラス投与量（患者自身が操作したときに投与される薬剤量），ロックアウト時間（1回のボーラス投与後から次のボーラス投与が可能となるまでの時間），基礎持続投与量（持続投与される薬剤量）が設定されている．

b. 硬膜外 PCA を用いた疼痛コントロールの実際

　A さん自身は上腹部創の疼痛について直接「痛い」とは訴えていない．しかし，深呼吸や咳嗽など体動を抑制している様子が観察でき，疼痛が存在することが考えられる．疼痛は主観的個人的体験であるが，「訴えがない＝疼痛がない」ということではない．患者の主訴だけで疼痛の有無を判断せずに，A さんのように，体動制限，あるいはバイタルサインの変化（頻脈・呼吸促迫），表情などのフィジカルアセスメントの技術を駆使して判断する必要がある．疼痛が上腹部創痛やドレーン挿入部など手術によって加えられた急性疼痛であると判断できた場合，鎮痛薬を追加投与する．また患者自身が追加投与の操作ができない場合は，医療従事者が代わりに行う．

　硬膜外 PCA の副作用は，鎮痛薬そのものの副作用として呼吸抑制と血圧低下，悪心・嘔吐，瘙痒感，排尿障害，運動麻痺などが挙げられる．

6 ● 評　価

　前述のように「訴えがない＝疼痛がない」ではないことから，評価には主訴，バイタルサイン，フィジカルアセスメントや，体動時のスムーズさなどを併せたアセスメントが必要である．

　疼痛の評価尺度には **VAS**（visual analogue scale）や**フェイス・スケール**がある（p.468，**付録 10，11** 参照）．A さんは術後せん妄があったが医療従事者の質問には答えることができた．VAS にて評価し，10（もっとも強い痛み）にて PCA から追加投与を行った．投与後は 3 を指し，鎮痛薬投与によってコントロールが可能となったと考えられる．血圧低下などの副作用もなく，安全に実施可能であった．

　疼痛の間接的な評価として，呼吸状態（SpO_2）の回復やせん妄状態の改善がある．疼痛により呼吸運動が抑制されていると，換気が不十分となり酸素化が低下し，SpO_2 値が低下することが報告されている．疼痛が緩和することで呼吸運動が正常化し，SpO_2 が改善する．またせん妄状態の改善にも貢献しているという報告がある．A さんのせん妄は，疼痛のみが要因ではないが要因の 1 つを除去することになった．毎日家族の面会があり，落ち着きを取り戻し，異常行動が少なくなり，医療従事者とのコミュニケーションも可能となった．

　急性期はまさに生理的ニーズを満たすことから始まり，生命維持のため，合併症を回避することが最重要課題である．疼痛などの安全の欲求を解消し，さらに上位の欲求を満たすためのケア提供が必要である．

練習問題

Q31▶ 術後せん妄の症状として考えられるものはどれか．2つ選べ．

1. 術直後に38℃以上発熱する
2. 「天井に虫がたくさんいる」といった発言がある
3. 点滴チューブを引っ張り抜こうとする
4. 第5病日に悪心・嘔吐を生じる

［**解答と解説** ▶ p.480］

┃引用文献┃

1)　国立がん研究センターがん対策情報センター：がん情報サービス—がん登録・統計：最新がん統計（2022年9月15日更新），〔http://ganjoho.jp/reg_stat/statistics/stat/summary.html〕（最終確認：2022年10月28日）

リハビリテーション看護（大腿骨頸部骨折）

事例② Bさん（80歳，女性）：左大腿骨頸部骨折，高血圧，不整脈（心室性期外収縮），骨粗鬆症

　家族構成は夫（85歳）と2人暮らしである．Bさんは日中，家事や草木の手入れなどをして過ごしていた．ある日の夕方，玄関先で転倒していたBさんを，外出先から帰宅した夫が発見し，救急車で搬送され，左大腿骨頸部骨折のため，即日入院となった．翌日，人工骨頭置換術が施行された．手術した夜のBさんには，酸素マスクや点滴を外そうとするなど不穏な様子がみられた．術後1日目から，看護師の介助のもと，ベッド上で坐位や体位変換を行えるようになった．外転枕を用いた体位変換時には疼痛はあるが動作に支障をきたすほどではなかった．術後2日目から，看護師介助のもと臥床の状態から起き上がり，ベッドサイドで端坐位がとれるようになり，車椅子への移乗も行えるようになった．Bさんからは「立てただけですごく嬉しかった」と前向きな発言が聞かれた．術後3日目，尿道留置カテーテルが抜去され，理学療法室で平行棒での歩行訓練が開始された．排泄は，看護師介助のもと日中はトイレで，夜間はベッドサイドのポータブルトイレで行っていた．しかし，移乗動作やズボン着脱時に後方へバランスを崩しやすかった．術後1週間が経過し，移乗動作は看護師の見守りのもとで行えるようになり，Bさんは「夫が心配だから早く家に帰りたい．そのためには自分でトイレに行けるようになりたい」と現在トイレでの排泄動作の自立に向けて取り組んでいる．

A. 大腿骨頸部骨折とは

　大腿骨の骨頭，頸部，頸基部，転子部，転子下に発生した骨折を大腿骨近位部骨折という（**図Ⅴ-2-1**）．関節包内骨折を**大腿骨頸部骨折**といい，関節包外骨折を**大腿骨転子部骨折**という．

1●疫　学

　大腿骨頸部・転子部骨折の年間発生数は，2012年では17万5,700例（男性3万7,600例，女性13万8,100例）であり，今後も高齢化に伴い増加すると推定されている[1]．骨折型別に発生率をみると，70歳代前半までは頸部骨折が多く，70歳代後半からは転子部骨折が多い[1]．

2●病　態

　大腿骨頸部骨折は，転子部骨折に比べて治癒が困難である．その理由として，①骨折部に外骨膜がないため骨膜性仮骨が形成されないこと，②大腿骨骨頭部への血行は頸部側から供給されるため骨頭側への血流が遮断されること，③骨折線がななめに入ることが多い

ため骨折部に生じる剪断力により骨癒合が阻害されること，などが挙げられる．

3●危険因子

　大腿骨頸部・転子部骨折の危険因子（p.324，骨折の「発生要因」参照）には，骨密度の低下（p.362，**コラム**参照），脆弱性骨折の既往，骨代謝マーカーの高値，血清ビタミンDの低値，親の大腿骨頸部・転子部骨折の既往，甲状腺機能亢進症・性腺機能低下症・胃切除術の既往，大腿骨頸部長が長いこと，加齢，低体重，喫煙，多量のカフェイン摂取などが挙げられる[2]．

4●臨床症状

　受傷原因は，転倒・転落が約80％を占め，屋内での受傷が約3/4と報告されている[3]．転倒直後に起立不可能となり，股関節を中心とした下腿に疼痛を伴う．大腿骨頸部骨折は関節内骨折のため，腫脹や皮下出血は少ないが，転子部骨折は海綿骨からなり血流が豊富なため，大転子部の腫脹や皮下出血を伴う．

5●診　断

　主にX線単純撮影検査が用いられる．大腿骨頸部骨折の骨折型の分類には**ガーデンステージ**（Garden stage）**分類**が多く用いられる．骨折部の転位の程度によりステージⅠは不完全骨折，ステージⅡは転位のない完全骨折，ステージⅢは転位のある完全骨折，ステージⅣは高度な転位の完全骨折である（**図Ⅴ-2-2**）．

　X線単純撮影検査で診断ができない場合，MRI・骨シンチグラフィ・CTのいずれかを追加することが望ましく，なかでもMRIがもっとも有用である[4]．

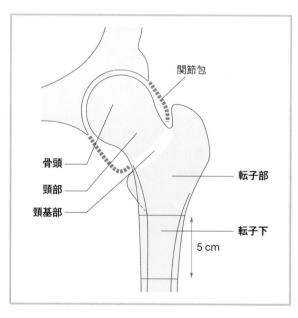

図Ⅴ-2-1　大腿骨近位部

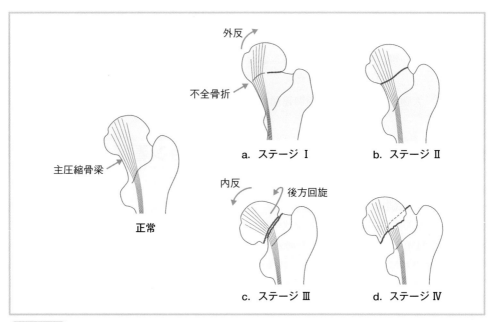

図V-2-2　大腿骨頸部骨折のガーデンステージ分類
［日本整形外科学会診療ガイドライン委員会，大腿骨頸部/転子部骨折診療ガイドライン策定委員会（編）：大腿骨頸部/転子部骨折診療ガイドライン2021，第3版（日本整形外科学会，日本骨折治療学会監），p.10，南江堂，2021より許諾を得て転載］

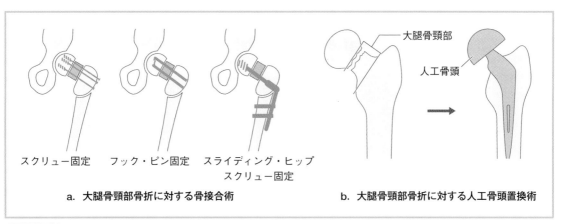

図V-2-3　大腿骨頸部骨折の治療

6●治　療

　大腿骨頸部骨折は高齢者に多く，長期臥床による合併症予防のため，ほとんどの症例で手術療法が選択されている．手術方法は全身状態，年齢，骨折型などにより異なる．非転位型（ガーデンステージⅠ，Ⅱ）には**骨接合術（図V-2-3a）**，転位型（ガーデンステージⅢ，Ⅳ）には**人工骨頭置換術（図V-2-3b）**が推奨されている．高齢者の場合は，早期荷重（術後3日以内の全荷重）が可能なセメント使用の人工骨頭置換術が実施されることが多く，一般的には術後1日目から上体を起こし，約1〜2週間で起立し，歩行訓練へと進む．

一方，疼痛除去と整復を目的とした保存療法として，**介達牽引**（スピードトラック牽引）や**直達牽引**（キルシュナー鋼線牽引）があり，一般的に入院から手術までの期間に行われるが，現在多くの症例ではできる限り早期の手術が推奨されている．

大腿骨頸部骨折の病態関連図を**図Ⅴ-2-4**に示す．

B. 大腿骨頸部骨折のリハビリテーション看護

1 ● 大腿骨頸部骨折の高齢者への理解

a. 大腿骨頸部骨折への理解

大腿骨頸部骨折は，疼痛や関節可動域の制限とともに歩行困難となり，日常生活動作（ADL）が制限される．そのうえ高齢者は加齢に伴い基礎疾患をもつことも多く，術後合併症や廃用症候群を生じやすい．また，入院や手術など急激な環境変化に適応しにくく，突然のできごとにショックや後悔も大きいことから精神的に混乱をまねきやすく，せん妄や認知症を認める患者も多い．

大腿骨頸部骨折の人工骨頭置換術における看護として，術前・術後を通した合併症予防と早期離床が求められる．看護師は，疼痛や安静に伴うADLの制限に対してセルフケアを補い，術後合併症を想定したアセスメントを行う．また，全身状態や安静度に応じて早期離床をはかるため，理学療法士など多職種と連携し，移乗・移動などADLを拡大していく必要がある（**表Ⅴ-2-1**）．

b. 大腿骨頸部骨折に合併しやすい身体症状

(1) 術後合併症

深部静脈血栓症，脱臼，せん妄，腓骨神経麻痺，感染（創部感染，尿路感染，呼吸器感

コラム

骨粗鬆症とは

骨粗鬆症は，骨強度（＝骨密度［骨量］＋骨質）の低下により骨の微細構造が脆弱化し，軽微な外力によっても骨折をきたしやすくなった状態である[i]．副甲状腺ホルモンやカルシトニンが働き，破骨細胞による骨吸収もしくは骨芽細胞による骨形成を経て，骨からのカルシウム溶出と貯蔵を繰り返し，血中のカルシウム濃度はバランスよく保っている．骨形成と骨吸収のバランスの乱れが原因であり，血中のカルシウム濃度には異常が表れない．原発性骨粗鬆症では加齢，閉経後のエストロゲン減少，続発性骨粗鬆症ではステロイドなどの薬物，内分泌異常などが要因として挙げられる．骨粗鬆症は自覚症状が乏しく，進行すると腰背部痛や骨折（椎体，大腿骨頸部，橈骨遠位端など）を生じる．骨粗鬆症の予防には，①骨密度の減少を抑えるカルシウム，小腸でのカルシウム吸収を助けるビタミンD，骨形成を促進するビタミンK，良質な筋肉を育むたんぱく質などのバランスのとれた食事，②転倒・骨折予防を目的とした適度な運動が推奨される．骨粗鬆症の治療は，骨強度の維持や骨折予防を目的とする．骨吸収を抑制するビスホスホネート製剤や骨形成を促進するビタミンKと活性型ビタミンD₃などの薬物療法とともに，食事療法，運動療法を継続できるよう援助する．

引用文献
i）井樋栄二, 吉川秀樹, 津村 弘ほか編：標準整形外科学, 第14版, p.321-330, 医学書院, 2020

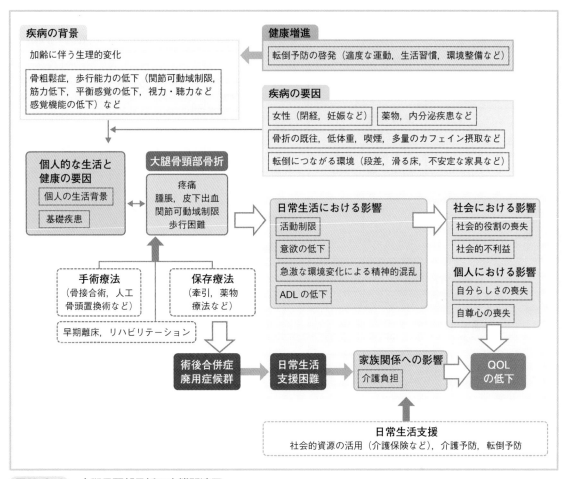

図V-2-4　大腿骨頸部骨折の病態関連図

染ほか) などが挙げられる. とくに起こりやすいのは深部静脈血栓症と脱臼である.

①深部静脈血栓症

　股関節の手術は, **深部静脈血栓症** (deep vein thrombosis：DVT) 発生の危険因子の1つであり[5], 術前・術後を通して, ①弾性ストッキングの使用, ②足関節の自動運動 (足趾・足関節の背屈・底屈運動), ③間欠的空気圧迫法 (足底の静脈叢または下腿の筋肉を圧迫し静脈血の還流を促す), ④脱水予防, ⑤早期離床などを行う必要がある.

②脱　臼

　脱臼しやすい肢位は手術方法によって異なり, 前方アプローチでは股関節の伸展・内転・外旋位, 後方アプローチでは股関節の過度な屈曲・内転・内旋位が脱臼しやすい肢位となる. 術後は, 股関節が外転中間位を保つように, **外転枕**を用いて**体位変換**を行う (**図V-2-5**).

(2) 廃用症候群

　廃用症候群 (disuse syndrome) とは, 心身の不使用・不活発によって機能低下をきたした病態であり, 身体の一部分の機能低下 (局所性), 全身的な機能低下 (全身性), 精神

表Ⅴ-2-1　大腿骨頸部骨折の人工骨頭置換術における回復過程の一例

		前　日	手術日	1日目	2日目	3日目	6日目	7-10日	2週目	3週目
食　事			・絶飲食	・食事						
清　潔				・清拭 →→→→→→→→→→→→→→→→→→→→→→→→ ・シャワー →→→→→→→ ・入浴		・洗髪 →→→→→→→→→→→→		・シャワー		・入浴
排　泄			・尿道留置カテーテル →→→→→→→→→→		・トイレ				
リハビリテーション	病棟	・ベッドサイドリハビリテーション	・外転枕使用し体位変換	・45度ヘッドアップ	・端坐位・車椅子移乗		→→→→		・一本杖・歩行	・外泊・退院
	機能訓練室				・起立・歩行訓練・ROM・筋力運動	・歩行器・歩行				
その他		・弾性ストッキング，足関節の自動運動，間欠的空気圧迫法 →→→→→→→→→→→→→→→→→→→→→→→→ ・大腿四頭筋セッティング運動 →→→→→→→→→→→→→→ ・SLR →→→→→→→→→→→→→→								

ROM：range of motion（関節可動域訓練），SLR：straight leg raising（下肢挙上運動）

神経の機能低下（精神・神経性）に大きく分けられる（**表Ⅴ-2-2**）.

　ここでは高齢者に生じやすい筋力低下について述べる. 筋力はまったく動かさないと1日2~5％程度ずつ低下するといわれる. 予防するには早期離床が効果的であり，医師と離床時期や体重のかけ具合の指示を確認しながら進める. また，健側下肢は術前，術後早期から床上において**下肢挙上運動**（straight leg raising：SLR）（**図Ⅴ-2-6a**）や**大腿四頭筋セッティング運動**（**図Ⅴ-2-6b**）を適宜行う.

c. 日常生活への影響

　大腿骨頸部骨折の機能予後（歩行能力）は，すべての症例が受傷前の日常生活レベルに復帰できるわけではなく，受傷前の歩行能力と年齢，骨折型，筋力，認知症が影響すると報告されており[6]，要介護での在宅復帰や施設への転院となる場合もある. 高齢者の場合，生活リズムを整えることも重要である. 看護師は，高齢者が日中の活動量や離床時間により良質な睡眠を確保し，洗面など規則正しい生活が送れるよう留意する必要がある. また，人工骨頭置換術の場合，脱臼，摩耗，ゆるみなどの合併症を起こさないように配慮できる生活を確立する必要がある.

　また，入院中の安静時に体重が増加し，関節への負担が増すことで，疼痛が増強しADL低下にいたることもあるため，体重の管理にも留意する.

2●看護の目標

　入院や手術などの安静に伴う廃用症候群を生じやすいため，早期離床をはかり，ADL

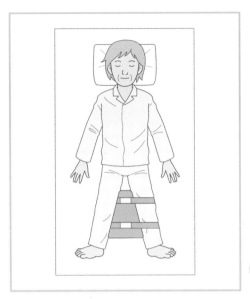

図Ⅴ-2-5 外転枕を用いた股関節の外転中間位保持

表Ⅴ-2-2 原因別にみた廃用症候群の諸症状

Ⅰ. 局所性廃用によるもの	1. 関節拘縮
	2. 廃用性筋萎縮
	a. 筋力低下
	b. 筋耐久性低下
	3. 骨粗鬆症・高カルシウム尿
	4. 皮膚萎縮
	5. 褥瘡
Ⅱ. 全身性廃用によるもの	1. 心肺機能低下
	a. 1回拍出量の減少
	b. 頻脈
	c. 1回呼吸量減少
	2. 消化器機能低下
	a. 食欲不振
	b. 便秘
	3. 易疲労性
Ⅲ. 臥位・低重力によるもの	1. 起立性低血圧
	2. 利尿
	3. ナトリウム利尿
	4. 血液量減少
Ⅳ. 感覚・運動刺激の欠乏によるもの	1. 知的活動低下
	2. 自律神経不安定
	3. 姿勢・運動調節機能低下

［上田　敏：廃用症候群とリハビリテーション医学. 総合リハビリテーション 19：773-774, 1991 ／松嶋康之, 蜂須賀研二, 廃用症候群 定義, 病態. 総合リハビリテーション 41（3）：257-262, 2013 を参考に作成］

を拡大していく必要がある．また，退院後に安全な生活が送れるよう脱臼予防や転倒予防を考慮した安全な移乗動作や生活様式の確立が必要である．Bさんは高齢の夫（85歳）との2人暮らしのため，夫の心身状況や介護力などをアセスメントし，適切な社会資源の活

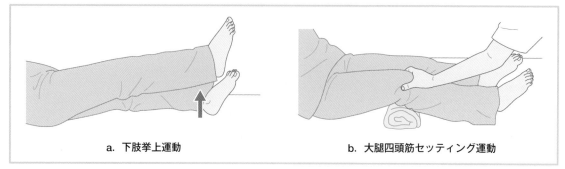

a. 下肢挙上運動　　　　　　　　　　　　b. 大腿四頭筋セッティング運動

図Ⅴ-2-6　廃用症候群の予防
a：ベッド上臥位で膝関節は伸展位のまま下肢を約30度挙上し，約10秒保持してから下ろす．
b：ベッド上臥位で膝関節は伸展位のまま膝をベッドに押しつけるようにして筋収縮を5〜10秒保持してから弛緩する．介護者は，
　患者の大腿部に手を添えて，大腿四頭筋の収縮を確認する．患者が力の入れ具合がわかりにくいときは，タオルを膝の下にはさむ
　と押しつける感覚がわかりやすい．

用も検討していく必要がある．看護師は，患者・家族と目標を共有し，医師，理学療法士，作業療法士，ソーシャルワーカーなど多職種からなるリハビリテーションチームの一員として，下記の内容に焦点を当てながら援助を考える必要がある．

①手術後の合併症や廃用症候群を予防し早期離床をはかる．
②脱臼の危険性がなく安全にADLを拡大する．
③転倒・転落がなく安全に歩行できるようにする．
④家族の支援，社会的資源など活用し在宅復帰する．

3 ● アセスメントの視点（Bさんの場合）

a. 大腿骨頸部骨折をみる

　Bさんは，術後1日目からベッド上で坐位や体位変換，術後2日目には，看護師介助のもとでベッドサイドでの端坐位や車椅子への移乗などが行えるようになった．術後3日目には理学療法室で平行棒での歩行訓練が開始された．理学療法士の評価では，患側の左股関節に関節可動域制限（屈曲100度，外転40度）と筋力低下がみられ，立位バランスが不安定であり，歩行時の疼痛や筋力低下による跛行（はこう）がみられるとのことだった．これらよりBさんは移乗時のふらつきや立位バランスが不安定であり，転倒の危険性が高いと考える．

b. 身体症状をみる

　Bさんは，手術した夜は酸素マスクや点滴を外そうとするなど，せん妄による不穏な様子がみられたが，その後落ち着いた．Bさんの安静時の血圧は120〜150／70〜90 mmHg，脈拍は60〜90回／分（不整脈あり），体温は36.0〜36.5℃であり，移乗時や機能訓練後などに血圧の変動や動悸，めまい，疲労などがみられた．

c. 生活への影響をみる

　ADLは「ひとりの人間が独立して生活するために行う基本的な，しかも各人ともに共通に毎日繰り返される一連の身体動作群」と定義されている[7]．ADLには3つのレベルと

して，評価・訓練時に現在もっている能力を最大限に使えばできる「できるADL」，日常生活のなかで実際行っている「しているADL」，将来家庭や職場に帰ったときに実行する「するADL」があり，リハビリテーションは当初から「するADL」を目指して行うべきである．多職種が連携してかかわるリハビリテーションにおいて，看護師は病棟で24時間の生活を通して「しているADL」にかかわる役割を担う．

　ADL評価として，排泄や食事などBADL（basic activities of daily living：基本的ADL）を評価するバーセルインデックス（Barthel Index：BI）（p.460，**付録1**参照）とFIM（Functional Independence Measure：機能的自立度評価表）（p.463，**付録4**参照）が多く用いられている．さらに，買い物，食事の支度などより高度な応用動作を評価するIADL（instrumental activities of daily living：手段的ADL）**尺度**（p.461，**付録2**参照）がある．

　BさんはズボンZ脱時に後方へバランスを崩しやすい．しかし「看護師を呼ぶのが申しわけない」とナースコールで知らせずにポータブルトイレへ1人で移乗してしまう可能性があり，排泄時には看護師を呼ぶよう繰り返し説明する必要があることが判断できる．また，脱臼予防のため股関節の90度以上の屈曲に内転，内旋が加わるのは禁忌動作である．しかしトイレットペーパーを取るさいに身体をひねり，また，下肢の洗浄や靴下の着脱のさいに90度以上の屈曲をとるなど，禁忌動作の可能性がある．そのため現在は看護師が介助しているが，今後はボディブラシやソックスエイドなど自助具を活用していく予定である．

　また万一，疼痛を伴う場合にはADL低下につながる可能性もあるため，鎮痛薬を使用し疼痛緩和を行うことも視野に入れる．

　以上より，Bさんが退院後も安全な生活が送れるよう，自助具の活用や脱臼につながる禁忌動作を避けた移乗動作を確立し，歩行能力の向上など徐々に自信をつけていく必要があると考える．

d. 介護の状況をみる

　Bさんは退院後も高齢の夫と2人暮らしとなるため，家事などの援助や手すりなどの家屋改修が必要と考える．そのため介護保険と障害者手帳を今後申請していく予定である．

e. "強み"の有無をみる

　Bさんは手術から1週間が経過し，在宅復帰を目標にリハビリテーションに取り組んでいる．Bさんは「夫が心配だから早く家に帰りたい．そのためには自分でトイレにいけるようになりたい」と具体的な目標をもつことで，積極的にリハビリテーションに取り組むことができていると判断できる．

4● 看護問題の明確化

　アセスメントより，現在のBさんの状況は以下のように要約される．

①何回も看護師を呼ぶことを遠慮して，看護師を呼ばず1人で移乗することがある．
②下肢筋力が低下し立位保持が不安定なため，立位時，後方にバランスを崩しやすい．
③骨粗鬆症であり，骨折しやすい状態である．
④脱臼予防のためのADL動作が確立されていない．

　ここでは，優先度が高い看護問題として，脱臼予防のための ADL 動作に関連した問題に焦点を当て，看護目標と看護計画を以下に示す.

Bさんの看護目標と看護計画

看護目標	看護計画
脱臼しやすい禁忌動作を避けた安全な排泄動作が行える	①トイレ動作の観察 　移乗時は，1）車椅子の位置，2）フットレスト，ブレーキの操作，3）立ち上がり動作（ふらつき，後方へのバランスの崩れなどないか），4）腰回転動作（手すりを持ち変える前に足の向きを変えているか），5）座る動作（ゆっくり座れるか）など禁忌動作をとっていないか確認する．上記に加えトイレ動作時は，6）更衣動作（片手ずつ手すりにつかまり更衣を行えているか，ふらつきはないか），7）便器の操作（座った状態で流水ボタンを押しているか）などを評価する ②排泄動作の見守り 　実際の排泄動作に関連して具体的に禁忌動作を理解し実施できるよう支援する（「5．看護介入の技術」参照）

5 ● 看護介入の技術

a. 見守りとは

　見守りは，必要な介助，支援ができるような体制を整えて，意図的に対象の行為や様子を観察すること[8]と定義されている．ADL の自立に向け努力している人や1人では安全にできない人を対象に，観察・確認，安全な環境の確保，段階的な指導，心理的支援などを行う．看護師には患者のもてる力を引き出し ADL の自立へとつなげていくため，必要以上に手を出すのではなく患者自身ができるのを待つ姿勢が求められる.

b. 見守りを用いた排泄援助の実際

　トイレ動作は，人工骨頭置換術後の脱臼や転倒のリスクが高い．看護師はBさん自身が注意点を理解して行動できるように見守りのケアを行う．また，Bさんが意欲的にリハビリテーションに取り組めるためにも退院後の生活を想定したトイレ動作の確立をはかりたい．その一連の手順をケア計画の一例として以下に述べる.

排泄援助

【目的】転倒予防と脱臼の禁忌動作を避けた安全なトイレ動作が自立して行える

①車椅子でトイレおよび便器の前まで移動する
- 車椅子の位置は，右手が手すりに届いて，腰回転ができる距離
- 停止する位置が正しくなければ声かけして修正を促す

②右手で手すりを持ち，便器へ移乗する
- 車椅子のブレーキやフットレストの操作忘れがあれば声かけして修正を促す
- 身体の向きを変えるときは，股関節をひねらないよう先に足の向きを変える

③ズボンとパンツを下ろす

- 手すりにつかまり脱ぐ．両手を離したさいに後方にふらつきがないか確認する
- ふらついたときのため介助者は後方に立ち，患者の腰に手を添え，しっかりと支える
④便器にゆっくりと座る
- 後方にふらつきがないか，ゆっくり座れているか確認する
⑤坐位のまま陰部の清拭，洗浄ボタンを操作する
- トイレットペーパーをとるさい，洗浄ボタンを押すさいに身体をひねりやすい．ひねりはバランスを崩し，股関節のねじれにつながるため避ける
⑥右手で手すりを持ちゆっくりと立ち上がり，ズボンとパンツを上げる
- 立ち上がるとき，股関節が過屈曲にならないよう注意し，浅く腰かけた状態から立ち上がるようにする

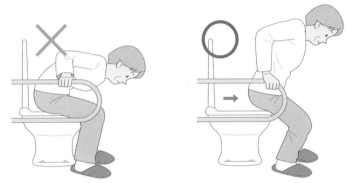

- ズボンを上げるときに両手を離して後方に倒れないよう留意する
⑦車椅子へ座る

6●評　価

　Bさんは，思うように立てずに「情けない」と落ち込む様子がみられた．看護師はその日の体調などにより波があること，徐々に安定した動作が確立してきていることなどを伝えた．また，焦らず自分のペースで継続して行うよう促しながら，ケア計画に基づき看護師間で統一した見守りを行った．その結果，Bさんは「自分でトイレに行けるようになって早く退院したい」という意欲をもち続けることができた．その後，Bさんは看護師の見守りがなくても自分自身で安全なトイレ動作を行えるようになり，バーセルインデックスの移乗は軽度の部分介助または監視を要す10点から，自立15点へADLが拡大し，在宅復帰へといたることができた．

練習問題

Q32　大腿骨頸部骨折で正しいのはどれか．2つ選べ．
1. 骨粗鬆症を有する高齢者に多発する
2. 転倒時に骨折しても，直後は起立可能である
3. 体重の増加は関節に負担をかけるので肥満にならないよう指導する
4. 疼痛を確認するため，リハビリテーション時には鎮痛薬を使用しない
5. 人工骨頭置換術後はベッド上で十分に安静期間をもつ

Q33　骨粗鬆症で正しいのはどれか．2つ選べ．
1. 破骨細胞による骨吸収が低下した場合に起こる
2. ステロイド療法は骨粗鬆症の要因の1つである
3. 骨の微細構造が変化するため，身長が伸びる
4. 血清カルシウムが低値になる
5. 軽微な外力でも骨折するため，転倒に留意する

［解答と解説　▶ p.480］

引用文献

1) 日本整形外科学会診療ガイドライン委員会，大腿骨頸部／転子部骨折診療ガイドライン策定委員会（編）：大腿骨頸部／転子部骨折診療ガイドライン，第3版（日本整形外科学会，日本骨折治療学会監），p.17-22，南江堂，2021
2) 前掲1），p.23-36
3) Committee for Osteoporosis Treatment of e Japanese Orthopaedic Association：Nationwide survey of hip fractures in Japan．Journal of orthopaedic science：official journal of the Japanese Orthopaedic Association 9(1)：1-5，2004
4) 前掲1），p.45-48
5) 日本循環器学会，日本医学放射線学会，日本胸部外科学会ほか：肺血栓塞栓症および深部静脈血栓症の診断，治療，予防に関するガイドライン（2017年改訂版）http://www.j-circ.or.jp/guideline/pdf/JCS2017_ito_h.pdf （2019年5月29日検索）
6) 前掲1），p.143-149
7) 日本リハビリテーション医学会評価基準委員会：ADL評価について．リハビリテーション医学 13 (4)：315，1976
8) 日本看護科学学会看護学学術用語検討委員会（編）：看護行為用語分類—看護行為の言語化と用語体系の構築，p.55，日本看護協会出版会，2005

慢性期の看護（慢性閉塞性肺疾患）

事例 ③ Cさん（71歳，男性）：慢性閉塞性肺疾患

　妻と2人暮し．20歳ごろから現在まで平均1日20本，多い日で30本の喫煙歴がある．職業はタクシーの運転手で，生活は不規則であったが，65歳のときに定年退職した．5年前から駅の階段を上るときに苦しいと感じるようになり，診療所を受診したところ禁煙をすすめられ，節煙したが，完全にやめることができずに，現在も1日5本ほど吸っている．体重も5年間で10kg減少し，体力のなさを感じている．以前はバードウォッチングが趣味で，休日は妻と出かけていたが，最近は息切れにより疲れやすく，家で寝ていることが多い．2月にのどの痛み，微熱，痰，咳などのかぜ症状が続き，かぜ薬を飲んで寝ていたが突然息切れがひどくなり，意識ももうろうとしてきたため，妻が救急車を呼び，総合病院に搬送された．血液検査，血液ガス分析，胸部X線検査を行ったところ，胸部X線写真上に肺炎像がみられ，血液ガス分析ではCO_2ナルコーシスが認められ，集中治療室に緊急入院となった．酸素，気管支拡張薬，抗菌薬，輸液の投与を行い，呼吸，全身状態ともに1週間で安定し，一般病棟に移動した．1週間後のスパイロメトリー検査は，1秒率（FEV_1/FVC）が60％，1秒量（FEV_1）が予測値の48％，CT検査ではLAA（low attenuation area，低吸収域）が広範にみられ，重症のCOPDと診断された．血液検査TP＝6.0g/dL，Alb＝2.9g/dL，血液ガス分析PaO_2（動脈血酸素分圧）＝55.0 Torr，$PaCO_2$（動脈血二酸化炭素分圧）＝45 Torr，SaO_2（動脈血酸素飽和度）＝87％であり，気管支拡張薬，吸入薬が処方され，在宅酸素療法（HOT）も導入となり，自宅退院を目指して包括的呼吸リハビリテーションが開始された．

A. 慢性閉塞性肺疾患（COPD）とは

1● 疫 学

　慢性閉塞性肺疾患（chronic obstructive pulmonary disease：COPD）は，「タバコ煙を主とする有害物質を長期に吸入曝露することなどにより生ずる肺疾患であり，呼吸機能検査で気流閉塞を示す．気流閉塞は末梢気道病変と気腫性病変がさまざまな割合で複合的に関与し起こる．臨床的には徐々に進行する労作時の呼吸困難や慢性の咳・痰を示すが，これらの症状に乏しいこともある」と定義されている[1]．COPDを原因とする死亡率は，日本を含め世界で増加しており，2019年の世界保健機構（World Health Organization：WHO）の調査によると，COPDは死因の第3位となった[2]．

　日本の40歳以上におけるCOPD有病率は10％前後と報告され[3]，推定500万人が罹患していると考えられるが，傷病名に基づく調査では，2017年時点でCOPD患者数は約22万人にとどまり[4]，COPDのスクリーニングと早期診断が求められている．

2●病態・生理

　タバコ煙を主とする有毒粒子やガスの吸引によって末梢気道に慢性的な炎症を生じ，気道や肺の過剰な防御反応により，気腫病変や気道病変に進展する（**図Ⅴ-3-1**）．気腫病変では，肺胞壁の破壊が起こり，肺弾性収縮力の低下や肺の過膨張がみられる．気道病変では，細気管支における基底膜の肥大，粘液腺増加，気道平滑筋肥大，弾性線維の増量などの病理学的変化がみられ，気道分泌物が増加する．その結果，気道内腔の狭小化や気流閉塞が起こる．

3●危険因子

　COPD の発症における最大危険因子は喫煙である．発症のリスクは総喫煙量に比例し，受動喫煙でも発症する．遺伝的要因では α_1 アンチトリプシン欠損症がある．肺胞が形成される 2 歳までに重い肺炎に罹患し低栄養状態であった人が，成人になり喫煙すると発症しやすい．大気汚染，職業性粉じん曝露も危険因子として挙げられる．

4●臨床症状

　COPD の症状には，慢性の咳嗽，喀痰，労作時の息切れ，呼吸困難が挙げられる．息切れや呼吸困難を測定する尺度として，**修正 MRC**（modified British Medical Research Council：mMRC）**息切れスケール**（**表Ⅴ-3-1**）などがある．CAT（COPD assessment test）質問票（**図Ⅴ-3-2**）は，症状や QOL に関する 8 項目を 0 〜 40 点で評価する[5]．最

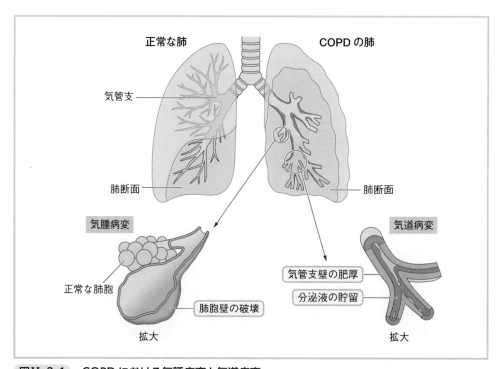

図Ⅴ-3-1　COPD における気腫病変と気道病変
［大久保昭行，巽浩一郎，申　偉秀ほか：座談会　実地医家による COPD 診療のポイント．Medical Practice **25**(11)：1963，2008 を参考に作成］

表V-3-1　修正 MRC（mMRC）息切れスケール

グレード0	激しい運動をした時だけ息切れがある
グレード1	平坦な道を早足で歩く，あるいは緩やかな上り坂を歩く時に息切れがある
グレード2	息切れがあるので，同年代の人よりも平坦な道を歩くのが遅い，あるいは平坦な道を自分のペースで歩いている時，息継ぎのために立ち止まることがある
グレード3	平坦な道を約100m，あるいは数分歩くと息継ぎのために立ち止まる
グレード4	息切れがひどく家から出られない，あるいは衣服の着替えをする時にも息切れがある

呼吸リハビリテーションの保険適用については，旧MRCのグレード2以上，すなわち上記mMRCのグレード1以上となる．
［日本呼吸器学会COPDガイドライン第6版作成委員会（編）：COPD（慢性閉塞性肺疾患）診断と治療のためのガイドライン，第6版，p.57，日本呼吸器学会，2022より引用］

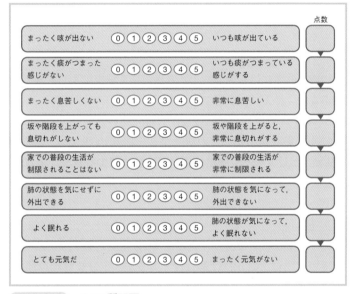

図V-3-2　CAT 質問票
［日本呼吸器学会COPDガイドライン第6版作成委員会（編）：COPD（慢性閉塞性肺疾患）診断と治療のためのガイドライン，第6版，p.58，日本呼吸器学会，2022より引用］

初は緩やかに進行するため，加齢やかぜと見過ごされ，重症化してはじめて受診するケースも多い．COPD の呼吸器症状は進行性であり，進行すると代償的に**口すぼめ呼吸**や**樽状胸郭（バレルチェスト）**がみられるようになり，また労作時の息切れ，疲労感による日常生活動作（ADL）遂行困難，食欲不振，体重減少，睡眠障害などを生じる．冬季に気道感染を合併すると COPD 増悪を引き起こし，急激に肺機能低下が進行する．重症となると**チアノーゼ**，**ばち指**，**右心不全**，末梢浮腫などがみられ，常時の酸素吸入が必要となる．

5●診　断

　日本呼吸器学会 COPD ガイドラインによると，喫煙歴のある 40 歳以上の成人で，労作

時の呼吸困難（息切れ）や慢性の咳・痰がある場合は**スパイロメトリー**を行い，1秒率（$FEV_1\%$ ＝ FEV_1[1秒量]/FVC［努力肺活量］）が70％未満（p.39参照）で，他の気流制限をきたす疾患に罹患していない場合はCOPDと診断される．COPDの病期分類は，患者の1秒量が健康な同性・同年齢日本人の予測値の何％にあたるかで決定される．

COPD病期分類・定義
Ⅰ期（軽度の気流閉塞）：％ FEV_1 ≧ 80％
Ⅱ期（中等度の気流閉塞）：50％ ≦ ％ FEV_1 ＜ 80％
Ⅲ期（高度の気流閉塞）：30％ ≦ ％ FEV_1 ＜ 50％
Ⅳ期（きわめて高度の気流閉塞）：％ FEV_1 ＜ 30％
気管支拡張薬投与後の1秒率（FEV_1/FVC）70％未満が必須条件．

［日本呼吸器学会COPDガイドライン第6版作成委員会（編）：COPD（慢性閉塞性肺疾患）診断と治療のためのガイドライン，第6版，p.53，メディカルレビュー社，2022より許諾を得て転載］

また，確定診断には画像診断や呼吸機能精密検査により，種々の疾患を除外することが必要である．

胸部X線写真では，肺野の透過性亢進，肺の過膨張による横隔膜の平坦化，滴状心，肺野末梢血管影の狭小化などの所見がみられる．CTでは，肺気腫病変は初期からLAA（低吸収域）として写る．喀痰検査により肺炎菌の有無を，血液ガス分析により在宅酸素療法の必要性を判定する．

6● 治　療

日本のガイドラインである「COPD（慢性閉塞性肺疾患）診断と治療のためのガイドライン第5版」では，COPDは進行性であるが，十分な管理は症状改善に加え，疾患の将来のリスクも改善すると期待されるとし，管理目標を**表Ⅴ-3-2**のように定めている．COPDの管理目標を達成するには，①重症度及び病態評価と経過観察，②危険因子の回避，③長期管理，の3つの管理計画が重要とされている．

a. COPDの重症度に応じた管理

2018年にCOPDガイドラインが改訂され重症度や呼吸機能の低下・身体活動性の低下に合わせた治療方法が示された（**図Ⅴ-3-3**）．治療は薬物療法と非薬物療法を行うが，COPD治療に使用される薬剤は主に以下である[6]．

（1）長時間作用性抗コリン薬

長時間作用性抗コリン薬（long-acting muscarinic antagonist：LAMA）は持続した気管支拡張効果があり，呼吸機能改善とともに，息切れ症状改善や運動耐容能の向上が得られる．

（2）長時間作用性β_2刺激薬

長時間作用性β_2刺激薬（long-acting β_2-agonist：LABA）は気管支拡張効果があるが，振戦や頻脈などの副作用がある．

表V-3-2　COPDの管理目標

Ⅰ. 現状の改善*
　①症状およびQOLの改善
　②運動耐容能と身体活動性の向上および維持
Ⅱ. 将来のリスクの低減*
　①増悪の予防
　②疾患進行の抑制および健康寿命の延長

*現状および将来リスクに影響を及ぼす全身併存症および肺合併症の診断・評価・治療と発症の抑制も並行する.
［日本呼吸器学会COPDガイドライン第6版作成委員会(編)：COPD(慢性閉塞性肺疾患)診断と治療のためのガイドライン, 第6版, p.92, 日本呼吸器学会, 2022より許諾を得て転載］

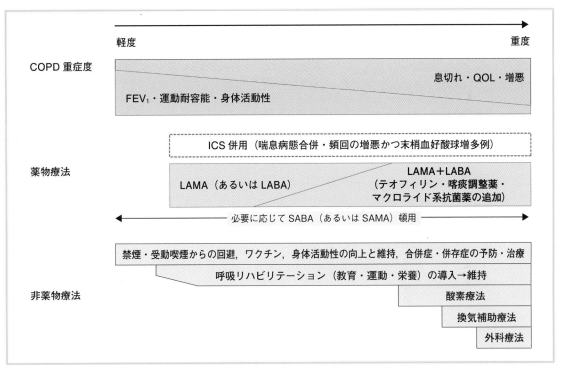

図V-3-3　安定期COPDの重症度に応じた管理
［日本呼吸器学会COPDガイドライン第6版作成委員会(編)：COPD(慢性閉塞性肺疾患)診断と治療のためのガイドライン, 第6版, p.96, 日本呼吸器学会, 2022より許諾を得て転載］

(3) 短時間作用性抗コリン薬, 短時間作用性 β₂ 刺激薬

短時間作用性抗コリン薬 (short-acting muscarinic antagonist：SAMA) や短時間作用性 β₂ 刺激薬 (short-acting β₂-agonist：SABA) は, 運動時に出現する呼吸困難を改善する.

(4) メサルキサンチン

テオフィリン徐放剤が経口で用いられる.

(5) 吸入ステロイド薬

吸入ステロイド薬 (inhaled corticosteroid) が喘息合併例では併用される.

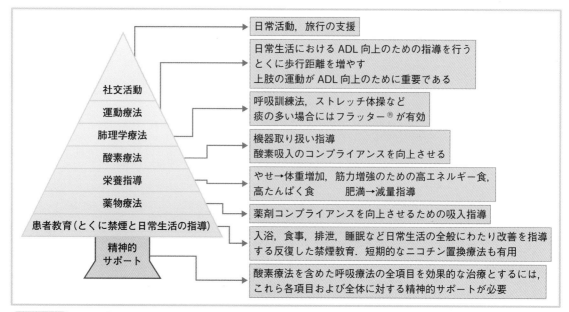

図V-3-4　包括的呼吸リハビリテーションの具体的な内容
［北村　諭：やさしいCOPDの自己管理，p.29，医薬ジャーナル社，2001より引用］

(6) 喀痰調整薬

　喀痰の多いCOPD患者は増悪のリスクが増えるため，カルボシステインなどの去痰剤が使用される．

b. 包括的呼吸リハビリテーション

　COPDは不可逆的な慢性疾患であり，療養生活は長期に渡るため，患者の総合的な機能改善やQOLの向上を目的とした**包括的呼吸リハビリテーション**が積極的に行われる[7]．これには，患者教育（禁煙と日常生活指導），薬物療法，栄養指導，酸素療法，肺理学療法，運動療法，社交活動，精神的サポートなどが含まれる（**図V-3-4**）．

c. 在宅酸素療法（HOT）

　在宅酸素療法（home oxygen therapy：**HOT**）の適応基準は，① PaO_2 55 Torr（mmHg）以下，および② PaO_2 60 Torr（mmHg）以下で睡眠時または運動負荷時に著しい低酸素血症を生じ，医師が必要と認めた者となっている．

d. 肺容量減量手術

　肺容量減量手術（lung volume reduction surgery：LVRS）は，極度に破壊された肺の20〜30%を切除し，肺胞の破壊で弾力を失った肺を縮小させることで，横隔膜や呼吸筋の機能を回復させることを目的に行う．

　COPDの病態関連図を**図V-3-5**に示す．

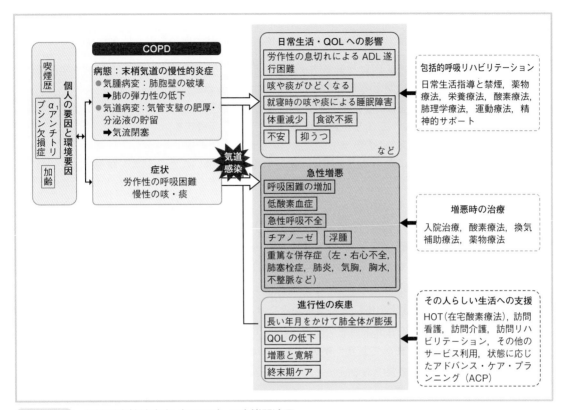

図V-3-5　慢性閉塞性肺疾患 (COPD) の病態関連図

B. 慢性閉塞性肺疾患 (COPD) の看護

1 ● 慢性閉塞性肺疾患 (COPD) の高齢者への理解

a. COPD への理解

　COPD は不可逆的な慢性疾患であり，療養生活は長期にわたる．咳や痰が続き，治療しても症状が軽減しないときもあり，うつ状態となることも多い．看護師は，患者自身が主体的に COPD と付き合いながら，少しでも快適な生活を送れるよう支援する．

b. COPD に合併しやすい身体症状 (老年症候群)

　心筋梗塞，狭心症，脳卒中，骨粗鬆症，呼吸器感染症，うつ病，糖尿病，肺がんなどさまざまな合併症がみられる．肺高血圧からの右心不全や全身性の炎症，食欲不振から体重減少が起こる．

c. 日常生活への影響

　進行すると軽い労作で息切れを起こすため，活動，休息，食事，排泄，整容，入浴など日常生活全般において ADL の低下が起こる．その結果，筋力が低下し，また易疲労状態となるため，徐々に日常生活を自分で行うことが困難となる．

2 ● 看護の目標

　進行性で長期的な治療の継続が必要とされ，体力の衰えや強い呼吸困難は思考の変化を

生じたり，死への不安を抱えたりと，うつ状態を併発しやすいことも考えられる．本人と家族が安定した日常生活を送れるように身体，精神，社会面からの支援を行う．

> ①COPDに伴う呼吸困難と気道閉塞に対するケアを指導する．退院に向けて在宅酸素療法（HOT）に関する教育を行い，必要な社会資源を整える．
> ②合併症や症状増悪の早期発見のため，本人また家族の心身の状態やセルフケア力を適時アセスメントし，また自己管理が行えるよう指導する．
> ③日常生活活動レベルの低下や栄養障害の予防のための援助を行う．
> ④COPDに対するとらえ方を知り，病気体験に寄り添いながら，本人が主体的に包括的呼吸リハビリテーションに取り組めるよう支援する．

3 ● アセスメントの視点（Cさんの場合）

a. COPDをみる

　入院時の胸部X線写真上に肺炎所見がみられるため，上気道感染をきっかけに急性増悪をきたしたものと考えられる．1週間後のスパイロメトリーにより重症のCOPDと判断できる．CTでは肺全体に気腫病変がみられ，COPDの確定診断がなされた．血液ガス分析において高度の低酸素血症が認められ，在宅酸素療法が導入された．Cさんは禁煙ではなく節煙にとどまっており，喫煙はさらなる肺機能低下，COPD増悪を引き起こすため，完全な禁煙が必要である．

b. 身体症状をみる

　COPDに伴う呼吸困難を中心とした自覚症状の管理および緩和を目標に，呼吸状態の観察を行う必要がある．呼吸困難，咳嗽，痰の有無と程度，チアノーゼの有無，SpO_2，PaO_2，$PaCO_2$，スパイロメトリー（1秒量低下，フローボリューム曲線による後半のスピード低下），胸部X線写真，痰培養などの検査データを把握する．医師の指示に従い，酸素吸入，服薬を確実に行い，自覚症状の経過をみる．吸入指導では，実際の吸入器を用いて効果的に吸入できるようになるまで繰り返し指導する必要がある．上・下気道感染，インフルエンザなどの感染を予防し，発熱，咳嗽，痰の増加などの徴候に注意し，早期発見に努める．効果的な気道浄化が行えるよう，体位による**排痰法**（ドレナージ，詳細は後述）を教育し，Cさんが痰の位置と痰喀出の経路を理解した体位をとることができるように指導する．Cさんの呼吸法についての知識を確認し，口すぼめ呼吸，横隔膜呼吸，パニックコントロール，物を持ち上げる・階段を上るなどのADLにおいて息切れを起こさないための方法を習得できるように支援する．栄養状態は5年間で10kgの体重減少があり，データ上も低栄養があり，高エネルギー食，高たんぱく食による栄養改善を目指し，食事量，食欲などを把握し，満腹や便秘は横隔膜の動きを妨げるため避ける．痰の粘稠度を下げるために，心臓に合併症がなければ水分摂取は1日1,500mL/日以上を目安に行う．

　退院後も症状増悪を予防し適切な療養行動をとるためには，入院中にセルフケア力を高める必要がある．Cさんや妻の理解度や疾患との付き合い方，感情を理解しながら，具体的には疾患，自覚症状のセルフモニタリング，禁煙，感染予防，呼吸法，排痰法，薬物療法，在宅酸素療法，栄養管理，休養，適度な運動，定期受診，趣味や生きがいなどの項目について理解を促し，具体的な方法を習得できるように支援する．

c. 生活への影響をみる

　Cさんは息切れによる疲労感により，家でも寝ていることが多くなっていた．息切れに関連した活動低下があり，活動耐性に応じた食事・排泄，清潔，移動動作などへのADL援助を行いながら，息切れを少なくする呼吸法やADLの方法について習得できるように支援する．また，活動低下による筋力低下，呼吸機能の低下などの弊害について説明し，活動の必要性を理解できるようにする．在宅酸素療法の労作時の処方酸素流量の指示を確認し，下肢運動（歩行など），上肢運動，呼吸筋ストレッチ体操を取り入れ，呼吸困難に留意しながら体力の維持と活動耐性の向上をゆっくりと進める．

d. 介護の状況をみる

　妻と2人暮らしで，妻も高齢である．包括的呼吸リハビリテーションでは，在宅酸素療法の教育が含まれており，Cさんと妻の両者が酸素供給器のしくみと取り扱い方法，火気厳禁，指示された酸素流量，緊急時の対処方法，酸素業者への連絡方法などを理解できるよう，わかりやすく説明する．さらなるADL低下を予防するとともに，介護が必要な状態となった場合には，要介護認定の申請を行い，必要な介護サービスが受けられるように支援する．

e. 強みをみる

　Cさんは，吸入器を用いた吸入や呼吸訓練に対し，あまり積極的ではない印象があった．そこで，受け持ち看護師は，Cさんの生活に焦点を当て，CさんのCOPDの病気体験について，その人の意味付けの中で，その人の語りを大切にするライフヒストリー法を用いて話を聞いた．するとCさんは，長年タクシーの運転手をつとめ，生活は不規則であったが，妻とともに息子を2人育て，独立，結婚させたという自分の人生に自負があり，定年退職後は妻と趣味を楽しみながらゆっくりしたいと思っていたこと，それとは裏腹に痰や咳，息切れによる苦しさや疲労感がひどくなり，またCOPDと診断されたことで一生付き合わなければならない病気と知り，こんなはずではなかったという感情を抱いていたことを知った．

　受け持ち看護師はCさんの気持ちに同調しながら，「いままでずっと頑張ってこられたのですね．息子さんたちを立派に育てられて素晴らしいです．いま入院して息切れなどの症状はどうですか？」と聞いたところ，「正直，楽にはなった．だけど家に帰ったらまた苦しくなるかもしれない」との不安を訴えた．そこで，息切れを少なくする呼吸法があること，自己管理によっては快適な生活を送れること，酸素を携帯しながら旅行にも行けることを伝えたところ，「やってみようかな」との発言があった．

4 ● 看護問題の明確化

　アセスメントにより，Cさんの状況は，次のように要約される．

①症状のセルフコントロールが確立されていない．
②息切れに関連した活動量の低下がある．
③在宅酸素療法に対し，本人，妻ともに不安がある．

　以上の看護問題に対応して，看護目標と看護計画を次のように定めた．

Ｃさんの看護目標と看護計画

看護目標	看護計画
・COPDの病気について理解し，禁煙できる ・薬の作用・副作用を知り，吸入器を用いた吸入ができる ・増悪による症状の変化に気づくことができ，悪化時は早期に受診することができる	①自己管理における準備状況を評価する ②本人のCOPD自己管理に向けた知識や行動の獲得を支援する ③家族が一緒にサポートできるように支援する
・呼吸法や排痰法，パニックコントロール（急激な呼吸困難が起こったときに自分で呼吸をコントロールする方法）について習熟し，息切れが少なくなる ・適度な運動を取り入れ，体力がつく	①口すぼめ呼吸，横隔膜呼吸，排痰法について，患者が自信をもってできるよう，看護師，理学療法士，呼吸療法士の連携のもと指導する ②パニックコントロールについて習得する ③負担になりすぎない範囲の運動（歩行など）を取り入れ，体力向上を目指す．息苦しくなったときに備えて吸入式の気管支拡張薬を携帯する
・HOTに関する管理について理解することができる ・在宅療養をサポートする体制づくりがなされる	①酸素の吸入量，吸入時間，吸入方法は主治医の指示に従う ②ライフスタイルに合わせた酸素供給装置を選択する．安全な機器の取り扱い，酸素吸入の方法について指導する ③退院直後から心身ともに安定した在宅生活が始められるように，往診医や訪問看護の導入を検討する

5 ● 看護介入の技術

a. セルフケアの準備状況の評価と支援

　まず，喫煙歴，禁煙意思，呼吸困難の程度，自己管理に対する不安や思い，現在の生活状況，家族の協力の有無をアセスメントし，自己管理における準備状況を評価する．そのさい，①COPDについて，②COPD増悪要因，③薬の作用・副作用，④増悪時の症状，⑤増悪予防のための行動，⑥増悪時の対応，などについて患者本人の理解度を把握する．

　そのうえでCOPDの原因や機序，各種の検査データの見方についてわかりやすく説明し，疾患についての理解を促す．症状の進行を防ぐためには完全な禁煙が必要なことを説明し，禁煙を全面的にサポートする．

　また，薬の作用，副作用，服用方法，吸入方法について，患者が理解し，吸入器の扱いを習得するまで繰り返し指導する．

　さらに，上・下気道感染，インフルエンザは増悪の引き金になるため，感染予防（外出時のマスク着用，手洗い，含嗽，定期的なインフルエンザワクチン接種など）について指導する．ふだんとは異なる症状（37.5℃以上の発熱，息切れや咳の増強，痰の性状や色・量の変化，下肢の浮腫，食欲低下，体重減少，尿量減少，胸痛など）がみられたらすぐに受診するように伝える．

　なお，家族に対しても，不安などの思いを理解し，家族自身も安心して本人を支えられるように働きかける必要がある．

a.　口すぼめ呼吸

ストローや口笛を吹くように息を吐くことで口元に抵抗が加わり，炎症や肺胞の牽引力低下からつぶれやすくなっている細気管支を少し広げた状態に保つ

1. 軽く口を閉じて鼻から息を吸う

2. 口をすぼめて口から息を吐く

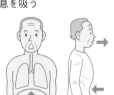

3. 吐くときおなかの筋肉を縮める

4. 口もとから30cm離した手のひらに向かって息を吐く．その風を手のひらに感じるように練習する

b.　横隔膜呼吸

横隔膜を使った呼吸を行う．慣れるまでは寝た状態から始め，坐位，立位でもできるようにする

おなかを膨らませるようにして，鼻から息を吸う．みぞおちに手をおいてその動きを確認する

おなかを縮めるようにして，口すぼめ呼吸の要領で口から息を吐く

c.　日常生活動作にあわせた呼吸のリズム

吐く息は，吸う息の2倍となるようにリズムをとる

歩き出す前，十分に息を吸って，「吐いて，吐いて，吐いて，吸って，吸って」と，頭の中でかけ声をかけて，一定のリズムをつける．時間をかけてゆっくり吐くようにする

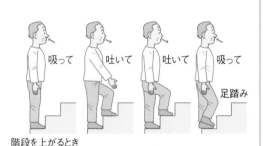

階段を上がるとき

図V-3-6　呼吸困難感を軽減するための方法

［木田厚瑞：よくわかる最新医学―COPD慢性閉塞性肺疾患，p.119-121，主婦の友社，2008より引用］

b.　口すぼめ呼吸，横隔膜呼吸，排痰法の支援

口すぼめ呼吸，横隔膜呼吸，排痰法（体位ドレナージ）について，実際に行い，患者が自信をもってできるよう支援する．看護師，理学療法士，呼吸療法士の連携のもと行う（**図V-3-6，V-3-7**）[8, 9]．

c.　パニックコントロール

息切れが急に強くなる発作時は，座るか，座れないときは立って壁に前向きにもたせかけ，口すぼめ呼吸をする．目をつぶり，気持ちを落ち着かせるようにする．主治医，理学

・両肺の前側にたまっている場合

あおむけになり，お尻を少し上げる

・右肺の下にたまっている場合

右側を上げて横向きになる

・左肺の下にたまっている場合

左側を上げて横向きになる

・両肺の背中側にたまっている場合

うつぶせになり，お尻側を少し上げる

図Ⅴ-3-7　**排痰法（体位ドレナージ）**
痰の貯留箇所についてX線写真などで主治医に聞き，場所に合わせて10〜20度傾けた体位を5〜15分間とることによって痰が自然に出てくることを目的に行う．事前に気管支拡張薬を服用し，ネブライザーや吸入薬を吸入する．HOT施行中は酸素吸入を続けた状態で行う．
［木田厚瑞（監）：COPD患者さんのための包括的呼吸リハビリテーション実践プログラム，p.7，公害健康被害補償予防協会，2003より引用］

療法士と相談し，負担になりすぎない範囲の運動（歩行など）を取り入れ，体力向上を目指す．息苦しくなったときに備えて吸入式の気管支拡張薬を携帯する．

6●評　価

　包括的呼吸リハビリテーションは，多職種の専門的アセスメントにより，患者のニーズをとらえ，計画立案・実施・評価するため，適宜，情報の共有を行う必要がある．看護師は患者の生活に沿った症状管理を行いながら，チームの全体的な情報を集約しやすいため，チームのコーディネーター的役割をとり，各評価を統合する．

練習問題

Q34 COPDで正しいのはどれか．2つ選べ．

1. うがいや手洗いなどの感染症予防を指導する
2. 吸気時に口をすぼめて呼吸するよう指導する
3. 発作時には起坐位をとらせるのがよい
4. 水分はなるべく控える
5. タバコとの因果関係はない

［解答と解説 ▶ p.480］

引用文献

1) 日本呼吸器学会COPDガイドライン第5版作成委員会（編）：COPD（慢性閉塞性肺疾患）診断と治療のためのガイドライン第5版，p.9-10，2018，メディカルレビュー社
2) World Health Organization（WHO）：The top 10 causes of death, 2020, 〔https://www.who.int/news-room/fact-sheets/detail/the-top-10-causes-of-death〕（最終確認：2023年1月26日）
3) Fukuchi Y, Nishimura M, Ichinose M, et al：COPD in Japan；The Nippon COPD epidemiology study. Respirology **9**：458-465，2004
4) e-Stat：患者調査-平成29年患者調査 上巻（全国）．総患者数，性・年齢階級×傷病小分類別．各次，〔https://www.e-Stat.go.jp/stat-search/files?page=18toukei=00450022&tstat=000001031167〕（最終確認：2023年1月26日）
5) GlaxoSmithKlein group of companies：COPD Assessment Test 2016, 〔http://www.catestonline.org/〕（最終確認：2023年1月26日）
6) 田口　修：COPDの治療．臨床検査**63**：861-865，2019
7) 亀井智子：看護過程ガイダンス—慢性閉塞性肺疾患（COPD）．ナーシングカレッジ**10**(4)：23-40，2006
8) 木田厚瑞：よくわかる最新医学—COPD慢性閉塞性肺疾患，主婦の友社，p.119-121，2008
9) 木田厚瑞（監）：COPD患者さんのための包括的呼吸リハビリテーション実践プログラム，公害健康被害補償予防協会，p.7，2003

4 慢性期の看護（慢性心不全）

> **事例④ Dさん（80歳，男性）：うっ血性心不全，高血圧症**
>
> 　家族構成は妻（78歳）との2人暮らし．長男（45歳）とその妻（40歳）は遠方に暮らしている．嗜好：喫煙歴10本/日（30年間），飲酒（日本酒2合/日），塩分の多い味付けの濃いものを好む．趣味：釣り．身長170cm，普段の体重は65kgである．
>
> 　20年前に左冠状動脈閉塞による心筋梗塞症にてステント治療による経皮的冠動脈形成術を行った．高血圧症も指摘され，医療機関を受診し内服治療を行っていたが，多忙を理由に定期的な受診ができていなかった．5年前から疲労感や息切れを感じるようになり，受診の結果，うっ血性心不全と診断され，内服治療が開始されたが，薬を飲み忘れることが多かった．
>
> 　数日前から，食欲不振と下腿浮腫と息切れが出現し，体重も72kgに増加した．胸部X線検査で肺うっ血と両側胸水の貯留を認め，うっ血性心不全の急性増悪と診断され入院となった．医師から本人と家族に対して，心肥大，肺うっ血があり，心不全が以前より悪化していると説明がなされた．
>
> 　酸素療法を行い，薬物療法として降圧薬，利尿薬，血管拡張薬が投与された．入院後2日目までは，ファーラー位や起坐位で過ごすことが多かったが，入院後5日目あたりから呼吸困難は軽減してきた．入院後10日目には労作時に易疲労感は持続しているが，病棟内歩行ができるようになった．下腿浮腫は，足背部にみられているが，軽減している．日常生活動作の拡大に伴い，心臓リハビリテーションが開始され，退院後の生活の再調整が始まった．
>
> 　本人は「薬をつい飲み忘れてしまっていた．最近は食欲がなく，妻も高齢で料理を作るのがおっくうになり，市販の総菜を買ってくることが多くなっていた．塩分には気をつけていなかった」と話していた．

A. 慢性心不全とは

1●疫　学

　日本の人口10万人における心不全の死亡者数は，毎年1万人増加しており，死亡率も増加している．心不全患者は加齢により増加することから，超高齢社会を迎え，今後の心不全患者の急増が予測されている．

　心不全は，虚血性心疾患や弁膜症，先天性心疾患，不整脈などさまざまな基礎心疾患の終末像であり「なんらかの心臓機能障害，すなわち，心臓に器質的および／あるいは機能的異常が生じて心ポンプ機能の代償機転が破綻した結果，呼吸困難・倦怠感や浮腫が出現し，それに伴い運動耐容能が低下する臨床症候群」と定義される[1]．

　症状が一定せず，身体機能は入退院を繰り返して低下し，本人が病状をとらえにくいと

いう特徴がある．心不全の発症予防にむけては，一般市民に対して心不全の理解を啓発していくことが重要となる．日本循環器学会・日本心不全学会合同ガイドラインでは，「心不全とは，心臓がわるいために，息切れやむくみがおこり，だんだんわるくなり命をちぢめる病気です」と，心不全について一般向けにわかりやすい説明が示されている[1]．

2 ● 病態・生理

心不全では**心臓のポンプ失調**により，肺または全身の血液のうっ滞（うっ血）をきたし呼吸困難や浮腫などの症状が出現する．心筋の収縮力が低下した病態のほか，心筋の収縮力は保持されているが拡張が不十分な病態もあり，高齢者に多く認められる．心不全は心臓のポンプ機能の失調のみならず，交感神経系，レニン‐アンジオテンシン系，炎症性サイトカインなどの神経・体液性調節因子の破綻などの全身の影響により増悪をきたしていく．

左心不全では，左室のポンプ機能の低下により左室拡張終末期圧，左房圧が上昇することにより肺静脈圧が上昇し，肺うっ血をきたす．**右心不全**では，右心房圧，中心静脈圧の上昇により体静脈のうっ血をきたす．左心系と右心系両方のポンプ機能が低下した病態が両心不全である．

心不全は進行性の病態であり，心不全のリスク状態から適切な介入を行うことが大切である．慢性心不全のステージ分類では，予防期から終末期までをAからDに分類している．高血圧などの器質的心疾患がない状態からステージAとして，心不全リスクととらえている．虚血性心疾患などの器質的心疾患がある状態をステージB，心不全症状がある状態をステージC，難治性心不全をステージDとして進行する病態を示している（**図Ⅴ-4-1**）．

心不全では，心拍出量の低下により腎血液量も減少する．腎血流量の低下は糸球体ろ過率の低下，腎機能の悪化をきたすことから**慢性腎臓病**につながる．慢性腎臓病ではエリスロポエチン産生能の低下により貧血をもたらす．貧血では高心拍出をきたすため，心不全を悪化させる原因となる．心不全は慢性腎臓病につながり，貧血を合併して心不全と慢性腎臓病の病態をさらに悪化させる（心腎貧血連関）．

3 ● 危険因子

心不全は進行性の病態であり，リスク状態からの適切な介入が重要となる．冠危険因子には，肥満，喫煙，脂質異常症，糖尿病，高血圧，ストレス，運動不足などが挙げられ，心不全への移行を防ぐためには，冠危険因子の是正が重要となる．

心不全の増悪因子には，急性冠症候群，不整脈（頻脈性・徐脈性），感染症などの医学的要因のほか，塩分・水分制限や服薬の管理の不徹底，過度のストレス・過労などの生活に関することが挙げられる（**表Ⅴ-4-1**）．

4 ● 臨床症状 (表Ⅴ-4-2)

左心不全では，左心室のポンプ失調から，左心房と肺静脈に血液のうっ滞が起こり，肺にうっ血を引き起こす．肺うっ血の重症例では肺水腫に陥る．心拍出量低下により，血圧

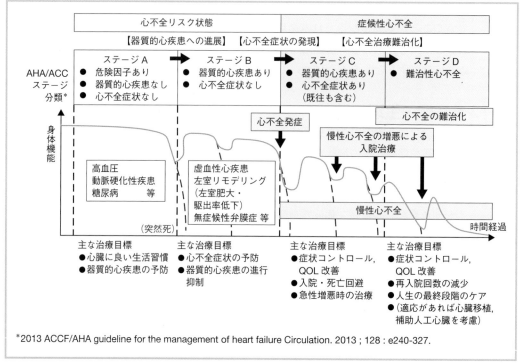

図Ⅴ-4-1　心不全の重症度ステージ

［脳卒中，心臓病その他の循環器病に係る診療提供体制の在り方に関する検討会（厚生労働省）：脳卒中，心臓病その他の循環器病に係る診療提供体制の在り方について，2017年7月31日，p.35，〔https://www.mhlw.go.jp/file/05-Shingikai-10901000-Kenkoukyoku-Soumuka/0000173149.pdf〕（最終確認：2023年1月26日）より引用］

表Ⅴ-4-1　心不全の増悪因子

- 急性冠症候群
- 頻脈性不整脈（心房細動，心房粗動，心室頻拍など）
- 徐脈性不整脈（完全房室ブロック，洞不全症候群など）
- 感染症（肺炎，感染性心内膜炎，敗血症など）
- アドヒアランス不良（塩分制限，水分制限，服薬遵守などができない）
- 急性肺血栓塞栓症
- 慢性閉塞性肺疾患の急性増悪
- 薬剤（NSAIDs，陰性変力作用のある薬剤，癌化学療法など）
- 過度のストレス・過労
- 血圧の過剰な上昇
- ホルモン，代謝異常（甲状腺機能亢進・低下，副腎機能低下，周産期心筋症など）
- 機械的合併症（心破裂，急性僧帽弁閉鎖不全症，胸部外傷，急性大動脈解離など）

［日本循環器学会／日本心不全学会：急性・慢性心不全診療ガイドライン（2017年改訂版），p.76，〔https://www.jcirc.or.jp/cms/wp-content/uploads/2017/06/JCS2017_tsutsui_h.pdf〕（最終確認：2023年1月26日）より許諾を得て転載］

低下，頻脈，チアノーゼや全身倦怠感，四肢冷感などの症状をもたらす．

　右心不全では，右心室のポンプ機能が低下し，右心房や静脈系に血液のうっ滞が起こり，頸動脈怒張や下肢浮腫，腹水や肝腫大の症状が出現する．両心不全は両方の機能不全であるが，多くの病態では，左心不全が進行し肺動脈圧が上昇して右心に負荷がかかり右心不全を引き起こす．

表Ⅴ-4-2　心不全による主な身体所見

うっ血	左心不全	水泡音，喘鳴，ピンク色・血性泡沫状喀痰，Ⅲ音やⅣ音の聴取
	右心不全	肝腫大，肝胆道系酵素の上昇，頸静脈怒張，右心不全が高度なときは肺うっ血所見が乏しい
低心拍出量	身体症状	冷汗，四肢冷感，チアノーゼ，低血圧，乏尿，身の置き場がない様相
	心原性ショック	前項所見に加えて，収縮期血圧90 mmHg未満，もしくは通常血圧より30 mmHg以上の低下

［厚生労働省「地域におけるかかりつけ医等を中心とした心不全の診療提供体制構築のための研究」研究班：地域のかかりつけ医と多職種のための心不全診療ガイドブック，2020年，p.16，〔https://www.mhlw.go.jp/content/shinfuzen_guidebook.pdf〕（最終確認：2023年1月26日）より引用］

表Ⅴ-4-3　フラミンガム研究による心不全の診断基準

大基準	・発作性夜間呼吸困難　・Ⅲ音過剰心音 ・頸静脈怒張　　　　　・中心静脈圧上昇 ・肺ラ音聴取　　　　　　（＞16 cmH₂O） ・心拡大　　　　　　　・循環時間延長（≧25秒） ・急性肺水腫　　　　　・肝・頸静脈逆流
大または小基準	治療に反応して体重減少（≦−4.5 kg以下/5日）
小基準	・下肢の浮腫　　　　　・胸水 ・夜間の咳　　　　　　・肺活量減少 ・労作時呼吸困難　　　　（≦最大量の1/3） ・肝腫大　　　　　　　・頻脈（≧120回/分）

［Mckee PA, Castelli WP, McNamara PM, et al：The Natural History of Congestive Heart Failure；The Framingham Study, New England Journal of Medicine **285**(26)：1441-1446, 1971 を参考に作成］

表Ⅴ-4-4　NYHA心機能分類

	症状	安静時	身体活動制限
Ⅰ度	日常的な身体活動で著しい疲労，動悸，呼吸困難または狭心痛なし	無症状	なし
Ⅱ度	日常的な身体活動で疲労，動悸，呼吸困難または狭心痛あり	無症状	軽度または中等度
Ⅲ度	日常的な身体活動以下の労作で疲労，動悸，呼吸困難または狭心痛あり	無症状	高度
Ⅳ度	わずかな労作で心不全症状や狭心痛が増悪	症状あり	重度

［American Heart Association：Classes of Heart Failure,〔https://www.heart.org/en/health-topics/heart-failure/what-is-heart-failure/classes-of-heart-failure〕（最終確認：2023年1月26日）を参考に作成］

5●診　断

　心不全の診断は，症状観察をもとに，血液検査，胸部X線検査，心電図検査，心エコーのほか，心臓カテーテル検査が行われる場合がある．基本的な症状観察ともに，各検査で心不全の状態を把握し，病状に合わせた治療が行われる．

　心不全の診断には，**フラミンガム診断基準**がある（**表Ⅴ-4-3**）．また心不全の重症度を示す指標として，自覚症状からの心機能を分類するNew York Heart Association（**NYHA**）の**心機能分類**（**表Ⅴ-4-4**）が挙げられる．心不全の診断や重症度評価には，心機能の低下に伴って上昇する神経体液因子の1つであるBNP（脳性ナトリウム利尿ペプ

チド）が用いられている.

6 ● 治　療

　心不全の治療には薬物療法と非薬物療法が挙げられる.　NYHA 心機能分類の重症度に応じて薬物療法および非薬物療法が行われる **(図Ⅴ-4-2)**.また心臓リハビリテーションを行い,再発や増悪予防をはかっていくことが重要である.

a. 薬物療法

　心不全の薬物療法では,心負荷を下げる目的でアンジオテンシン変換酵素（ACE）阻害薬,アンジオテンシンⅡ受容体拮抗薬（ARB）,抗アルドステロン薬,過剰な交感神経活動を抑制する目的で β 遮断薬,体液貯留・うっ血症状を改善する目的で利尿薬,心拍出量改善の目的で強心薬が用いられる.

b. 非薬物療法

　心不全の非薬物療法には,原因疾患や病態の改善を目的に薬物療法と併用される.酸素療法,陽圧換気療法（continuous positive airway pressure：CPAP, adaptive servo-ventilation：ASV）などの呼吸補助療法,心不全の原因疾患である不整脈治療としてペースメーカーや植込み型除細動器（implantable cardioverter defibrillator：ICD）,心臓再同期療法（cardiac resynchronization therapy：CRT）,心不全の原因疾患に対する手術療法として経皮的冠動脈形成術（percutaneous coronary intervention：PCI）や冠動脈バイパス術,僧帽弁形成術などが挙げられる.

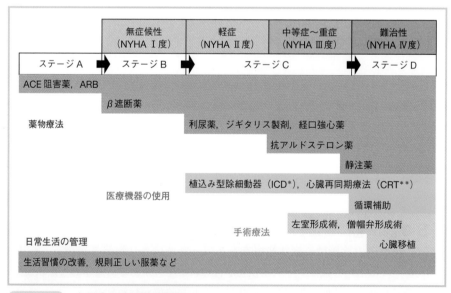

図Ⅴ-4-2　心不全の治療薬・機器

*ICD：implantable cardioverter defibrillator
**CRT：cardiac resynchronization therapy
［日経BP特設サイト「知って備える心不全のケア〜心不全啓発キャンペーン〜」インタビュー：「心不全パンデミック」を防ぐために欠かせないステージAからの治療　第2回（筒井裕之先生）,2018年3月2日,〔https://special.nikkeibp.co.jp/aging/shinfuzen/interview/18030201/index.html〕（最終確認：2023年1月26日）より引用］

　また重症例には，補助循環装置や補助人工心臓による治療を行う．植込み型補助人工心臓は，心臓移植待機患者のほか，近年は治療目的でも使用が開始されている．

　心不全患者は，高齢者も多く併存疾患をもつ患者が多い．心不全に伴う慢性腎臓病，貧血や糖尿病などの合併症のほか，認知機能の低下などさまざまな合併症により心機能や予後が悪化していくことから身体面のみならず，心理社会面を考慮したチームによる治療やケアを実施してくことが重要となる．

c. 心臓リハビリテーション

　心臓リハビリテーションは，医師，看護師，理学療法士，作業療法士，管理栄養士，薬剤師など，さまざまな専門職によるチーム医療によって実施されている．心不全患者では，患者の身体機能とともに，認知・精神機能，増悪因子の的確な評価を行い，バイタルサイン，心電図所見，自覚症状の有無などを確認し進行していく．患者・家族を含め，望ましい自己管理ができるように個々の患者の生活状況に見合った教育を行っていくことが重要である（表V-4-5）．

　慢性心不全の病態関連図を図V-4-3に示す．

B.　慢性心不全の看護

1 ● 慢性心不全患者の高齢者への理解

a. 心不全への理解

　心不全は進行性の病態であり，リスク状態からの適切な介入が重要となる．高齢心不全患者の特徴として，併存疾患が多いことや自覚症状に乏しく，認知機能の低下からも増悪症状の発見が遅れることもある．また貧血や感染などの合併症の出現するリスクも高く，普段の生活状況や心身の状態を把握し，変化をとらえていくことが重要である．

b. 心不全に合併しやすい症状

　心不全よりもたらされる症状として呼吸困難感，浮腫，食欲不振・嘔気などの消化器症状や倦怠感，易疲労感などが挙げられる．さらに症状から不安や抑うつがもたらされることも多い．とくに高齢者では併存疾患も多く，さまざまな症状が予備能力の低下から症状が増幅されやすい．

表V-4-5　心不全患者・家族への教育内容

・心不全に関する知識	・アルコール，禁煙
・セルフモニタリング	・身体活動
・増悪時の対応	・入浴
・治療に対するアドヒアランス	・旅行
・感染予防とワクチン接種	・性生活
・塩分・水分管理	・心理的支援
・栄養管理	・定期的な受診

[日本循環器学会／日本心不全学会：急性・慢性心不全診療ガイドライン（2017年改訂版），p.107．[https://www.jcirc.or.jp/cms/wp-content/uploads/2017/06/JCS2017_tsutsui_h.pdf]（最終確認：2023年1月26日）を参考に作成]

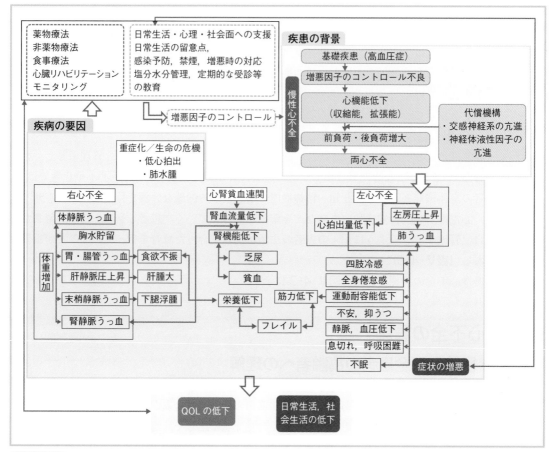

図Ⅴ-4-3　慢性心不全の病態関連図

c. 日常生活の視点

　高齢心不全患者の増悪を予防するには，患者の普段の生活状況を見据えた症状モニタリングが重要となる．症状がわかりにくく自覚も乏しいことから，患者・家族が，心不全の増悪症状を理解し，普段の状態との変化に気づくことができるように支援していくことが大切である．症状や体調に見合った日常生活活動や生活の仕方の工夫を行い，身体活動性を維持していくことや生活の中での楽しみをどのように継続していけるか患者とともに考えていく視点も大切である．

2 ● 看護の目標

　慢性心不全は，急性増悪により入退院を繰り返して悪化をきたしていく．とくに，高齢の心不全患者では，浮腫，食欲不振などの症状が自身では気がつきにくいため，生活状況を踏まえた症状のモニタリングが重要となる．患者・家族が心不全の増悪症状を理解し，普段の状態との変化に気づくことができるように支援していく．さらに併存疾患を抱える患者も多く，病態が複雑化し，生活の仕方が心不全の増悪に大きく影響する．地域医療や介護との連携も重要となる．

3 ● アセスメントの視点 (Dさんの場合)

うっ血性心不全にいたる基礎疾患は多様であり，現在の症状や診察所見および検査データから，患者の全身状態と個々の症例の病態に合わせて行われている治療の把握を行う．また，退院後，心機能の低下を予防していくには，日常生活の再調整が重要であり，心不全増悪につながる生活の仕方や健康管理行動についてのアセスメントを行う．

a. 心不全をみる

Dさんは，陳旧性心筋梗塞による心筋の収縮力の低下に加え，高血圧症による長年の心臓への圧負荷により心臓の仕事量が増大し，代償機転として心肥大をきたしている．入院時のDさんは両心不全を起しており，肺静脈圧が上昇し，肺うっ血と体静脈系のうっ血をきたしている．Dさんは，安静時・夜間呼吸困難感の左心不全の症状を呈しており，NYHA心機能分類Ⅳ度に分類されていた．退院時にはⅡ度まで改善をしている．

b. 身体症状をみる

左心不全に続発し，体静脈系のうっ血から頸静脈怒張，下腿の浮腫が生じている．呼吸困難，全身倦怠感，浮腫などの症状に伴い，Dさんの身体的苦痛は増大している．生命の危機に対する不安はストレスとなり，心負荷を増大させ心身の安静が保持できなくなるという循環に陥る．安楽な体位や安静の保持など苦痛を緩和する援助が必要である．

c. 生活への影響をみる

心不全の増悪因子として，長年の喫煙習慣や，内服薬の自己管理が不十分であること，塩分やアルコールの過剰摂取が考えられる．望ましい食生活や禁煙，服薬の自己管理行動がとれていないため生活の再調整が必要である．Dさんは食欲がないと話していたが，高齢者では，低栄養に陥りやすく，口腔の状態も確認していくことが大切である．減塩の教育は重要であるが，高齢者では薄味で食欲がなくなる場合もあり，日々の食事内容を確認してどの程度を摂取しているかを把握していく．

心不全による息切れや倦怠感などのさまざまな症状は活動性の低下につながる．Bさんはこれらの症状と食欲不振があり，食欲不振は栄養状態の低下をきたし，これらは筋肉量の減少をもたらす．さらに，活動量の低下は社会的孤立や精神状態の悪化にも影響することから，適切な活動性を維持できるように生活を行っていくことが重要である．

d. 介護の状況をみる

妻との2人暮らしである．夫婦ともに高齢者であることから，家族の介護負担も増大する．退院前からかかりつけ医，入院中の主治医，看護師，薬剤師，理学療法士，管理栄養士，ソーシャルワーカー等よる包括的な介入が重要となる．

e. 強みをみる

80歳と高齢であるが「薬をつい飲み忘れてしまっていた」，食事は市販のものが多く「塩分には気をつけていなかった」と心不全の増悪因子を認識している発言がみられている．増悪予防にむけて前向きに治療に取り組めるように，できているところを認めて強化していく．

4 ● 看護問題の明確化

アセスメントから，Dさんの状況は以下のように要約される．

①心不全症状（呼吸困難や倦怠感，浮腫）による身体的苦痛がある．
②心不全の増悪を防ぐセルフケアが確立されていない．
③心不全による身体活動性の低下がある．

Dさんの看護目標と看護計画

看護目標	看護計画
①安静時の呼吸困難がみられず，労作時の呼吸困難が軽減する． ②全身倦怠感が軽減する． ③浮腫が軽減する．	①症状の観察：呼吸困難の有無，程度，呼吸パターン，喘鳴，労作時の息切れ・動悸 　全身倦怠感の有無，程度，浮腫の部位・程度，四肢の冷感，チアノーゼの有無 ②安楽な体位の工夫（起坐位，ファウラー位など）と末梢循環の促進 ③不安や疑問などが表出しやすい環境をつくり，患者の話を傾聴する．
①心不全の増悪因子を述べることができる． ②喫煙が及ぼす影響と禁煙の意思を述べることができる． ③薬の必要性と自己管理方法を述べることができる． ④心不全の増悪を防ぐ日常生活送るための方法を述べることができる． ⑤毎日の体重測定と体調のセルフモニタリングができる．	①心不全の増悪因子についての本人と家族の理解を確認する． ②毎日の生活状況からの増悪因子を患者家族に説明する． ③喫煙の状態と禁煙の意思の有無を確認する． ④入院前の服薬・喫煙，飲酒，食事の状況について確認する．どのようなときに飲み忘れたのか，食事は嗜好，食事時間・回数，1日の典型的な献立，調理する人を確認する． ⑤毎日の生活状況から体重や体調を評価する時間を患者家族と一緒に考える． ⑥管理栄養士や薬剤師との連携のもと患者・家族に教育を行う．できているところを強化していく．
①心臓リハビリテーションを継続して行うことができる． ②退院後に身体活動性や役割を維持した生活を送ることができる．	①症状や脈拍，血圧の変動を確認して安全に心臓リハビリテーションを実施する． ②自己検脈や症状のモニタリングができるように教育を行う． ③退院後の生活の活動状況を把握し，家庭でできる運動や身体活動について理学療法士とともに患者・家族に教育を行う． ④多職種カンファレンスを行い退院後の生活について必要な支援の導入を検討する．

5 ● 看護介入の技術

a. 症状のモニタリング

全身倦怠感の増強，下肢浮腫，食思不振や悪心，体重増加などの増悪症状について，患者・家族が具体的に自分の症状を理解し，症状の理解を促す．起こっている症状を一緒に振り返り，症状の意味を心不全の病状と結びつけ，症状がある場合には食塩制限や活動制限の実施や，速やかな受診ができるように支援していく．週に2kg以上の体重増加，排

尿回数や尿量の減少，足のむくみ，疲労感や息苦しさの出現には注意する．受診や入院を考える D さんの体重や血圧を具体的な数値で伝える．D さんは通常が 65 kg であり，受診の目安は 67 kg の増加となる．生活の中でどの時点が一定に測定できるか毎日の体重，血圧測定を習慣化するように生活に組み込んでいく．D さんには朝の排尿後に体重を計ることを習慣化するように，生活に組み込んでいくこととした．また，浮腫や息切れは，靴がきつくなる，どのくらい歩いたら息切れするなどの生活の中で変化を確認しやすい方法をともに考えていく．

b. 食事療法

心不全増悪や再入院の誘因として，塩分・水分制限の不徹底が報告されている．高血圧症でのコントロール目標においても 6 g/ 日未満の塩分制限が推奨されているが，高齢者においては食事摂取量が少ない場合もあり，塩分制限が食欲減退，栄養不良につながることもある．摂取量の全体を把握していくことと，患者の嗜好や食習慣，生活状況を踏まえた教育していくことが重要である．D さんは濃い味を好み，また買ってきたものが多い食生活を送っていた．普段食べている内容や量を把握して減塩につながるようにかかわっていく．

c. 身体活動

D さんも心臓リハビリテーションが開始された．NYHA Ⅱ～Ⅲ度の安定期にあるコントロールされた慢性心不全は心臓リハビリテーションの適応となる．心臓リハビリテーションの進行基準を示す（表Ⅴ-4-6）．安全に身体活動性を上げるためには，運動負荷試験を行い心肺機能に応じた安全な範囲で徐々に負荷量を上げていく．運動時の疼痛や自覚症状を確認していくことが必要である．

d. 感染予防

風邪などの感染症は，代謝亢進から心負荷につながる．日常生活からのうがい，手洗いの励行，室内の湿度・温度調節や換気を実施し，上気道感染を防ぐと同時にインフルエンザワクチンや肺炎球菌ワクチンを接種することが望ましい．D さんに増悪因子として感染症の意識をもち予防行動がとれるようにかかわっていく．

e. 心理・社会的側面

心不全患者はうつ症状に陥りやすいことが報告されており，生活の中で遭遇するストレスに対してのマネジメント方法を患者・家族とともに考えていくことも大切である．D さ

表Ⅴ-4-6　急性心筋梗塞患者に対する心臓リハビリテーションのステージアップの判定基準

1. 胸痛，呼吸困難，動悸などの自覚症状が出現しないこと．
2. 心拍数が 120/min 以上にならないこと，または 40/min 以上増加しないこと．
3. 危険な不整脈が出現しないこと．
4. 心電図上 1 mm 以上の虚血性 ST 低下，または著明な ST 上昇がないこと．
5. 室内トイレ使用時までは 20 mmHg 以上の収縮期血圧上昇・低下がないこと．
（ただし 2 週間以上経過した場合は血圧に関する基準は設けない）

負荷試験に不合格の場合は，薬物追加などの対策を実施したのち，翌日に再度同じ負荷試験を行う．
［日本循環器学会／日本心臓リハビリテーション学会：2021 年改訂版 心血管疾患におけるリハビリテーションに関するガイドライン，p.42，〔https://www.j-circ.or.jp/cms/wp-content/uploads/2021/03/JCS2021_Makita.pdf〕（最終確認：2023 年 1 月 26 日）より許諾を得て転載］

んは普段から妻とゆっくり過ごしているとのことから，今までの2人での生活が維持できるように支援していくことがストレスマネジメントにもつながると考えられる．

心不全の病態は，急性増悪を繰り返して悪化していく．症状が改善することから，患者や家族が病状を理解しにくいという特徴があり，アドバンス・ケア・プランニング（advance care planning：ACP）について普段から考えていけるようなかかわりを考慮していくことも大切である．

6 ● 評　価

高齢慢性心不全患者は，多岐にわたる症状を持ち，さらに自覚がしにくいことから，日々の体重や体調の変化や，日常生活行動の変化を細やかに評価していくことが重要となる．栄養状態や身体活動性の評価やさらに，地域医療や介護との連携も重要となる．看護師は多職種との情報共有を行い，連携しつつ評価を実施していく．

練習問題

Q35▶ 体循環のうっ血として現れる症状はどれか．2つ選べ．
1. 下腿浮腫
2. 頸静脈怒張
3. 血圧低下
4. 四肢冷感
5. 乏尿

Q36▶ 慢性心不全患者の教育内容として正しいものはどれか．
1. 体重と血圧は変化をみるため毎日違う時間に測定する．
2. 数日間で4kg以上の体重増加で受診をすすめる．
3. 塩分制限は1日8g以内が適切である．
4. インフルエンザワクチンの接種をすすめる．

[解答と解説 ▶ p.480]

▌引用文献▌
1) 日本循環器学会／日本心不全学会：急性・慢性心不全診療ガイドライン（2017年改訂版），p.10,〔https://www.jcirc.or.jp/cms/wp-content/uploads/2017/06/JCS2017_tsutsui_h.pdf〕（最終確認：2023年1月26日）
2) 日本循環器学会，日本リハビリテーション学会：心血管疾患におけるリハビリテーションに関するガイドライン（2021年改訂版），〔https://www.j-circ.or.jp/cms/wp-content/uploads/2021/03/JCS2021_Makita.pdf〕（最終確認：2023年1月26日）
3) 日本心不全学会ガイドライン委員会：高齢心不全患者の治療に関するステートメント，2016年,〔http://www.asas.or.jp/jhfs/pdf/Statement_HeartFailure1.pdf〕（最終確認：2023年1月26日）
4) 日本心不全学会ガイドライン委員会：心不全患者における栄養評価・管理に関するステートメント，2018年,〔http://www.asas.or.jp/jhfs/pdf/statement20181012.pdf〕（最終確認：2023年1月26日）
5) 厚生労働省「地域におけるかかりつけ医等を中心とした心不全の診療提供体制構築のための研究」研究班：地域のかかりつけ医と多職種のための心不全診療ガイドブック，2020年,〔https://www.mhlw.go.jp/content/shinfuzen_guidebook.pdf〕（最終確認：2023年1月26日）

認知機能障害の看護（アルツハイマー病）

事例⑤　Eさん（80歳, 女性）：アルツハイマー病, 高血圧（カルシウム拮抗薬により内服治療中）

　夫婦で自営業を営み, Eさんは几帳面な仕事ぶりで夫と支え合って暮らしていたが, 10年前に夫がアルツハイマー病になり, 自宅で介護を行っていた. 3年前に夫が亡くなってからEさんは物忘れが目立つようになり, 息子が久しぶりに訪問すると, Eさんは最近の記憶が定かでなくしばらく入浴していない様子で, 会話が十分に成り立たなくなっていた. 家族で話し合い, Eさんは施設へ入所することになった. 入所時の検査では, HDS-R（改訂長谷川式簡易知能評価スケール）10点, MMSE（簡易精神機能検査）13点で, MRIにより側頭葉内側部の萎縮がみられ, アルツハイマー病と診断されてドネペジル（アセチルコリンエステラーゼ阻害薬）の処方を受けた. 入所して1ヵ月間は穏やかに生活していたが, しだいに言葉が少なくなり, やがて徘徊が始まった. 昼夜を問わず歩き回り, 食事の途中でも歩き出そうとするので, 施設のスタッフが止めるとEさんは怒り, スタッフを叩いた. 失禁症状が現れ, 入浴や排泄などのケアに対する拒否反応が著しくなり, 抗精神病薬（リスペリドン）が処方されたが, 拒食の影響で薬の内服ができていない. 血圧は, 140/90mmHg前後で経過している. 食事摂取量が少なくなり, 体重が1ヵ月間で3kg減少したが, 依然として徘徊が続き, すり足でつまずいたり, 周囲の物にぶつかったりするようになった.

A. アルツハイマー病とは

1●疫　学

　アルツハイマー病は, ドイツの精神医学者であるアルツハイマー（Alzheimer A）により, 1906年にはじめて症例が報告された疾患で, 日本では認知症を発症する原因の第1位を占め[1], 血管性認知症, レビー小体型認知症とともに3大認知症と称される. 認知症患者は, 高齢者になるほど多く, 厚生労働省の全国調査に基づく推計では2012年に462万人となった. さらに福岡県久山町（ひさやま）の縦断調査に基づく推定では国内の認知症患者は600万人を超え, 団塊の世代が75歳以上になる2025年には700万人を上回る見込みであり, 65歳以上の高齢者に対する認知症患者の割合は約5人に1人となる[2]. アルツハイマー病については, 1985年からの久山町研究において有病率は年々増加の傾向にある[3].

2●病態・生理

　アルツハイマー病に罹患した患者の脳では, 神経細胞の脱落による脳萎縮と, 神経細胞の器質性変化がみられる. 主要な病理学的な特徴としては, アミロイドβ蛋白の沈着による老人斑とタウ蛋白による神経原線維変化がある. そのほか, 大脳皮質や記憶にかかわる海馬を中心とする神経細胞の脱落とシナプスの減少, および慢性炎症がみられる. 神経

細胞の脱落は，アミロイドβ蛋白やタウ蛋白が凝集するさいの神経毒性が原因であると考えられている．また，アミロイドβ蛋白に関する病変（脳内の沈着や脳脊髄液での相対的な減少）は，アルツハイマー病の初期から観察される指標として重要視されている．

3 ● 危険因子

アルツハイマー病の危険因子には，遺伝的因子*（アミロイド前駆体蛋白，プレセニリン1，プレセニリン2，アポリポ蛋白E）のほか，中年期の高血圧，肥満，糖尿病などの生活習慣病との関連が指摘されている．日本では，福岡県久山町での研究で糖尿病がアルツハイマー病の危険因子であることが示され[4]，とくに，インスリン抵抗性が老人斑の形成に関与していることが明らかになっている[5]．

4 ● 臨床症状

アルツハイマー病を含む認知症の症状には，**認知症状**（cognitive symptoms）と**行動・心理症状**（behavioral and psychological symptoms of dementia：BPSD）がある（**図Ⅴ-5-1**）．日本では，中核症状および周辺症状と呼ばれることも多い．認知症状には，記憶障害，実行機能障害，失行，失認，失語，社会的な人格の変化などがあり，認知症の場合はいずれかの症状が単独もしくは重複して現れる．BPSDは，環境の変化やストレスに対する適応力が認知症状によって低下し，二次的に出現する症状で，多様な精神症状と行動障害がある．

アルツハイマー病では，物忘れなどの記憶障害が初発症状となることが多い．エピソード記憶と比較的新しい記憶（近時記憶）の障害が特徴で，エピソードや体験そのものの記憶が欠落する．比較的初期から言語を理解する力が低下することでコミュニケーションの円滑さが失われ，社会的な活動性が低下して引きこもりになりやすい．症状は進行性で，発症から数年後には大脳皮質症状である失語，失行，失認および遂行機能障害が加わる．BPSDとしては，物盗られ妄想が多い．病状が進むと痙攣などの神経症状が現れ，最終段階では寝たきりになる．おおむね，発症から寝たきりになるまでが約5年，死亡までは約8〜10年といわれている．

5 ● 診 断

病歴のていねいな聴取と，神経学的検査，各種スケールを用いた神経心理学的検査，血液検査，脳脊髄液検査，画像検査（MRI，PET，SPECTなど）によって総合的に行われる．病因に基づく確定診断方法が確立されつつあるが，現時点では鑑別診断を主とする．

a. 診断基準

アルツハイマー病の診断には，DSM-5（精神疾患の診断・統計マニュアル第5版，米国精神医学会」（**表Ⅴ-5-1，Ⅴ-5-2**）や，ICD-11（疾病及び関連保健問題の国際統計分類

---

* 老人斑の構成成分であるアミロイドβ蛋白は，アミロイド前駆体蛋白（amyloid precursor protein：APP）が蛋白分解酵素によって切断されることにより生成される．プレセニリンは，アミロイドβ蛋白の生成にかかわる蛋白分解酵素の働きに関与している．APP遺伝子やプレセニリン遺伝子の変異があるとき，アミロイドβ蛋白の生成は増加する．

図Ⅴ-5-1　認知症に現れる症状

第11版，世界保健機構［WHO］），日本では認知症疾患診療ガイドライン2017*などが使用される（**図Ⅴ-5-2**）．

b. 神経心理学的検査

　アルツハイマー病などの認知症の診断に用いる代表的な神経心理学的検査には，質問式の**HDS-R**（改訂長谷川式簡易知能評価スケール，**p.465, 付録7**参照）[6]や**MMSE**（Mini-Mental State Examination：簡易精神機能検査）[7]，観察式の**FAST**（Functional Assessment Staging）[8]などがある（**p.466, 付録8**参照）．HDS-RとMMSEは比較的短時間で行うことが可能であり，臨床で活用されやすい簡易知能検査法である．FASTは，日常

---

* 老認知症疾患診療ガイドライン2017は 日本神経学会，日本精神神経学会，日本認知症学会，日本老年精神医学会，日本老年医学会，日本神経治療学会の合同作業により作成され，認知症疾患の診断，治療，ケア，社会的対応を含む診療全体の指針として臨床で活用されている（https://www.neurology-jp.org/guidelinem/nintisyo_2017.html）．

表Ⅴ-5-1　認知症および軽度認知症における神経認知領域の種類（DSM-5）

認知領域	症状や所見の例
複雑性注意　Complex attention ―持続性注意 ―配分性注意 ―選択性注意 ―処理速度	＜重度 Major＞ ・複数の刺激（テレビ，ラジオ，会話）のある環境で困難が増す ・競合する出来事のある環境で容易に気が散る ・入力を限定または単純化しない限り注意することができない ・今与えられた電話番号や住所を思い出す，または今言われたことを報告するなどのような，新しい情報を保持するのが困難である ・暗算ができない ・すべての思考に通常より長く時間がかかり，処理する構成要素を1つまたは2〜3個まで単純化しなければならない ＜軽度 Mild＞ ・通常の作業に以前よりも長く時間がかかる ・日常的な業務の中で誤りが見つかるようになる ・仕事において以前より再確認する必要が出てくることで気づかれる ・他のもの（テレビ，ラジオ，他者の会話，携帯電話，運転）と競合していないときのほうが，思考しやすい
実行機能　Executive function ―計画性 ―意思決定 ―ワーキングメモリー ―フィードバック/エラーの訂正応答 ―習慣無視/抑制 ―心的柔軟性	＜重度 Major＞ ・複雑な計画を放棄する ・一度に1つの仕事に集中する必要がある ・日常生活に役立つ活動を計画したり意思決定をするのに他者に頼る必要がある ＜軽度 Mild＞ ・多くの段階をふむ計画を完了するために努力を要することが増える ・複数の処理を同時にするような仕事が困難になってきたり，訪問客や電話によって遮られた仕事を再び始めることが難しくなってくる ・整理，計画，意思決定に余分な努力を要するため，疲れが増したと訴えることもある ・会話の変化についていくために要する努力が増えるため，大人数が集まる社交の場では以前よりも努力を要し，それほど楽しめないと言うこともある
学習と記憶　Learning and Memory ―即時記憶 ―近時記憶 （自由再生，手がかり再生，再認記憶を含む） ―長期記憶 （意味記憶，自伝的記憶） ―潜在学習	＜重度 Major＞ ・しばしば同じ会話の中で同じ内容を繰り返す ・買い物をするときの品物項目や1日の予定を思い出すことができない ・作業が正しくできるためには，手がかりが頻繁に必要である ＜軽度 Mild＞ ・最近の出来事を思い出すのに苦労し，リストの作成やカレンダーにますます依存する ・映画や小説の登場人物を覚えておくために，そのつど手がかりまたは読み返しが必要になる ・時折，数週間にわたって同じ人に同じ内容を繰り返すこともある ・請求書がすでに支払われたかどうかが思い出せない 注；重度の認知症を除いて，意味記憶，自伝的記憶，潜在記憶は，近時記憶に比べて比較的保たれる
言語　Language ―表出性言語 （呼称，喚語，流暢性，文法，および構文を含む） ―受容性言語	＜重度 Major＞ ・言語の表出にも受容にも著しい困難がある ・しばしば，「あれ」とか「いつものやつ」というような汎用的な表現を使い，物の名前よりも一般的な代名詞を好む ・症状が進むと，より親しい友人や家族の名前すら思い出せない ・特有な言い回し，文法的な誤り，および自発言語や無駄を省いた発語が起こってくる ・常同的言語が起こる ・通常，反響言語と自動言語は無症状に先行する ＜軽度 Mild＞ ・喚語困難が目立つ ・特定の用語を一般的な言葉で代用することがある ・面識がある人の名前を呼ぶのを避けることがある ・冠詞，前置詞，助動詞などの微妙な省略や不正確な使用が文法的な誤りとしてみられる
知覚-運動　Perception-motor ―視知覚 ―視覚構成 ―知覚-運動 ―実行 ―認知	＜重度 Major＞ ・以前からやり慣れていた活動（道具の使用，自動車の運転）や，慣れた環境での移動が著しく困難になる ・影や明るさの低下によって知覚が変化するので，しばしば夕暮れ時にさらに混乱する ＜軽度 Mild＞ ・行き方について，以前より地図や他者に頼る必要がある ・新しい場所へたどり着くために，メモを使ったり，他人に尋ねる ・集中していないと，道に迷ったり，元の場所へ戻ってしまうことがある ・自動車の駐車が以前ほど正確ではなくなる ・大工仕事，組み立て，縫い物，編み物のような空間的作業に，より大きな努力を必要とする
社会的認知　Social cognition ―情動認知 ―こころの理論	＜重度 Major＞ ・許容できる社会的な範囲から明らかに逸脱した行為—服装や，政治的・宗教的・性的な話題の会話で，節度ある社会的規範に無神経になる ・他の人が関心を持っていないにもかかわらず，または，直接指摘を受けたにもかかわらず，ひとつの話題に極端に集中する ・家族や友人に対する配慮のない行動の意図 ・安全性を考えずに意思決定をする（例；天候や社会的な場に不適切な服装） ・典型的には，これらの変化に対してほとんど病識がない ＜軽度 Mild＞ ・行動や態度に微妙な変化が出現し，しばしば人格変化として捉えられる ―周囲の暗黙の示唆を認識する，あるいは顔の表情を読む能力の低下 ―共感の減少 ―外向性または内向性の増大 ―抑制の低下，あるいは，僅かなもしくはときどき現れる無気力，または，落ち着きのなさ

［日本精神神経学会（日本語版用語監修），髙橋三郎，大野　裕（監訳）：DSM-5®精神疾患の診断・統計マニュアル，p.585-587，医学書院，2014より許諾を得て改変し転載］

DSM-5に示されたさまざまな神経認知障害は，本表の各認知領域の定義が基準となっている．それぞれの領域について，具体的な内容や症状・所見の例，評価の例が示されており，実際に観察される症状と照らし合わせて認知障害の内容と程度が判断できる．認知領域のうち，1つ以上で認知の低下がみられる場合に，認知症もしくは軽度認知障害と判断する．

表V-5-2　アルツハイマー病による認知症および軽度認知障害の診断基準（DSM-5）

A. 認知症または軽度認知障害の基準を満たす

B. 1つまたはそれ以上の認知領域で，障害は潜在性に発症し緩徐に進行する（認知症では，少なくとも2つの領域が障害されていなければならない）

C. 以下の確実なまたは疑いのあるアルツハイマー病の基準を満たす

　認知症（Major Neurocognitive Diorders）について

　確実なアルツハイマー病は，以下のどちらかを満たしたときに診断されるべきである．そうでなければ**疑いのあるアルツハイマー病**と診断されるべきである．

　（1）家族歴または遺伝子検査から，アルツハイマー病の原因となる遺伝子変異の証拠がある

　（2）以下の3つすべてが存在している

　　（a）記憶，学習，および少なくとも1つの他の認知領域の低下の証拠が明らかである

　　　　（詳細な病歴または連続的な神経心理学的検査に基づいている）

　　（b）着実に進行性で緩徐な認知機能低下があって，安定状態が続くことはない

　　（c）混合性の病院の証拠がない

　　　　（すなわち，他の神経変性または脳血管疾患がない，または認知の低下をもたらす可能性のある他の神経疾患，精神疾患，または全身性疾患がない）

　軽度認知障害（Mild Neurocognitive Disorders）について

　確実なアルツハイマー病は，遺伝子検査または家族歴のいずれかで，アルツハイマー病の原因となる遺伝子変異の証拠があれば診断される．

　疑いのあるアルツハイマー病は，遺伝子検査または家族歴のいずれにもアルツハイマー病の原因となる遺伝子変異の証拠がなく，以下の3つのすべてが存在している場合に診断される．

　（1）記憶および学習が低下している明らかな証拠がある

　（2）着実に進行性で緩徐な認知機能低下があって，安定状態が続くことはない

　（3）混合性の病因の証拠がない

　　　（すなわち，他の神経変性または脳血管疾患がない，または認知の低下をもたらす可能性のある他の神経疾患，全身性疾患または病態がない）

D. 障害は脳血管疾患，他の神経変性疾患，物質の影響，その他の精神疾患，神経疾患，または全身性疾患ではうまく説明されない

［日本精神神経学会（日本語版用語監修），髙橋三郎，大野　裕（監訳）：DSM-5®精神疾患の診断・統計マニュアル，p.602-603，医学書院，2014より許諾を得て転載］

DSM-5では，神経認知障害に対して，病因となる医学的疾患または物質的病因を特定するための基準が示されている．病因となる医学的疾患には，アルツハイマー病のほか，前頭側頭葉変性症，レビー小体病，血管性疾患，外傷性脳損傷，プリオン病，パーキンソン病，ハンチントン病，ヒト免疫不全ウイルス(HIV)感染，などがある．病因については，診断技術の進歩によって特定可能な疾患等が増えてきたが，特定が困難な場合もある．

生活動作（ADL）を総合的に判断するアルツハイマー病の重症度評価法で，臨床的特徴が7段階の病期に応じて具体的に示されている．

c. 画像検査

　アルツハイマー病の診断に用いる画像検査には，主にMRIとPETがある．MRIでは，海馬や嗅内皮質を中心とする側頭葉内側部と頭頂葉の萎縮が特徴として認められる．ブドウ糖類似物質を用いたFDG-PETの検査では，後部帯状回や頭頂葉・側頭葉における糖代謝の低下が観察され，脳の局在的な活動の低下が示唆されている．SPECTでは，同部位における血流の低下が観察される．さらに，近年，アミロイドPETが発達し，脳内のアミロイドβ蛋白の蓄積を画像化することによって，アルツハイマー病の発症の予測が可能になりつつある．

d. 脳脊髄液検査，血液検査

　脳脊髄液では，アルツハイマー病において脳内に蓄積するアミロイドβ蛋白や神経原線維変化を起こすタウ蛋白が検出される．脳内でアミロイドβ蛋白の蓄積がはじまると脳脊髄液中のアミロイドβ42は減少し，一方，タウ蛋白やリン酸化タウ蛋白は脳内の蓄積に伴って増加する．脳脊髄液による診断は，検体の採取に侵襲を伴うのが欠点であるが，近年，アミロイドβ蛋白の血液検査による高精度の検出が可能となり，早期診断へ

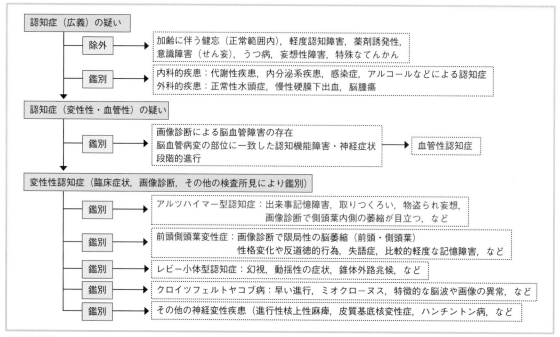

図Ⅴ-5-2　アルツハイマー病を含む認知症診断のフローチャート
［日本神経学会(監修)，認知症疾患診療ガイドライン作成合同委員会(編)：認知症疾患診療ガイドライン 2017, p. 37, 医学書院, 2017 より許諾を得て改変し転載］

の有用性が注目されている．

6 ● 治　療

a. 薬物療法

(1) 認知症状への薬物療法

　アルツハイマー病の薬物療法では，アミロイドβ蛋白やタウ蛋白による病態機序，コリン作動性神経の機能低下を標的に薬剤の開発が進められている．現時点でアルツハイマー病の根本的な治療薬は存在しないが，中核症状の進行や周辺症状は薬剤による緩和が可能であり，日本では，ドネペジル，ガランタミン，リバスチグミン，メマンチンが承認されている（**表Ⅴ-5-3**）．ドネペジル（アリセプト®）は日本で開発された症状改善薬で，アセチルコリンを分解する酵素であるアセチルコリンエステラーゼを可逆的に阻害することによって脳内のアセチルコリンを増やし，神経系を賦活する．リバスチグミンは貼付薬(パッチ)で，飲み込みが困難な場合や内服への抵抗感が強い場合に有用であるが，高齢者では接触性皮膚炎などの皮膚症状を起こしやすいため，保湿剤を用いたスキンケアが必須である．

(2) BPSDへの薬物療法

　BPSD は，患者本人と介護者との関係性や介護負担が大きく影響するため，その治療では，患者や家族への丁寧な面接と，治療の過程における連携や協働が重要である．非薬物療法が第一選択であり，その効果が不十分である場合に，薬物療法が適用される．薬物療法では，ドネペジルやメマンチン，ガランタミンは，軽度の BPSD に対し改善効果があ

表Ⅴ-5-3　アルツハイマー病治療薬の種類

一般名	ドネペジル	ガランタミン	リバスチグミン	メマンチン
商品名	アリセプト®	レミニール®	イクセロン® リバスタッチ®	メマリー®
作用機序	・アセチルコリンエステ ラーゼ阻害（高い選択性 をもつ）	・ニコチン性アセチルコリ ン受容体の増強*1 ・アセチルコリンエステ ラーゼ阻害	・ブチリルコリンエステ ラーゼ阻害*2 ・アセチルコリンエステ ラーゼ阻害	・グルタミン酸NMDA受 容体阻害*3
効果	・認知機能の改善	・認知機能の改善 ・BPSDの改善 ・日常生活機能の改善	・認知機能の改善 ・日常生活機能の改善	・認知機能の改善 ・BPSDの改善
対象	軽度〜高度	軽度〜中等度	軽度〜中等度	中等度〜高度
用量	3〜10 mg	8〜24 mg	4.5〜18 mg	5〜20 mg
半減期	50〜80時間	7〜11時間	2〜3時間（除去後）	50〜70時間
代謝経路	肝臓	肝臓，腎臓（排泄）	腎臓（排泄）	腎臓（排泄）
副作用	消化器症状（下痢，悪心， 嘔吐，便秘），食欲不振， 徐脈，泌尿器症状（失禁， 頻尿，尿閉）	消化器症状（悪心，嘔吐， 下痢），食欲不振，体重減 少，徐脈，めまい	嘔気，悪心，徐脈，皮膚 症状（瘙痒感，発疹，紅斑， 水疱，接触性皮膚炎，ア レルギー性皮膚炎），泌尿 器症状（尿閉）	消化器症状（悪心，下痢， 便秘），めまい，眠気，頭 痛
用法	・1日1回服用 ・口腔内崩壊錠，錠剤， 細粒，ゼリー剤，液剤	・1日2回服用 ・口腔内崩壊錠，錠剤， 液剤 ・耐性が生じにくく休薬後 の再開が可能	・1日1回交換 ・貼付（パッチ）薬 ・毎日貼付部位を変更， 保湿剤を使用	・1日1回服用 ・口腔内崩壊錠，錠剤 ・ChE阻害薬との併用が 可能

*1：ガランタミンは，ニコチン性アセチルコリン受容体のアセチルコリン結合部位とは異なる場所（アロステリック部位）に結合し，受容体に対するアセチルコリンの作用を選択的に増強させる（アロステリック活性化リガンド作用）．
*2：アルツハイマー病の脳において，アセチルコリンの分解は主にアセチルコリンエステラーゼが行っているが，病態の進行に伴ってブチリルコリンエステラーゼが増加する．
*3：グルタミン酸は脳にもっとも多く存在する神経伝達物質であり，NMDA受容体は，グルタミン酸受容体のサブタイプである．アルツハイマー病では，グルタミン酸濃度の上昇によるNMDA受容体の過剰な活性化が生じ，カルシウムイオンの流入が続くことによってシナプスの正常なシグナル伝達が阻害される．
NMDA：N-メチル-D-アスパラギン酸．

るとの報告がある．漢方薬である抑肝散は，攻撃性，興奮，幻覚，妄想などのBPSDの改善に用いられている．これらの療法に抵抗性の症状に対しては，リスペリドンなどの非定型抗精神病薬が用いられることもある．

b. 非薬物療法

非薬物療法は，疾患によって損なわれた機能を改善するだけでなく，不安を軽減させ，コミュニケーションを促進し，精神活動を賦活化するなど，多様な目的で行われる．その効果が日常生活や社会生活を継続する力や生活の質（QOL）の向上につながることから，治療の一環として位置づけられるほか，リハビリテーションとしての側面をもつ．具体的には，記憶の訓練や，見当識を高めることに焦点を当てたリアリティ・オリエンテーション（reality orientation：RO），人生史を語ってもらう回想法などの有効性が示されている．その他，音楽療法，芸術療法，バリデーション（p.406参照）などが試みられており，今後，看護や介護の現場への応用が期待されている．

　　アルツハイマー病の病態関連図を図Ⅴ-5-3に示す.

B. アルツハイマー病の看護

1 ● アルツハイマー病の高齢者への理解

a. アルツハイマー病への理解

(1) 認知症状

　　中心となる認知症状によって日常生活動作が困難になるだけでなく，コミュニケーション障害や活動性の低下によって社会性が損なわれ，生活する人としての存続の危機が訪れる. 認知症状が進行しているほど自分自身の状況を説明することが困難になるため，看護師は，その人の身体，心理，社会における状況を注意深く観察し，認知機能の低下による

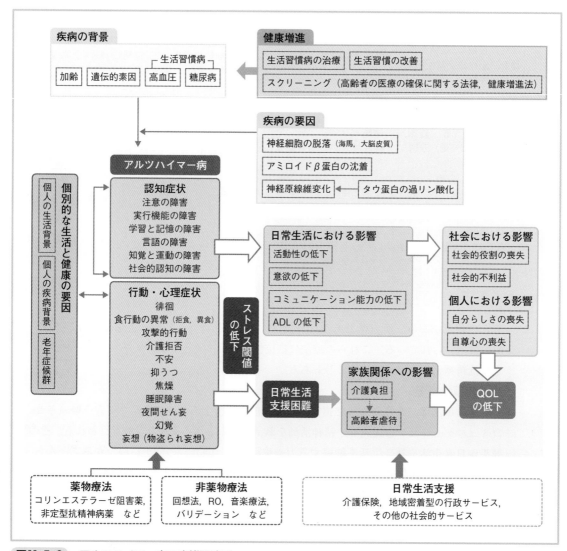

図Ⅴ-5-3　アルツハイマー病の病態関連図

影響と症状の進行による変化をとらえ，その人の視点に立った全人的な理解を試みる必要がある．

(2) BPSD

認知症状によって周囲の変化やストレスに対処する力が低下するため，環境に大きな影響を受ける．BPSDは，認知症の人が内外の変化に対処しようとした結果，反応性に生じる症状であると考えられているが，これにより，日常生活動作やコミュニケーションが変化して生活介助が困難になる場合が多く，生活の質の低下や症状の増悪につながるおそれがある．家族が介護を行っている場合には，BPSDの出現によって介護負担が増大し，介護者が抑うつ状態になるなど，介護者の健康や生活の質に影響を及ぼす．介護力や介護負担に対して適切なサポートが得られなければ，高齢者虐待につながることもある．よって，BPSDのコントロールは，アルツハイマー病の人とその家族のよりよい健康状態と生活の質を保つために，きわめて重要である．

(3) 認知症ケアの基本（パーソン・センタード・ケア）

パーソン・センタード・ケアは，イギリスのキットウッド（Kitwood T）が提唱した，認知症の人を理解し，関係を築き，ケアを提供するための概念である．パーソン・センタード・ケアでは，問題行動に焦点を当てるのではなく，「その人らしさ（personhood）」に注目し，本人の立場から言動の意味を理解しながら，本質的なニーズを模索して支援を試みる．

b. 認知症に合併しやすい身体症状（老年症候群）

嚥下障害，排泄障害，歩行障害，低栄養，脱水，睡眠障害，褥瘡など，病状の進行に伴って多様な身体症状を合併しやすい．認知症の場合，認知症状とBPSDがこれらの症状と相互に関連して悪循環を生じる．とくに，認知症をもつ人は，自分で身体症状を認識して訴えることが困難であるため，看護師は，その人に起こっていることを注意深く観察する必要がある．

c. 日常生活への影響

アルツハイマー病では，認知症状とBPSDの多様な出現により，徐々に日常生活の行為の遂行が困難になり，活動性を低下させる．日常生活の行為への影響はその人の生活背景によってさまざまであり，食事，排泄，清潔，睡眠，活動など生活のあらゆる側面において，①その行為の必要性を認知する段階，②行為の段取りをする段階，③一連の行為として実行する段階，の3つのレベルで変化がみられる．看護師は，アルツハイマー病の人の生活背景と現在の日常生活遂行レベルから，潜在的な生活行為遂行能力を総合的にアセスメントし，その人がもつ力を最大限に活用して生活を継続することができるよう日々のケア計画を立てていく．

2● 看護の目標

アルツハイマー病の人は，認知症状とBPSDによって日常生活の自立度が徐々に低下する．また，高齢者では，アルツハイマー病と老年症候群などの身体状況がさまざまであり，アルツハイマー病とその他の身体症状へのケアが重要な看護の視点である．さらに，アルツハイマー病では，ケア自体がストレッサーとなりうるため，介護状況や対人関係を

観察し，対象に合った介入方法を選択する必要がある．家族が介護を行っている場合は，介護力と家族の心身状況をアセスメントし，介護サービスやレスパイトケア＊の導入を判断していく．

以上より，アルツハイマー病の看護は，下記の4つに大別される．

①アルツハイマー病へのケアを行う．
②身体症状へのケアを行う．
③日常生活へのケアを行う．
④家族へのケアを行う．

3● アセスメントの視点（Eさんの場合）

a. 認知症をみる

（1）認知症状

Eさんは，3年前から物忘れが現れ，最近の記憶が定かでなく，入浴ができず，会話が成り立たなくなっていたことから，徐々に認知機能が低下し，記憶障害，失語，失認，失行が進行していたと考えられる．また，入所時には，すでに自立した日常生活に困難が生じ始めており，コミュニケーションに障害があることから，FASTのステージ4に相当し，アルツハイマー病は軽度の病期にあったと推定できる．その後，1ヵ月が経過して失語が悪化し，入浴を嫌がり，失禁が生じていることから，FASTによる病期はステージ6へ移行し，Eさんの認知症状は急激に進行したと判断することができる．

（2）BPSD

施設に入所して1ヵ月後から失語が著しく進行し，徘徊をはじめとして，拒食，攻撃的行動，介護拒否が連鎖的に現れ，生活援助に困難が生じていることから，早急な対処が必要な状況である．このため，症状が出現したときの状況について詳細な情報を集め，Eさんの言動やスタッフとのかかわり，出現のきっかけを観察し，Eさんの行動様式や行為の意味を理解する必要がある．

看護師が徘徊の状況を観察した結果，Eさんが何かに注目してそれを目指して歩いていること，仮性対話がみられること，スタッフに誘導されて移動するときと食事中の出現が多いことがわかった．また，徘徊を中断されると，攻撃的行動が出現していた．よって，Eさんの徘徊の出現には一定の状況やきっかけがあり，何らかの意思を伴うことが推測される．さらに，観察を継続してEさんの徘徊の意味を知ることにより，Eさんの意思や行動様式に沿った支援につなげて徘徊を緩和し，怒りや攻撃的行動を回避できる可能性がある．

BPSDに対しては，言語の理解力や集中力が低下しているため，記憶の訓練やグループ

＊ レスパイトケア：家族の介護負担の軽減や"燃え尽き（バーンアウト）"の予防を目的として行われる介護者を支援の対象としたケアである．「レスパイト（respite）」とは，仕事を一時的に中断したり，苦痛から一息つかせたりして，休養をとることを意味する．つまりレスパイトケアとは，介護者をある一定の期間，一時的に介護から解放し，心身の健康を維持・回復させる支援である．現在，レスパイトとしての機能を有するサービスは，介護保険によって提供されており，ショートステイ（短期入所サービス），デイサービス（通所介護），デイケア（通所リハビリテーション），一部のホームヘルプサービスがある．

による治療法を適用することは難しい．しかし，E さんの思いを知り，スタッフの信頼関係をはかる目的で，日常的なコミュニケーションの技術から E さんにアプローチできる可能性がある．

b. 身体症状をみる

（1）老年症候群

食事摂取量が不十分で，体重が 1 ヵ月間で 3 kg 減少していることから，低栄養に陥っている可能性がある．食事摂取量が不足している場合，脱水の併発により，血液検査では低栄養の所見が隠れてしまうため，アセスメントには注意が必要である．低栄養は，活動性や生活の自立度を低下させて認知症を悪化させるほか，感染症，褥瘡，転倒などの老年症候群を誘発する可能性がある．また，すり足で歩行する様子や歩行時に物にぶつかる様子が観察されており，神経障害による歩行機能低下や空間失認，栄養不良による活動性の低下や視力障害の可能性が考えられ，転倒予防のケアが必要である．

（2）アルツハイマー病と高血圧に対する薬物療法

拒食の影響でアルツハイマー型認知症治療薬や抗精神病薬，降圧薬が服用できていないため，認知症が悪化したり，脳血管疾患や心疾患を併発したりするリスクがある．食事中の徘徊を制止されて連鎖的に拒食が出現していることから，拒食を解決するために徘徊へのアプローチが必要である．また，アセチルコリンエステラーゼ阻害薬の副反応である消化管症状が拒食に関連している可能性があり，自覚症状を訴えることができない E さんに対して注意深くアセスメントを行う必要がある．

c. 生活への影響をみる

E さんは，入所後にアルツハイマー病が急激に進行し，BPSD の出現によって日常生活の全般において介助が必要な状態である．しかし，ケアに対する拒否が著明であることから，現在，E さんは安心してケアを受けることができず，**マズロー**（Maslow AH）の**欲求階層説**における生理的欲求が満たされていないと考えられる．また，BPSD に関連した行動や生活上の問題に時間とエネルギーの大半が割かれ，心身ともに疲労が大きく，孤独で，施設における生活が E さんにとって幸せなものでないことが推察される．E さんがE さんらしい生活を営むためには，生活行為への援助を妨げている BPSD をコントロールし，E さんがもっている能力が日常の社会生活で発揮されることが重要であり，BPSDと E さんの潜在的能力についてのアセスメントが必要である．

d. 介護の状況をみる

BPSD としてケアに対する拒否があり，介護が十分に受けられない状況にある．とくに，徘徊を制止するスタッフに対して攻撃的行動を示すことで，生活行為の支援に支障をきたしていることから，徘徊に対するスタッフの対応と E さんの様子を観察してあつれきの原因を探り，E さんが安心して介護を受けられる支援について，スタッフ間で共通の認識をもつ必要がある．

e. 強みを発見する

徘徊には目標とするものがあり，仮性対話がある様子から，意思をもって行動し，自分を表現する力が残されている．また，夫の喪失によって E さんが受けた影響ははかりしれないが，ともに支え合って生活した彼の存在や，それを介護し，看取った経験は，大き

な強みといえる.

4 ● 看護問題の明確化

　アセスメントより, Eさんの状況は, 次のように要約される.

①アルツハイマー病が高度に進行し, BPSDが連鎖的に現れて症状が急激に悪化している.
②アルツハイマー病と高血圧に対する内服薬が服用できていないことにより, 認知症が悪化したり, 脳血管疾患や心疾患を併発したりするリスクがある.
③食事摂取量が減少し, 低栄養に陥っている可能性が高い.
④歩行障害の徴候があり, 転倒の危険がある.
⑤徘徊の出現に関連してスタッフとの関係にあつれきが生じ, 拒食や介護拒否が誘発され, 生活の基本的なニーズが満たされていない.
⑥Eさんらしい生活が営まれていない.

　ここでは, 優先順位が高い看護問題としてBPSDの出現に関連した問題に焦点を当て, 看護目標と看護計画を次のように定めた.

Eさんの看護目標と看護計画

看護目標	看護計画
Eさんの徘徊が減少し, 食事摂取量が増える	①徘徊が出現したときのEさんの言動や刺激への反応を詳細に観察し, 徘徊に伴うEさんの意思を考える. また, 言動にみられる傾向やストレスへの反応から, コミュニケーションの可能性を探る ②徘徊出現頻度が多い食事のさいに担当看護師が介助を行い, バリデーションの技術を用いてEさんとのコミュニケーションの方法を模索する ③ ①, ②より得られた情報から, スタッフでEさんの徘徊をはじめとするBPSDに対する対応方法を考え, 共有する

5 ● 看護介入の技術

a. バリデーションとは

　バリデーションは, 認知障害をもつ高齢者とコミュニケーションをはかる方法として, 1960年代〜1980年にかけてフェイル（Feil N）により考案され, その後, 認知症の人への接近方法の1つとしてパーソン・センタード・ケアの理論に取り入れられた. バリデーションには, 認知機能障害の有無や程度にかかわらず, 人間にはその人が属する世界があり, 主体性をもち, 自分を表現するという普遍的な欲求をもっているという考え方が根底にある. フェイルは, バリデーションにおける10の信念と価値観を示した（表Ⅴ-5-4）.

　認知症をもつ人のすべての行動には必ず理由があると考え, 認知機能障害のある高齢者にとっての真実を受け入れて共感し, なぜその人がその行為をとるのか理解しようとする態度が, バリデーションの鍵になる.

b. バリデーションを用いたコミュニケーションの実際

　バリデーションには14のテクニック（表Ⅴ-5-5）があり, これらを用いてコミュニケー

表V-5-4　バリデーションにおける信念と価値観

1. すべての人はそれぞれユニークな存在であり，個人としてケアされなければならない
2. たとえいくら混乱した状態であっても，すべての人は価値のある存在である
3. 混乱した高齢者の行動の裏には理由がある
4. 高齢者の行動は，単に脳の解剖学上の変化だけでなく，長い人生のなかで生じてきた身体的，社会的，精神的変化が総じて反映している
5. 高齢者は，習慣となっている行動を強制的に変えるよう強いられるべきではない．その人が変えたいと思ったときにはじめて行動を変えることができる
6. 高齢者は無条件で受容されなければならない
7. それぞれのライフステージに応じた特定のライフタスクが存在する．ライフタスクが適切なライフステージにおいて達成されなかった場合，精神的な問題に発展する可能性がある
8. より現在に近い記憶が失われたとき，高齢者はそれより以前の記憶を呼び覚ますことによって人生のバランスを保とうとする．視力が障害されたときは，心の目を使って見ようとする．聴覚が失われたなら，過去から音を聞こうとする
9. 痛みを伴う感情は，信頼できる人に表出され，受け入れられ，認められたときに消失する．存在を無視され，抑圧された苦痛は増幅する
10. 共感は，信頼を築き，不安を軽減し，尊厳を守る

ションを成立させることで，援助者は認知症の人の感情表現を助け，直面している問題へのコーピングを促進することができる．

　以下に，食事の途中で徘徊が出現したＥさんに対するバリデーションを用いたコミュニケーションの一例を示す．

▶ **バリデーションを用いたコミュニケーションの一例**

Ｅさんの行動	看護師の言動	バリデーションの技術と根拠
②テーブルに向かって背筋を伸ばして座り，センタークロスの端を指先で丸めたり広げたりしている（繰り返し動作）．看護師の問いかけに，視線を上げないまま，「ああ，そうねぇ」と答える（意味がわからない言葉を使ったり，つじつまの合わない受け答えをする）	①Ｅさんの表情，口元，頸部を観察できる斜め前に座り，Ｄさんの**目を正面から見つめて**挨拶をする「Ｅさん，こんばんは．お夕飯ですよ．今日のお夕飯は，西京焼です．西京焼はお好きですか」	▶**センタリング**自分自身の感情から自由になり，Ｅさんの思いをありのまま受け入れる準備をする▶**アイコンタクト**親密な気持ちを伝えるために精神を集中し，目線を合わせ，やさしい気持ちで見つめる
④センターマットを触りながら，看護師が口元へ運んだ食物を機械的に取り込んでいる．看護師への質問に答える様子はなく，口元から食物がこぼれ落ちても注意を向けず，センタークロスを触り続けている	③メニューを説明しながら，小さなスプーンで食物をＥさんの口元へ運び，嚥下を確認する「Ｅさん，お味はいかがですか」	
⑤突然，立ち上がって隣のテーブルへ移動する（徘徊）	⑥Ｅさんのテンポに合わせ，一緒に隣のテーブルへ移動する	▶**ミラーリング（相手のテンポに合わせる）**

⑦看護師の質問に反応する様子はなく, テーブルに付けてあった椅子を出し入れする	「どうかしましたか, Eさん」	Eさんの心の動きに寄り添い, 共感を示す
	⑧Eさんのそばに寄り, 目を合わせる「きれいにしてくださって, ありがとうございます. この椅子は, 重たいですね」	▶アイコンタクト▶事実に基づいた言葉を使うEさんの感情に無理に直面するような表現を避け, 事実に基づいた話をすることで, Eさんの困惑や引きこもりを回避する
⑨「そうね, 重たいわね」と, つぶやく突然, 椅子から離れて歩き出す	⑩Eさんの片手をそっと取りながら, Eさんのテンポに合わせて歩く	▶タッチング▶ミラーリング（相手のテンポに合わせる）
⑪別のテーブルのそばまで来て看護師の手を離し, センタークロスの向きを変えたり, 手にとって椅子の背に掛けたりする	⑫Eさんのそばに立ち, 動きを見守る「もう少しで, いらっしゃいますよ」	▶あいまいな表現を使うEさんの行為に合わせてコミュニケーションを継続する（Eさんの椅子を出し入れする行動を夫や家族のためのテーブルセッティングではないかと推測し, Eさんの行為に対して反応を返すとともに, あいまいな表現で決めつけることを避けた）
⑬「そうね, 仕方ないものね. だけど……」突然, テーブルの脇にしゃがんで, 床から何かをつまみ上げるしぐさを繰り返す	⑭Eさんの隣にしゃがみ, 目を合わせる「たくさん落ちていますか. すみません」	
⑮「そうだわね. よかったわよ」と言いながら, 動作を繰り返す	⑯Eさんの手元で, Eさんの何かをつまむしぐさをまねする	▶ミラーリングEさんが几帳面に店を整理していたとの情報から, 落ちているものを拾うしぐさはEさんの生活史を反映した大切な心の動きと考え, 寄り添った
⑰看護師の手元を見て, 動作を止める		
⑲看護師に, つまんだ何かを手渡す	⑱「それ, いいですか」と, Eさんがつまんだ何かを受け取るしぐさを見せる	▶ミラーリング▶欲求と行動を結びつけるEさんの世界に入り込み, 伝えようとしている意思を受け取る
㉑看護師の目を見る	⑳Eさんと目を合わせる.「どうもありがとうございます」	▶アイコンタクト
㉓「そうね」とつぶやいて, 看護師の手を握って立ち上がり, **食卓へ戻って食事を再開する**	㉒Eさんと目を合わせたまま, やさしくEさんの手を取る「じゃあ, 行きましょうか」Eさんと一緒に食卓へ戻り, 食事介助を再開する	▶タッチング

表V-5-5　バリデーションにおける 14 のテクニック

1. センタリング	精神を集中させ，自分のニーズや感情から自由になって，高齢者をありのままに受け入れる準備をする．高齢者に変わってもらいたいという自分の思惑を脇へおき，ゆっくりと呼吸を繰り返して精神を統一する
2. 事実に基づいた言葉を使う	高齢者に対する質問は，「だれが」「何を」「どこで」「いつ」「どのように」を用いて事実に基づいた内容に焦点を当てる．「なぜ」と問うことは，高齢者に自分自身の感情や行動に直視することを強いて困惑や引きこもりを生じさせる原因になるため避ける
3. リフレージング	高齢者と同じ言葉を繰り返すことで，自分が伝えたことが相手に確認されたという安心感を与える．言葉を繰り返すさいは，できるだけ声のテンポや調子を高齢者に合わせる
4. 極端な表現を使う	高齢者が表出した不平や不満について，もっとも極端な表現を使って問い返す．高齢者は，自分の経験を大げさに問い返されることで，より感情を表出しやすくなる
5. アイコンタクト	正面から目線を合わせ，精神を集中し，心をこめて相手を見つめる．相手の愛情やいたわりを感じたとき，高齢者は安心して落ち着きを取り戻したり，しばしば現実に返る
6. 曖昧な表現を使う	失語がすすむにつれて，高齢者は意味のわからない言葉を使うことがある．このような場合は，代名詞を使ったり，対象の明確化を避けることで，高齢者とのコミュニケーションを維持することができる
7. 反対のことを想像する	痛みを伴う経験が訴えられたとき，反対の状況を想起することによって，かつて高齢者が苦しみや困難から立ち直るために使っていた方法を思い出のなかから導き出す手助けをする
8. 思い出を話す（レミニシング）	過去を思い出すことで，高齢者がこれまで使ってきた方法を使って，現在失ってしまったものを取り戻したり，ストレスをコントロールする手助けをする
9. はっきりした低い調子のやさしい声を使う	粗野な口調は高齢者を混乱させ，怒らせたり引きこもらせたりする．また，不明瞭な高い声は多くの高齢者にとって聞きとりにくい．はっきりと低い声で，敬意と思いやりを込めた調子で話すことで，高齢者のストレスを減らし，落ち着きを取り戻したり感情を表出する手助けができる
10. ミラーリング（相手の動きや感情に合わせる）	失語が進行すると，高齢者は，身体の動きによる非言語的コミュニケーションを用いて意思を表現する．援助者は，精神を集中し，共感をこめて，鏡に映したように高齢者と同じ行動をすることで，相手の感性の世界に入り込み，コミュニケーションを築くことができる
11. 満たされていない欲求と行動を結びつける	高齢者の行動は，「愛情（愛し愛されること）」「役に立つこと（仕事上の地位の回復）」「感情の発散」という基本的欲求に関連している．高齢者の行動がどの欲求とつながっているのかを見極めることで，高齢者の思いを受け止め，ニーズを満たす手助けをすることができる
12. 好きな感覚を用いる	援助者は，高齢者が好む感覚や得意な表現方法を用いることで，相手とのコミュニケーションを促進することができる
13. タッチング	周囲の人を見分けたり，自分の居場所を把握することが困難になった高齢者に対して，心をこめてやさしく触れることは親密な関係づくりに役立つ．タッチングをするときは高齢者を驚かせることがないよう，必ず正面からアプローチする．高齢者に抵抗する様子がみられた場合はタッチングが適当でないと判断し，その人の個人の空間を尊重する
14. 音楽を使う	失語が進行していても，思い出や人生と強く結びついている音楽は，しばしば高齢者の記憶に残っている．高齢者が慣れ親しんだ音楽を使うことで，昔のかがやいていた記憶をよみがえらせ，コミュニケーションをはかるきっかけにすることができる

6●評　価

a. 分　析

　上記の例は，担当看護師がEさんの心の動きに寄り添い，Eさんの世界に入り込んでそのニーズに応えた瞬間を示しており，徘徊の出現に対し，バリデーションのテクニックを用いてコミュニケーションをはかることで，Eさんの怒りや攻撃的行動，食事の中止を回避することができている．看護師はコミュニケーションを維持するために，Eさんが理解できる範囲のその場の事実に基づいた言葉を用いたり，Eさんの非言語的表現が示す意味を決めつけずに，あいまいな表現で返答するテクニックを用いたりしている．また，Eさんが見ているものを見ようとしてEさんの世界に寄り添い，同じ世界を共有し，「他人と親しい気持ちを交わすこと」や「自分が役に立つこと」というEさんのニーズに応えることに成功している．これは，Eさんの行為に，夫とともに暮らした自分がもっとも輝いていた過去の裏付けを察知し，そこにあるEさんの思いを感じとって，コミュニケーションにおける強みとして活かした結果である．

b. 看護目標の評価

　バリデーションのテクニックによってEさんとのコミュニケーションを維持した結果，Eさんの徘徊は短くなると同時に頻度が少なくなり，食事の中断が減るとともにEさんの食事摂取量が増え，体重が増加した．

　Eさんの実例にみられるように，看護師は，バリデーションの技術を活用することにより，認知症の人とのコミュニケーションの焦点を合わせて相互の交流を維持し，相手の感情の表出を助け，信頼関係を築くことができる．結果として，さまざまな日常生活の行為の妨げとなっていた認知症の症状が緩和され，その人らしい生活の営みの実現につながるものである．

練習問題

Q37 次の文を読み，[問題1]，[問題2]，[問題3]に答えよ.

　87歳，男性．65歳まで銀行員として働いていた．4年前にアルツハイマー病と診断された．数日前，介護老人保健施設に入所した．日中はソファーに座り，外を見て過ごしたり，まわりの人と話したりしていた．夜になりパジャマに着替えるとき，ボタンを留めようとせず，ボタンを引っぱって外そうとし，夜中には「銀行に行ってくる」と言って，徘徊していた．

[問題1] アルツハイマー病で正しいのはどれか.
1. 日本では，認知症の原因として血管性認知症に次いで多い
2. 生活習慣病と関連があり，遺伝的な要因はない
3. 画像診断では脳浮腫がみられる
4. 進行性の疾患である

[問題2] この男性の更衣に対する援助として適切なものはどれか.
1. 更衣に関する一連の流れを説明する
2. ボタンの留め方が間違っていることを指摘する
3. 向かい合って，ボタンを留める行為を見せる
4. 全介助とする

[問題3] 下線部の対応として適切なものはどれか.
1. 「夜だから寝ましょう」と話し，臥床を促す
2. しばらく一緒に歩き，「お帰りなさい」と言って，臥床を促す
3. 「夜歩くのは，他人の迷惑です」と言って，部屋に誘導する
4. 「ベッドに戻りましょう」と話し，個室に誘導して施錠する

[解答と解説 ▶ p.480]

■ 引用文献 ■

1) Sekita A, Ninomiya T, Tanizaki Y, et al：Trends in prevalence of Alzheimer's disease and vascular dementia in a Japanese community：the Hisayama Study. Acta Psychiatrica Scandinavica **122**（4）：319-325, 2010
2) 厚生労働省：認知症施策「認知症施策推進大綱について」, 2019,〔https://www.mhlw.go.jp/stf/seisakunitsuite/bunya/0000076236_00002.html〕（2019年9月1日検索）
3) Ohara T, Hata J, Mukai N, et al：Trends in dementia prevalence, incidence, and survival rate in a Japanese community. Neurology **88**（20）：1925-1932, 2017
4) Ohara,T, Doi Y, Ninomiya T, et al：Glucose tolerance status and risk of dementia in the community：the Hisayama Study. Neurology **77**（12）：1126-1134, 2011
5) Matsuzaki T, Sasaki K, Tanizaki Y, et al：Insulin resistance is associated with the pathology of Alzheimer's disease：the Hisayama Study. Neurology **75**（9）：764-770, 2010
6) 加藤伸司, 下垣 光, 小野寺敦志ほか：改訂長谷川式簡易知能評価スケール（HDS-R）の作成. 老年精神医学雑誌 **2**（11）：1339-1347, 1991
7) Folstein MF, Folstein SE, McHugh PR："Mini-Mental State". A practical method for grading the cognitive state of patients for the clinician. Journal of Psychiatric Research **12**（3）：189-198, 1975
8) Reisberg B. Functional assessment staging（FAST）. Psychopharmacology Bulletin **24**（4）：653-659, 1988

6　緩和ケア（大腸がん）

> **事例⑥** Fさん（75歳，男性）：直腸がん（ステージⅣ）肝転移
>
> 　妻と2人暮らし．長女が車で10分くらいのところに住んでいる．Fさんは農業を営んでおり，孫や友人のために新鮮な野菜を食べさせたいと畑作業を行っている．Fさんは食べることが好きで，育てた野菜を使った妻の料理を好む．
>
> 　1年前，Fさんは，腹痛と嘔吐があり，食事がとれなくなり受診し，直腸がん（ステージⅣ）による腸管狭窄と肝転移がみられると診断された．Fさんは，「この苦しいのをどうにかしてほしい．また食べられるようにしてほしい」と話した．Fさんと妻は医師や看護師らと話し合い，直腸がんに対して低位前方切除術を受けることとした．直腸がんの病巣は切除したが今後の再発の可能性や転移を考慮し，退院後は化学療法を行うため通院していた．
>
> 　半月前から，食べようとすると悪心が生じ，食事摂取がすすまなくなった．また，仕事をしていても30分ほどで疲れてしまい，ベッドで横になる時間が増えていった．長女がFさんの両下肢の浮腫に気づき外来受診をした．血液検査やX線断層撮影（computed tomography：CT）にて肝機能の悪化がみられ，化学療法を中止し入院となった．医師は，「積極的な治療というよりは，吐き気や疲労感などの症状の緩和を行い，なるべく苦痛が少ないようにしていくことがいいだろう」と，Fさん，妻，長女に話した．Fさんは，「家に帰りたいなあ．点滴はいやだなあ．もう少し食べられるようになるといいんだけど」と話した．妻は，「お父さんが家に帰りたいというなら帰らせてあげたいけど，何かあったときが心配」と話した．長女は，Fさんの希望を叶えてあげたいと思っているが，「食べられないのに点滴しなくてよいのだろうか」と不安そうに話した．
>
> 　入院時血液検査：白血球7,200/μL，C反応性蛋白（CRP）3.4 mg/dL，アルブミン3.0 g/dL，尿素窒素32 mg/dL，Cr2.2 mg/dL，AST 68 U/L，ALT 53 U/L，γ-GTP 260 U/L，LD 285 U/L

A.　大腸がんとは

1●疫　学

　部位別死亡率をみると，男性は，肺がんに次ぐ第2位に大腸がん（結腸がんと直腸がん），女性は，第1位大腸がんとなっている（2021年）[1]．大腸がんの年齢階級別罹患率をみると，男女ともに，45〜49歳代から急増し，男性は80〜84歳代で，女性は90〜94歳代でピークとなっている（2019年）[2]．2011年〜2013年に診断を受けた患者を対象にした調査では，大腸がんの5年相対生存率は76.8%である[3]．

2●病態・生理

　大腸は，**結腸**（盲腸，上行結腸，横行結腸，下行結腸，S状結腸）と**直腸**（直腸S状部，上部直腸，下部直腸）からなる**（図V-6-1）**．大腸は，消化管における消化・吸収の過程で水分と電解質の吸収を行う最後の臓器である．大腸壁は，粘膜，粘膜下層，固有筋層，漿膜下層，漿膜から構成される．

　早期がんとは，浸潤が粘膜および粘膜下層にとどまるものであり，転移の有無は問わないものを示し，進行がんは，固有筋層より深部に浸潤しているものを示す[4]．

　大腸がんが進行すると，膀胱や子宮，前立腺などの周囲の臓器への直接浸潤や，他の臓器への転移によって拡大していく．転移には，リンパ行性転移，血行性転移，腹膜播種性転移がある．大腸がんの転移の頻度は，肝臓がもっとも高く，次いで，腹膜，肺，骨の順である[5]．

3●危険因子

　大腸がんの危険因子として，**遺伝的因子**と**炎症性腸疾患**と**環境因子**が挙げられる．遺伝的因子は，家族性大腸腺腫症やリンチ症候群，炎症性腸疾患は，潰瘍性大腸炎やクローン病などが挙げられ，環境因子は，食生活の要因（赤肉や加工肉の摂取過多や食物繊維の摂取不足），飲酒，喫煙，肥満，運動不足などが挙げられる[6]．

4●臨床症状

a. 早期大腸がん，進行大腸がん

　早期大腸がんは，自覚症状がほとんど出現せず経過することが多い．がんの進行に伴い，下血や血便，腫瘍による腸管の狭窄により，通過障害が起こることで，便柱が細くなった

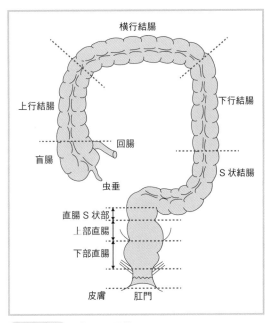

図V-6-1　大腸の区分

り，腸閉塞を生じ，それによる悪心・嘔吐，腹痛，腹部膨満感，体重減少などの症状が出現する．

b. 遠隔転移を伴う大腸がん

がんが進行し転移した部位によってもさまざまな症状が出現する．肝転移が進行した場合，黄疸，腹水貯留，浮腫，季肋部痛，凝固機能異常による出血傾向，肝性脳症など，肺転移が進行した場合，咳嗽，呼吸困難感，胸水貯留など，骨転移が進行した場合，疼痛や病的骨折などの症状が出現する．また，悪液質による全身倦怠感，るいそう，体動困難などの症状も出現する．

5●診　断

大腸がんのスクリーニング検査として，免疫学的便潜血検査が用いられる．がんの大きさや深達度，狭窄の有無，周囲の臓器との位置関係などを確認するために注腸造影検査を行う．

また，下部消化管内視鏡検査では，がんの位置や形態を直接確認し，病理検査のための生検が行われる．大腸がんの周囲臓器への浸潤の有無や腹水の有無，肝転移やリンパ節転移などを確認するために，超音波検査やCT，磁気共鳴画像（magnetic resonance imaging：MRI），陽電子放出断層撮影（positron emission tomography：PET）などが行われる[7]．

大腸がんの進行度は，これらの検査結果から総合的に判断され，大腸がんの進行度分類（Stage，図Ⅴ-6-2）を用いる．大腸がんの部位やがん遺伝子・抑制遺伝子の種類により薬剤の選定が異なるため，遺伝子検査を行うことがある．

6●治　療

大腸がんの治療方法として，**内視鏡治療，手術治療，薬物療法，放射線療法**がある．

a. 内視鏡治療

内視鏡的に大腸の病巣部を切除する方法であり，粘膜内がん，粘膜下層への軽度浸潤がんに対して行われる．この治療の対象は，リンパ節転移の可能性がほとんどなく，腫瘍が一括切除できる大きさと部位にあるものである[8]．

b. 手術治療

大腸がんの手術における術式やリンパ節郭清度は，リンパ節転移の有無と腫瘍の壁深達度により決定される．直腸がんの手術治療では，がんの進行度，肉眼的な神経浸潤の有無などを考慮して，根治性を損なわない範囲で，排尿機能，性機能温存のため自律神経の温存や肛門括約筋の機能の温存に努められている[9]．低侵襲性の手術として，腹腔鏡下手術，ロボット支援下手術などがある．

大腸がんの進行により病巣が切除できない場合は，消化管の通過障害や腸閉塞による苦痛症状を緩和するために，消化管バイパス手術や人工肛門（ストーマ）造設術などが行われることがある[10]．

c. 薬物療法

薬物療法は，術後再発を抑制し予後を改善する目的とした**補助化学療法**と，延命や症状

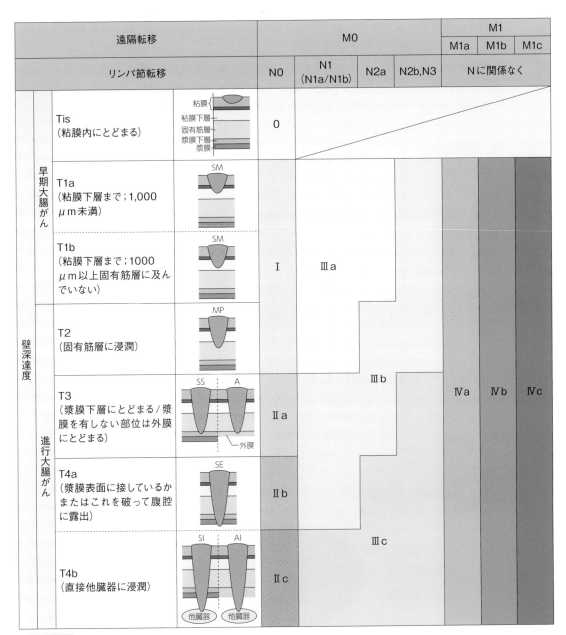

遠隔転移				M0				M1		
								M1a	M1b	M1c
リンパ節転移				N0	N1 (N1a/N1b)	N2a	N2b,N3	Nに関係なく		
壁深達度	早期大腸がん	Tis（粘膜内にとどまる）		0						
		T1a（粘膜下層まで；1,000μm未満）		I	IIIa	IIIb	IIIc	IVa	IVb	IVc
		T1b（粘膜下層まで；1000μm以上固有筋層に及んでいない）		I	IIIa					
	進行大腸がん	T2（固有筋層に浸潤）		I	IIIa					
		T3（漿膜下層にとどまる/漿膜を有しない部位は外膜にとどまる）		IIa	IIIb					
		T4a（漿膜表面に接しているかまたはこれを破って腹腔に露出）		IIb	IIIb					
		T4b（直接他臓器に浸潤）		IIc	IIIc					

図 V-6-2　大腸がんの進行度分類

M：遠隔転移／M0：遠隔転移を認めない，M1：遠隔転移を認める，M1a：1臓器に遠隔転移を認める（腹膜転移は除く），M1b：2臓器以上に遠隔転移を認める（腹膜転移は除く），M1c：腹膜転移を認める.

N：リンパ節転移／N0：リンパ節転移を認めない，N1：腸管傍リンパ節と中間リンパ節の転移総数が3個以下，N1a：転移個数が1個，N1b：転移個数が2～3個，N2：腸管傍リンパ節と中間リンパ節の転移総数が4個以上，N2a：転移個数が4～6個，N2b：転移個数が7個以上，N3：主リンパ節に転移を認める．下部直腸癌では主リンパ節および/または側方リンパ節に転移を認める.

［大腸癌研究会：大腸癌取扱い規約，第9版，p.19，金原出版，2018を参考に作成］

緩和などを目的とした切除不能と判断された進行・再発大腸がんに対する**薬物療法**があ
る[11].

　薬物療法はがん細胞への作用とともに正常細胞へも少なからず影響し副作用が生じ，患
者の生活の質（quality of life：QOL）の低下につながる可能性がある.

　高齢者の場合，老化そのものや基礎疾患などにより身体の予備力が低下しているため，
医療従事者は，薬物療法の効果とともに副作用が出現する可能性も考慮する.

d. 放射線療法

　放射線療法は，直腸がんの術後の再発抑制や術前に腫瘍を縮小させること，肛門を温存
することを目的とした**補助放射線療法**と，切除不能と診断された進行・再発大腸がんの症
状緩和や延命を目的とした**緩和的放射線療法**がある[12].

e. 緩和ケア

　緩和ケアは，がんの治療ができなくなってから，または，終末期となってから行うもの
ではない. がんと診断されたときから行われて，最期のときを迎える終末期までを包括す
る医療である. その間，高齢者は，さまざまな身体的・精神的・社会的・スピリチュアル
な苦痛（トータルペイン）が生じている**（図Ⅴ-6-3）**. 看護師は，それらの苦痛を全人的
な視点でとらえ，その苦痛が最小限となるように，高齢者にかかわっていく必要がある.

　大腸がんの病態関連図を**図Ⅴ-6-4**に示す.

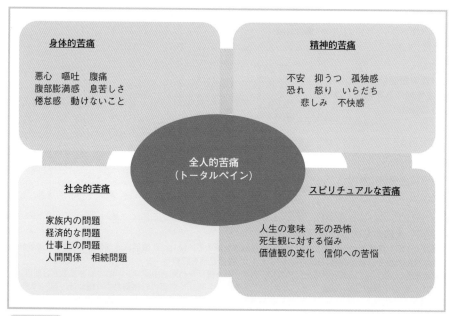

図Ⅴ-6-3　トータルペイン

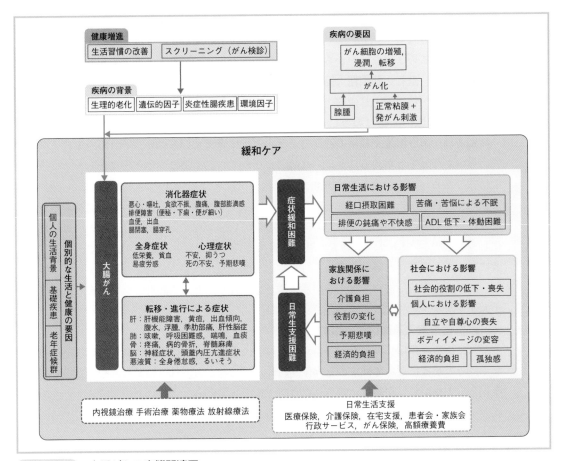

図V-6-4　大腸がんの病態関連図

B. 進行・終末期大腸がんの緩和ケア

1 ● 進行・終末期大腸がんの高齢者への理解

a. 進行・終末期大腸がんの高齢者の抱える苦痛

　増悪や寛解を繰り返して徐々に日常生活動作（activities of daily living：ADL）が低下する心不全などの臓器不全疾患とは異なり，がんは，歩行できていた状態から，急に食欲が低下し倦怠感が著明になり寝たきり状態になるなど，急激に身体機能が低下する場合が多い．

　高齢者は，老化現象を伴いながらも「自分らしさ」を保てるよう身体や心に折り合いをつけながら生活している．しかし，大腸がんによる悪心や腹痛，腸管の通過障害などの症状の出現で，高齢者の日常生活が急激に変化する．食事をする，トイレに行く，衣服を着脱するなどの動作に他者の介助が必要となり，大腸がんの場合はストーマでの新たな排泄行動の介助も必要となることがあり，自分の身体が思うように動かせず，他者に依存することへの羞恥心や自尊心の低下が生じる．また，家族の介護負担に対し罪悪感をもつこともある．

　高齢者は，どのライフステージよりも死を身近に迫ることを感じる時期にいるが，「食べることができない」「自分の身体が思うように動かせない」などは「死」を連想させる要因となる．このような状況から，高齢者は不安や抑うつやせん妄なども現れやすい．

　これらから，進行・終末期大腸がんの高齢者は，老化現象や大腸がんによる身体的な苦痛だけでなく，精神的・社会的・スピリチュアルな苦痛（トータルペイン）が生じている．

b. 高齢者の思いに寄り添うこと

　高齢者は，望む医療や最期の迎え方をどのように考えているのか，それらを家族に話しているのかなどをとらえることは，高齢者がその人らしく過ごすことを支えるために重要な情報である．がんの進行により新たな症状が出現したり，苦痛が緩和されなかったり，家族の介護負担が気になったりと時がたつにつれ，今の状況や今後について高齢者の思いに変化が生じることがある．時間の経過，心身の状態の変化などにより，本人の思いは変化しうるもの[13]であり，高齢者の思いを表出できるようにすることが大切である．高齢者にとって，残された時間をその人らしく過ごすことができるためにはどうすればよいのか，高齢者と家族，彼らを支える関係者達と話し合うこと，高齢者の思いに寄り添うことが大切である．

c. 高齢者を支える家族も看護の対象者

　がんによる身体症状の出現やその変化の対応に困難を感じているのは，高齢者だけではなく，その家族にもあてはまる．今後，訪れる高齢者との別れへの悲しみや不安（予期悲嘆）を抱えながら，高齢者と残された時間を過ごしている．そのため，高齢者を支える家族も看護の対象者となる．

2● 看護の目標

　進行・終末期大腸がんの高齢者は，老化現象やがんの症状により，日常生活にも影響が生じている．看護師は，高齢者の人生観や価値観を大切にし，1日1日をその人らしく過ごせるように日々の医療・ケアを行っていくことが大切である．そして，介護する家族の状況に配慮しながら，家族が高齢者との残された時間を過ごせるよう支援していくことも大切である．これらより，次の内容に焦点を当てた支援が求められる．

　進行・終末期にある大腸がん患者の看護は，以下が挙げられる．

①進行・終末期大腸がんに伴う身体的・精神的・社会的・スピリチュアルな苦痛（トータルペイン）の緩和
②その人らしく過ごすことができる日常生活への援助
③家族の介護負担や予期悲嘆へのケア

3● アセスメントの視点（Fさんの場合）

a. がんの進行に伴う身体症状

　Fさんは，肝転移による肝機能の悪化がみられ，症状として，悪心や倦怠感，両下肢の浮腫が出現している．それらの症状による長時間の臥床から筋力低下，腸蠕動活動の低下となり，便秘や腸閉塞の出現が考えられる．また，低栄養や長時間の臥床，浮腫を伴う皮

膚の脆弱化などから，褥瘡発生リスクも高くなる．さらに，今後，疼痛や黄疸，出血傾向，肝性脳症などの出現が考えられ，そう遠くない将来に最期を迎えることとなる．

b. がんの進行に伴う精神的・社会的・スピリチュアルな苦痛

Ｆさんは，経口摂取が困難となっていることから，好きなことができない喪失感や自分の変化した姿から今後の不安などの苦痛を抱えていることが考えられる．「食べること」は，栄養状態の維持の他に，「生きること」「楽しみ」など，その人にとっての意味がある．Ｆさんは自分で育てた野菜を妻に調理してもらい食べることを好んでいた．Ｆさんにとっての「食べること」は，栄養状態の維持の他に，Ｆさんと妻との「食べ物を通した共同作業」や「絆」という意味も考えられる．孫や友人のために野菜を育てていたことからも「人とのかかわり」を大切にしていることが考えられる．

今後，がんの進行・転移による心身の状態の変化や時間の経過などにより，Ｆさんの思いが変化しうる．Ｆさんがその都度，思いを伝えることができるような支援を行うことが求められる．また，肝性脳症や意識障害などが生じ，Ｆさん自身が思いを伝えることが困難となったときに，Ｆさんは誰に思いを代弁してほしいと思っているのか，Ｆさんの意思を代弁する人は誰か確認していく必要がある．

c. 生活への影響

Ｆさんは，悪心や倦怠感や下肢浮腫が生じており，自力での歩行や移動には，倦怠感の増強や転倒リスクが考えられる．そのため，食事，排泄，入浴，移動などのADLは，Ｆさんに残された力（自己にて動くことができる範囲など）や倦怠感などの症状にあわせた介助が必要となる．また，体調の変化や今後の不安や悲しみなどの予期悲嘆から，抑うつや不眠などの出現も考えられる．

d. 介護の状況

高齢者である妻と2人暮らしであり，妻の介護負担が考えられる．また，急変時の対応にも不安がみられている．長女の協力はどこまで得られるのかを把握し，自宅療養が継続できるよう訪問看護などのサポート体制を整え，妻の介護負担を軽減する必要がある．

長女の発言から，Ｆさんの現状に衝撃を受け，死別への不安や恐れなどの予期悲嘆が考えられる．本人・家族は理だけで動くのではなく，情も兼ね備えているのだから，その気持ちに寄り添う対応が望まれる[14]とあるように，家族にとっても，「Ｆさんが食べること」への思いも存在する．Ｆさん自身は輸液を拒否している．輸液に関して，悪液質により代謝障害が高度になると，この時期における過剰なエネルギー投与は逆に生体への負荷となり，同時に過度な輸液は全身浮腫や胸水，腹水の増悪，喀痰の増量を招き，QOLを低下させることが多い[15]といわれている．これらのことから，長女，妻には，Ｆさんが食べられなくなっている状況やＦさんの「食べること」の意味を情報共有しながらかかわっていくことが求められる．

e. 強みをとらえる

残された時間をＦさんらしく過ごすことができるように，Ｆさんの「強み」をとらえて，潜在力を発揮できるよう支援することが求められる．Ｆさんの強みは，「自分の思いを表出することができ，妻や医療従事者とともに話し合うことができる」「妻や長女との関係は良好であり，自宅療養の協力者がいる」「孫や友人のために野菜を作ってきた経緯から，

世代間の交流や身内以外の他者とも交流をもつことができる」ということである.

4 ● 看護問題の明確化

アセスメントにより推察されたFさんの状況を次に示す.

①大腸がんの肝転移の進行により，悪心や倦怠感などの身体症状による苦痛がある.
②Fさんの望む食行動が思うようにできないことによる苦痛を生じている.
③大腸がんの肝転移の進行により，今後，急激に全身状態が悪化する可能性がある.
④妻や長女は，Fさんの自宅療養への思いに添いたいと思っているが，Fさんの食事がとれていないという状況や急変時の対応に不安を感じている.

ここでは，優先順位が高い看護問題として，悪心などの症状緩和とFさんにとっての食行動そして自宅療養への移行に関連した問題に焦点を当て，看護目標と看護計画を次のように定めた.

Fさんの看護目標と看護計画

看護目標	看護計画
悪心などの苦痛を最小限にしながら，Fさんの「食べること」への思いを満たすことができる.	①Fさんにとっての「食べること」への思いを聞く. ②悪心や倦怠感などの症状を防ぎながら，Fさんにとっての「食べること」の方法をFさんや家族とともに検討する. ③Fさんの自分自身の病状や体調の変化，死への不安などの苦痛へのケアを行う. ④家族の予期悲嘆へのケアを行う. ⑤Fさんや家族と在宅療養の専門職者とともに，急変時の対応を話しあい，情報共有を行う.

5 ● 看護介入の技術

a. 悪心などの症状の観察

悪心はどのようなときに生じるのか，その持続する時間や程度，悪心が軽減するときはどのようなときなのかを確認する. また，悪心のほかの腹部症状の有無，便や尿の排泄状況，夜間の睡眠状況を含めた全身状態の観察を行う.

b. 食事動作や嚥下機能の観察と食事の工夫

Fさんが食事をとる姿勢をどの程度保持できるのか，両上肢の可動範囲や咀嚼・嚥下機能の障害の有無を確認する. また，口腔内の乾燥や疼痛や出血などの有無，歯や義歯の不具合などがないかも観察する. 味覚やにおいによって悪心を引き起こしている可能性もある. 量や味，におい，固さなどの食形態や使用する食器などの工夫をする.

c. 今までのFさんの食習慣を取り入れる

Fさんの入院前の食習慣（好物・誰と食事をとっていたのか・こだわりなど）やFさんにとっての「食べること」への思いを聞く. Fさんは育てた野菜を使った妻の料理を好んでいたので，妻や長女からみたFさんの食習慣の情報も含めて食事の内容を検討する.

d. 口腔内の保清とその工夫

　口腔内の保清や湿潤状態を維持することで，口腔内の不快感や感染症を予防することにつながる．しかし，口腔内ケアによる悪心を誘発する可能性もあり，氷水やレモン水を活用した含嗽や歯ブラシではなくスポンジブラシを利用し，口腔内への刺激を少なくするなど，Ｆさんと相談しながら方法を検討する．

e. 安楽な心地よい環境となるよう整える

　Ｆさんは，「食べること」を望んでいるが，それが過度な負担となることを防ぐ必要がある．Ｆさんのペースにあわせて，Ｆさんにとって安楽な心地よい環境とすることが大切である．ベッドの機能やクッションを利用して安楽な姿勢が保持できるようにする．また，食べるときは，妻や家族と一緒がよいのか，外の景色や空気が感じられる場所がよいのかなど，Ｆさんの希望に沿いながらその環境を整える．

f. Ｆさんや家族の予期悲嘆へのケア

　Ｆさんの表情や言動の変化をとらえ，Ｆさんの強みを活かせるように介入していく．また，Ｆさんや家族とのかかわりでみえてくるＦさんの大切にしてきた文化や価値観を尊重する．

　妻の作る好きな料理は何か，Ｆさんと家族との思い出話などの会話を通して，Ｆさんの「食べること」の思いを家族とともに共有する．妻や長女には，Ｆさんが食べられなくなっている状況や今後起こりうることなどを，彼女らの思いや理解状況にあわせて情報提供を行う．

g. 自宅での療養生活を整える

　Ｆさんが，表出できずに抱いている思いがあることも考えられ，その思いを表出できるような雰囲気づくりを行う．

　妻の介護負担を軽減するために，長女がＦさん夫妻に協力できることを確認する．また，社会資源（訪問看護など）の利用を提案する．全身状態の悪化やその症状に，家族が対応しきれず自宅での療養継続を困難と感じたときに，相談できる窓口の支援体制を確保する．今後，Ｆさん自身が思いを伝えることが困難となったときに，Ｆさんの意思を代弁する人を確認する．さらに，Ｆさん，家族を支える地域における在宅療養の専門職者への橋渡しを行う．

6●評　価

　Ｆさんの「食べること」への思いを満たすとは，食事摂取量だけではない．その場の雰囲気を「楽しむ」「味わう」ことも人間の食行動の１つである．Ｆさんが，妻や長女らとともに穏やかな時間をもつことができたのか，最期まで，Ｆさんらしく過ごすことができたのかが評価項目となるだろう．そのためには，医療従事者・在宅療養の専門職者は，今後起こりうることやその対応方法をタイムリーに提供していく必要がある．そして，家族が，Ｆさんの生活を支えるためにさまざまなことを話しあい協力しあった時間の共有は，Ｆさんとの死別後の悲嘆のケアにもつながる．高齢者の意思を尊重し，家族の高齢者への思いも配慮しながら，高齢者がその人らしく過ごせるように支援していくことが大切である．

練習問題

Q38 高齢者の緩和ケアで正しいものはどれか．2つ選べ．
1. 緩和ケアは，がんの治療ができなくなってから開始する
2. がん患者がもつ苦痛はスピリチュアルな苦痛は含まれない
3. 放射線療法は，症状緩和目的には行われない
4. 高齢者を支える家族も看護の対象者である
5. 看護師は，高齢者のもつ強みを活かす看護を行う

[解答と解説　▶ p.480]

引用文献

1) 厚生労働省：③部位別にみた悪性新生物＜腫瘍＞，令和3年（2021）人口動態統計月報年計（概数）の概況，p13，〔https://www.mhlw.go.jp/toukei/saikin/hw/jinkou/geppo/nengai21/dl/kekka.pdf〕（最終確認：2023年1月26日）
2) 国立がん研究センターがん情報サービス：がん種別統計情報大腸，1．統計情報のまとめ，年齢階級別罹患率〔https://ganjoho.jp/reg_stat/statistics/stat/cancer/67_colorectal.html〕（最終確認：2023年1月26日）
3) 全国がんセンター協議会：2011年～2013年大腸癌5年生存率，2021年11月10日，〔https://www.zengankyo.ncc.go.jp/etc/seizonritsu/seizonritsu2013.html〕（最終確認：2023年1月26日）
4) 大腸癌研究会：壁深達度．大腸癌取扱い規約，第9版，p11，金原出版，2018
5) 大腸癌研究会：大腸癌同時性遠隔転移頻度．大腸癌治療ガイドライン医師用，2019年版，p.91，金原出版，2019
6) 国立がん研究センターがん情報サービス：大腸がん（結腸がん・直腸がん）予防・検診，〔https://ganjoho.jp/public/cancer/colon/prevention_screening.html〕（最終確認：2023年1月26日）
7) 北野正剛：大腸の腫瘍．標準外科学，第15版（坂井義治，田邉稔，池田徳彦編），p.541-542，医学書院，2019
8) 大腸癌研究会：Stage0～StageⅢ大腸癌の治療方針，大腸癌治療ガイドライン医師用，2019年版，p.12，金原出版，2019
9) 前掲8），Stage0～StageⅢ大腸癌の治療方針，p.16
10) 前掲8），緩和医療・ケア，p.47
11) 前掲8），薬物療法，p.31
12) 前掲8），放射線療法，p.42
13) 厚生労働省：人生の最終段階における医療・ケアの決定プロセスに関するガイドライン，p.2，〔https://www.mhlw.go.jp/file/04-Houdouhappyou-10802000-Iseikyoku-Shidouka/0000197701.pdf〕（最終確認2023年1月26日）
14) 日本老年医学会：高齢者ケアの意思決定プロセスに関するガイドライン人工的水分・栄養補給の導入を中心として，p7（2012年6月27日）〔https://www.jpn-geriat-soc.or.jp/proposal/pdf/jgs_ahn_gl_2012.pdf〕（最終確認2023年1月26日）
15) 東口髙志：消化器癌の緩和ケア．消化器疾患最新の治療2021-2022（小池和彦，山本博徳，瀬戸泰之），p.48，南江堂，2021

パーキンソン病の看護

> **事例 ⑦** Gさん（72歳，男性）：パーキンソン病（15年前に診断）
>
> 　Gさんは12年前に高校教諭を定年退職し，68歳の妻と2人暮らしである．現在パーキンソン病のため自宅療養中である．
>
> 　治療に関しては，2ヵ月ごとに神経内科に受診している．薬剤はGさん管理で時間どおりに内服していた．1ヵ月前ごろより妻がGさんの自室を掃除すると，ときどき内服薬が落ちていることがあった．そのため，妻は内服の介助をしようと思うが，Gさんは「しっかり飲めている．それに自分のことは自分でするのが，この病気を悪化させないために大事なことだ」と言い，介助を拒み続けた．
>
> 　身体状態について，以前は，姿勢反射障害があってもゆっくり200m程度の自力歩行を行うことができたが，現在では，歩行距離は50m程度に減少した．また，Gさんに構音障害が現れたため，妻は会話中に言葉が聞きとれずに何度か聞き返すことが増えた．栄養状態は，1ヵ月間で体重が2kg減少した．食事は利き手である右上肢の振戦と握力低下のためにスプーンを使用していたが，こぼすことが多く，むせることもあった．また，食事中に姿勢が崩れることがたびたびあり，食事ののちに顔面が蒼白になってボーッとしていることがあった．排泄に関しては，日中は排便後に着衣ができない，夜間は寝返りができずトイレに行けないと妻を呼ぶことが増えた．便秘が以前より増え，眠前に緩下剤を内服することになった．更衣や入浴に関しては，Gさん自身で行おうとするが，毎回すべてを自分で行うことができないため，妻を呼び，部分的な介助を受けていた．Gさんが頼む前に妻が介助をしようとすると強く拒み，「手伝って欲しいことがあったら呼ぶ」と言っていた．
>
> 　このように運動症状が悪化してきたため定期受診日前にかかりつけ医に相談し受診したところ，入院し薬物コントロールをすることとなった．

A. パーキンソン病とは

1 ● 疫　学

　パーキンソン（Parkinson）病の有病率は，日本では人口10万人あたり約100〜180人[1]，欧米では約100〜300人[2]である．日本の年間新規発症は，10万人あたり10〜18人である[1]．発症年齢は60〜70歳代に多く，高齢になるほど発病率が増加する[1]．したがって，日本では高齢者人口の増加が続くため，患者数は増加していくといえる．

2 ● 病　態

　大脳基底核の一部である中脳黒質のドパミン神経細胞は，神経軸索を基底核の線条体に伸ばしてドパミン受容体の間にシナプスを形成する．パーキンソン病では，中脳黒質のドパミン神経細胞がレビー小体を形成しながら変性・消失する．その結果，線条体神経終末

からドパミンの放出が減少し，**パーキンソン症候**が出現する．

3●危険因子

　危険因子には，遺伝的要因と環境的要因がある．遺伝的要因では，家族性パーキンソン病から原因遺伝子が同定されている．環境的要因では，鉛・銅・鉄の曝露，農薬・殺虫薬の曝露が罹患リスクを有意に増加させるという報告がある．一方，防御因子として喫煙，コーヒー，カフェイン，食事中の不飽和脂肪酸，血清尿酸値などが挙げられる[3]．

4●臨床症状

　パーキンソン病の主症状は，①「筋固縮」「振戦」「無動・寡動」「姿勢・歩行障害」といった4大症状などの運動症状，②比較的軽微な便秘，起立性低血圧などの自律神経症状，③抑うつ・認知機能障害などの神経症状などである．以下に，運動症状の4大症状について解説する．

（1）筋固縮

　力を抜いた状態で肘や肩などを他動的に動かそうとしたさいに，強い抵抗を感じる．典型的な場合は，カクカクカクというような歯車様**筋固縮**がみられる．頸部，肩，肘，手首，股関節，膝，足首などの全身に認められ，振戦と同様に左右差がある．

（2）振　戦

　4～6 Hzの規則的な左右差のある静止時振戦である．上肢の振戦が多いが，顎や下肢にも同様の**振戦**が出現する．振戦は精神的緊張によって誘発または増強するが，睡眠中は消失する．

（3）無動・寡動

　麻痺がないにもかかわらず，動作が遅く，また乏しくなる．表情の変化，まばたきの減少は**仮面様顔貌**とよばれる．歩行時の手振りの減少，寝返りの困難，坐位から立位への姿勢転換のぎこちなさ，**構音障害**なども含まれる．

（4）姿勢・歩行障害

　体幹を前傾・前屈させ，下肢では股関節・膝関節を軽度屈曲させるため，身体全体が前方に傾く（**図Ⅴ-7-1**）という**姿勢反射障害**がみられる．進行した時期では，立位に限らず，臥位，坐位でも症状が明らかとなるが，とくに立位で障害が顕著となる．病状が進行すると，身体が崩れたときに調整してもとに戻る能力が障害される．これを姿勢反射障害という．

　歩行障害は，姿勢の異常に加えて症状が進行する．腕振りの減少・消失，すり足，小刻み歩行，速度の低下，歩行開始困難（第1歩目が出にくい），加速歩行，突進現象，すくみ足などがみられる．

5●診　断

　パーキンソン病の診断は現在，指定難病の診断基準[5]に基づいて行われる（**表Ⅴ-7-1**）．この診断基準は，神経所見，臨床検査所見，鑑別診断，薬物反応の4項目からなる．実際には，特徴的な4大症状を中心に調べ，さらに画像検査（頭部CT，MRI検査）で脳

図Ⅴ-7-1　立位における姿勢反射障害
前かがみの姿勢で，身体をまっすぐに伸ばそうとすると後方に倒れる危険性がある．上肢
では，肩関節は軽度内転，肘関節は軽度屈曲している．左右の足の間隔は正常である．

表Ⅴ-7-1　パーキンソン病診断基準

以下の診断基準を満たすものを対象とする（疑い症例は対象としない）
1．パーキンソニズムがある[※1]
2．脳 CT または MRI に特異的異常がない[※2]
3．パーキンソニズムを起こす薬物・毒物への曝露がない
4．抗パーキンソン病薬にてパーキンソニズムに改善がみられる[※3]
以上4項目を満たした場合，パーキンソン病と診断する
なお，1, 2, 3 は満たすが，薬物反応を未検討の症例は，パーキンソン病疑い症例とする

※1：パーキンソニズムの定義は，次のいずれかに該当する場合とする
　（1）典型的な左右差のある安静時振戦（4〜6 Hz）がある
　（2）歯車様筋固縮，動作緩慢，姿勢反射障害のうち2つ以上が存在する
※2：脳CT またはMRIにおける特異的異常とは，多発脳梗塞，被殻萎縮，脳幹萎縮，著明な脳室拡大，著明な大脳萎縮などほかの原因によるパーキンソニズムであることを明らかに示す所見の存在をいう
※3：薬物に対する反応はできるだけドパミン受容体刺激薬またはL-ドパ製剤により判定することが望ましい
［厚生労働省：平成27年1月1日施行の指定難病（新規）—パーキンソン病 概要，診断基準等，〔http://www.mhlw.go.jp/file/06-Seisakujouhou-10900000-Kenkoukyoku/0000157751.docx〕（最終確認：2023年1月26日）より引用］

血管障害やその他の異常がないかを確認する．また，パーキンソン病治療薬を投与することで明らかな改善が認められるかをみる．とくに，パーキンソン病以外でもパーキンソン症候を示す疾患があるため，それらとの鑑別が重要となる．このような疾患には，続発性パーキンソニズム，神経変性疾患に伴うパーキンソニズム，遺伝性疾患がある．

　症状はしだいに進行し，重症度によっては医療費助成の対象となる．重症度を示す指標として，**ホーエン・ヤール**（Hoehn & Yahr）**重症度分類**[4]，**生活機能障害度**が用いられる（**表Ⅴ-7-2**）．

6●治　療

a. 薬物療法

　パーキンソン病は，根治療法が確立されていないが，治療の中心は薬物療法である．L-ドパ，ドパミン受容体刺激薬（ドパミンアゴニスト）が主体となる．

(1) L-ドパ

　パーキンソン病で欠乏しているドパミンを補充する薬剤である．脳内への移行を保てる

ように末梢性ドパ脱炭酸酵素阻害薬との合剤が使用される．長期にL−ドパを服用していると，内服後に薬が効いて運動障害が改善される時間が徐々に短くなる**ウェアリング・オフ**（wearing off）**現象**，内服時間・血中濃度に関係なく突然に一過性の高度の無動が生じる**オン・オフ**（on−off）**現象**，律動的に踊るような不随意運動を呈する**ジスキネジア**が起こりうる．

　治療中の患者の20〜40％に幻覚や妄想などの精神症状を認める．これらはL−ドパなどの治療薬が誘因となることもあり，とくに進行期の患者や高齢者，認知機能障害を有する患者で発生しやすい傾向にある．

（2）ドパミン受容体刺激薬（ドパミンアゴニスト）

　ドパミン受容体に直接作用してドパミン様の作用をする．この薬剤は運動合併症を起こしにくいが，副作用としては**悪心**がみられることが多いため，少量から開始する，あるいは制吐薬を初期に併用する．

　L−ドパ，ドパミン受容体刺激薬は，いずれも急に内服を中止すると，**悪性症候群**を起こすことがある．

b. 非薬物療法

（1）運動療法

　現在の能力の維持と廃用症候群などを予防することを目的とする．具体的には，歩行訓練，正しい姿勢の保持，筋力・関節可動域の維持のための運動を規則的に行うが，疲労を残さないように配慮する．また作業療法，言語療法，嚥下訓練，呼吸訓練などが行われる．

（2）手術療法

　薬物療法で改善しない場合に考慮する．術式には，**温熱凝固術**と**脳深部刺激療法**[6]

表 Ⅴ-7-2　重症度分類

ホーエン・ヤール（Hoehn & Yahr）重症度			生活機能障害度	
0度	パーキンソニズムなし			日常生活，通院にほとんど介助を要しない
Ⅰ度	一側性パーキンソニズム	1度	
Ⅱ度	両側性パーキンソニズム		
Ⅲ度	軽〜中等度パーキンソニズム．姿勢反射障害あり．日常生活に介助不要	2度		日常生活，通院に部分的介助を要する
Ⅳ度	高度障害を示すが，歩行は介助なしにどうにか可能		
Ⅴ度	介助なしにはベッド又は車椅子生活	3度		日常生活に全面的介助を要し，独立では歩行起立不能

Hoehn & Yahr重症度 Ⅲ度以上かつ生活機能障害度 2度以上を医療費助成の対象とする

※診断基準および重症度分類の適応における留意事項
1. 病名診断に用いる臨床症状，検査所見などに関して，診断基準上に特段の規定がない場合には，いずれの時期のものを用いても差しつかえない（ただし，当該疾病の経過を示す臨床症状などであって，確認可能なものに限る）
2. 治療開始後における重症度分類については，適切な医学的管理の下で治療が行われている状態で，直近6ヵ月間でもっとも悪い状態を医師が判断することとする
3. なお，症状の程度が上記の重症度分類等で一定以上に該当しない者であるが，高額な医療を継続することが必要な者については，医療費助成の対象とする

［厚生労働省：平成27年1月1日施行の指定難病（新規）―パーキンソン病 概要，診断基準等，〔http://www.mhlw.go.jp/file/06-Seisakujouhou-10900000-Kenkoukyoku/0000157751.docx〕（最終確認：2023年1月26日）より引用］

（deep brain stimulation：DBS）がある．近年では，細胞移植治療の研究がなされている．

　パーキンソン病の病態関連図を**図Ⅴ-7-2**に示す．

B. パーキンソン病の看護

1 ● パーキンソン病の高齢者への理解

a. パーキンソン病への理解

（1）運動症状

　初発時の運動症状として振戦がもっとも多く，次いで歩行障害，筋固縮，無動・寡動で，病状は緩徐進行性で慢性的な経過をたどる．無動では，顔面の動きにも影響するため表情が乏しくなり仮面様顔貌となる．そのため，適切な薬物療法により症状をコントロー

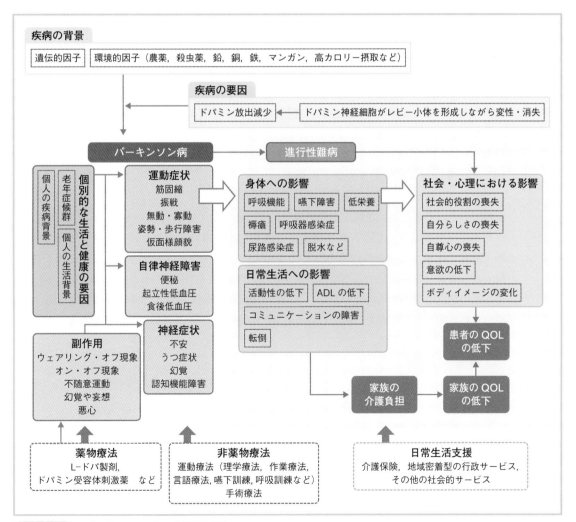

図Ⅴ-7-2　パーキンソン病の病態関連図

ルし，日常生活活動作（ADL）を維持するために運動療法を行うことが重要となる．これらの治療法を継続するためには，患者自身の疾病に対する理解と継続する意思がポイントとなる．しかし，高齢の場合や病状が進行した場合には，患者自身だけでは治療法の継続も困難となるため，家族の介助も重要である．

また，これらの運動症状は，緊張したり，焦ったりするとさらに動きがぎこちなくなる．そのような症状が出現している場合は，声かけなどで気持ちを落ち着かせる必要がある．

(2) 自律神経症状

自律神経症状として，疾患そのものによる消化管運動の低下，および治療薬の副作用による**便秘**が起こる．そのため，排便状況を把握しておくことが重要となる．便秘を起こしやすいため水分の摂取を促し，必要なときには下剤の使用も考える．

また，パーキンソン病の影響により，心臓を支配する交感神経が変調をきたし，さらに薬物療法の副作用などで，高率に**起立性低血圧**が起こる．そのため，めまい，立ちくらみ，時には失神を起こすことがある．また，**食後低血圧**になることもある．

(3) 精神症状

精神症状としては，不安，うつ症状，幻覚（とくに幻視），認知機能障害を合併する場合が多い．**うつ症状と幻視**は，パーキンソン病の精神症状のなかでもっとも頻度の高い症状といわれている．ただし，運動症状の無動により言動が鈍くなるため，一見して認知症またはその他の精神疾患のようにみえることがあり，注意深く鑑別する必要がある．

パーキンソン病患者は，運動症状の進行に伴い，自分でできることもあきらめてしまいがちで，さらにうつ傾向になりやすい．そこで，1つひとつの動作に自信がつくようなかかわりや，1日の行動計画を立ててそのとおり実行できるような援助が有効である．

(4) パーキンソン病に対するケアの基本

パーキンソン病の治療は，予後を少しでも改善し，合併症を少なくすることに重点がおかれている．そのため，予後を改善する目的で，確実な薬物療法と運動療法を継続して行うためのケアが必要となる．薬物療法は内服薬が用いられるため，自己判断で服薬を中断・減量・増量する可能性がある．したがって，①症状の日内変動を把握し，薬物の選択・投与時間・量を決定するための情報を得て，②治療を中断せず，③服薬のコンプライアンスの状況を把握する必要がある．さらに，患者が手指によるつまみ動作ができず服薬ができない場合もあるので，内服に伴う行動が可能かをアセスメントし，必要なときは介助することが求められる．

b. 身体への影響

筋固縮に加え，姿勢の変化の程度が大きくなると，**呼吸機能**への負担がかかるため，呼吸理学療法を検討する必要がある．

また，病状の進行による**嚥下障害**が生じる．まず姿勢の安定を保つことが重要である．次に，機能的嚥下障害に対しては機能の改善は期待できないが，嚥下の状態，誤嚥の有無，誤嚥性肺炎の徴候に注意し，食事内容・形態の工夫や食器などに配慮する．そのほか，食事場面では，動作が緩慢となり時間を要してしまうために下膳時間を気にして残したり，あるいはこぼしたりすることにより摂取量が低下し，**低栄養**状態になる危険性がある．また，寝返りをうてないことが多いため褥瘡発生に注意する．さらに重症期になると

廃用症候群をきたしやすくなるため，呼吸器感染症，尿路感染症，脱水などの予後を決定するような合併症の危険性についてアセスメントする必要がある．

c. 日常生活への影響

　発症初期から，筋固縮，動作緩慢，振戦により ADL に時間がかかるようになり，活動性が低下する．ボタンかけ，調理，書字など手指の巧緻性にかかわる動作障害によって，日常生活に支障をきたすことが多いため，着脱に負担の少ない衣服を用い，自助具などを活用する．

　また，声が低くて聞きとりにくい場合は，会話中の意思疎通が行いにくくなる．そのため，時間をかけてコミュニケーションが十分にとれるよう配慮する必要がある．

　さらに，歩行障害や姿勢障害などの症状が悪化することにより，転倒や外傷のリスクが高くなる．そのため，ベッド周囲の環境調整や患者の周辺の安全対策が重要となる．日常生活動作の程度の把握をするとともに，家屋の段差や寝室，トイレ，廊下などの生活環境についての情報を得る必要がある．

d. 社会・心理への影響

　社会的には症状の出現や進行により，患者自身が望む行動の実行が難しくなるため，必然的に社会的役割の遂行が制限され，あるいは喪失していく．

　心理的には，症状が進行するにしたがって ADL が低下するため，不安や悲嘆，また喪失感を感じるようになる．そのため自尊感情が低下しやすい状況にあることを看護者は十分に理解しておく必要がある．また，症状の進行により生活範囲が制限されていくように感じてしまうため，生活への意欲が低下し，患者が行える動作も他者に依存しやすくなる．そのため，ADL を介助するさいは，患者のもてる力を低下させないためにも手をかけすぎず，患者自身で実施できることを相互で確認しながら，患者に自信をもたせるかかわりが重要となってくる．さらに，仮面様顔貌，姿勢障害などの症状により容姿に変化が生じる場合もあるため，患者にボディイメージの変容による影響がないかをアセスメントする必要がある．

2● 看護の目標

　パーキンソン病の治療の基本は薬物療法と運動療法である．治療法を継続していても，パーキンソン病の場合，病状が慢性的に進行していくため，病状の進行に伴い，身体や日常生活に支障が起こる．さらに，これらの事実を患者自身が認識することで社会・心理面においても問題が現れる．在宅療養者では，病状の進行に伴い，家族の介助量が増加するという問題がある．

　以上より，パーキンソン病の看護は下記の5つに大別される．

①パーキンソン病へのケアを行う．
②身体へのケアを行う．
③日常生活へのケアを行う．
④社会・心理面へのケアを行う．
⑤家族へのケアを行う．

3●アセスメントの視点（Gさんの場合）

　パーキンソン病の症状は，薬物療法による影響が大きい．そのため，適切な薬物療法を的確に行い，日常生活の支援とリハビリテーションを行い，症状の改善をはかることが求められる．

a. パーキンソン病をみる

(1) 運動症状

　Gさんは，1ヵ月間で姿勢・歩行障害，振戦，無動・寡動といった症状が急激に進行したと判断することができる．

　ホーエン・ヤールの重症度分類では，以前は姿勢反射障害はあっても日常生活に介助は不要であったためⅡ度に相当したが，現在では歩行は介助なしにどうにか可能であっても日常生活の介助が必要となったためⅢ度となり，Gさんの病状は進行しているといえる．

(2) 自律神経症状

　自律神経症状として，Gさんは便秘を以前より認めており緩下剤を内服している．詳細な排便状況は不明であるが，食事摂取時に"むせ"を認めたりしていることより，水分摂取量減少の可能性と歩行距離短縮による運動量の減少により，便秘の可能性があるため，排便状況を確認する必要がある．

　Gさんが，食後に顔面が蒼白となりボーっとしているという情報から，食後低血圧となっている可能性も考えられる．

(3) 精神症状

　Gさんに明らかな症状は認められないが，入院は患者にとって不本意であり，かつ生活環境が急激に変化するため，入院生活にすばやく適応することができずに神経症状が出現する可能性がある．

b. 身体への影響をみる

　Gさんは発音がうまくできず構音障害が認められるため，顔面の筋固縮が進行していると考えられる．さらに，食事中に"むせ"がみられる原因として，嚥下機能の低下が考えられるが，姿勢の崩れも影響している可能性があるため，そのアセスメントも行う必要がある．さらに，Gさんは体重が1ヵ月間で2kg減少しており，これは食事をこぼすことで食事摂取量が低下している可能性があり，正確な摂取量を確認する必要がある．

c. 日常生活への影響をみる

　Gさんは，姿勢・歩行障害が悪化していることから，転倒・転落のリスクが高いといえる．ベッド周囲の環境調整や患者の周辺の安全対策を行う必要がある．

　日常生活動作では，Gさんは，食事，排泄，更衣，入浴の場面で支障があり，援助が必要である．運動障害に伴うADLの困難さを軽減させるために，衣服，食事（自助具）などを工夫する必要がある．

　治療後，Gさんは自宅療養が可能となることから，住宅などの生活環境を確認し，必要に応じて入院期間中に整えることも必要である．

d. 社会・心理面への影響をみる

　Gさんは，自分ができないことについて妻に介護を依頼するが，妻からの介護の申し出は断っている．Gさんは急激な運動症状の悪化に伴い，自尊感情に何らかの影響があると

思われるため，無理な介護介入は，さらにGさんの心理状態に悪影響を及ぼすことになりかねない．そのため，心理状態のアセスメントを行いながら，Gさんの要求に沿った介護方法に配慮する必要がある．

e. 介護の状況をみる

　自宅ではGさんが必要と思う介護はすべて受けられる環境にあり，妻も介護に関しては積極的である．そのため，Gさんが望めば適切な介護が提供される状況であるといえる．

　しかし，パーキンソン病は，年々病状が悪化していくおそれがあり，それに従って介護量も年々増え続ける可能性がある．そのため，社会保障制度の利用を案内し，妻への心理的な支援を行うことが今後の外来看護において必要といえる．

f. 強みを発見する

　Gさんは「自分のことは自分でするのが，この病気を悪化させないためには大事である」という思いのもと，治療を継続し，薬剤の服用も時間どおりに欠かすことなく行ってきている．一般的に，ADLに支障が出てくると，生活意欲が低下し，依存的になることが多いため，強い意志とそれに伴う実行力は，Gさんの大きな"強み"であるといえる．

4 ● 看護問題の明確化

　Gさんは，15年前よりパーキンソン病を発症しているため，徐々に症状が進行していると考えられる．さらに，治療でもっとも重要な薬物療法については，定められた時間に内服しているものの，飲み残しがあるため，適切に行われていたとはいえない．そのため，症状が急激に進行し，今回の入院にいたったものと考えられる．

　そこで，現在の症状などのアセスメントより，Gさんの状況は，次のように要約される．

①内服が確実にできていないことにより，パーキンソン病の症状が悪化している．
②食事動作が十分に行えず，摂取量が低下し体重が減少している．
③嚥下障害の徴候があり，誤嚥性肺炎になる可能性がある．
④歩行と坐位姿勢保持に障害があり，転倒・転落する可能性がある．
⑤食事，排泄，更衣，入浴の場面で援助が必要であるが，自分で望む援助以外は受け入れないため，ADLにより疲労する可能性がある．
⑥突然の入院により，神経症状が出現する可能性がある．
⑦内服薬でコントロールしていても便秘になっている可能性がある．

　Gさんのセルフケアに対する思いを大事にしながら，確実な内服薬の服用にて病状の改善をはかり，転倒・転落などという二次的な危険を回避することが必要である．また，病状改善によりADLの拡大をはかり，Gさんらしい生活を自宅にて実現するためには，Fさんの力を最大限に活用したリハビリテーションを行うことが望ましい．

　ここでは，優先順位が高い看護問題として確実な内服と食事に関連した問題に焦点を当て，看護目標と看護計画を次のように定めた．

Gさんの看護目標と看護計画

看護目標	看護計画
Gさんが納得する方法で，確実に内服ができる	①Gさんの内服場面を観察し，残薬につながる現象を明らかにする ②内服時に誤嚥を認めないかを観察する ③①，②より得られた情報より，内服方法，剤形についてGさんとともに対応方法について考える
食事時間中の坐位姿勢が保持され，誤嚥することなく食事摂取ができる	①誤嚥の可能性についてアセスメントする ②椅子・テーブルを工夫し，安定して食事が摂取できる坐位環境を整える．可能であれば，食事性低血圧に対応できる椅子を選択する ③食事摂取がしやすいように，食事内容と食器を整える ④栄養状態をアセスメントする

5● 看護介入の技術

a. 薬剤の内服に関する看護援助

(1) 内服の援助技術

　パーキンソン病では，手指によるつまみ動作ができず内服できなくなることがある．この場合，取り出しやすい容器の工夫，あるいは服薬の援助が行われる．確実な薬物療法の継続のためには，患者自身が内服の意義を理解し，また実行する必要があるため，すべて他者に委ねるのではなく，患者自身が服薬行動を行えるよう工夫することが優先される．

(2) 看護の実際

　Gさんの内服薬は，錠剤，散剤からなっており，それぞれの剤形別に一包化されていた．Gさんは，それぞれの薬包をハサミで切り，錠剤は手のひらに載せてから口に運んでいた．このとき，手のひらから錠剤が床にこぼれ落ちていたが，Gさんは気づかないことが多かった．散剤は，薬包をそのまま口に運び，薬包を振りながら薬剤を口の中に入れていたが，薬剤が薬包の中に残ることや，口の周囲にこぼれていることが多々あった．なお，内服時にむせはみられなかった．

　そこで，自分のことは自分でしたいという思いと，カップに入った水はこぼすことなく口に運ぶことができていたことより，軽量の透明薬杯に錠剤を入れ口に運ぶ方法をGさんに提案した．散剤に関しても同様に薬杯に移す方法を提案した．この提案に関しては，Gさん自身が内服を管理する方法であったため，Gさんも納得し行うこととなった．

b. 食事に関する看護援助

(1) 食事の援助技術

　パーキンソン病患者の食事場面での問題として，誤嚥と姿勢の崩れなどがある．誤嚥の確認方法としては，水飲みテスト，ビデオ嚥下造影検査が行われる．障害がある場合には，医師と相談のうえ嚥下訓練を行う．姿勢の崩れについては，椅子，クッション，パッド，テーブルなどの坐位環境を整える必要がある．必要なときは，正しい坐位姿勢への調整を専門とする理学療法士や作業療法士に，援助の方針について相談し，また助言をもらうことが求められる．

図 V-7-3　姿勢保持のために使用したテーブル

［写真提供：パブリック］

身体の接触面がアーチ型にカットされており，深くテーブルに向うことができる.

(2) 看護の実際

　誤嚥の可能性についてビデオ嚥下造影検査が実施され，誤嚥がないことが明らかにされた. そのため，食事中のむせは坐位姿勢の崩れが原因であることがわかった. 坐位姿勢を観察すると，まっすぐな姿勢に整えたとしても姿勢反射障害が強いために，しばらく時間が経過すると左側に体幹が倒れる傾向にあった. そこで，両前腕をテーブルに固定し体幹を安定させることができるように，肘置きのある椅子と身体との接触面がアーチ型にカットされたテーブルを用意した（**図 V-7-3**）. さらに椅子は，食後低血圧時に対応できるように，背面を倒して頭部を低くできるリクライニングシートタイプのものとした.

　また，食物を口に運ぶまでにこぼすことが多く，スプーンを落とすこともあったため，把持しやすいグリップ付きの先割れのスプーンに変更した.

6 ● 評　価

a. 薬剤の内服に関して

　薬杯に入れてから口に運ぶ方法を G さんが実施したところ，この方法なら自分でできると評価し，飲み残しがなくなった. 薬剤が確実に内服できるようになると，自宅に戻ってからもこの方法を継続し，かつ，内服の準備の時間を，運動症状が現れやすい午後から，体調のよい午前に変更するなど，服薬方法を自分で工夫できるようになった. また，"内服が確実に行われなかったときに運動症状が急激に悪化した"という経験を経て，今後は飲み残しなど服薬行動が不十分になる場合には妻の介助を求めたいと述べた.

b. 食事に関して

　椅子・テーブルを変更したことで，G さんの姿勢の崩れを解消することができた. また，坐位姿勢が整うとむせもなくなった. 今までは，坐位姿勢の崩れから「もう少し食べたいと思っていたが，食事をこぼすし，時間もかかるために途中でやめていた. しかし，これでおいしい食事が十分に味わえる」と話した. 食後低血圧に対しては，リクライニングシートタイプの椅子を選択したことで，妻は「自宅でも 1 人で対応できて安心」と話した. また，椅子と併せて，アーチ状にカットされたテーブルの購入を検討したいと述べた. 栄養状態は，ケア介入後 1 週間で体重が 1 kg 増加した. 血液検査結果からは，貧血や低蛋白血症を認めず，6 ヵ月前の検査値と比較してもほぼ差がなく，ケア介入により栄養状

態の悪化を予防できたと考えられる.

　パーキンソン病では,Gさんのように病状が悪化し入院となる事例は多い.パーキンソン病が慢性的に進行する病態であるため在宅療養者が多い一方,外来では在宅での療養生活が把握しにくく,そのときにどのような介護が必要なのかというタイムリーな情報を提供することが難しい.とくに高齢者では,加齢に伴う変化がADLに影響を及ぼすため,看護師は意識して定期的に在宅療養における看護上の問題点を明確化し,それらを解決あるいは軽減するための方法を患者やその家族に伝える必要がある.また,患者の病状悪化に伴い,患者は自尊感情が脅かされ,またその家族は介護量の増加に伴う身体的・心理的な負担が増える.そのため,患者のみに焦点を当てて援助を行うだけではなく,その家族に対しても介護の状況とその思いについて適宜把握し援助を行うことが重要である.

練習問題

Q39 パーキンソン病で正しいのはどれか.2つ選べ.
1. ドパミンの過剰産生により発症する
2. 消化管運動が亢進する
3. 睡眠中に振戦が出現する
4. 食事介助のさいには,嚥下や呼吸の状態を観察する
5. 構音障害や書字障害があるため,じっくりと時間をかけて訴えを聞く

［解答と解説 ▶ p.481］

引用文献

1) Yamawaki M, Kusumi M, Kowa H, et al：Changes in prevalence and incidence of Parkinson's disease in Japan during a quarter of a century. Neuroepidemiology **32**(4)：263-269, 2009
2) Wirdefeldr K, Adami HO, Cole P, et al：Epidemiology and etiology of Parkinson's disease：a review of the evidence. European Journal of Epidemiology **26**(Suppl 1)：S1-S58, 2011
3) 竹島多賀夫：パーキンソン病の疫学研究.別冊 医学のあゆみ ここまでわかったパーキンソン病研究(服部信孝編), p.5-8, 医歯薬出版, 2009
4) Hoehn MM, Yahr MD：Parkinsonism：onset, progression, and mortality. Neurology **17**(5)：427-442, 1967
5) 厚生労働省：平成27年1月1日施行の指定難病(新規)―パーキンソン病 概要,診断基準等,〔http://www.mhlw.go.jp/file/06-Seisakujouhou-10900000-Kenkoukyoku/0000157751.docx〕(最終確認：2023年1月26日)
6) 深谷 親,山本隆充,片山容一：パーキンソン病の定位・機能神経外科的治療.別冊 医学のあゆみ ここまでわかったパーキンソン病研究(服部信孝編), p.50-54, 医歯薬出版, 2009

薬物療法を受ける高齢者の看護

事例⑧ Hさん（87歳，男性）：多くの疾病から多剤を服用中

　4ヵ月前に心筋梗塞にて経皮的冠動脈形成術（PCI）を施行，その後は薬物療法にて胸部症状なく，経過は良好である．高血圧症，慢性腎臓病，前立腺肥大症，脂質異常症，高尿酸血症を合併している．1ヵ月に1回通院している．体を動かすことに不安があり，トイレへ行くとき以外は動かず日中も自宅のベッドでうとうとしながら過ごすことが多い．現在は妻（82歳）と長男（58歳，会社員）と3人暮らしである．薬物療法は以下のとおりである．

　アスピリン（100 mg）　1錠1回朝食後
　ワルファリン（1 mg）　1錠1回朝食後
　プラスグレル塩酸塩（3.75 mg）　1錠1回朝食後
　フロセミド（20 mg）　3錠3回朝昼夕食後
　ビソプロロールフマル酸塩（2.5 mg）　1錠1回朝食後
　エナラプリルマレイン酸塩（2.5 mg）　2錠2回朝夕食後
　オメプラゾールナトリウム（10 mg）　1錠1回夕食後
　タムスロシン塩酸塩OD錠（0.2 mg）　1錠1回朝食後
　アロプリノール（50 mg）　1錠1回夕食後
　プラバスタチンナトリウム（10 mg）　1錠1回夕食後
　エチゾラム（0.5 mg）　3錠3回朝昼夕食後

A. 病態と治療

● 心筋梗塞とは

a. 病態

　心筋梗塞とは，冠動脈硬化があり，冠動脈の粥腫が破綻し，血栓形成による閉塞をきたし，**心筋壊死**を起こした状態である．不可逆的な障害を残すことが多い．また，梗塞は左心室に多く起こりやすく，運動により誘発されることもある．頻度は低いが粥腫びらんや内腔に突出する石灰化結節が心筋梗塞を引き起こす場合もある．

b. 臨床症状

　主症状は安静でも20分以上持続する**胸痛**であり，胸骨下の圧搾されるような痛みである．肺うっ血による呼吸困難，血圧低下による悪心・嘔吐，循環器障害による顔面蒼白，脱力感などの症状もある．

c. 診断

　心電図変化は，急性期にはST上昇，T波増高であり，その後，異常Q波が出現，修

復期には，冠状 T 波がみられる．心エコーでは虚血に陥った心筋の収縮期運動障害や菲薄化，心室瘤の形成が認められる．血液検査では，心筋壊死所見として，クレアチンキナーゼ（CK），心筋トロポニン T，ミオグロビンなどが上昇する．

d. 治　療

　経皮的冠動脈形成術（percutaneous coronary intervention：PCI）は，カテーテルで閉塞狭窄部位にさまざまなデバイスを送り込み，血管内腔を拡げる治療法である．急性心筋梗塞に対する再還流療法としては第一選択である．

B. 薬物療法を受ける高齢者への看護

1 ● 高齢者に起こりうる薬物有害事象への理解と予防

　高齢者は多くの疾患をもち多剤併用（ポリファーマシー）になっていることが多い．ポリファーマシーは「単に服用する薬剤数が多いことではなく，それに関連して薬物有害事象のリスク増加，服薬過誤，服薬アドヒアランス低下等の問題につながる状態」[1] と示されている．そのため，薬物有害事象を予防することが大事になってくる．予防のための，基本チェック事項を下記に示す．

薬物有害事象予防の基本チェック事項
①他院からの処方
②薬局で購入する一般用医薬品や健康食品，サプリメントなどの服用
③嗜好（喫煙，飲酒のほか，納豆をよく食べる，コーヒーをよく飲むなど特記すべき嗜好）
④認知機能低下，視力低下，難聴
⑤低栄養（アルブミン値）
⑥アドヒアランス（服用法・量・理解度など）
⑦定期的検査として一般血液検査，肝機能障害，腎機能障害，顆粒球減少の確認，など

　一般的に薬物療法時には，これらの情報を得て，医師や薬剤師と確認したり，情報共有する．看護師は患者と接することが多いため，患者の生活状況などの情報は得やすい．

2 ● 薬物管理上の看護の目標

　医師には診断や治療の決定などの役割があるが，看護師にはその治療が効果的であり，有害事象がなく遂行しているか管理する役割がある．生活のある患者を全体からみることができる看護師の視点は，薬物管理上重要である．

①各薬剤の作用機序を理解し，患者において起こりうる薬物有害事象を考慮しておく．
②治療効果が適切に現れているか，薬物有害事象が起きていないかを常に確認し，またその予防に取り組む．

3● 薬物管理上の視点（Hさんの場合）

　Hさんの場合に各薬剤から何を確認していくべきか・どう対応すべきかを解説する．薬の作用機序を理解していると，薬物有害事象の予防や治療効果の確認に対する看護師の視点が広がる．

a. 各薬剤の特徴と相互作用

(1) アスピリン・ワルファリン・プラスグレル塩酸塩（抗血栓薬）

　Hさんは心筋梗塞を起こしているため，再度血栓形成を起こさないように，3つの**抗血栓薬**が処方されている．同じ血液凝固を抑制する薬であるが，作用機序が違うため，必要に応じて，いくつかのアプローチとして3薬が使用されている．

①アスピリン

　解熱鎮痛薬としても使用されるが，低用量（81～100 mg/日）では血液凝固過程を抑制する作用をもち，抗血小板薬として使用される．Hさんも100 mg/日と低用量で使用されている．人の血小板に存在する酵素によって，血液凝固関連物質が生成され，血栓がつくられやすくなるため，予防としてアスピリンを服用する．

②ワルファリン

　アスピリンのほかに血液凝固に関するもので，4つの血液凝固因子がある．ワルファリンは，これら4つの凝固因子の生成に必要なビタミンKを阻害することで，結果として血液を固まりにくくする．一方で，**ビタミンKを多く含む食品**（納豆，青汁，クロレラなど）と一緒に服用すると，ワルファリンの作用が減弱してしまうので注意が必要である．納豆100 g（1～2パック）摂取で作用が減弱する．この薬を服用中の場合は，食事内容が効果と薬物有害事象に影響するため，患者の食生活をとくに確認していく必要がある．

　また，ワルファリンは**蛋白結合率**が高い点に注意すべきである．通常，薬は血液中で**アルブミン**と結合した**結合型**と，結合していない**遊離型**に分かれ，遊離型が細胞内に吸収されて**薬効**を示す．蛋白結合率が高い薬ほどアルブミンと結合しやすく，遊離型が少ない状態でも薬効を発揮するよう処方している．

　低栄養である場合や，Hさんのような高齢者の場合，アルブミンが減少している可能性があり，血中の薬は結合型よりも遊離型薬物が増加するため，薬効が通常よりも増強することになる．また非ステロイド性抗炎症薬（NSAIDs）などの鎮痛薬，ベンゾジアゼピン系抗不安薬のジアゼパムはかなり蛋白結合率が高く，これらと併用すると血液中のアルブミンはより結合率の高い薬と結合置換を起こし，ワルファリンの遊離型が増えて作用が急に増強する可能性がある．Hさんが現在服用している，ベンゾジアゼピン系抗不安薬のエチゾラムも蛋白結合率が高い．

　また，悪心，倦怠感，食欲不振などがあれば，ワルファリンによる肝機能障害を引き起こしている場合があるので，検査値を確認する．

- 食事内容が薬に影響することで有害事象に発展する可能性があるため，食生活を確認しておく
- ワルファリン服用中は，ビタミンKを多く含む食品は避ける
- 低栄養状態の患者や高齢者では，血中アルブミンが減少することで，通常よりも薬

効が増強する可能性があるため注意する
- 蛋白結合率の高い薬との併用が，ほかの薬の薬効を増強させる可能性があるため注意する

③プラスグレル塩酸塩

PCI適応患者にアスピリンと併用し使用する抗血小板薬である．血小板にあるアデノシンニリン酸（ADP）受容体に作用し，血小板凝集を促進させるシグナル伝達を抑制し，抗血小板作用を示す．

これら3つの薬を服用している場合，一番注意が必要なのが**出血**のリスクである．歯磨き時の口腔内出血，鼻出血，打ち身などの内出血は患者本人も気づかずに症状が起きていることもある．看護師の観察事項としては，血尿，血便，定期的に血液凝固能検査（**プロトロンビン時間およびトロンボテスト**）を確認して常に出血傾向は観察する．また，転倒を予防するほか，歯磨きの仕方，鼻は強くかまないなどの指導も必要となる．

- 抗血栓薬の併用は出血リスクが高まるため，常に出血が起こっていないか観察し，転倒や出血の予防を患者に指導する

(2) フロセミド・ビソプロロールフマル酸塩・エナラプリルマレイン酸塩（利尿薬・降圧薬）

①フロセミド

ループ利尿薬であり，ヘンレループ上行脚に作用してNa^+（ナトリウムイオン）の再吸収を抑制させ循環血漿量を減少（尿量増加）し，また末梢血管拡張作用ももつため，高血圧や慢性腎臓病の治療に用いる．

薬物有害事象として**低カリウム血症**，高尿酸血症，耐糖能低下に注意が必要である．K^+（カリウムイオン）は，ヒトの細胞膜の興奮しやすさを決める重要な因子であるため，低カリウム血症になると，神経・筋症状を中心に，全身倦怠感，テタニー，麻痺性イレウス，筋肉痛，筋力低下，心室性不整脈の症状や口渇，多尿となるので観察する．今回は1日3回の処方になっているが，高齢者のため**夜間の頻尿**による転倒・転落の危険性がある．これを予防するためには，医師に疾病状況の確認をし，1日1～2回朝昼投与に切り替えるなど，薬の投与時間と方法を相談していく必要がある．

- 有害事象に転倒・骨折の可能性（とくに夜間の転倒）がある場合は要注意．予防のため，薬の投与時間や方法を医師と相談する必要もある

②ビソプロロールフマル酸塩

β遮断薬であり，心臓にある交感神経のβ受容体を遮断し，心拍出量低下，血圧低下を示す薬である．この患者では高血圧症治療と同時に，心拍出量を低下させ，心筋の酸素需要を低下させ，狭心症や心筋梗塞の予防にも有用として使用している．一方で，高齢者は**徐脈**よる転倒を引き起こしやすいので注意する．

③エナラプリルマレイン酸塩

アンジオテンシン変換酵素（**ACE**）**阻害薬**であり，ACEを阻害することにより血管収

縮作用がある ACE Ⅱ の産生を抑制し，血管拡張し血圧を低下させる．ACE 阻害薬は，糖代謝，脂質代謝，尿酸代謝へ影響が少ないため，今回のような脂質異常症や高尿酸血症の H さんに用いられている．ただ，**高カリウム血症**が生じやすく，高齢者や腎機能低下患者には注意する必要がある．また ACE 阻害から気管支筋の収縮を引き起こし，**空咳**を生じやすい．しかし高齢者では逆に誤嚥防止となり有用とする考えもある．

- 高齢者は代謝や腎機能の低下により，薬効また副作用が強まる傾向があるため注意する

(3) オメプラゾールナトリウム（プロトンポンプ阻害薬）

胃酸分泌抑制薬であり，胃の壁細胞にあるプロトンポンプ（最終的に胃酸を分泌する）を阻害し，胃酸を抑制し胃を保護する．高齢者は**逆流性食道炎**が多いためその予防として使用するか，もしくは多剤併用のため胃の保護目的で使用することが多い．胃酸分泌抑制薬は非常に多用されており，漫然と使われる場合もあるため，医師に確認する必要がある．

高齢者はそもそも加齢により**胃酸**が減少しているため，胃の保護目的であれば，胃の防御因子増強薬などの他剤の検討をすべきであろう．また，オメプラゾールは強力で 1 日 1 回で 24 時間，約 90% 以上胃酸を抑制するため，食事の消化にも影響を及ぼす可能性がある．高齢者で**消化**や**栄養状態**が悪い場合は医師に情報提供し相談する．

そのほか，胃酸分泌抑制薬にはよく使用されているヒスタミン H_2 受容体拮抗薬（H_2 ブロッカー），たとえばファモチジンという薬があるが，同様の注意が必要である．

- 胃酸分泌抑制薬は胃の保護のため，多剤併用で使われることが多い．胃酸が減少している高齢者では消化に影響し栄養状態が悪化することもあり，その際は医師と相談する

(4) タムスロシン塩酸塩 OD 錠（排尿障害治療薬）

α_1 遮断薬であり，前立腺肥大症で**排尿障害**のある患者に使用することが多い．この薬は前立腺や尿道平滑筋にある α_1 受容体を遮断し，尿道を弛緩して尿をスムーズに排出するため，残尿感や頻尿の症状が改善される．高齢者に多く使用されている．

また OD 錠とは**口腔内崩壊錠**であり，高齢者や嚥下困難な患者でも水なしで楽に服用できる．口腔粘膜からの吸収ではなく，崩壊後は唾液または水で内服して効果が得られる．すぐ溶けるからといって即効性があるわけではない．また錠剤より吸湿性があるので，高齢者が一包化で薬を飲んでいる場合は不適であり，かえって錠剤のほうが管理しやすい．

そのほかに前立腺肥大症の排尿障害に対する薬として，男性ホルモンの 1 つであるアンドロゲンの作用を抑制して前立腺を縮小する抗アンドロゲン薬，アンドロゲンよりも作用の強いジヒドロテストステロンの生産を阻害する 5α 還元酵素阻害薬がある．これらは長期間服用し男性ホルモンを抑えるため，**勃起障害**を引き起こしやすい．性生活についての配慮も必要である．一方，H さんが使用しているタムスロシン塩酸塩は薬物有害事象としてまれに持続勃起症がある．

漢方薬としては，八味地黄丸，牛車腎気丸が使用されるが，この中には「附子（トリカブト）」というアルカリ性の成分が入っている．高齢者は胃酸が減少し，胃内がアルカリ

性に傾いている場合が多い．その際，**アルカリ成分つまり附子が吸収されやすく**，結果として中毒を引き起こしやすいので注意が必要である．これらの漢方薬は市販薬として薬局で容易に購入できるので，併用していないか注意も必要である．ちなみに一般用**総合感冒薬**中に含まれているエフェドリン，お茶などのカフェインもアルカリ性なので，胃酸分泌抑制薬を服用中の場合はそれらの急な摂取で中毒症状を引き起こすことがある．

- OD錠は高齢者や嚥下困難時に使われるが，その吸湿性により不便なこともあり，場合に応じて錠剤と使い分けを考える
- 漢方薬や総合感冒薬は市販薬として容易に購入でき，胃酸が減少している高齢者では，併用によって重篤な中毒を起こすこともあるので注意が必要である．お茶などに含まれるカフェインの摂取にも気をつける

(5) アロプリノール（高尿酸血症治療薬）

　体内でプリン体から尿酸がつくられる過程で働くキサンチンオキシダーゼを阻害し尿酸の産生を抑える薬であり，**高尿酸血症**に使用する．高尿酸血症に使用する薬にはそのほか，近位尿細管において排泄を促すプロベネシド，高尿酸血症で炎症を引き起こす好中球を抑制し，発作を予防するコルヒチンなどがある．体内の血中尿酸値は明け方が高く，夕方に低下する．これらは腎排泄されるため，高齢者で腎機能が低下している場合は血中濃度が高いまま持続する可能性がある．水分を多く摂り，尿量は2L/日以上が望ましい．

　また，血中尿酸値が高い患者では，食物に含まれるプリン体量にも十分気をつける．よくビールに含まれるプリン体について注意指導されるが，ビール1缶350mLにプリン体17.5～24.5mgと意外と少なく，レバー，エビ，カツオ，イワシなどの食品では100gあたりで約200～300mgのプリン体が含まれているので，摂取量に注意する必要がある．

- 高齢者では腎機能低下により，腎排泄の薬の排泄が遅れて血中濃度が持続するおそれがあるため，水分を摂り尿量を増やすことが望ましい

(6) プラバスタチンナトリウム（脂質異常症治療薬）

　肝臓での**コレステロール合成を抑制**する薬であり，HMG-CoA還元酵素阻害薬と呼ばれている．Hさんは**脂質異常症**を合併しているため，また心筋梗塞後の血栓予防のために服用している．コレステロールの合成は一般的に夜間に亢進するため，夕食後投与が合理的である．運動により体脂肪が燃焼すると，トリグリセライド（中性脂肪）が下がり，善玉コレステロールが上がる．食事療法も重要であり，エネルギーを摂りすぎない，具体的には炭水化物，糖分，脂肪分を摂りすぎず，食物繊維を食事前に多く摂るのがよい．また運動は，ウォーキング，水泳など有酸素運動の継続が大事となる．

(7) エチゾラム（抗不安薬）

　抑制性神経伝達物質であるGABA（γアミノ酪酸）の受容体に作用し，抗不安作用，筋弛緩作用，催眠作用，抗痙攣作用をもつベンゾジアゼピン系抗不安薬は蛋白結合率が高い．エチゾラムは抗不安作用が強い薬であり，その作用は約6時間持続し，抗不安薬の中では短時間型*に分類される．Hさんの場合，心筋梗塞発作や心筋梗塞後に体を動かすことの不安が強く，エチゾラムを服用している．

　抗不安薬は医原性に健忘症状，注意力低下を引き起こす薬とされている．薬物有害事象として眠気，ふらつき，倦怠感があり，とくに高齢者は**転倒**や**骨折**の原因となるので注意が必要である．また，抗コリン作用（口渇，便秘など），長時間作用も薬物有害事象として逃せない事項である．Hさんが日中ベッドでうとうとしている理由は，動かないからということも考えられるが，1日3回エチゾラムを服用しており，長時間作用を引き起こしている可能性も否定できない．また，Hさんは，ベンゾジアゼピン系薬であるエチゾラムとオメプラゾールとの併用をしており，その相互作用から血中濃度が増加している可能性が高く，当時に転倒，骨折を引き起こすリスクも大きい．医師に報告し，不安と**傾眠傾向**の評価，処方の再検討をしてもらうのがよい．

- 抗不安薬により傾眠を引き起こすことがあり，とくに高齢者ではその作用が強く，併用薬との相互作用により強まる可能性がある

4 ● 薬物管理とアドヒアランスへの援助

　高齢者は多くの薬を服用している場合が多い．そのため，治療内容や服用方法の理解と薬の管理が，アドヒアランスの向上につながる．アドヒアランス低下の要因としては，服薬管理能力の低下，多剤服用，処方の複雑さ，嚥下機能障害，うつ状態，主観的健康感がわるいこと，医療リテラシーが低いこと，自己判断による服薬の中止，独居，生活環境の悪化がいわれている．アドヒアランスへの援助については，患者の理解度や生活様式によっていろいろな方法がある．Hさんも11剤と多く，日中は高齢の妻と2人であるため，理解と生活に応じての支援が必要と考える．カレンダー型などのピルケースの活用，内服薬のチェック表をつける，服用時間にアラームを設定するなど，服薬しやすい工夫や患者の認知機能への支援が必要かもしれない．また，体を動かすことに不安があり，トイレへ行くとき以外は動かない状態は自分の疾患や状態，治療についても理解していない可能性があるため，体を動かすことの何が不安かを具体的に明らかにし，家族も含めて，疾患や治療の理解の場が必要だと考える．

> **事例 ⑨** Iさん（77歳，男性）：重症筋無力症，蜂窩織炎，アルツハイマー型認知症で多剤服用中
>
> 　重症筋無力症．眼瞼下垂はあったが，1年前に眼瞼挙上術施行．構音障害，嚥下障害もあったが，これまでのステロイド薬，免疫抑制薬の内服，大量γグロブリン療法にて症状は改善している．今後，ステロイドパルス療法を予定していたが，蜂窩織炎となり入院となった．抗菌薬の投与開始し，右上肢の腫脹，熱感，発赤は治まり，動作時に痛みがある程度となった．食事は用意されれば3食は食べているが，常に通常量の半分程度の摂取状況である．排便は1週間に1回であり，便は硬い．アルツハイマー型認知症があり，コミュニケーションは問題なくとれるが，健忘があり，少し前のことも覚えていないこともある．妻（70歳）と娘（45歳，会社員）と3人暮らしである．以前より尿失禁があり，オ

---

*　服用した薬の体内濃度が半分になるまでの時間を「半減期」といい，この時間の長さによって短時間型，中間型，長時間型，超長時間型に分類される．半減期が短いほど，薬効が短い．

ムツを使用している. 薬物療法は以下のとおりである.
　セファゾリンナトリウム（1g）　3回（2時10時18時）点滴投与
　プレドニゾロン（5mg）　3錠2回朝2昼1食後
　ファモチジン（20mg）　2錠2回朝夕食後
　ドネペジル塩酸塩（5mg）　1錠1回朝食後
　酸化マグネシウム（330mg）　3錠3回朝昼夕食後
　センノシド（12mg）　1錠1回就寝前

C. 病態と治療

1 ● 重症筋無力症とは

a. 病　態

　重症筋無力症とは，神経筋接合部において，筋肉側の受容体が自己抗体により破壊される自己免疫疾患で，難病の1つに指定されている. 全身の筋力低下，易疲労性が出現し，眼瞼下垂，複視などの眼症状が特徴である. また嚥下が上手くできず，重症化すると呼吸筋麻痺を起こし，**呼吸困難**をきたす場合もある. また胸腺の異常が合併することが多い.

b. 治　療

　対症療法としては，**コリンエステラーゼ阻害薬**により神経から筋肉への伝達を増強する. 原因療法としては主に**免疫療法**で，抗体産生の抑制のためにステロイド薬，免疫抑制薬の投与，抗体を取り除く血液浄化療法，大量の抗体を静脈内投与する大量γグロブリン療法などがある. 患者の症状や状態に応じて治療方法を選択する.

2 ● 蜂窩織炎とは

a. 病　態

　蜂窩織炎は，皮膚の深部から皮下脂肪組織にかけての細菌による**化膿性炎症**である. 主として黄色ブドウ球菌，そのほか化膿レンサ球菌などによる. 皮膚の広範囲に発赤，腫脹，熱感，疼痛が出現し，潰瘍になることもある. また発熱，頭痛，関節痛などが伴うこともある. 検査では白血球上昇，CRP上昇が認められる.

b. 治　療

　安静にて**冷罨法**を行う. 適切な**抗菌薬**の内服あるいは点滴静注が必要である.
　アルツハイマー型認知症の詳細については第Ⅴ章「5. 認知機能障害の看護（アルツハイマー病）」（p.395）を参照のこと.

D. 薬物療法を受ける高齢者への看護

　前述した「薬害有害事象予防の基本チェック事項」と「看護の目標」（p.436）を再確認し，Ⅰさんの場合でも各薬剤から何を確認していくべきか・どう対応すべきかを考える.

1 ● 薬物管理上の視点（Iさんの場合）

　Iさんの場合，重症筋無力症の症状はステロイド少量内服にて良好であるが，継続して服用している．また今後ステロイドパルス療法予定である．ステロイド薬による有害事象や副腎萎縮については常に観察が必要である．今回蜂窩織炎となり入院，抗菌薬の点滴静注により経過は良好である．現在，抗菌薬を使用していること，日常食事量が少なく1週間に1回の排便，硬便であること（便秘）が薬物管理上問題である．また，アルツハイマー型認知症のため，ドネペジル塩酸塩を服用して経過観察にあるが，尿失禁や食事が少量であるなどは薬物有害事象の可能性もある．

　今回，腎機能に注意すべき薬がいくつかあり，高齢者においては常に**肝機能**，**腎機能**は観察しておく必要がある．また，多くの薬は脂溶性薬物であり，高齢者は体内の水分量が少なく脂肪組織が増加しているため，**脂溶性薬物**が蓄積しやすいことも注意が必要である．腎機能がわるければ，脂溶性薬物は高齢者の身体に蓄積し続けることになる．

a. 各薬剤の特徴と相互作用

(1) セファゾリンナトリウム（抗菌薬）

　ブドウ球菌属，レンサ球菌属，肺炎球菌，大腸菌，肺炎桿菌，プロテウス・ミラビリス，プロビデンシア属が適応菌種である．蜂窩織炎の原因菌である黄色ブドウ球菌，化膿レンサ球菌に対応する**抗菌薬**である．腎障害がある場合は血中濃度が持続するため，腎障害の程度により投与量を減量する．

(2) プレドニゾロン（副腎皮質ステロイド）

　プレドニゾロンは，中間型のステロイド薬である．薬物のステロイドは体内の副腎で分泌される**副腎皮質ホルモン（ステロイド）**のうち，糖質コルチコイド（**コルチゾール**）と同様の機序で作用する．通常成人では1日20mgが副腎で産生され，さまざまな生体反応を引き起こす．また人はストレスに対応するため，1日最大240mgまで産生できる予備力をもっている．これまでIさんはステロイド薬を朝2錠・昼1錠で1日15mg内服している．体内のステロイドの分泌パターンは早朝にもっとも高く，深夜すぎに最低となり翌朝にかけて上昇する．このため，ステロイド薬は発作時などの特別の場合を除き，朝に多く，次に昼に少量服用するのが一般的である．1日の分泌パターンを合わせないと，人の生体内の生活リズムに変化や悪影響を及ぼしてしまうおそれがある（たとえば，中途覚醒から不眠になる，など）．

　今後はステロイドパルス療法を行う予定であるが，**ステロイドパルス療法**は1日約1〜2g，つまり体内での1日産生量の約100倍に相当するステロイド薬を3日間投与するため，かなりの負担が予測される．また内服などで長期服用の場合は副腎に負担がかかり，萎縮する場合がある．

　ステロイド薬は糖質，電解質，蛋白質，脂質代謝などいろいろな作用をもっているため，薬物有害事象は多岐にわたる．主に感染症，糖尿病，消化性潰瘍，骨粗鬆症，精神変調，副腎不全，血栓症，緑内障，白内障などを起こしやすいため，これらを予防するために観察項目は多い．感染予防に関しては，マスク着用やうがい，手洗いなどといった**標準予防策（スタンダードプリコーション）**の指導が必要である．

- ステロイド薬による作用は幅広く，その分，薬物有害事象も多いため，観察項目も細かく設定する．服用のタイミングや，薬の取り扱いには十分に注意する

(3) ファモチジン（H₂受容体阻害薬）

　胃壁細胞上のヒスタミン H_2 受容体を阻害して**胃酸分泌を抑制**する．1回服用で12時間，約90％以上の胃酸を抑制する．胃酸は食後に消化のため多く分泌されるが，夜間は空腹のため，夕方や就寝前の服用で胃を保護する．高齢者は腎機能が低下していることが多いが，この薬は主に腎臓から排泄されるため，血中濃度が持続する可能性がある．減量もしくは投与間隔を延長するなど注意すべきである．そのほか，注意事項は事例8のオメプラゾールナトリウム（p.439）を参照のこと．

(4) ドネペジル塩酸塩（抗認知症薬）

　脳内の神経伝達物質であるアセチルコリンの分解を阻害するため，アセチルコリンの量を増加させる．神経活動を高めるため，結果として記憶障害をはじめとする**認知症**の関連症状が改善する．病態そのものの進行を抑制するのではなく，あくまでも対処療法である．薬物有害事象は約3〜4割で出現するため，その確認は必要である．とくに悪心・嘔吐，食欲不振，下痢などの**消化器症状**が多く，高齢者で見落されがちなのが**尿失禁**である．

　尿失禁は一過性であり，中止すれば回復する．Ｉさんはいつからか尿失禁があり，オムツを使用している．またＩさんは食事量も毎日少ないため，食欲不振などの消化器症状も有害事象として考えられる．アルツハイマー型認知症に対する薬はいくつかあり，また高齢者に飲みやすい口腔内崩壊錠（OD錠），ゼリー剤，液剤，貼付剤などの剤形もある（p.401，**表Ⅴ-5-3**参照）ので，他剤への変更も1つの検討事項として考えられる．

- 薬物有害事象に消化器症状が考えられる薬の場合，高齢者では見落とされがちな尿失禁も含まれるので注意する
- 高齢者の日常生活を考えて，飲みやすい剤形に変えることも検討する

(5) 酸化マグネシウム（塩類下剤）

　酸化マグネシウムは**塩類下剤**であり，腸管内に水分を引き寄せて便を軟化し排便を促進する．この薬は消化管内で下記2段階の化学反応を経て，最終的に $Mg(HCO_3)_2$ が薬効を示す．

① MgO（酸化マグネシウム）$+ 2HCl$（胃酸）$\rightarrow MgCl_2 + H_2O$

② $MgC_2 + 2NaHCO_3$（膵液）$\rightarrow Mg(HCO_3)_2 + 2NaCl$

　つまり，**胃酸**がないとこの薬は反応しないので，無効となる．Ｉさんは，酸化マグネシウムを服用していても硬便であり，薬が効いていない可能性がある．それは胃酸分泌抑制薬であるファモチジンを服用し，そのうえ酸化マグネシウムは食後に服用していることから，食事によって胃酸が中和され，酸化マグネシウムが反応すべき胃酸が少ない状態と考えられる．便の状況，薬の服用状況を確認し，医師に情報提供する．場合により，胃酸分泌抑制薬のファモチジンの投与前，また食事の影響のない，食前の服用で酸化マグネシウムが効果を示す可能性がある．薬の効果は便の回数だけでなく，便の性状で確認する（ブ

リストル便性状スケール，p.80，**図Ⅲ-4-12**参照）．

- 胃酸がないと反応しない下剤と，胃酸分泌抑制薬との併用の際には，薬が十分に効いているか確認する
- 便の回数だけでなく，その性状も薬効を確認する重要な情報となる

(6) センノシド（大腸刺激性下剤）

大腸を刺激し腸運動を活発にして排便を促す（**大腸刺激性下剤**）である．酸化マグネシウムで効果がない場合に使用されることが多い．センノシドはその構造に糖がついており，**配糖体**と呼ばれる．この薬は，腸内で**腸内細菌**によってその糖が外されて分解され，レインアンスロンという物質になり，薬効を示す．つまり，腸内細菌が正常でないと効かないのである．毎日就寝前に服用しているが，1週間に1回の排便では効いていない可能性がある．Iさんは，蜂窩織炎で抗菌薬を数日投与されていた，また食事量も少ないことから，腸内細菌叢が乱れている可能性が高い．各種抗菌薬が腸内細菌叢に影響を与えることを知識として知っておき，食事や栄養状況の情報も一緒に医師に報告する．

- 抗菌薬の服用時に，食事量の減少や排便状況が悪化したら，腸内細菌への影響も考える

2●薬物管理とアドヒアランスへの援助

ステロイド薬の服用が長期にわたるため，またアルツハイマー型認知症の薬は薬物有害事象が多いため，Iさんの場合は薬物有害事象を早期発見するためのチェックリストなどを作ると，本人の理解とともに医療従事者の確認がスムーズであろう．また，いずれの原因にしても便通のコントロールがついていないため，食事の状況，便の性状，回数など確認ができるようにするのがよい．下剤は胃酸，腸内細菌などの消化器状態によっては服用していても無効となる場合があるので，食事や乳酸菌製品などで腸内環境を整えることを基本として下剤の正しい服用方法を指導していくとよい．

練習問題

Q40 高齢者の薬物療法において薬効に影響を示す血液検査値はどれか.

1. 白血球数
2. 赤血球数
3. カリウム
4. アルブミン
5. ヘモグロビン濃度

Q41 高齢者の薬物有害事象予防の基本的な確認事項として，重要なものを1つ選べ.

1. 身長
2. 嗜好
3. 1日の運動量
4. 1日の睡眠時間
5. 1日の排便回数

［解答と解説 ▶ p.481］

引用文献

1) 厚生労働省：高齢者の医薬品適正使用の指針　総論編，p.2，2018

老年看護技術の新たな動向と課題

1 感染症をめぐる新たな動向と課題

A. 新興・再興感染症と老年看護のあり方

1 ● 新興・再興感染症とは

高齢者は，一般の成人の場合と比べ，免疫能（とくに細胞性免疫能）の低下や，皮膚や粘膜の防御機能の加齢変化などにより，感染に対する抵抗力が弱いことが多い．またそうした高齢者では炎症反応が弱いため，一般成人と比べ感染症の症状の現れ方があいまいで医療従事者に見逃されやすい傾向がある[1]．こうした高齢者の感染症に特有の問題は，いわゆる新興・再興感染症の場合に，とくに深刻な状況をもたらすおそれがある．

以前までは，感染症は「過去の問題」として，そのほとんどがすでに解決済みであるとの認識が大勢であったが，近年注目されている新興・再興感染症の問題は，そのような認識をくつがえすような状況であり，医療現場の最前線にいる看護師にとっても注意すべき問題といえる．

新興感染症とは，それまで知られていなかった新しい病原体が原因となる感染症であり，最近の例では，2009 年に世界的に大流行した**新型インフルエンザ**や **SARS**（severe acute respiratory syndrome：重症急性呼吸器症候群），2014 年に西アフリカで流行した**エボラ出血熱**，2015 年に韓国で流行した **MERS**（Middle East respiratory syndrome：中東呼吸器症候群），2019 年 11 月に中国武漢市で初めて確認され世界的大流行（パンデミック）に発展した**新型コロナウイルス感染症**（COVID-19）などがこれにあたる．

一方，沈静化していた感染症が再び勢いを増す場合を**再興感染症**とよぶ．最近では**結核**やダニ感染（**疥癬**）などが再興感染症の例である．2014 年に東京，代々木公園の封鎖で話題となった**デング熱**もまた再興感染症の 1 つと考えることができる．デング熱は東南アジア，南アジア，中南米などの熱帯地域で蔓延する風土病であるが，ウイルスを媒介するネッタイシマカなどの生息域の減少や地球温暖化，あるいは人の往来の増加などの理由により分布が拡大している．日本では，戦時中に西日本を中心に流行したことがあり[2]，東南アジアなどからの帰還兵がウイルスを持ち込んだものと考えられている．これは約 70 年ぶりに確認された国内感染であった．

2 ● 医療現場での留意点

新興・再興感染症の多くは，いつ，どの程度の感染力と毒性をもった病原体が，どのように感染症を蔓延させていくかについて，ほとんど未知の状況にある．そのなかで看護師は，医療現場の専門職として未知・既知の新興・再興感染症にどう対応するべきかといったリスクマネジメントの方針をあらかじめ定めておく必要がある．

まず，少なくとも既知の再興感染症に関しては，新規入院・入所者がそれらの病原体を

保有していないかを確実に把握することが，施設の水際で感染を防止するための絶対条件となる．また，未知の新興感染症については，いつどのようなかたちで伝播するか予測できないため，日常の業務において一定基準の感染予防対策を定めておき，日ごろからそれを厳密に順守することが，施設内伝播を防ぐリスクマネジメント上，有効である．具体的な基準としては，米国疾病対策センター（Centers for Disease Control and Prevention：CDC）のスタンダードプリコーション（**標準予防策**：手袋，ガウン，マスク，ゴーグルなどの着用，手洗いの徹底，リキャップの禁止などの対策をまとめたもの）が参考になる[3]．

高齢者の場合，若年時に感染した結核が再び発症し（**潜在性結核感染症**），再興感染症となるおそれがあるため，注意が必要である．また，新興・再興感染症が病院・施設内で生じると，個室管理による隔離対策がとられることが多いが，高齢者の場合は，認知症による徘徊あるいはせん妄などによって個室を離れることがあり，隔離状態を維持することが困難となりやすい．患者の認知症による理解力の程度を把握し，それに応じてたとえば集団隔離を考慮するなど，柔軟な対応をとることが望ましい[3]．

B. 新型インフルエンザとパンデミックに対する老年看護のあり方

1 ● パンデミックとは―Ａ型（H1N1）インフルエンザを例として

新興感染症の重要な例として，2009 年にパンデミックを引き起こしたＡ型（H1N1）インフルエンザについて紹介する．インフルエンザウイルスは，Ａ型，Ｂ型，Ｃ型の 3 つに大別され，毎年冬に流行する季節性インフルエンザの原因は，Ａ型もしくはＢ型である．1918～1919 年のスペインかぜ，1968 年の香港かぜ，あるいは 2009 年の新型インフルエンザなどのパンデミックの原因は，Ａ型である．Ａ型ウイルスの表面には，赤血球凝集素（HA）とノイラミニダーゼ（NA）という 2 種類の蛋白質があって，感染した個体（宿主）の免疫がウイルスを攻撃するさいの抗原となる[3]．しかし，インフルエンザウイルスの遺伝子は常に変化（変異）するため，HA，NA の抗原性も毎年のように変化する．これが季節性インフルエンザの**ワクチン接種**[*]による予防を難しくしている原因でもある．

それでは，これらの例年の変異と，パンデミックのさいに起こる変異とは何が根本的に異なるのであろうか．インフルエンザウイルスの遺伝子の変化は，小さな変異が積もっていく「抗原連続変異」と，あるときに突然大きく変化する「抗原不連続変異」の 2 つのパターンがある[4]．抗原連続変異は，遺伝子のコピーをウイルスの子孫に伝えるさいの複製ミスや紫外線などによる遺伝子の損傷が原因で起こり，例年の小規模な変異はこれにあたる．それに対し抗原不連続変異は，同種もしくは近縁のウイルスが同一個体（ヒトあるいは動物）の 1 つの細胞に同時に感染したさいに遺伝子が混ざり合う「組換え」現象によるものであり[5]，宿主の種の壁を越えたり強毒化したりするなどの突然の大きな変化をもたらし，パンデミックの原因となる．たとえば，ブタにしか感染できないが非常に強い毒性をもったウイルス株Ａと，毒性は低いもののブタにもヒトにも感染できるウイルス株Ｂ

---

[*] 季節性インフルエンザワクチンは，肺炎球菌ワクチンとともに，高齢者に対して有用性が認められ，推奨されている数少ないワクチンの 1 つである．

が同時にブタに感染した場合，組換えによってブタの体内でヒトへの感染力をもった強毒性のウイルスが生まれる可能性がある．

　パンデミックウイルスは，いつ，どこで発生するか予測不可能であり，しかも完全な予防手段はなく，有効な手段にも限界がある．2009年に大流行を巻き起こした新型インフルエンザの場合，日本では同年5月に初の感染が確認されると同時に，海外から帰国した感染者の入院隔離などのいわゆる水際対策がただちに行われた．しかし，これらの対策にもかかわらず感染者は若年層を中心に急激な拡大をみせ，同年7月から11月までの新型インフルエンザによる受診者数は約900万人，同期間の入院患者数は7,000人強，死亡患者数は65人に上り[5]，水際対策の限界が指摘された．なお，新型インフルエンザは，感染力が強かったものの，毒性が通常の季節性インフルエンザと同程度であったため，その後，幸いにも深刻化することもなく，自然終息した．

　現在パンデミックを警戒するべきウイルスの1つに鳥インフルエンザA（H5N1）がある．2019年1月の報告では，人への感染850例のうち約53%が死亡に至っており，その毒性が非常に高いことがわかる．一方，これまでに感染者が確認された国は16ヵ国に及ぶが，2015年にはエジプト，中国，インドネシア，バングラデシュの4ヵ国に限られており，現時点では高い感染力はないと考えられる[6]．このような強い毒性のウイルスが，先述の「組換え」現象によって，2009年の新型ウイルスのような高い感染力を獲得した場合には深刻なパンデミックが発生するおそれがある．2009年秋に日本でも新型インフルエンザウイルスがブタに感染したとの報道がなされた．そもそも鳥インフルエンザウイルスもブタに感染することが可能であり，今後，新型インフルエンザウイルスと鳥インフルエンザA（H5N1）とが，同時に同一のブタに感染し，その体内で遺伝子の組換えが起こった場合，強い感染力と強い毒性を併せもったパンデミックウイルスが誕生するおそれがある．同様に，鳥インフルエンザA（H7N9）やMERSコロナウイルスなどもパンデミックを引き起こすおそれのあるウイルスとして警戒されている．

2 ● パンデミックに対する老年看護の現場での備え

　パンデミックが発生した場合，医療現場の最前線で働く看護師は，感染した多くの患者に対応しなければならず，また自らもウイルスにさらされ感染する危険性に否応なく直面することになる．看護師を目指す人は，今後のインフルエンザの動向を常に確認し，パンデミックへの警戒を怠らないことが大事である．

　もしパンデミックが生じた場合，医療現場では2009年の新型インフルエンザの例にならい，第一段階では，海外滞在者の帰国時の水際での感染防止対策や，全国の医療施設で専門の外来を設置するなど，国レベルでの対策がとられることが考えられる．その一方，新たなウイルスの毒性や感染力の強さは，実際に感染が発生してみないとわからないところがあり，発生後にその毒性や感染力を見極めたうえで，臨機応変に対策を考え，また変更する必要がある．なお，2009年の大流行では，高い感染力のため水際作戦による感染蔓延防止は功を奏さなかったが，病原性が弱かったため大事にはいたらなかった．

　ただし，2009年の例のように，一般成人にとっては毒性の強くないウイルスであっても，免疫能が低下し，合併症や既往の多い高齢者にとっては命にかかわる脅威となりう

<コラム>

新型コロナウイルス感染症（COVID-19）

　　新型コロナウイルス（severe acute respiratory syndrome coronavirus 2：SARS-CoV-2）によるCOVID-19は，2019年11月に中国武漢市で初めて確認され，瞬く間に世界に拡大，2020年3月11日にWHOがパンデミックを宣言した．日本では，同年1月16日に国内初の患者が確認されて以降，流行の拡大と縮小を繰り返し，2022年10月末現在，2,200万人以上が感染し，47,000人以上が死亡するなど未曽有の被害をもたらしている．今回も2009年のA型（H1N1）インフルエンザと同様に感染症の水際対策の難しさが改めて示されたが，なぜCOVID-19はこれほどまでに甚大な被害をもたらしたのであろうか．COVID-19の感染力は季節性インフルエンザと同程度と考えられているが，潜伏期間が長く，かつ無症状感染の割合が高いのが特徴である．つまり，気づかぬ間にウイルスを拡散しやすく，制御が難しい．また重症化した場合には人工呼吸器や体外式膜型人工肺（ECMO）が必要となり，対応するスペースや医療者の確保の難しさが医療崩壊につながる．そして何よりも治療薬やワクチンなどの対応策がきわめて限定的であったことが挙げられる．2022年10月末現在，1回以上のワクチン接種率が国民の約83％となり，感染者数も小康状態を迎えている．しかし今後も継続的に感染者数の動向をモニターするとともに，ワクチンの副反応，新型コロナウイルス感染症の後遺症，変異型ウイルスの発生・拡大についても長期的に注視していく必要があろう．

　る．したがって，高齢者を看護するにあたっては，一般成人を対象とするときよりもさらに厳しい基準の感染予防対策が要求される．

　　その一方で，看護師はウイルスにさらされやすい状況に身をおくため，自らへの感染のリスクが高く，また自ら感染源ともなりうるため，感染対策に関する自己管理を十分に行う必要がある．感染している医療従事者が無理な業務を続け，その結果，高齢者の重症感染者を増加させてしまうといった事態は避けるべきである．感染が発生した場合に，いたずらに患者を避けたり，逆に医療従事者が無用な犠牲を生じさせたりすることなく，冷静にその業務を継続することができるように，ふだんから感染に関する正確な知識を身につけ，また厚生労働省などが提供する最新の情報に目を配ることが重要である[7]．

■ 引用文献 ■

1) 井口照久（編）：これからの老年学—サイエンスから介護まで，第2版，p.206-213，名古屋大学出版会，2008
2) 木村　廉，東　　昇，大場一三ほか：デング熱の研究（第1報）．日本医学及び健康保険 3306：2285-2286，1942
3) 医療安全推進者ネットワーク：高齢者施設や在宅医療で必要な感染症の知識とその予防策，2007，〔https://www.medsafe.net/recent/62kourei.html〕（最終確認：2023年1月26日）
4) 本郷誠治：シンプル微生物学，第5版（東　匡伸，小熊惠二，堀田　博編），p.284-288，南江堂，2011
5) 厚生労働省新型インフルエンザ対策推進本部：新型インフルエンザの発生動向—医療従事者向け疫学情報（2009年11月20日），〔http://www.mhlw.go.jp/bunya/kenkou/kekkaku-kansenshou04/pdf/091120-01.pdf〕（最終確認：2023年1月26日）
6) World Health Organization：Cumulative number of confirmed human cases of avian influenza A（H5N1）reported to WHO，〔http://www.who.int/influenza/human_animal_interface/2019_01_21tableH5N1.pdf〕（最終確認：2019年5月29日）
7) 厚生労働省：感染症情報〔http://www.mhlw.go.jp/stf/seisakunitsuite/bunya/kenkou_iryou/kenkou/kekkaku-kansenshou/index.html〕（最終確認：2023年1月26日）

2　老年看護の将来に向けた看護技術の動向

　超少子高齢社会を迎え，急性期病院を中心とした「治す医療」から，在宅を含めた「治し，支える医療」への大転換が求められ，ポイントオブケアテスト（point of care test：POCT）*のニーズが高まっている．とくに，老年看護学においては無侵襲でリアルタイムにアセスメントする技術開発が必要であり，従来の看護学の枠を越え，分子生物学や工学などとの「異分野融合型イノベーティブ看護学研究」によりアドバンストな看護学技術が創生されている．本項では，分子生物学との融合により新たに開発されたウンドブロッティングおよびスキンブロッティングと，工学との融合により新しく開発されたロボティックマットレスをその例として紹介する．

A.　ブロッティング技術の応用

1●ブロッティングとは

　ブロッティングとは，極性を有するろ紙（ブロッティングメンブレン）に蛋白質や核酸などの有機化合物を吸着・固定する技術である．古くから生化学実験において多用されており，DNA の分析に用いられるサザンブロッティング，RNA の分析に用いられるノーザンブロッティング，蛋白質の分析に用いられるウェスタンブロッティングなどが有名である．ブロッティングメンブレンには，ニトロセルロースやナイロン，ポリフッ化ビニリデンなどが用いられるが，いずれのメンブレンもプラスの極性を有し，静電気的に有機化合物を吸着する．この結合は強固かつ安定で，種々の染色液や洗浄液に繰り返し浸しても表面の有機化合物を保持することができる．そのため，吸着した有機化合物を化学的あるいは免疫学的に染色することで，吸着された化合物を同定したり，定量的に測定したりすることができる．

2●創傷感染への応用―生検採取の代替手法として

　バイオフィルムとは，細菌自らが分泌するムコ多糖類などの粘性の高い不溶性基質と菌体からなる膜状構造体である[1]．細菌はこのような構造体を形成することで抗生物質や抗菌薬，宿主の炎症性細胞の攻撃に対する高い耐性を獲得する．慢性皮膚創傷の 60％にバイオフィルムが存在し創傷治癒を阻害している[2]．従来，バイオフィルムの同定には顕微鏡的検査が用いられてきた．しかし，これらの方法は侵襲的な生検採取が必要であるばかりでなく，創部組織の限られた一部の検査しかできないため組織全体の検査は不可能である．そこで近年，看護理工学の手法を用いて新たなバイオフィルム検査法が開発された．

---

* ポイントオブケアテスト：患者や被検者がいるその場で検査し，速やかに検査結果を得て，ただちに適切な診断や治療・看護ケアに反映すること．

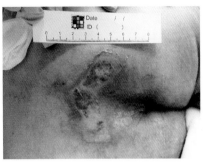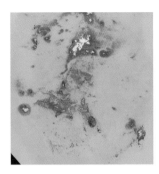

図Ⅵ-2-1　ウンドブロッティングによるバイオフィルムの検出
創部にブロッティングメンブレンを10秒間当てることで，創部表面に存在するバイオフィルムを採取することができる．採取された
バイオフィルムはアルシアンブルーなどで濃青色に染色され，バイオフィルムの存在と分布を知ることができる．
［仲上豪二朗：ベッドサイドで実施可能なバイオフィルム検出技術を活用した新たな創傷ケア. JSWH News Letter（105），2018より許諾
を得て転載］

ニーズは，創面全体のバイオフィルムを簡便・迅速かつ非侵襲的に検査することである．
一方，筆者らは，ブロッティング技術を応用して創傷の表面に分布する有機物を採取する
技術（ウンドブロッティング）を独自の技術シーズとして有していた[3]．これらのニーズ
とシーズのマッチングにより，ブロッティングメンブレンを創傷表面に数秒間貼付するだ
けで非侵襲的にバイオフィルムを採取することが可能となった．採取されたバイオフィル
ムは，ルテニウムレッドやアルシアンブルーなどの酸性ムコ多糖類を特異的に染色する色
素を用いて可視化することができるが[4]，染色に有機溶媒を使用することや，その工程に
数時間を要することなどから，POCTとして応用するためには染色法の改良が必要であっ
た．この難問を解決するため産学連携研究に取り組み，染色液や脱色液の組成を工夫する
ことで，わずか2分間でバイオフィルムを染色できるようになり，ベッドサイドですぐに
検査できるPOCT技術として製品化に至った（**図Ⅵ-2-1，Ⅵ-2-2**）．これまでに，表面
にバイオフィルムが付着している創傷は1週間後にスラフ（黄色調の壊死組織）が増加す
ること[5]，付着したバイオフィルムを除去することで治癒期間が短縮することが報告され
ている（**図Ⅵ-2-3**）[6]．つまり，本技術の応用によってバイオフィルムの検査に生検採取
が不要となり，少ない労力で効果的に創傷感染の早期発見を実現し，適切なケアを早期に
開始することで高齢者の安楽な療養生活につながることが期待される．

3● 慢性化脱水への応用─採血の代替手法として

脱水とは身体から水分量が過度に不足した状態である．多量の出血や発汗，下痢，嘔吐
などによって水分とともにナトリウムなどの電解質が失われた等張性脱水や低張性脱水
と，水分摂取量の減少などによって水分量のみが減少する高張性脱水に大別される．高齢
者では，筋肉や脂肪の減少に伴って水分量が減少しており，また口渇感が低下することに
よって水分摂取量も減少しやすい．さらに，失禁を気にして意識的に水分摂取を控える高
齢者も少なくない．このような状況で高齢者は知らぬ間に高張性脱水を発症し，慢性化に
いたる．

高張性脱水は血清浸透圧の測定で診断される．300 mOsm/L 以上を高張性脱水，290 〜

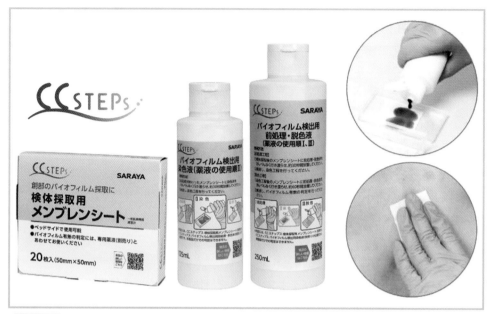

図Ⅵ-2-2　バイオフィルム検出キット
産学連携研究により染色工程に要する時間が著しく短縮され，2分間で検査結果が得られるキットとして販売された.
[写真提供：サラヤ株式会社]

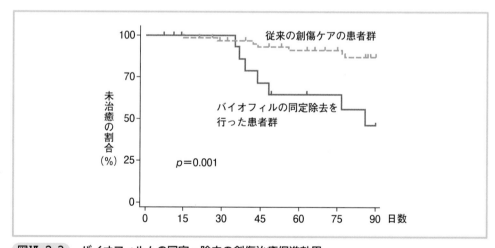

図Ⅵ-2-3　バイオフィルムの同定・除去の創傷治癒促進効果
慢性創傷の表面に付着するバイオフィルムをウンドブロッティングで同定し，超音波デブリドマン装置で除去したのち，再度バイオフィルムが除去されたことを確認するケアを導入したところ，90日間で治癒にいたる創傷が，従来の創傷ケアに比べて有意に多かった.
[Mori Y, Nakagami G, Kitamura A, et al：Effectiveness of biofilm-based wound care system on wound healing in chronic wound. Wound Repair and Regeneration, Epub ahead of print, 2019 より筆者が翻訳して引用]

300 mOsm/L を準高張性脱水と定義されており，筆者らの行った実態調査では，在宅療養中の高齢者の約2/3が高張性脱水または準高張性脱水であり，日本の高齢者の間での蔓延が示された．したがって老年看護では，定期的に高張性脱水の検査を実施し，その推移

をモニターすることが求められる．しかし，頻回に採血をして血清浸透圧を測定することは，在宅医療の現場では難しい．また，医療現場では簡易的に毛細血管再充血時間の測定やツルゴールテストに加えて，粘膜の乾燥や頭痛，眩暈（げんうん）などの身体症状を合わせて評価されるが，脱水が慢性化した高齢者ではこれらの反応や症状が不明瞭であり，また特異性が低いことも明らかとなっている．したがって，採血に代わる簡便な検査方法の開発が求められている．

近年,ブロッティング技術を応用した新たな脱水の検査法が報告され，注目されている．**スキンブロッティング**と呼ばれるその技術は，ブロッティングメンブレンを皮膚表面に10分間貼付することで，皮膚組織の組織間液に含まれる蛋白質などの有機化合物を吸着させるものであり，吸着された有機化合物をバイオマーカーとして評価することで，皮膚局所の状態や脱水などの全身状態を評価することができる[7]．組織間液は主に毛細血管から滲み出した血漿成分で構成されており，そこに周辺の細胞が放出する蛋白質や電解質などが加わったものである．つまり，スキンブロッティングによる組織間液の検査は血液検査に代わり得る可能性を秘めている．

慢性化脱水の同定には，バイオマーカーとして有機浸透圧調整物質が有効である．高張性脱水では血液や組織間液の浸透圧も上昇し，そこに存在する細胞は水分を放出して萎縮する．これが重度に進行すると細胞障害・組織障害へ発展するが，有機浸透圧調整物質は能動的に細胞に取り込まれることで細胞を保護する役割を担っている．つまり，浸透圧の変化に応じて血液や組織間液の有機浸透圧調整物質の濃度も変動する．こうしたバイオマーカーをスキンブロッティングで検出することで，身体症状ではとらえきれない慢性化脱水を採血せずに同定することができ，早期ケアが可能となる．

これらの技術は非侵襲的であるがゆえに，看護師だけでなく患者自身，あるいは介護者にも実施可能な技術として開発・普及され，在宅医療の充実に貢献することが期待される．

B. ロボティックマットレス

1 ● ロボティックマットレスの必要性

身体に加わった外力が発生要因となる褥瘡の予防・管理において，体圧分散ケアはもっとも重要なケアである[8]．看護ケアとして，体位変換やポジショニング，患者に適したマットレスの選択を行う．しかし，高齢者のおかれる状況は急性期から慢性期までさまざまであり，褥瘡の予防・管理という点からは必要な体位変換も，重篤な患者では呼吸循環動態の急激な変化をもたらす危険があり，体位変換を実施できない場合がある．また，褥瘡の予防・管理において広く使用されている圧切替え型エアマットレスは，高い体圧分散効果をもつが，エアセル内圧の調整は手動で行うものが主流であり，その設定を誤ると十分な体圧分散効果を得られない．このような課題の解決のため，ロボット技術を活用した新たなマットレスがロボティックマットレス（LEIOS，株式会社モルテン）である．

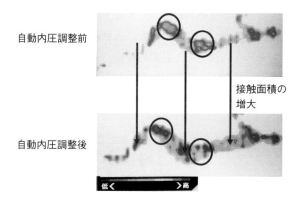

自動内圧調整前

自動内圧調整後

接触面積の増大

低く ＞高

図Ⅵ-2-4 自動内圧調整による体圧分布の変化

右側臥位での体圧分布を示す．自動内圧調整により，体幹や下肢の接触面積が広がり，丸で囲んだ体圧値が高い部分の圧力が低下（緑色から青色に変化）していることがわかる．

2●ロボティックマットレスの機能

ロボティックマットレスは，主に5つの機能をもつ．

1つ目は，自動エアセル内圧調整機能である．従来の圧切替え型エアマットレスは，患者の体重に応じてエアセル内圧を調整するのが一般的である．しかし，褥瘡を有する，あるいは褥瘡発生リスクの高い高齢者は骨突出を認めることが多く，体重で調整したエアセル内圧では底付き（骨突出部をエアセルで支えることができず底に接してしまう状態）を生じることが少なくない．また，患者の姿勢が変われば，高い圧力がかかる部位やその値も変化するため，体圧値をもっとも軽減できるエアセル内圧も変化する．このように，患者の体重に基づくエアセル内圧の設定では，体圧値をもっとも軽減させる状態を常に維持することは困難である．ロボティックマットレスでは，シートタイプの体圧センサーが内蔵されており，全身の体圧値を常に計測する．患者の姿勢が変化すると，体圧値がもっとも低くなるようエアセル内圧が自動調整される（**図Ⅵ-2-4**）．自動エアセル内圧調整機能を使用すると，使用しない場合に比べて，対象者とマットレスとの接触面積が大きく体圧値が低いこと，不快感が低いことが報告されている[9]．また，体圧分布は液晶モニターに表示され，看護師がベッドサイドで体圧分布を確認することも可能である（**図Ⅵ-2-5**）．

2つ目は，自動体位変換機能である．ロボティックマットレスは，体圧分散を目的としたエアセルのほかに，ポジショニングをサポートするエアセル（ポジショニングセル）があり，ポジショニングセルがゆっくりと膨張・収縮することで，人の手では実施困難な非常にゆっくりとした体位変換を可能とする（**図Ⅵ-2-6**）．これにより，体位変換に伴う呼吸循環動態の急激な変化や疼痛を予防することができる．

3つ目は，自動背抜き機能である．ベッドの頭側挙上を行うと，患者の背部にずれ力が加わる．看護師は患者の背部とマットレスの間に手を入れ，患者の上半身をマットレスから一度離すことで患者の背部にかかるずれ力を取り除く．ロボティックマットレスは，背部の隣接するエアセルが順番に膨張・収縮することで，この背抜きの役割を果たす．

4つ目は，睡眠モニタリング機能である．体圧値および体圧分布から患者の動きを検知

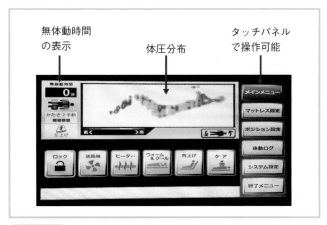

図Ⅵ-2-5　図Ⅵ-4液晶モニター
液晶モニターにより，ベッドサイドで体圧分布および無体動時間（どれだけ
の時間姿勢が動いていないか）を確認することができる．

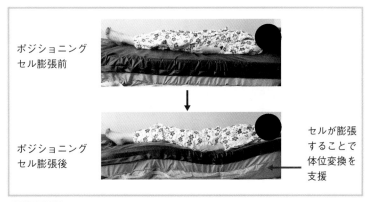

図Ⅵ-2-6　ポジショニングセルによる自動体位変換
ロボティックマットレスには，上下・左右にポジショニングセルが配置されている．
写真では左上・左下のポジショニングセルを膨張させた．人の手では実施困難な非常
にゆっくりとした動きを可能にすることで，呼吸循環動態の急激な変化や疼痛を避け
ることができる．

し，睡眠状態か覚醒状態かが表示される．褥瘡の予防・管理を必要とする患者のほとんど
は，24時間あるいは1日の大半をベッド上で生活している．そのような患者の睡眠支援
も高齢者看護において重要なケアである．

　5つ目は，無体動や体動過多の検知機能である．アラーム音や液晶画面への表示のほか
に，ナースコールに接続することも可能である．そのため，褥瘡予防・管理の視点のみで
なく，ベッドからの転落や転倒の予防にも活用できる．

3● なぜロボティックマットレスか

　ロボットは「センサー，知能・制御系，駆動系の3つの要素技術を有する，知能化した
機械システム」と定義される[10]．ロボティックマットレスは，体圧センサーで計測した
値をもとに患者のその時の状態に適したエアセル内圧を決定し，自動で調整するという点

で，ロボットの3つの要素技術を有する．体圧の持続的な計測や体位変換に数分間以上かける非常にゆっくりとした動きは，人の手では実施できない．また，在宅療養では，病院や施設に比べマンパワーが限られることが多い．このように人の手では実施困難なこと，人の手が不足することに対し，ロボット技術を活用することで，高齢者やその家族の生活を支援することが可能となる．

引用文献

1) Yasuda H：Bacterial biofilms and infectious diseases. Trends in Glycoscience and Glycotechnology **8**（44）：409-417，1996

2) James GA, Swogger E, Wolcott R, et al：Biofilms in chronic wounds. Wound Repair and Regeneration **16**（1）：37-44，2008

3) Minematsu T, Nakagami G, Yamamoto Y, et al：Wound blotting：a convenient biochemical assessment tool for protein components in exudate of chronic wounds. Wound Repair and Regeneration **21**（2）：329-334，2013

4) Nakagami G, Schultz G, Gibson DJ, et al：Biofilm detection by wound blotting can predict slough development in pressure ulcers：A prospective observational study. Wound Repair and Regeneration **25**（1）：131-138，2017

5) 仲上豪二朗：ベッドサイドで実施可能なバイオフィルム検出技術を活用した新たな創傷ケア．JSWH News Letter **105**：1-2，2018

6) Mori Y, Nakagami G, Kitamura A, et al：Effectiveness of biofilm-based wound care system on wound healing in chronic wound. Wound Repair and Regeneration, Epub ahead of print，2019

7) Minematsu T, Horii M, Oe M, et al：Skin blotting：a noninvasive technique for evaluating physiological skin status. Advances in Skin and Wound Care **27**（6）：272-279，2014

8) 日本褥瘡学会：褥瘡予防・管理ガイドライン，照林社，2009

9) Saegusa M, Noguchi H, Nakagami G, et al：Evaluation of comfort associated with the use of a robotic mattress with an interface pressure mapping system and automatic inner air-cell pressure adjustment function in healthy volunteers. Journal of tissue viability **27**（3）：146-52，2018

10) ロボット政策研究会（経済産業省）．ロボット政策研究会報告書〜RT 革命が日本を飛躍させる〜，2006年5月，〔http://warp.da.ndl.go.jp/info:ndljp/pid/286890/www.meti.go.jp/press/20060516002/robot-houkokusho-set.pdf〕（最終確認：2023年1月26日）

付　録

評価スケール・
アセスメントツール

付録1 バーセルインデックス（Barthel Index）

項　目	点　数	質問内容
1. 食事	10 5 0	自立，自助具などの装着可，標準的時間内に食べ終える 部分介助（たとえば，おかずを切って細かくしてもらう） 全介助
2. 車椅子からベッドへの移動	15 10 5 0	自立，ブレーキ，フットレストの操作も含む（歩行自立も含む） 軽度の部分介助または監視を要する 座ることは可能であるがほぼ全介助 全介助または不可能
3. 整容	5 0	自立（洗面，整髪，歯磨き，髭剃り） 部分介助または不可能
4. トイレ動作	10 5 0	自立（衣服の操作，後始末を含む，ポータブル便器などを使用している場合はその洗浄も含む） 部分介助，体を支える，衣服，後始末に介助を要する 全介助または不可能
5. 入浴	5 0	自立 部分介助または不可能
6. 歩行	15 10 5 0	45 m以上の歩行，補装具（車椅子，歩行器は除く）の使用の有無は問わない 45 m以上の介助歩行，歩行器の使用を含む 歩行不能の場合，車椅子にて45 m以上の操作可能 上記以外
7. 階段昇降	10 5 0	自立，手すりなどの使用の有無は問わない 介助または監視を要する 不能
8. 着替え	10 5 0	自立，靴，ファスナー，装具の着脱を含む 部分介助，標準的な時間内，半分以上は自分で行える 上記以外
9. 排便コントロール	10 5 0	失禁なし，浣腸，坐薬の取り扱いも可能 ときに失禁あり，浣腸，坐薬の取り扱いに介助を要する者も含む 上記以外
10. 排尿コントロール	10 5 0	失禁なし，収尿器の取り扱いも可能 ときに失禁あり，収尿器の取り扱いに介助を要する者も含む 上記以外

点数が高いほど自立していることを表す．

［Mahoney FL, Barthel DW：Functional evaluation: the Barthel index. Maryland State Medical Journal **14**（2）：61-65, 1965／日本老年医学会（編）：健康長寿診療ハンドブック；実地医家のための老年医学のエッセンス，p.139，日本老年医学会，2011より転載］

[p.29，69，91，255，298，367参照]

付録2 IADL（instrumental activities of daily living，手段的日常生活動作）尺度

項目	採点
A 電話を使用する能力	
1. 自分で番号を調べて電話をかけることが出来る	1
2. 2, 3 のよく知っている番号であればかけることが出来る	1
3. 電話には出られるが自分からかけることは出来ない	1
4. 全く電話を使用出来ない	0
B 買い物	
1. すべての買い物を自分で行うことが出来る	1
2. 少額の買い物は自分で行うことが出来る	0
3. 誰かが一緒でないと買い物が出来ない	0
4. 全く買い物は出来ない	0
C 食事の支度	
1. 自分で考えてきちんと食事の支度をすることが出来る	1
2. 材料が用意されれば適切な食事の支度をすることが出来る	0
3. 支度された食事を温めることは出来る，あるいは食事を支度することは出来るがきちんとした食事をいつも作ることは出来ない	0
4. 食事の支度をしてもらう必要がある	0
D 家事	
1. 力仕事以外の家事を1人でこなすことが出来る	1
2. 皿洗いやベッドの支度などの簡単な家事は出来る	1
3. 簡単な家事はできるが，きちんと清潔さを保つことが出来ない	1
4. 全ての家事に手助けを必要とする	1
5. 全く家事は出来ない	0
E 洗濯	
1. 自分の洗濯は全て自分で行うことが出来る	1
2. 靴下などの小物の洗濯を行うことは出来る	1
3. 洗濯は他の人にしてもらう必要がある	0
F 交通手段	
1. 1人で公共交通機関を利用し，あるいは自家用車で外出することが出来る	1
2. 1人でタクシーは利用出来るが，その他の公共輸送機関を利用して外出することは出来ない	1
3. 付き添いが一緒なら，公共交通機関を利用し外出することが出来る	1
4. 付き添いが一緒であれば，タクシーか自家用車で外出することが出来る	0
5. 全く外出することが出来ない	0
G 服薬の管理	
1. 自分で正しい時に正しい量の薬を飲むことが出来る	1
2. 前もって薬が仕分けされていれば，自分で飲むことが出来る	0
3. 自分で薬を管理することが出来ない	0
H 金銭管理能力	
1. 家計を自分で管理出来る（支払計画・実施が出来る，銀行へ行くこと等）	1
2. 日々の支払いは出来るが，預金の出し入れや大きな買い物等では手助けを必要とする	1
3. 金銭の取り扱いを行うことが出来ない	0

出典元では，男性の場合C，D，Eの項目は対象外となっていたが，現在では男性についても8項目で評価することが推奨される．

採点は各項目ごとに該当する右端の数値を合計する（0〜8点）．点数が高いほど自立していることを表す．

出典：M. Powell Lawton & Elaine M. Brody, Assessment of Older People: Self-Maintaining and Instrumental Activities of Daily Living, The Gerontologist (1969) 9 (3_Part_1) : 179–186, doi:10.1093/geront/9.3_Part_1.179. Translated and adapted by permission of Oxford University Press (OUP) / on behalf of The Gerontological Society of America Translation disclaimer: "OUP and The Gerontological Society of America are not responsible or in any way liable for the accuracy of the translation. The Japan Geriatrics Society is solely responsible for the translation in this publication/reprint."

オックスフォード大学出版および米国老年学会は，翻訳の正確性には一切の責任を負いません．日本老年医学会のみが単独で翻訳の責任を負います．

〔日本老年医学会：高齢者診療におけるお役立ちツール，ADLの評価法（Lawtonの尺度），〔https://www.jpn.geriat.soc.or.jp/tool/pdf/tool_13.pdf? 20220218〕（最終確認：2023年1月26日）より許諾を得て転載〕

[p.29, 91, 298, 367参照]

付録3 老研式活動能力指標

毎日の生活についてうかがいます．以下の質問のそれぞれについて，「はい」「いいえ」のいずれかに○をつけてお答えください．質問が多くなっていますが，ご面倒でも全部の質問にお答えください．

1.	バスや電車を使って1人で外出できますか‥‥‥‥‥‥‥‥‥‥‥‥‥‥‥	（ はい	いいえ ）
2.	日用品の買い物ができますか‥‥‥‥‥‥‥‥‥‥‥‥‥‥‥‥‥‥‥‥‥	（ はい	いいえ ）
3.	自分で食事の用意ができますか‥‥‥‥‥‥‥‥‥‥‥‥‥‥‥‥‥‥‥	（ はい	いいえ ）
4.	請求書の支払いができますか‥‥‥‥‥‥‥‥‥‥‥‥‥‥‥‥‥‥‥‥	（ はい	いいえ ）
5.	銀行預金・郵便貯金の出し入れが自分でできますか‥‥‥‥‥‥‥‥‥	（ はい	いいえ ）
6.	年金などの書類が書けますか‥‥‥‥‥‥‥‥‥‥‥‥‥‥‥‥‥‥‥‥	（ はい	いいえ ）
7.	新聞を読んでいますか‥‥‥‥‥‥‥‥‥‥‥‥‥‥‥‥‥‥‥‥‥‥‥	（ はい	いいえ ）
8.	本や雑誌を読んでいますか‥‥‥‥‥‥‥‥‥‥‥‥‥‥‥‥‥‥‥‥‥	（ はい	いいえ ）
9.	健康についての記事や番組に関心がありますか‥‥‥‥‥‥‥‥‥‥‥	（ はい	いいえ ）
10.	友だちの家を訪ねることがありますか‥‥‥‥‥‥‥‥‥‥‥‥‥‥‥	（ はい	いいえ ）
11.	家族や友だちの相談にのることがありますか‥‥‥‥‥‥‥‥‥‥‥‥	（ はい	いいえ ）
12.	病人を見舞うことができますか‥‥‥‥‥‥‥‥‥‥‥‥‥‥‥‥‥‥‥	（ はい	いいえ ）
13.	若い人に自分から話しかけることがありますか‥‥‥‥‥‥‥‥‥‥‥	（ はい	いいえ ）

合計得点　　　　　点

手段的ADLスコア（5点満点），知的ADLスコア（4点満点），社会的ADLスコア（4点満点）でそれぞれのADLを評価する．総計を高次ADLスコアとする．カットオフ値はない．

［古谷野亘，柴田 博，中里克治ほか：地域老人における活動能力の測定―老研式活動能力指標の開発．日本公衆衛生雑誌 **34**（3）：109-114，1987より許諾を得て転載］

[p.29，91参照]

付録 4　FIM（Functional Independence Measure, 機能的自立度評価表）

大項目	中項目	小項目	年月日	
1. 運動項目	1) セルフケア	① 食事		
		② 整容		
		③ 清拭（入浴）		
		④ 更衣（上半身）		
		⑤ 更衣（下半身）		
		⑥ トイレ動作		
	2) 排泄コントロール	⑦ 排尿管理		
		⑧ 排便管理		
	3) 移　乗	⑨ ベッド・椅子・車椅子		
		⑩ トイレ		
		⑪ 浴槽・シャワー（浴槽かシャワーか）	（□浴　□シ）	（□浴　□シ）
	4) 移　動	⑫ 歩行・車椅子（主な移動手段）	歩＝ 車＝ （□歩　□車）	歩＝ 車＝ （□歩　□車）
		⑬ 階段		
2. 認知項目	5) コミュニケーション	⑭ 理解*		
		⑮ 表出*		
	6) 社会的認知	⑯ 社交的交流		
		⑰ 問題解決		
		⑱ 記憶		
合計点				

得　点	運動項目
7	自立
6	修正自立（用具の使用，安全性の配慮，時間がかかる）
5	監視・準備
4	75％以上，100％未満している
3	50％以上，75％未満している
2	25％以上，50％未満している
1	25％未満しかしていない

得　点	認知項目
7	自立
6	軽度の困難，または補助具の使用
5	90％以上している
4	75％以上，90％未満している
3	50％以上，75％未満している
2	25％以上，50％未満している
1	25％未満しかしていない

*⑭の（□聴覚　□視覚），⑮の（□音声　□非音声）は省略した

［千野直一，椿原彰夫，園田　茂ほか編著：FIMの評価表．脳卒中の機能評価―SIASとFIM［基礎編］，金原出版，p.145，2012より許諾を得て転載］

[p.91，367参照]

付録 5　障害高齢者の日常生活自立度（寝たきり度）判定基準

生活自立	ランクJ	何らかの障害等を有するが，日常生活はほぼ自立しており独力で外出する 1. 交通機関等を利用して外出する 2. 隣近所へなら外出する
準寝たきり	ランクA	屋内での生活はおおむね自立しているが，介助なしには外出しない 1. 介助により外出し，日中はほとんどベッドから離れて生活する 2. 外出の頻度が少なく，日中も寝たり起きたりの生活をしている
寝たきり	ランクB	屋内での生活は何らかの介助を要し，日中もベッド上での生活が主体であるが座位を保つ 1. 車椅子に移乗し，食事，排泄はベッドから離れて行う 2. 介助により車椅子に移乗する
	ランクC	1日中ベッド上で過ごし，排泄，食事，着替において介助を要する 1. 自力で寝返りをうつ 2. 自力では寝返りもうてない

判定に当たっては，補装具や自助具等の器具を使用した状態であっても差し支えない．

［障害老人の日常生活自立度（寝たきり度）判定基準」の活用について：平成3年11月18日 老健第102-2号 厚生省大臣官房老人保健福祉部長通知，1991より転載］

[p.91，150，293参照]

付録6　認知症高齢者の日常生活自立度判定基準

ランク	判定基準	見られる症状・行動の例	判断にあたっての留意事項及び 提供されるサービスの例
I	何らかの認知症を有するが, 日常生活は家庭内及び社会的にほぼ自立している.		在宅生活が基本であり, 一人暮らしも可能である. 相談, 指導等を実施することにより, 症状の改善や進行の阻止を図る.
II	日常生活に支障を来たすような症状・行動や意思疎通の困難さが多少見られても, 誰かが注意していれば自立できる.		在宅生活が基本であるが, 一人暮らしは困難な場合もあるので, 訪問指導を実施したり, 日中の在宅サービスを利用することにより, 在宅生活の支援と症状の改善及び進行の阻止を図る.
IIa	家庭外で上記IIの状態が見られる.	たびたび道に迷うとか, 買物や事務, 金銭管理等それまでできたことにミスが目立つ等	
IIb	家庭内でも上記IIの状態が見られる.	服薬管理ができない, 電話の応対や訪問者との対応等一人で留守番ができない等	
III	日常生活に支障を来たすような症状・行動や意思疎通の困難さが見られ, 介護を必要とする.		日常生活に支障を来たすような症状・行動や意思疎通の困難さがランクIIより重度となり, 介助が必要となる状態である.「ときどき」とはどのくらいの頻度を指すかについては, 症状・行動の種類等により異なるので一概には決められないが, 一時も目を離せない状態ではない. 在宅生活が基本であるが, 一人暮らしは困難であるので, 夜間の利用も含めた在宅サービスを利用しこれらのサービスを組み合わせることによる在宅での対応を図る.
IIIa	日中を中心として上記IIIの状態が見られる.	着替え, 食事, 排便・排尿が上手にできない, 時間がかかる. やたらに物を口に入れる, 物を拾い集める, 徘徊, 失禁, 大声, 奇声をあげる, 火の不始末, 不潔行為, 性的異常行為等	
IIIb	夜間を中心として上記IIIの状態が見られる.	ランクIIIaに同じ	
IV	日常生活に支障を来たすような症状・行動や意思疎通の困難さが頻繁に見られ, 常に介護を必要とする.	ランクIIIに同じ	常に目を離すことができない状態である. 症状・行動はランクIIIと同じであるが, 頻度の違いにより区分される. 家族の介護力等の在宅基盤の強弱により在宅サービスを利用しながら在宅生活を続けるか, または特別養護老人ホーム・老人保健施設等の施設サービスを利用するかを選択する. 施設サービスを選択する場合には, 施設の特徴を踏まえた選択を行う.
M	著しい精神症状や周辺症状あるいは重篤な身体疾患が見られ, 専門医療を必要とする.	せん妄, 妄想, 興奮, 自傷・他害等の精神症状や精神症状に起因する問題行動が継続する状態等	ランクI〜IVと判定されていた高齢者が, 精神病院や認知症専門棟を有する老人保健施設等での治療が必要となったり, 重篤な身体疾患が見られ老人病院等での治療が必要となった状態である. 専門医療機関を受診するよう勧める必要がある.

[「認知症高齢者の日常生活自立度判定基準」の活用について平成18年4月3日 老発第0403003号 厚生省老人保健福祉局長通知, 2006より転載]

[p.91, 293参照]

付録 7 **HDS-R**（Hasegawa's Dementia Scale for Revised，改訂長谷川式簡易知能評価スケール）

質問内容	配 点	意 味
1. お歳はいくつですか？（2年までの誤差は正解）	0・1	長期・遠隔記憶
2. 今日は何年の何月何日ですか？何曜日ですか？ （年月日，曜日が正解でそれぞれ1点ずつ）	年：0・1 月：0・1 日：0・1 曜日：0・1	日時・場所の見当識（正確な病院名や住所などは言えなくてもよく，現在いる場所がどういう場所なのか本質的にとらえられていれば正答とする）
3. 私たちがいまいるところはどこですか？ （自発的にでれば2点，5秒おいて家ですか？病院ですか？施設ですか？　のなかから正しい選択をすれば1点）	0・1・2	
4. これから言う3つの言葉を言ってみてください． あとでまた聞きますのでよく覚えておいてください． （以下の系列のいずれか1つで，採用した系列に○印をつけておく） 　1：a）桜，b）猫，c）電車 　2：a）梅，b）犬，c）自動車	a：0・1 b：0・1 c：0・1	3単語の記銘 （短期記憶）
5. 100から7を順番に引いてください． （100－7は？それからまた7を引くと？と質問をする．最初の答えが不正解の場合，打ち切る．）	(93) 0・1 (86) 0・1	計算（注意集中，短期記憶，意味記憶）
6. 私がこれから言う数字を逆から言ってください． （6-8-2，3-5-2-9を逆に言ってもらう，3桁逆唱に失敗したら打ち切る．）	(2-8-6) 0・1 (9-2-5-3) 0・1	数字の逆唱 （短期記憶）
7. 先ほど覚えてもらった言葉をもう一度言ってみてください． （自発的に回答があれば各2点，もし回答がない場合以下のヒントを与え正解であれば1点） 　a）植物，b）動物，c）乗り物	a：0・1・2 b：0・1・2 c：0・1・2	3つの言葉の遅延再生 （長期・近時記憶）
8. これから5つの品物を見せます．それを隠しますのでなにがあったか言ってください． （時計，鍵，タバコ，ペン，硬貨など必ず相互に無関係なもの）	0・1・2・3・4・5	5つの記銘（長期・近時記憶，エピソード）
9. 知っている野菜の名前をできるだけ多く言ってください． （答えた野菜の名前を右欄に記入する．途中で詰まり，約10秒待っても答えない場合にはそこで打ち切る．） 　0〜5個＝0点，6個＝1点，7個＝2点，8個＝3点， 　9個＝4点，10個＝5点	0・1・2・3・4・5	野菜の名前（言語の流暢性，重複がないかの確認で短期記憶）

カットオフポイント：20/21（20点以下は認知症の疑いあり）	合計 得点	／30点

［加藤伸司，下垣 光，小野寺敦志ほか：改訂 長谷川式簡易知能評価スケール(HDS-R)の作成．老年精神医学雑誌 **2**(11)：1339-1347，1991 より許諾を得て連載］

[p.25, 29, 130, 255, 306, 397 参照]

付録8 FAST（Functional Assessment Staging）

FAST stage	臨床診断	FASTにおける特徴	臨床的特徴
1. 認知機能の障害なし	正常	主観的および客観的機能低下は認められない	5-10年前と比較して職業あるいは社会生活上，主観的および客観的にも変化は全く認められず支障を来すこともない．
2. 非常に軽度の認知機能の低下	年齢相応	物の置き忘れを訴える．喚語困難	名前や物の場所，約束を忘れたりすることがあるが年齢相応の変化であり，親しい友人や同僚にも通常は気がつかれない．複雑な仕事を遂行したり，込み入った社会生活に適応していくうえで支障はない．多くの場合正常な老化以外の状態は認められない．
3. 軽度の認知機能低下	境界状態	熟練を要する仕事の場面では機能低下が同僚によって認められる．新しい場所に旅行することは困難	初めて，重要な約束を忘れてしまうことがある．初めての土地への旅行のような複雑な作業を遂行する場合には機能低下が明らかになる．買い物や家計の管理あるいはよく知っている場所への旅行など日常行っている作業をするうえでは支障はない．熟練を要する職業や社会的活動から退職してしまうこともあるが，その後の日常生活の中では障害は明らかとはならず，臨床的には軽微である．
4. 中等度の認知機能低下	軽度のアルツハイマー型	夕食に客を招く段取りをつけたり，家計を管理したり，買い物をしたりする程度の仕事でも支障を来す	買い物で必要なものを必要な量だけ買うことができない．誰かがついていないと買い物の勘定を正しく払うことができない．自分で洋服を選んで着たり，入浴したり，行き慣れている所へ行ったりすることには支障はないために日常生活では介助を要しないが，社会生活では支障を来すことがある．単身でアパート生活している老人の場合，家賃の額で大家とトラブルを起こすようなことがある．
5. やや高度の認知機能低下	中等度のアルツハイマー型	介助なしでは適切な洋服を選んで着ることができない，入浴させるときにもなんとかだめすかして説得することが必要なこともある	家庭での日常生活でも自立できない．買い物をひとりですることはできない．季節にあった洋服を選んだりすることができないために介助が必要となる．明らかに釣り合いがとれていない組合せで服を着たりし，適切に洋服を選べない．毎日の入浴を忘れることもある．なだめすかして入浴させなければならないにしても，自分で体をきちんと洗うことはできるし，お湯の調節もできる．自動車を適切かつ安全に運転できなくなり，不適切にスピードを上げたり下げたり，また信号を無視したりする．無事故だった人が初めて事故を起こすこともある．きちんと服が揃えてあれば適切に着ることはできる．大声をあげたりするような感情障害や多動，睡眠障害によって家庭で不適応を起こし医師による治療的かかわりがしばしば必要になる．
6. 高度の認知機能低下	やや高度のアルツハイマー型	(a) 不適切な着衣	寝巻の上に普段着を重ねて着てしまう．靴紐が結べなかったり，ボタンを掛けられなかったり，ネクタイをきちんと結べなかったり，左右間違えずに靴をはけなかったりする．着衣も介助が必要になる．
		(b) 入浴に介助を要す入浴を嫌がる	お湯の温度や量を調節できなくなり，体もうまく洗えなくなる．浴槽に入ったり出たりすることもできにくくなり，風呂から出た後もきちんと体を拭くことができない．このような障害に先行して風呂に入りたがらない，嫌がるという行動がみられることもある．

（つづく）

（付録8つづき）

FAST stage	臨床診断	FAST における特徴	臨床的特徴
		(c) トイレの水を流せなくなる	用を済ませた後水を流すのを忘れたり，きちんと拭くのを忘れる．あるいは済ませた後服をきちんと直せなかったりする．
		(d) 尿失禁	時に (c) の段階と同時に起こるが，これらの段階の間には数ヶ月間の間隔があることが多い．この時期に起こる尿失禁は尿路感染やほかの生殖泌尿器系の障害がよく起こる．この時期の尿失禁は適切な排泄行動を行ううえでの認知機能の低下によって起こる．
		(e) 便失禁	この時期の障害は (c) や (d) の段階でみられることもあるが，通常は一時的にしろ別々にみられることが多い．焦燥や明らかな精神病様症状のために医療施設を受診することも多い．攻撃的行為や失禁のために施設入所が考慮されることが多い．
7. 非常に高度の認知機能低下	高度のアルツハイマー型	(a) 最大限約6語に限定された言語機能の低下	語彙と言語能力の貧困化は Alzheimer 型認知症の特徴であるが，発語量の減少と話し言葉のとぎれがしばしば認められる．更に進行すると完全な文章を話す能力は次第に失われる．失禁がみられるようになると，話し言葉は幾つかの単語あるいは短い文節に限られ，語彙は2，3の単語のみに限られてしまう．
		(b) 理解し得る語彙はただ1つの単語となる	最後に残される単語には個人差があり，ある患者では"はい"という言葉が肯定と否定の両方の意志を示すときもあり，逆に"いいえ"という返事が両方の意味をもつこともある．病期が進行するに従ってこのようなただ1つの言葉も失われてしまう．一見，言葉が完全に失われてしまったと思われてから数ヵ月後に突然最後に残されていた単語を一時的に発語することがあるが，理解し得る話し言葉が失われた後は叫び声や意味不明のぶつぶつ言う声のみとなる．
		(c) 歩行能力の喪失	歩行障害が出現する．ゆっくりとした小刻みの歩行となり階段の上り下りに介助を要するようになる．歩行できなくなる時期は個人差はあるが，次第に歩行がゆっくりとなり，歩幅が小さくなっていく場合もあり，歩くときに前方あるいは後方や側方に傾いたりする．寝たきりとなって数ヵ月すると拘縮が出現する．
		(d) 着座能力の喪失	寝たきり状態であってもはじめのうち介助なしで椅子に座っていることは可能である．しかし，次第に介助なしで椅子に座っていることもできなくなる．この時期ではまだ笑ったり，噛んだり，握ることはできる．
		(e) 笑う能力の喪失	この時期では刺激に対して眼球をゆっくり動かすことは可能である．多くの患者では把握反射は嚥下運動とともに保たれる．
		(f) 昏迷および昏睡	Alzheimer 型認知症の末期ともいえるこの時期は本疾患に付随する代謝機能の低下と関連する．

［本間 昭，臼井樹子：病期（ステージ）分類—Functional Assessment Staging (FAST)．日本臨牀 **61**（増刊号9）：125–128，2003 より許諾を得て転載］

［p.397，404 参照］

付録9　NRS（Numerical Rating Scale，数字評価尺度）

直線を〈痛みがない：0〉から〈最悪な痛み：10〉まで11段階に区切って
患者自身に現在の痛みに相応する数値を示してもらう．

［p.25，216，217，229 参照］

付録10　VAS（Visual Analogue Scale，視覚アナログ尺度）

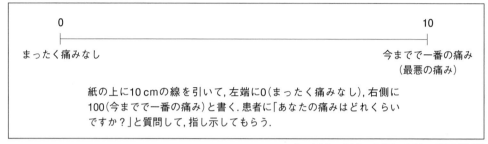

紙の上に10cmの線を引いて，左端に0（まったく痛みなし），右側に
100（今までで一番の痛み）と書く．患者に「あなたの痛みはどれくらい
ですか？」と質問して，指し示してもらう．

［p.122，216，217，346，357 参照］

付録11　フェイス・スケール

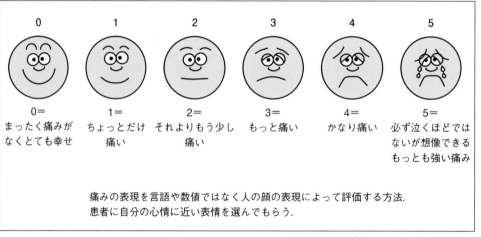

痛みの表現を言語や数値ではなく人の顔の表現によって評価する方法．
患者に自分の心情に近い表情を選んでもらう．

［p.25，229，357参照］

付録12　日本語版アビー（Abbey）痛みスケール（APS-J）

日本版アビー痛みスケール

言葉で表現することができない認知症の方の疼痛測定のために

スケールの用い方：入所者を観察しながら問1から6に点数をつける

入所者名：＿＿＿＿＿＿＿＿＿＿＿＿＿＿＿＿＿＿＿＿＿＿＿＿＿＿＿＿＿

スケールに記入した観察者とその職種：＿＿＿＿＿＿＿＿＿＿＿＿＿＿＿＿＿＿

日付：＿＿＿年＿＿＿月＿＿＿日　　　時間：＿＿＿＿＿＿＿＿＿＿＿＿＿

最後の疼痛緩和は＿＿＿年＿＿＿月＿＿＿日＿＿＿時に＿＿＿＿＿＿を実施した

問1.　声をあげる

　　　例：しくしく泣いている，うめき声をあげる，泣きわめいている

　　　0：なし　　1：軽度　　2：中程度　　3：重度

問2.　表情

　　　例：緊張して見える，顔をしかめる，苦悶の表情をしている，

　　　　　おびえて見える

　　　0：なし　　1：軽度　　2：中程度　　3：重度

問3.　ボディランゲージの変化

　　　例：落ち着かずそわそわしている，体をゆらす，体の一部をかばう，

　　　　　体をよける

　　　0：なし　　1：軽度　　2：中程度　　3：重度

問4.　行動の変化

　　　例：混乱状態の増強，食事の拒否，通常の状態からの変化

　　　0：なし　　1：軽度　　2：中程度　　3：重度

問5.　生理学的変化

　　　例：体温，脈拍または血圧が正常な範囲外，発汗，顔面紅潮または蒼白

　　　0：なし　　1：軽度　　2：中程度　　3：重度

問6.　身体的変化

　　　例：皮膚の損傷，圧迫されている局所がある，関節炎，拘縮，傷害の既往

　　　0：なし　　1：軽度　　2：中程度　　3：重度

問1から6の得点を合計し，記入する　　　　　　　　　　総合疼痛得点

総合疼痛得点にしるしをつける

0-2 痛みなし	3-7 軽度	8-13 中程度	14以上 重度

最後に疼痛のタイプにしるしをつける

慢性	急性	慢性疼痛の 急性増悪

〔Takai Y, Yamamoto-Mitani N, Chiba Y, et al：Abbey Pain Scale：development and validation of the Japanese version. Geriatrics & Gerontology International **10**(2)：145-53, 2010 より転載〕

〔☞ p.25，226 参照〕

付録 13　ジャパン・コーマ・スケール（Japan Coma Scale：JCS）

Ⅰ. 刺激しなくても覚醒している状態（1桁で表現）	
1	だいたい意識清明だが，いまひとつはっきりしない
2	見当識障害がある
3	自分の名前，生年月日が言えない
Ⅱ. 刺激すると覚醒する状態（刺激をやめると眠り込む）（2桁で表現）	
10	普通の呼びかけで開眼する（合目的的な運動［たとえば右手を握れ，離せ］をするし，言葉も出るが間違いが多い
20	大きな声または身体を揺さぶることにより開眼する（簡単な命令に応じる［たとえば離握手］）
30	痛み刺激を加えつつ呼びかけを繰り返すとかろうじて開眼する
Ⅲ. 刺激しても覚醒しない状態（3桁で表現）	
100	痛み刺激に対し，払いのけるような動作をする
200	痛み刺激で少し手足を動かしたり，顔をしかめる
300	痛み刺激にまったく反応しない

状態に応じて，R(restlessness，不穏状態)，I(incontinence，尿・便失禁状態)，A(akinetic mutism, apallic state，無動性無言・自発性喪失)を併記する．記載例：100-I，20-RI.

[p.25，307参照]

付録 14　GDS-15（Geriatric depression scale 15，老年期うつ病評価尺度）

No.	質問事項	回答	
1	毎日の生活に満足していますか	いいえ	はい
2	毎日の活動力や周囲に対する興味が低下したと思いますか	はい	いいえ
3	生活が空虚だと思いますか	はい	いいえ
4	毎日が退屈だと思うことが多いですか	はい	いいえ
5	大抵は機嫌よく過ごすことが多いですか	いいえ	はい
6	将来の漠然とした不安に駆られることが多いですか	はい	いいえ
7	多くの場合は自分が幸福だと思いますか	いいえ	はい
8	自分が無力だなあと思うことが多いですか	はい	いいえ
9	外出したり何か新しいことをするより家にいたいと思いますか	はい	いいえ
10	何よりもまず，もの忘れが気になりますか	はい	いいえ
11	いま生きていることが素晴らしいと思いますか	いいえ	はい
12	生きていても仕方がないと思う気持ちになることがありますか	はい	いいえ
13	自分が活気にあふれていると思いますか	いいえ	はい
14	希望がないと思うことがありますか	はい	いいえ
15	周りの人があなたより幸せそうに見えますか	はい	いいえ

1，5，7，11，13には「はい」0点，「いいえ」に1点を，2，3，4，6，8，9，10，12，14，15にはその逆を配点し合計する．5点以上がうつ傾向，10点以上がうつ状態とされている．

［松林公蔵，小澤利男：総合的日常生活機能評価法−Ⅰ 評価の方法．d 老年者の情緒に関する評価．Geriatric Medicine 32(5)：541-546，1994より許諾を得て改変し転載］

[p.25，29，288参照]

付録 15　日本語版 GDS-5

以下の質問に対し「はい」,「いいえ」のどちらかに○をつけて下さい.		
1)　毎日の生活に満足していますか.	はい	いいえ
2)　毎日が退屈だと思うことが多いですか.	はい	いいえ
3)　外出したり何か新しいことをするより家にいたいと思いますか.	はい	いいえ
4)　生きていても仕方がないと思う気持ちになることがありますか.	はい	いいえ
5)　自分が無力だなあと思うことが多いですか.	はい	いいえ

2点以上がうつ状態のカットオフ値とされる.

[遠藤英俊：うつの評価. 高齢者総合的機能評価ガイドライン(鳥羽研二監), p.108,厚生科学研究所, 2003より許諾を得て転載]

※1には「はい」に0点,「いいえ」に1点を, 2〜5はその逆を配点する.

[p.25, 29, 71, 131, 288参照]

演習問題　解答への視点

Ⅳ-1　起立・歩行障害

演習①［▶ p.164］

問1 への視点

2週間の入院生活によって，下肢筋力の低下が考えられる．退院に向け，活動量を増やすとともに，退院後も在宅の環境で安全に歩行ができるかについて検討する必要がある．そのために，入院前の状況と現在の歩行状況を比較し，立ち上がり・歩行の状態・下肢筋力・上肢筋力について，その程度・原因・歩行時のリスクなどをアセスメントする必要がある．その際の情報収集項目として，患者が自覚している立ち上がり困難・足の重さ・下肢の力の入りにくさ・ふらつき・在宅での家事の内容と活動量などに加え，本人の歩行に対する認識・希望する過ごし方が挙げられる．

問2 への視点

「長く歩くと膝に力が入りにくくなって，ふらつくことがある」という訴えから，入院前と比較して下肢筋力が低下しており，杖の使用によってバランスが保持しやすくなると考えられる．上下肢の筋力，立位・歩行時のふらつきなどの身体状況に加え，自宅の環境（広さ，移動の必要のある範囲，手すり設置の有無，すべりやすい箇所，段差，階段使用の有無など）を確認し，壁や手すりにつかまりながらの歩行，もしくは杖の使用を検討する．また，買い物などでの外出時は歩行距離が長くなることに加え，荷物を持って移動する必要があるため，シルバーカーなどの使用も検討する．

問3 への視点

自宅環境をシミュレーションしながら，安全な立ち上がり・歩行の方法について患者とともに確認し，練習を行う．歩行補助具の使用を検討する場合は，歩行状態と本人の希望，生活環境に合わせた補助具の選択・購入・調整について支援するとともに，使用方法について，実際使用してもらいながら確認する．

活動量は徐々に増やすようにすること，疲労やふらつきを感じた際は休憩をとること，膝痛の悪化がみられた場合は，いったん活動量を増やすことを中止するとともに，整形外科への受診をするように指導する．さらに，歩行能力の維持・増進のために，介護予防事業や要支援1・2を対象とした介護予防サービスの利用を検討する．

Ⅳ-2　感覚機能障害

演習②［▶ p.179］

問1 への視点

この患者の難聴は，定年までの繊維会社勤務による長時間の騒音の曝露などが影響している可能性（感音性難聴）もある．難聴が今後の生活に及ぼす影響として，意思疎通の困難感（聴きとり間違い，理解困難），コミュニケーションの減少，他者との交流の減少，心理的な孤独感，社会生活するうえでの外出や活動の減少など，高齢者の閉じこもりの原因につながる可能性がある．

問2 への視点

生活に及ぼす影響へのケア方法を考えるにあたって，まずは難聴の正確なアセスメントが大事である．そのうえで，難聴の進行を予防するために，基礎疾患などの悪化を防止することが大切である．次いで，心理的な孤独の解消を支援し，他者・社会との交流・かかわりを維持できるよう，適切な補聴器などの補助具の使用・選択を支援する．また，補聴器を導入しても使用しなくなるケースも多くみられるため，補聴器などの使用における心理的なサポート，補聴器使用のためのリハビリテーションや対話支援システムの導入など継続したケアが必要である．

聴力が規定以下の場合，身体障害者の認定を受けることにより，補聴器購入時に補助が受けられる．

Ⅳ-3　摂食・嚥下障害

演習③［▶ p.189］

問1 への視点

事例は多発性脳梗塞による仮性球麻痺があることを念頭におく．「言葉がはっきりしない」ことから，舌の動きが悪く，食塊形成や送り込みに障害があることが考えられる．つまり，準備期や口腔期の障害がある．また，「言葉が途切れる」「鼻声」から，鼻咽腔の閉鎖不全が推測される．そのため口腔内圧が高まらず，十分な嚥下反射が得られない．これは咽頭期の障害である．咽頭期の障害として，ほかにどのような症状がみられるか，考えてみる．

問2 への視点

送り込み障害によって唾液が嚥下反射誘発部位まで到達しないことに加えて，口輪筋が弱いことが考えられる．そのため，患者は，下を向くと唾液の重力によって流涎となる．したがって，少し顎を上げた頭位で，意識的に口唇を閉じて口角を引く，次いで息を止めてうなずき嚥下を促すのがよい（重力を利用する）．

問3 への視点

「ボロボロこぼす」ことから，口輪筋の弱さや口唇閉鎖不全が推察でき，嚥下反射が惹起しない状況である．また，口腔内は食塊形成不全と食塊の咽頭移送障害などによって，食物が拡散しているところへ次々に食物を取り込むので，誤嚥や窒息のリスクが高い．留意点は，唾液を誤嚥してもよい口腔環境と味わいやすい，咀嚼しやすい口腔機能が求められるとともに，食材や食事の形態，一口量や摂食のリズムなどの配慮が必要である．また，食物の重力によって徐々に咽頭へ送り込まれるファウラー位をとるが，頸部伸展位で摂食させてはならない．この体位は気道確保はできるが，嚥下するのに重要な喉頭挙上を阻害するため，嚥下反射惹起を困難にす

る．また食物は気道へ流入しやすいからである．常に，嚥下したことを確認して次の一口を入れることが大切である．

Ⅳ-4　脱　水

演習④　[▶ p.198]

問1▶への視点

　独居あるいは高齢者のみの世帯は，介護力や経済上の問題を抱えていることも多く，適切な飲水行動や環境の調整，介護サービスの利用が難しい傾向にある．また，体温調節能力が低下しているにもかかわらず，衣類や室温の調整を嫌ったり，失禁を恐れて水分を控える高齢者も多い．そのうえ，認知機能障害がある場合は，夏でも暑さを感じなかったり，水分を摂ること自体を忘れてしまったり，正しく薬物を内服できていない可能性も高い．

問2▶への視点

　要介護高齢者は，脱水とそれに起因する有害事象が起こるリスクが高い．水分摂取を促すことに加え，水分が摂りやすいよう環境を整えたり，脱水の危険因子を低減するような働きかけをする．

　とくに老老介護の場合は，家族介護力が低下しているため，介護サービス事業者間で連携して脱水予防のケアを提供することが重要である．また，訪問介護やデイサービスで働く介護職が，対象者が抱える脱水のリスクと予防法について，十分な知識と技術を習得できるようサポートすることも必要である．

Ⅳ-5　低栄養

演習⑤　[▶ p.209]

問1▶への視点

　入院直前の食事状況だけではなく，ふだんの食事の内容・量なども確認する．また，栄養管理は必要栄養量と栄養摂取量のバランスが大切であるため，日常生活での活動内容も重要である．加えて，疾患の特徴として呼吸器疾患をもつ人は呼吸をするだけでもエネルギーを消費するため，静的栄養アセスメントと動態栄養アセスメントを行い，栄養状態の判断をする必要がある．

　また，息切れや動けないことなどによる心理面のストレスから，食欲が低下することがあるため，精神状態（または心理状態）にも配慮する（第Ⅲ章「2．食事」p.55参照）．

問2▶への視点

　高齢者にとっても「食べること」は低栄養状態の予防，および改善につながるため，何らかの障害により「食べること」が困難となった場合は，多職種で構成された栄養サポートチームと連携し栄養管理を行うとともに，呼吸状態に合わせた運動療法を取り入れ，息切れの改善やQOLを高めるようにかかわる．

Ⅳ-6　皮膚瘙痒感

演習⑥　[▶ p.220]

問1▶への視点

　高齢者のため，加齢による皮脂分泌減少，水分保持能力の減退によりかゆみ閾値が低下している．また，夜間になると副交感神経が優位になり，皮膚においてヒスタミンなどの起痒物質が多く放出されていること，同時に，寝具による皮膚温上昇でかゆみ閾値が低下していることから，全身の瘙痒感が強まり，夜間覚醒が続いていると考えられる．

問2▶への視点

　第一にかゆみをもたらす要因をなくすことを考える．保湿や室温・湿度の調整，生活習慣の改善などを考える．高齢者は皮脂分泌減少により皮膚のバリア機能が低下している．そのため人工的に皮脂膜をつくり，水分蒸散を防ぐことができる洗浄剤や保湿剤を使用し，刺激の少ない洗浄方法で行うことが必要である．生活環境として，室温・湿度の調整，着用する下着や服装も考える．

　かゆみを緩和する方法として，保湿剤のほか，掻破により湿疹化している場合はステロイド外用薬を使用するが，長期間使用すると皮膚萎縮や毛細血管の拡張，真菌症を併発しやすいことも考慮し使用する．

　かゆみは夜間に強くなっていることから，就寝時間などを考慮して抗ヒスタミン薬の投与を行い，かゆみを緩和させる．皮膚温が上昇し，かゆみを誘発していることも考えられ，かゆみの部位を冷却，温湿度調整し入眠環境を整える．睡眠薬が処方される場合もあるが，高齢者であることから転倒・転落への注意が必要である．掻破痕が認められることから，末梢神経の損傷によりかゆみが増強すること，皮膚バリア機能の破綻から二次感染を起こす可能性もあり，皮膚損傷・二次感染予防として掻破を予防する方法も必要である．

Ⅳ-7　痛　み

演習⑦　[▶ p.230]

問1▶への視点

　痛みの強度やタイプ，部位，日中の変動，痛みによる影響などについて情報収集する．腰痛の原因について，カルテや患者自身からも情報収集する．また，患者の言葉からの情報収集と同時に，表情や態度，声の様子などにも注意を向ける．看護師の手を煩わせたくないという思いから痛みを訴えない可能性があることを理解する．

問2▶への視点

　鎮痛薬等の薬物療法が適応されている場合には，正しく服用できているか，副作用がないか確認する．非薬物療法であるマッサージや温罨法の実施を検討する．慢性的に持続する体の痛みに対し，今まで患者自身が行ってきたセルフケア内容を患者とともに吟味し実施する．安静臥床による筋力低下の悪影響について，患者と話しあう．

Ⅳ-8　褥瘡

演習⑧ [▶ p.249]

問1　への視点

褥瘡のできた場所，患者背景などを考慮して，発生原因を推定することが，その後の治療，予防に重要である。この事例の場合，畳の日常的使用自体が問題ではない。畳の上に臥床することに加え，患者の状態が変化したことが褥瘡発生の要因となっている。

問2　への視点

高齢者の場合，ドライヤーでの乾燥や円座の使用など，旧来の誤った知識をもとに介護を提供する場合が往々にしてある。この患者は，炎症期が過ぎ，表皮形成が開始しているため，消毒の使用は不必要である。十分に体圧を低減させたうえで，褥瘡周囲皮膚を清潔にし，創部を湿潤環境に保つことが治癒促進につながる。

Ⅳ-9　尿失禁

演習⑨ [▶ p.259]

問1　への視点

糖尿病で足病変があることから，神経障害や血管の変化が全身性に生じている可能性がある。また，血糖コントロールがうまくできていない場合は，浸透圧の働きで尿量が変化する。このような疾患の病態から，排尿にどう影響が現れるかを考えてみる。また，足病変があることや，かろうじて伝い歩きができる程度の活動度から，排泄行為にどのような問題が生じるかを検討する。さらに，中腰で尿がもれ出る尿失禁のタイプとはどのようなものかを考えてみる。

問2　への視点

問1で挙げた原因に対して，それぞれの状態を確認するために，何をアセスメントをすべきか考えてみる。たとえば，この女性の尿失禁のタイプを判断するためには，どのような追加情報が必要か，どうすればその情報が得られるかを考えてみる。

問3　への視点

高齢者の尿失禁は，病態や生活の状況によって関連する要因がさまざまであり，ケアの焦点も往々にして多くなる。このため，ケアを計画するときには，優先順位を考慮する必要がある。この事例ではまず，この女性が排泄行為をかろうじて自立させる力を維持していることをふまえて，ケアの方向性を考えてみる。また，水分出納バランスの崩れは何を意味しているか，排尿に対してどのような影響があるか，検討する。この女性の排尿状況から生じる二次的な健康の問題について，どのようなリスクがあり，どのように回避できるかを考えてみる。

Ⅳ-10　便秘・下痢

演習⑩ [▶ p.269]

問1　への視点

現在の食事形態，食事・水分摂取量，腹部の状態，活動量，環境などから，便秘と判断してよいかをアセスメントする。それと同時に，術後3日目に浣腸した際の便性状から，本日もこのまま浣腸を行う必要があるかも考える。

問2　への視点

便秘は，ストレスや睡眠不足，生活リズム，現在の排便に満足できているかどうかなどの主観も重要である。加えて，実際に腹部の観察を行い，総合的に判断する必要がある。また術後であり，創痛が活動制限をまねいていないか，総室でのポータブルトイレ使用による気兼ねや，これによる経口摂取量の制限をまねいていないかも重要な視点である。

問3　への視点

患者の排便に対する思い，どのようにすれば快便に導けるかを一緒に考えながら，まずは食事・水分摂取量を増やし，活動量を上げ，安心して排便できる環境を整える。

Ⅳ-11　不　眠

演習⑪ [▶ p.280]

問1　への視点

まず患者の心配・不安に共感する声かけが大切である。乳房を切除することへの不安，女性としての悲しみに共感する。その後に不眠の程度，原因を査定する問いかけをする。

問2　への視点

睡眠薬の効果と副作用をよく説明する。とくに高齢者は副作用に注意する必要があることを伝える。患者の側に看護師がいることを伝え心配や不安を緩和するような働きかけを行う。規則的な生活，運動，リラクセーション，食事，認知行動的対処法などについて説明し看護介入を行いながら患者の気持ちが安定することを目指すことが重要である。

演習⑫ [▶ p.281]

問1　への視点

患者が主張する「今」を否定しない。考え・気分を変える声かけをする。必要に応じて衣服を着替えてもらう。

問2　への視点

規則的な生活，日中の活動量，日中の日光照射，興味ある活動の提供，日中の睡眠を防ぐような看護が大切である。

Ⅳ-12　う　つ

演習⑬ [▶ p.291]

問1　への視点

高齢期におけるうつ病の発生機序については諸説あり，必ずしもいまだ十分確立しているとはいえないが，この事例において考えうる発生要因（危険因子）については，生理的，身体的，心理的，社会的要因（定年，引

退，配偶者や身近な人との死別などのライフイベントや近隣との関係の希薄さ）が複合的に関連している可能性が考えられる．

問2 への視点

この事例におけるうつの二次予防上，必要なケアの留意点については，①薬物療法，②精神療法，ならびに効果をより確実にするための③環境調整，の3つが考えられる（p.289 参照）．また，これらをしばしば併用することで効果を得る．うつ病に用いられる主要な薬剤，プログラムならびに環境調整の具体策については，対象に応じて適切に選択する必要がある．

Ⅳ-13 寝たきり

演習⑭ [▶ p.302]

問1 への視点

寝たきりの発生要因には身体的，心理的，環境，社会的要因が作用する．身体的要因として，加齢や体型，うっ血性心不全に伴う症状，内服薬の作用と副作用，過度の安静より生じた活動性の低下などを判断する．心理的要因として，社会的役割や活動意欲を推測する．環境要因は屋内の段差や階段，照明，手すりの有無，気温，気候が関係する．社会的要因は他者とのコミュニケーションや関心，家族関係などが影響する．それらを総合的にアセスメントする．

問2 への視点

1日のほとんどを屋内で過ごし，生活行動範囲が縮小しており，閉じこもり症候群となっている．また，うっ血性心不全による体力の低下，下肢筋肉群の萎縮・易疲労感・低栄養状態が，活動に影響を与える．加えて，転倒後の関節の痛みによる苦痛や転倒経験による転倒恐怖が，不活動を助長させている．寝たきりのリスクが相互作用や悪循環をまねいていないか，日常生活の自立度や移動能力，自発性をアセスメントし，心肺機能の低下や合併症の発症について考察する必要がある．

Ⅳ-14 せん妄

演習⑮ [▶ p.309]

問1 への視点

現在，脳血管障害後遺症のため右片麻痺があり，思うように動けない状態である．せん妄の誘発因子として，日中は活動性が低下しており，1日のほとんどを臥床して過ごし，環境も個室で周囲から受ける刺激が少ない（感覚遮断）状態であることが考えられる．また，胃チューブやオムツなどを外そうとしたり，左上下肢の運動が活発であったりすることから，身体拘束が行われていることに対して心理的ストレスがあることも考えられる．

問2 への視点

現在，昼夜逆転の状態で，活動と休息のバランスが崩れていることが考えられ，このまません妄が続くことにより，さらに体力を消耗し，廃用症候群が進む危険性が

ある．医療処置（胃チューブなど）や身体拘束による精神的苦痛があることが考えられ，左半身が過活発なことから皮膚の損傷，ベッドからの転落のおそれもある．そのため，日中の活動性を高め，心理的ストレスを緩和し（車椅子で過ごす時間を延長する，散歩など気分転換をはかる），身体拘束を外すための検討を行い，また嚥下状態を評価するとともに経管栄養を中止して直接口から摂食することができないか，医師・言語聴覚士と連携しながら検討する必要がある．

Ⅳ-15 転倒

演習⑯ [▶ p.321]

問1 への視点

最近の転倒経験があることから再転倒のリスクは高く，さらに，高齢・女性・BMIは17.6（18.5 未満は低体重）であり，転倒した場合は骨折のリスク（p.327 参照）がある．また，入院当日の不慣れな環境に加えて床上に制限された環境であり，せん妄出現（とくに夜間）の可能性がある．さらに，バルーン留置されているが夜間頻尿があり，覚醒が不十分な状態で，トイレに行こうとする可能性がある．

ケアのポイントは，以下のように考えられる．

・現状の理解・不安の軽減をはかる：現在の状況（心不全治療のために入院・安静が必要であること）について納得のいく説明を行う．また，頻回に訪室して声かけを行う

・安楽に過ごせる工夫をする：ADL援助，適切にナースコールを活用できるようにする

・排泄援助：排泄について説明し，勘違いしてトイレに行くことがないように，見守りや声かけを行う．夜間も排泄パターンに沿って行動を観察する

・せん妄の早期発見・対処：せん妄の出現がないか観察し，出現時は早期に対処する

問2 への視点

安静による筋力低下と起立性低血圧の可能性があるが，入院前の生活と同じ感覚で行動して転倒する可能性がある．また，入院時から変わらず，最近の転倒経験から再転倒のリスク，また骨折の危険因子（高齢・女性・BMI 17.6 [18.5 未満は低体重]，p.327 参照）をもつため，転倒時は骨折リスクが高い．

Ⅳ-16 骨折

演習⑰ [▶ p.330]

問1 への視点

骨折（大腿骨頸部骨折および身長低下から推測される椎体骨折）の既往から，骨粗鬆症と考えられるため，再骨折のリスクは高い．ほかに，高齢，女性，エストロゲンの欠乏，低体重（BMI 17.5であり，18.5 未満は低体重である），食事（カルシウム，たんぱく質の摂取不足），運動不足が骨折の危険因子として挙げられる．

問2 **への視点**

　患者教育の目標は再骨折予防である．患者教育のポイントは，まず自らの骨折の危険因子およびセルフケアによってリスク軽減の可能性がある因子を理解することである．さらに，リスク軽減を目指した行動変容と環境調整である．行動変容の中心は，カルシウムとたんぱく質摂取を中心とした食生活の改善と適切な運動習慣の獲得である．環境調整では，転倒予防のための住環境の見直しおよび適宜改善が挙げられる．実際の患者教育では，骨折への関心，骨折リスクに関する知識，大腿骨頸部骨折への思い（不安など），これまでの生活状況，リハビリテーションのゴール（歩行の再獲得，入院前の生活との比較），今後の生活に対する希望を把握し，医師，理学療法士，栄養士らと協働し，本人とともに具体的で実現可能な退院後の生活について考えることが重要である．

Ⅳ-17　感染症

演習⑱ ［▶ p.342]

問1 **への視点**

　微熱や元気がない原因を探索するために，呼吸状態や口腔・嚥下機能，食事摂取量や飲水量，体重の推移などを確認する．体温や酸素飽和度の変化に加え，誤嚥性肺炎を起こしやすい肺下葉の異常呼吸音の観察はとくに重要である．加えて尿路感染などほかの原因についても評価する．

問2 **への視点**

　標準予防策に加え，飛沫感染を予防するためにサージカルマスクなどを着用してケアする．また，発熱，酸素飽和度の低下，異常呼吸音などが観察される場合は，適切な診断治療が受けられるように対応する．ふだんから治療が必要な場合の対応について本人，家族の意向を確認しておく必要がある．

問3 **への視点**

　口腔・嚥下機能に適した食形態に調整し，適切な水分と栄養が摂取でき，活動性が高められるようにする．また，口腔を衛生的に保ち乾燥を防ぎながら，スクイージングなどを取り入れて肺の換気状態の改善をはかっていく．

練習問題　解答と解説

Ⅲ-1　呼　吸

Q1 ▶ 解答 **1, 5** [▶ p.41]

　肺の弾性・収縮力は加齢とともに減少するため，肺活量，1秒率，最大換気量は低下する．また，気管支の萎縮や肺胞内の気道にも形態的変化を生じ，咳嗽反応の低下，気管支線毛運動の低下などが起こり，クリアランス機能が低下する．

Ⅲ-2　循　環

Q2 ▶ 解答 **2** [▶ p.54]

　副交感神経が興奮すると，心拍出量は減少し血管も弛緩するため，収縮期血圧は低下する．循環血液量が減少すると心拍出量は減少するため，収縮期血圧は低下する．血液の粘稠度が低下すると，血液は流れやすくなり抵抗性も低下するため，収縮期血圧は低下する．

Ⅲ-3　食　事

Q3 ▶ 解答 **4, 5** [▶ p.64]

　加齢とともに，唾液の量が減少する．胃粘膜は加齢により萎縮するため，胃酸分泌量が減少する．また，胆汁酸や膵液の分泌量が減少するため，脂肪や糖の分解機能が低下する．大腸では一般的に腸の蠕動運動が低下し，便秘を生じやすくなる．肝臓の重量は減少するため，肝機能の低下が認められる．

Ⅲ-4　排　泄

Q4 ▶ 解答 **2** [▶ p.83]

　残尿量は，加齢に伴って増加する傾向がみられる．高齢者によく使われる抗コリン作用をもつ薬は，排出機能障害の原因になる．膀胱の知覚は加齢に伴って過敏になり，膀胱の知覚過敏や排尿筋過活動によって突然の尿意が生じるため，外出や社会活動に大きく影響する．

Q5 ▶ 解答 **2** [▶ p.83]

　加齢に伴い，肛門管は拡張する傾向がある．抗菌薬の継続使用は，腸内で菌交代現象を起こし，腸内細菌叢のバランスを崩すために下痢が生じる．高齢者によく使われる抗コリン作用がある薬は，便秘の要因になる．

Ⅲ-5　動作と移動

Q6 ▶ 解答 **3, 4** [▶ p.96]

　加齢とともに骨吸収が骨形成を上回るようになるため，骨量は減少し，骨密度は低下する．また，筋線維も加齢により結合組織となり硬化する．加齢による関節の変形や関節軟骨の変性などにより関節痛を伴い，関節可動域は小さくなる．

Ⅲ-6　睡　眠

Q7 ▶ 解答 **2** [▶ p.107]

　睡眠効率とは，総就寝時間における実際の睡眠時間の割合で，睡眠の質の評価に影響を及ぼす．成人の睡眠効率は80〜95％であるのに対し，高齢者では約70％である．

Q8 ▶ 解答 **4** [▶ p.107]

　加齢によって睡眠サイクルの前進がみられる．睡眠パターンとは睡眠時間の量，通常の就寝時間と起床時間を意味する．睡眠サイクルは4段階のノンレム睡眠と1段階のレム睡眠からなる．高血圧による睡眠への影響としては早朝覚醒が挙げられる．

Ⅲ-7　体　温

Q9 ▶ 解答 **1, 3** [▶ p.114]

　加齢により，平均体温の低下，概日リズムの位相の前進と振幅低下が引き起こされる．また，高齢者は若年者と比べて，自らの身体に適切な気温（室温）を認知する能力が弱いことが知られている．るいそうでは保温に有効な皮下脂肪が顕著に減少し，熱伝導が小さいため，体温が低下しやすい．

Ⅲ-8　清　潔

Q10 ▶ 解答 **1, 2** [▶ p.124]

　高齢者の皮膚の清潔行動は，加齢による皮膚機能低下を前提として行う必要があり，さらに機能低下をまねくことは避けるべきである．ナイロン製のタオルを使用して皮膚洗浄を行うと皮膚を強く擦ることになり，角質がはがれるなどのダメージを生じる．また高温での入浴では，皮脂が取れ過ぎ，皮膚が乾燥し，瘙痒感から掻いてしまい皮膚損傷をまねくためすすめられない．

Ⅲ-9　コミュニケーション

Q11 ▶ 解答 **3** [▶ p.135]

　コミュニケーションには，表情・身振り・動作などの非言語的な手段もある．加齢による視覚・聴覚などの感覚機能の低下，判断能力の低下などはコミュニケーションを妨げる要因となる．看護師の説明が理解できず，誤った判断・行為をすることがあるため，高齢者の看護ケア時にはコミュニケーション能力に配慮が必要である．
　新しい場面への適応や，記憶の保持・想起など情報処理能力の速さや正確さに関連する「流動性知能」は，脳の器質的変化（加齢変化）に影響を受けやすく，高齢者

は話したり，内容を理解する速度が遅くなる．時間をかけて説明することが大切である．また，高齢者の意思決定は，対象の判断力の低下がみられたとしても，本人に伝わるよう説明を工夫して行うのが倫理原則である．

Ⅲ-10　性

Q12　解答 2 ［▶ p.144］

　性の認識は，教育，文化，政治，女性の社会進出などの社会的な環境・状況に大きく影響を受ける．性ホルモンの分泌は，男性では活性型テストステロンがおおむね50歳代から，女性ではエストロゲンが閉経後に減少することがわかっている．男女間の多少の差はあれ，パートナーとの関係性，心理社会的な要因，性機能の要因などにより，男女それぞれに性的欲求の低下が起きうる．最近はLGBTQの相談窓口は増加しているが，高齢者の性の相談窓口は少ない．現在，泌尿器科外来や日本助産師会など，高齢者が性について相談できるソーシャルサポート体制は徐々に整ってきてはいるが十分とはいいがたいのが現状である．入院高齢者が身近なスタッフに性的な関心を示した場合は，現在の生活に満足していない心理的な反応ではないかととらえ，その高齢者への生活全体を見直し，関心をほかに向けるケアの視点も重要である．

Ⅳ-1　起立・歩行障害

Q13　解答 4 ［▶ p.164］

　ハムストリングスは，膝を曲げる．前脛骨筋は，つま先を上げる．大腿四頭筋は，膝を伸ばす．なおハムストリングスは大腿二頭筋，半膜様筋，半腱様筋の総称である．

Ⅳ-2　感覚機能障害

Q14　解答 2，3 ［▶ p.179］

　加齢により聴覚器官が変化し聴力低下が生じるため，完全に予防することは難しい．聴力低下により，他者との交流・コミュニケーションの減少につながる．難聴には，外耳道，鼓膜，耳小骨連鎖のいずれかの障害による伝音性難聴と，中耳，内耳，聴覚中枢路のいずれかに障害がある感音性難聴に分けられ，老人性難聴は感音性難聴である．根本的な治療法はなく，補聴器などの補助具を選択する．補聴器に対して，高齢者は否定的な思いを抱くことが多くあるため，心理的なサポートが重要である．

Ⅳ-3　摂食・嚥下障害

Q15　解答 1，3 ［▶ p.190］

　加齢による筋力低下は，喉頭の挙上をわるくし，嚥下反射のタイミングがあわないので誤嚥しやすい．また認知症によって先行期が障害される場合がある．先行期障

害は，連動するすべての過程に影響するので，摂食・嚥下障害を起こしやすい．咽頭期は，口腔内圧が高まることで嚥下反射が起こり，食塊を食道へと送り込む過程．咳嗽やむせの有無，呼吸状態の変化などを観察する．食道期は，胸やけや飲み込んだ食物の逆流がないかなどを観察する必要がある．

Ⅳ-4　脱水

Q16　解答 2，3 ［▶ p.199］

　体内の水分の予備力となる細胞内液が少ない高齢者は，脱水になりやすい．多剤併用することの多い高齢者は，アドヒアランス低下や薬物の有害作用による脱水が起こりやすいので，薬物の影響に対するアセスメントが欠かせない．絶食は嚥下および消化機能を低下させるため，可能な限り口から水分を補給する．脱水により口腔内が乾燥すれば自浄作用も低下するため，感染症のリスクが高まるので十分に口腔ケアを行う．

Ⅳ-5　低栄養

Q17　解答 1，4 ［▶ p.209］

　高齢者が低栄養になりやすい原因には，身体的要因・生活環境要因・精神的要因がある．

　高齢者は食事摂取量が減ってくるが，身体活動の低下や安静時基礎代謝が低下するため，食事摂取量低下だけでは必ずしも低栄養になるとは限らない．一方，高齢者は活動量が低下するが，炎症性疾患や悪性腫瘍，発熱などによりエネルギー消費増大を起こすことがある．

Ⅳ-6　皮膚瘙痒感

Q18　解答 2，3 ［▶ p.220］

　皮膚の加齢現象により，皮脂の分泌が減少し，角質層のセラミドが減少することで水分保持能力が低下し，皮膚が乾燥状態となる．いわゆるバリア機能が低下する．これによって外部刺激が皮膚内部に伝わりやすくなり（閾値の低下），かゆみを感じやすくなる．皮膚の瘙痒感は，四肢の伸側や側腹部，腰部に多くみられる．

Ⅳ-7　痛み

Q19　解答 4 ［▶ p.230］

　高齢者の痛みの有症率は，調査方法により異なるが，約半数以上にみられるといわれている．感覚低下もしくは感覚過敏は，神経障害性疼痛において特徴的な現象である．高齢者の慢性疼痛は原因がわからないものが多く，それへの治療は痛みの消失ではなく生活の質や日常生活動作（ADL）の向上を目標に行われる．痛みという現象は，いろいろな要因を含んでいるため，包括的なケアをさまざまな分野の専門家（医師，看護師，臨床心理士，理学療法士，薬剤師，MSW，栄養士など）が，チームとして患者を診察し，各分野の意見を統合したうえ

でチーム医療の方針を立て，患者の疼痛への治療・ケアを行う必要がある．

Ⅳ-8　褥瘡

Q20 ▶ 解答 **2，4** [▶ p.250]

DESIGN-R®2020 は褥瘡の重症度を評価するスケールである．発生リスクをアセスメントするスケールにはブレーデンスケールやK式スケールなどがある．円座は虚血を引き起こすため，褥瘡部の体圧分散目的には使用しない．マッサージは褥瘡予防に効果はない．日本褥瘡学会のガイドラインでは，とくに力強いマッサージは避けるべきである，と示されている．

Ⅳ-9　尿失禁

Q21 ▶ 解答 **3，5** [▶ p.259]

過活動膀胱に伴う尿失禁は，切迫性尿失禁である．蓄尿時に不随意に膀胱が収縮し，急に尿意が生じて起こる尿もれは，切迫性尿失禁もしくは過活動膀胱である．膀胱の機能に問題がない場合でも，手足の運動機能の低下で排泄動作や移動に時間がかかったり，認知機能の低下でトイレの場所がわからなくなって尿失禁が起きることがある（機能性尿失禁）．蓄尿障害は膀胱に尿を貯留することができず尿もれが起きる状態であり，間欠導尿の対象ではない．間欠導尿が必要となるのは，排出障害である．

Ⅳ-10　便秘・下痢

Q22 ▶ 解答 **1，5** [▶ p.270]

パーキンソン病では，腸壁内神経叢の障害による消化管運動の低下や直腸・肛門括約筋などの筋肉の動きが不十分なために症候性便秘になりやすい．腸の蠕動運動の低下による便秘は弛緩性便秘である．また，高齢者は義歯の不具合や咀嚼・嚥下機能の低下から軟らかいものを好んで摂取する．このため，便通を整える食物繊維を多く含む固い食品は回避されることが多く，便秘にいたることがある．

Ⅳ-11　不眠

Q23 ▶ 解答 **1** [▶ p.281]

高齢者の不眠に対しては，まず規則的な生活パターンにより適切な生活習慣を整え，睡眠リズムを調整するよう支援することが大切である．

Q24 ▶ 解答 **3** [▶ p.281]

高齢者の睡眠の特徴として，入眠困難，中途覚醒，レム睡眠の短縮化がみられる．その結果として，眠りが浅くなり，夜中に覚醒しやすくなり熟眠感が得られにくく，不眠の症状となる．

Ⅳ-12　うつ

Q25 ▶ 解答 **4** [▶ p.292]

インターフェロンによる精神神経症状のなかでもっともよくみられるのは抑うつであり，きわめて多彩な症状（不眠，不安，幻覚など）が生じる．

Ⅳ-13　寝たきり

Q26 ▶ 解答 **1，4** [▶ p.302]

長期臥床により，自律神経活動が低下し，生活リズムの乱れや昼夜逆転，睡眠障害が起こる．寝たきりの最大原因は脳卒中である．寝たきりは発症後の回復が可能であるが，身体的な廃用性萎縮は不活動の1日目から生じるため，日々の適切なADL訓練により，残存機能の向上と日常生活動作に必要な筋力の獲得を目指すことが重要である．認知症は，活動性の低下をまねき，重症化により言語能力の低下や運動機能の障害が生じ，臥床がちとなる．

Ⅳ-14　せん妄

Q27 ▶ 解答 **3，4** [▶ p.310]

せん妄は急性，しばしば亜急性に短期間出現し，症状の日内変動がある．また認知機能障害として，短期記憶の障害を伴う．

Ⅳ-15　転倒

Q28 ▶ 解答 **1，5** [▶ p.322]

転倒に対する恐怖心は閉じこもりや廃用症候群につながり，ADLの低下をもたらす．せん妄では，点滴などのルート類を装着したまま歩行することもあるため，転倒の危険性はきわめて高い．また，脳梗塞では，麻痺などの歩行異常や半側空間無視などをきたすため，転倒の危険性がある．転倒予防のための環境整備は非常に大切なケアの1つである．ベッドの高さはマットレスの縁に膝を曲げて腰かけたときに両足の踵がちょうど着くくらいが，安定性があるためよいとされている．

Ⅳ-16　骨折

Q29 ▶ 解答 **1，3** [▶ p.330]

高齢者の骨折の多くは屋内歩行中につまづいて転ぶなど軽微な外力によって発生した脆弱性骨折であり，好発部位は，椎体，大腿骨近位部，上腕骨近位部，橈骨遠位端である．骨折の主要な原因は骨粗鬆症である．高齢者の大腿骨近位部骨折の治療について，保存治療では肺炎，認知症，廃用症候群などを併発する可能性が高いため，多くの場合，受傷後早期に手術療法が選択される．骨折予防の中心は適切な運動と食事であり，運動強度は一律に後期高齢者で決められることはなく，個人の骨折リスク（骨粗鬆症の程度や骨折の危険因子）に応じて決

められる.

Ⅳ-17　感染症

Q30 ▶ 解答 3 [▶ p.343]

ノロウイルスに汚染された環境や吐物・排泄物はただちに次亜塩素酸ナトリウムを用いて消毒する. その際, 標準予防策に接触予防策を加えグローブやガウンを装着する. 現在, 有効なワクチンはないため, 流水石けん手洗いによる感染予防が重要である.

Ⅴ-1　急性期の看護（胃がん）

Q31 ▶ 解答 2, 3 [▶ p.358]

術後急性期にある患者の身体症状はムーア1相により説明できるが, 術後せん妄は発症時期も症状もさまざまである. 初期症状として落ち着きのなさ, 身体に装着されている医療機器をよく触っているなどの行動に留意する. 術後せん妄にある患者は, 現在の状況を理解できず, 危険な行動を認識できないため, 術後せん妄の状態は早く察知し安全対策を講じることが必要である.

Ⅴ-2　リハビリテーション看護（大腿骨頸部骨折）

Q32 ▶ 解答 1, 3 [▶ p.370]

大腿骨頸部内側骨折は転倒直後に起立不能となり, 股関節部の疼痛が出現する. 疼痛は ADL の低下にいたることもあるため, コントロール状況を確認しながらリハビリテーション中においても鎮痛薬は使用することができる. 入院や手術などの安静に伴う廃用症候群を生じやすいため, 早期離床をはかり, ADL を拡大していく必要がある.

Q33 ▶ 解答 2, 5 [▶ p.370]

骨粗鬆症は, 破骨細胞による骨吸収が増加した場合, もしくは骨芽細胞による骨形成が減少した場合に生じる. また, 骨量が減少し, 骨の微細構造が劣化したために, 骨がもろくなっており, 軽微な外力でも骨折しやすい. 椎体に圧迫骨折を生じた場合, 脊柱の後彎が起こり, 身長は短縮するが, 骨の構造変化により身長が伸びることはない. 骨粗鬆症により血清カルシウム値が低下することはなく, 正常範囲内である.

Ⅴ-3　慢性期の看護（慢性閉塞性肺疾患）

Q34 ▶ 解答 1, 3 [▶ p.383]

感染は COPD を増悪させるため, 予防が重要である. 口すぼめ呼吸は, 呼気時に口をすぼめることで気道に予備圧力を生じさせ気道を広く保てるようになる. 起坐位により, 静脈還流が減少し, 肺静脈, 肺毛細血管圧が低下するため, 肺は膨らみやすくなる. 痰の粘度を減らすために, 水分は心臓疾患の合併がなければ多めに摂る

ことが望ましい. 喫煙歴のない COPD はまれである.

Ⅴ-4　慢性期の看護（慢性心不全）

Q35 ▶ 解答 1, 2 [▶ p.394]

右心室のポンプ機能の低下により, 右心房や体循環の静脈系に血液のうっ滞が起こり, 頸静脈怒張や下肢浮腫, 腹水や肝腫大の症状が出現する. 腸管の浮腫は食欲不振につながる. 左心室のポンプ失調から, 心拍出量低下により, 血圧低下, 頻脈, チアノーゼや全身倦怠感, 四肢冷感などの症状をもたらす.

Q36 ▶ 解答 4 [▶ p.394]

個人差はあるものの, 数日間で 2 kg 以上の体重増加は注意が必要である. 増悪の早期発見には, 体重や血圧の測定を毎日同じ時間に行い, 習慣化できるように支援していくことが大切である. 塩分制限の目安として 1 日 6 g 以内が適切であるが, 重症例では, さらに厳しい塩分制限が行われる場合がある. 高齢者では食欲不振の原因になることから食事の全体の摂取量を把握していくことが大切である.

Ⅴ-5　認知機能障害の看護（アルツハイマー病）

Q37 ▶ [▶ p.410]

[問1] 解答 4

アルツハイマー病は日本における認知症の原因としてもっとも多く, 糖尿病などの生活習慣病との関連のほか, 遺伝的要因が特定されている. 画像診断では, 脳萎縮がみられる.

[問2] 解答 3

この男性は運動機能に障害があるわけではなく, 方法がわかれば自分で行うことができる. そのため全介助とする必要はない. 方法の説明では, 一度に多くの情報を理解することは困難であるため, 一連の流れを説明するのではなく, 1つひとつの動作を確認しながら説明することが大切である. 向かい合って, ボタンを留める行為は視覚的に理解でき, 適切である. なお, 間違いを注意されることは, 漠然とした不安を生じ, 情緒不安定になることがあるため適切とはいえない.

[問3] 解答 2

認知症による見当識障害, 判断力の低下, 記憶障害などにより, 事実の誤認や他者への影響について説明されても理解できないと考えられる. 一緒に歩き, 気分転換と疲労が出たところで臥床を促すのは適切な対応であると考えられる. なお, 施錠は身体拘束であり, 好ましい対応ではない.

Ⅴ-6　緩和ケア（大腸がん）

Q38 ▶ 解答 4, 5 [▶ p.422]

緩和ケアは, がんと診断されたときから行われて最期

のときを迎える終末期までを包括する医療であり，高齢者だけでなくその家族も看護の対象者となる．がん患者のもつ苦痛には，身体的・心理的・社会的・スピリチュアルな苦痛がある．放射線療法には，症状緩和や延命を目的とした緩和的放射線療法がある．

V-7　パーキンソン病の看護

Q39 ▶ **解答 4，5** [▶ p.434]

　パーキンソン病はドパミンの産生低下によって生じる錐体外路系の疾患である．自律神経障害により消化管運動は低下する．振戦は精神的緊張によって誘発または増強するが，睡眠中は消失する．

V-8　薬物療法を受ける高齢者の看護

Q40 ▶ **解答 4** [▶ p.446]

　薬は血液中ではアルブミンと結合し，結合していない遊離型が薬効を示す．高齢者や低栄養状態では血液中のアルブミンが通常より減少しており遊離型薬物が増加してしまい，薬の作用が増強してしまう可能性がある．他の血液検査値は薬効に関与しない．

Q41 ▶ **解答 2** [▶ p.446]

　高齢者の薬物有害事象予防の基本チェック事項については p.436 参照．

　有害事象の予防として，身長，1 日の運動量，睡眠時間，排便回数といった詳細まで確認することは一般的に行われていない．

索　引

看護学テキスト NiCE

老年看護学技術（改訂第4版）　最後までその人らしく生きることを支援する

2011 年 6 月 25 日	第 1 版第 1 刷発行	編集者 真田弘美，正木治恵
2016 年 9 月 5 日	第 2 版第 1 刷発行	発行者 小立健太
2020 年 3 月 5 日	第 3 版第 1 刷発行	発行所 株式会社 南 江 堂
2022 年 1 月 20 日	第 3 版第 3 刷発行	☎113-8410 東京都文京区本郷三丁目 42 番 6 号
2023 年 3 月 25 日	第 4 版第 1 刷発行	☎(出版) 03-3811-7189　(営業) 03-3811-7239
2024 年 2 月 10 日	第 4 版第 2 刷発行	ホームページ https://www.nankodo.co.jp/

印刷・製本 横山印刷

Ⓒ Nankodo Co., Ltd., 2023

定価は表紙に表示してあります.
落丁・乱丁の場合はお取り替えいたします.
ご意見・お問い合わせはホームページまでお寄せください.

Printed and Bound in Japan
ISBN 978-4-524-23317-5